D0540271

LA FRANCE ET L'AFRIQUE

Collection « Hommes et Sociétés »

Conseil scientifique : Jean-François BAYART (CERI-CNRS), Jean-Pierre CHRÉTIEN (CRA-CNRS), Jean COPANS (EHESS), Georges COURADE (MSA, ORSTOM), Henry TOURNEUX (LACITO-CNRS, ORSTOM).

© Éditions KARTHALA, 1993
ISBN : 2-86537-403-3

WA 1138452 2

SOUS LA DIRECTION DE

Serge Michaïlof

ONE WEEK COLLECTION
UNIVERSITY OF GLAMORGAN
LEARNING RESOURCES CENTRE

Pontypridd, Mid Glamorgan, CF37 1DL
Telephone: Pontypridd (01443) 482624
Books are to be returned on or before the last date below

La

Vad

Editions KARTHALA
22-24, boulevard Arago
75013 - Paris

11384522

MIEUX AIDER LE SUD est une association loi 1901 dont le but est d'obtenir une réorientation de l'aide publique en vue d'une meilleure efficacité dans la lutte contre la pauvreté, par une action sur l'opinion et auprès des responsables politiques. Le comité d'action de MIEUX AIDER LE SUD comprend les personnalités suivantes : Elisabeth Badinter, Philippe Blime, Sylvie Brunel, Jean Daniel, Jean-Pierre Elkabach, Bernard Esambert, André Fontaine, Françoise Giroud, Jacques Julliard, René Lenoir, Jean d'Ormesson, Jean-François Revel, Marc Ulmann.

POUR UN NOUVEAU DIALOGUE AVEC L'AFRIQUE est une association loi 1901 dont le but est de contribuer à la réflexion sur le développement de l'Afrique au sud du Sahara, sur l'appui que la France peut y apporter, et d'instaurer un nouveau dialogue avec les élites africaines. Le bureau de l'association est composé de : Jacques Giri, Serge Michaïlof, Michel Griffon, Philippe Blime, Jean-François Bayart.

Avant-propos

Le pessimisme à l'égard de l'Afrique au sud du Sahara et de la coopération française se généralise. L'une serait en perdition, l'autre gaspillerait l'argent des contribuables... Qu'en est-il réellement ?

Face à la multiplication des crises en Afrique, Mme *Edwige Avice, prenant ses fonctions de ministre de la Coopération et du Développement, a souhaité disposer d'un avis indépendant sur la situation du continent et sur l'efficacité de la coopération française. Elle a pour cela demandé à Serge Michaïlof, homme de terrain mais aussi de conviction, de constituer et piloter un groupe de travail pluridisciplinaire.*

Ce groupe de réflexion, composé d'une trentaine de personnalités venant d'horizons très divers (chefs d'entreprise, universitaires, chercheurs, journalistes, consultants, responsables d'ONG, hauts fonctionnaires, élus) ayant toutes une connaissance de l'Afrique et attachées à ce continent, s'est régulièrement réuni, d'octobre 1991 à juillet 1992, encouragé dans la poursuite de ses travaux par M. Marcel Debarge, successeur de Mme *Avice.*

Invitant lors de ses séances de travail des spécialistes réputés, cette équipe a tenté de répondre de façon claire, sans a priori, sans complaisance et sans tabous à des questions qui ne sont pas simples : pourquoi l'industrie régresse-t-elle au sud du Sahara et cette évolution est-elle réversible ? Pourquoi l'agriculture stagne-t-elle ? Pourquoi l'ajustement structurel si douloureux a-t-il été si peu efficace ? Une éducation pour tous est-elle un rêve inaccessible ? L'intégration régionale tant vantée est-elle une solution aux problèmes du continent ? Notre coopération n'oublie-t-elle pas les plus déshérités ? Où va l'Afrique qui semble à la dérive avec une économie stagnante, une prodigieuse croissance démographique et des crises sociales et politiques qui vont en s'aggravant ? Que fait, dans ce contexte préoccupant, notre coopération ? Contribue-t-elle à enfoncer le continent ou à le faire émerger ? Faut-il abandonner l'Afrique à ses démons ou peut-on l'aider ? Avec ou sans conditions ?

Comment aider les plus pauvres ? Faut-il recoloniser ce continent pour le sauver comme en Somalie, recoloniser au moins ses institutions en faillite, ou laisser les Africains face à leurs responsabilités ?

Les réponses apportées à ces questions ne proposent pas de solution-miracle, mais elles constituent un exceptionnel état des lieux sur l'Afrique, sur la coopération internationale et sur la nôtre en particulier. Elles permettent de dire : non, la situation de l'Afrique n'est pas désespérée, comme le prétendent certains, mais elle est grave. Non, la crise des matières premières, certes lourde de conséquences, n'explique pas à elle seule le non-développement d'une Afrique qui dispose d'hommes, de ressources naturelles, d'infrastructures, de capacités de mobilisation des capitaux qui, bien employés, lui permettraient de prendre le chemin de la croissance. Non, l'aide française n'est pas intégralement gaspillée mais, après plus de trois décennies marquées par la continuité, il est grand temps de la revoir de fond en comble et de redéfinir nos rapports avec l'Afrique.

Les réponses à ces questions interpellent les responsables de la politique africaine de la France, ainsi que tous les Français, contribuables soucieux de l'usage qui est fait de leur argent, citoyens épris de solidarité et préoccupés par le continent voisin qui s'enfonce dans la misère.

Ces réponses interpellent enfin les Africains et d'abord la nouvelle génération des élites qui feront l'Afrique de demain. Elles constituent à cet égard la première manifestation d'un nouveau dialogue avec l'Afrique, un dialogue libre, un dialogue qui stimulera une réflexion africaine que l'on voit aujourd'hui émerger et qui demain devra sortir l'Afrique de l'ornière.

La poussière de l'oubli a vite recouvert les réflexions, plus ou moins analogues à celle-ci, conduites depuis trente ans à la demande des pouvoirs publics. Pour éviter que ces interpellations dérangeantes ne soient à leur tour trop vite recouvertes par la même poussière épaisse, deux associations, libres de toute attache politique, confessionnelle ou idéologique et dont les titres disent clairement l'objet : « Mieux aider le Sud » et « Pour un nouveau dialogue avec l'Afrique », ont décidé de reprendre et de poursuivre la démarche du groupe de travail piloté par Serge Michaïlof et d'en publier les résultats à l'attention d'une audience plus vaste.

Tel est l'objet de l'ouvrage collectif qui vous est proposé.

Philippe Blime, « Mieux aider le Sud »
Jacques Giri, « Pour un nouveau dialogue avec l'Afrique »

PRÉFACE

Le pourquoi et le comment

par Edwige AVICE

Tous ceux qui aiment sincèrement l'Afrique voient s'approcher le XXIe siècle avec inquiétude : les crises récurrentes, les indicateurs économiques au plus bas, la démographie qui dépasse de loin la croissance, les phénomènes politiques et sociaux, le réveil religieux, dessinent les traits d'un continent malheureux, que la communauté internationale fataliste, déclare trop volontiers privé d'avenir.

Par un curieux masochisme, beaucoup de développeurs s'attardent sur une situation d'échec... sur leur échec. Les Africains ne seraient-ils finalement que de mauvais élèves, refusant les objurgations et les conseils ? Et l'Afrique vouée aux ornières s'enliserait, ou, pire, repartirait en marche arrière.

Quand on n'accepte pas la facilité intellectuelle d'une analyse aussi générale qui ignore la diversité des pays et des situations, quand on recherche une approche objective qui ferait la part des réussites et des erreurs, quand on souligne le mouvement profond qui anime partout les sociétés africaines, cette démarche non catastrophiste ne reçoit guère d'encouragement.

La vérité oblige à dire qu'en dehors des administrations spécialisées, de moins en moins de décideurs, penseurs et aménageurs s'intéressent à ce continent, dont les médias véhiculent les images négatives. Il faut, même en France, renouer patiemment les fils, pour réunir, au-delà des circuits habituels de la coopération, les individus qui, en ordre dispersé, ont tenté de mener une réflexion prospective.

La plus grande difficulté qui attend en chemin l'esprit téméraire, désireux de sortir des sentiers battus, réside dans l'ambiguïté de la relation franco-africaine. Cette relation n'a jamais pu être banalisée, elle est de nature passionnelle.

En France les attitudes hésitent entre la tentation d'un maternage prolongé, justifié par le colonialisme, qui maintiendrait sous forme alimentaire une influence et une présence, et l'incitation volontariste à un passage à l'âge adulte, qui peut libérer contre nous bien des ressentiments et des ingratitudes. L'opinion publique ne nous aide guère dans ce débat, qu'elle n'aborde que sous l'angle migratoire, trop occupée qu'elle est de ses voisins européens. Au point que la réflexion africaniste est aujourd'hui réduite à quelques spécialistes.

En Afrique, les relations avec la France ont besoin de sortir des stéréotypes et d'être actualisées. L'ambiguïté est la règle. C'est la ligne de défense des pays assistés. A côté de certains appels sincères à la démocratie et au développement, on joue de notre mauvaise conscience et de notre orgueil culturel de pays uni depuis longtemps. On nous prend au piège de nos modèles, ou plutôt à certains de leurs avatars que sont la démocratie formelle et l'aide sociale généralisée.

Nous avons tort d'oublier cette vieille loi qui veut que l'on n'aime guère être l'obligé de quelqu'un. Les nouvelles générations, en Afrique, risquent de nous le rappeler sévèrement. Déjà, on perçoit à travers des indices qui ne trompent guère, un durcissement des attitudes. Les difficultés et les procès d'intention que nous essuyons ça et là, alors que nous sommes le seul pays au monde à aider autant l'Afrique, méritent mieux qu'une lecture polémique. Elles sont moins le résultat d'engagements que nous n'aurions pas tenus, que le mécontentement et l'impatience de ne pas nous voir réagir à la demande, une fois que les formes sont sauves. Et nous voici appelés à la rescousse, par des majorités, des minorités ou des clans, au risque de couper court à toutes les négociations internes sans lesquelles une société ne peut vivre. A peine prononcé, le discours de La Baule a donné lieu à une lecture africaine, qui a parfois oublié l'esprit et la lettre, et retenu sa propre exégèse, à savoir « la prime à la démocratie ».

Essayons de dépasser les comportements convenus et d'analyser, en évitant de tomber dans la naïveté, le cynisme et la mauvaise conscience, le choc qui existe en Afrique, entre une réalité problématique et un mouvement qui cherche, même de manière désordonnée, à sortir des schémas anciens. Il ne s'agit pas d'oublier l'histoire d'un continent, sa mémoire, ses cicatrices, ses cultures, son irrationnel, sa pauvreté et ses retards, qui sont des données incontournables. Mais déjà, l'avenir se dessine à travers des phénomènes qu'il faut savoir comprendre, et où l'imaginaire a aussi sa place.

Le mouvement naît, en Afrique, de la démographie, de la contestation, et de l'espoir en une vie plus digne. Il résulte tout d'abord d'un phénomène de générations. Partout les jeunes, très majoritaires, veulent exister et vivre mieux. Ils ne cherchent plus autant que leurs aînés à se protéger contre les calamités et la précarité, par le respect sacré de ce qui peut survivre : la famille, les traditions et les pouvoirs durables. La contestation vient d'élites de plus en plus nombreuses et formées, dont les ambitions s'aiguisent et qui cherchent à investir l'État, trop souvent considéré comme l'unique source de réussite. Enfin, des intellectuels, des créateurs, des bâtisseurs — quelquefois vite déçus — se mettent à espérer dans une dignité retrouvée, et refusent le complexe d'échec, comme les comportements d'assistance.

Dans ce bouillonnement, il n'est pas simple de tracer un chemin. Le groupe de travail qui s'est réuni, piloté par un praticien du développement, Serge Michaïlof, homme de conviction qui a une très longue expérience africaine, a voulu ouvrir pour l'action future un certain nombre de pistes, et il en a, nécessairement, fermé en route quelques autres qu'il jugeait sans issue. En permettant un échange de vues sans concessions, à des gens de terrain, des économistes, des associations, des universitaires, des entreprises, des journalistes, il a le grand mérite d'avoir accompli une démarche pluridisciplinaire sur les réalités africaines. Sans doute s'agit-il d'abord d'une série d'éclairages, de coups de projecteurs, qui donnent plus l'impression d'une mosaïque que d'une thèse trop générale. Les rédacteurs ont été conscients de la diversité de leur sujet. Ils n'ont pas prétendu asséner un cours magistral à un continent qui en a déjà reçu beaucoup trop. Ce n'est pas un document à prendre ou à laisser : il est d'abord destiné à faire réfléchir.

Ce travail a le mérite de montrer, sans fard, l'état d'une approche française, dans ce domaine, sans masquer les débats qui s'imposent à ceux qui ne veulent pas faire à l'égard de l'Afrique, acte de conformisme et d'indifférence. Quel que soit le caractère provocateur, voire « décapant » des textes présentés, dont les auteurs ont, souvent, déjà eu accès aux tribunes des journaux, ils mettent les pays riches, et d'abord le nôtre, devant leurs responsabilités. Mais ce qui est plus nouveau, ils s'adressent directement aux Africains, considérés comme des partenaires dignes d'un vrai dialogue sur des questions de fond, un dialogue de considération.

L'enjeu est particulièrement grave. Si un tel débat n'est pas mené aujourd'hui, notre pays qui a tant contribué à la stabilité et au soutien économique de l'Afrique, peut être entraîné dans cette spirale internationale qui tend à remplacer les affrontements Est-Ouest par un affrontement Nord-Sud.

Deux scénarios sont devant nous, dont l'un, que ce livre développe, dit que « le pire n'est jamais sûr ». Mais nous ne pouvons être, pour autant des marchands d'illusions. L'expérience récente des bouleversements politiques survenus dans le monde, montre qu'il y a une grande tendance à l'accélération de l'histoire, dont l'Afrique ne veut pas rester à l'écart. Et cette course vers le progrès se heurte à de sérieux handicaps sur lesquels on aurait tort de fermer les yeux.

Si nous laissons évoluer les situations, sur leur ligne de plus grande pente, nos pays nantis seront cernés par la misère de nations infiniment jeunes, qui ne resteront pas longtemps sans réagir à une injustice insupportable. En Afrique montera inexorablement la revendication économique et sociale. Elle déstabilisera, par contagion, les pays les plus pauvres, les uns après les autres. Un jour, si les nations les plus riches n'investissent plus qu'en Europe, si les critères de l'attribution de l'aide internationale, se rétrécissent dangereusement, ce qui est d'ores et déjà une menace, nous aurons un réveil plus que brutal. Il faut savoir combien nous sommes parfois isolés, à vouloir maintenir une aide aux pays du champ, dont 22 sont des PMA, c'est-à-dire les plus pauvres du monde. Combien de fois n'a-t-on pas entendu, dans les bureaux des organisations internationales, des accusations de complaisance formulées contre nous et des remises en cause de la zone franc.

Dire aujourd'hui, sans cacher les problèmes, qu'un autre scénario est possible, moyennant certaines prises de conscience et certaines conditions, c'est refuser un naufrage présenté comme inéluctable ; c'est aussi s'interroger honnêtement sur les méthodes de relations avec l'Afrique et sur ce qu'on appelle un partenariat.

L'expérience internationale peut fournir d'utiles comparaisons. Si nous pouvions déjà appliquer à l'Afrique un traitement que l'on réserve au reste du monde, c'est-à-dire en commençant de voir chaque pays, dans sa diversité, en étant conscients des zones régionales, et en ne limitant pas la relation à un rapport d'État à État. La considération que l'on accorde à un pays passe d'abord par la conviction partagée qu'il est capable d'inventer ses réponses et qu'il ne les attend pas seulement de l'extérieur, quitte à souhaiter un soutien et une aide pour les appliquer.

Une telle démarche peut engendrer de nombreuses conséquences : par exemple, elle doit conduire à intégrer dans l'élaboration des politiques, les pays hors champ qui parfois influencent la vie économique de toute une zone, comme c'est le cas du Nigeria qui a plus d'habitants que l'Afrique francophone rassemblée. Elle oblige à considérer la vraie diversité de l'Afrique, on devrait d'ailleurs dire « les Afriques », et nous investit davantage dans les logiques régionales, y compris pour attirer la coopération européenne. Comment, en effet, traitera-t-on, à l'avenir, notre relation avec les pays du Maghreb ? N'y a-t-il pas aussi quelques analyses communes à faire sur les pays charnières entre l'Afrique blanche et l'Afrique noire, dont les déchirements fréquents inquiètent beaucoup leurs voisins ? Comment organisera-t-on par ailleurs nos relations avec l'Afrique australe, aux évolutions très notables et où nous sommes trop peu présents ? Enfin peut-on se satisfaire d'une échelle trop petite en enfermant chaque pays dans le jeu traditionnel de ses échanges, alors qu'il faut déjà mettre en commun les grandes infrastructures ?

Toutes ces questions géopolitiques ne résument pas les domaines de réflexions sur l'Afrique. Le sujet est forcément beaucoup plus complexe. Au plan économique, le débat est ouvert. Doit-on continuer d'accepter tel quel un ajustement structurel qui a quelque mérite, mais dont les défenseurs les plus ardents n'ont pas manqué de perfectionner une logique archi-libérale qui montre partout ses effets pervers : démantèlement de l'agriculture vivrière, fuite des investisseurs et importations massives, fragilisation excessive des États obligés de pratiquer des réformes drastiques, au moment même où les exigences démocratiques entraînent une demande sociale accrue. Ce tissu de contradictions mérite d'autres propositions économiques. Faut-il appliquer un remède de cheval, lorsqu'il tue le patient ? Les auteurs de ce livre, peu suspect de complaisance vis-à-vis des mauvaises gestions budgétaires, utilisent des arguments assez novateurs, lorsqu'ils proposent d'effectuer des ajustements sectoriels, de tenir compte des phénomènes urbains qui demandent l'accentuation des politiques sanitaires, de logement et d'emploi des jeunes.

Un aspect original de leur réflexion est de tirer la leçon des expériences asiatiques, pour rétablir une certaine protection de la production et des échanges, et réhabiliter en l'encourageant et la légalisant l'économie informelle, souvent seule réponse à la rigueur et à la pauvreté. Un autre des mérites de ce livre est de décrire quelques hypothèses économiques régionales, basées sur des supports financiers crédibles, et une stabilité de la zone franc, fondée sur une plus forte cohérence et solidité des pays qui la composent.

De telles perspectives n'ont pas été méconnues par les Africains eux-mêmes ; lorsqu'on les interroge, on est également frappé, par l'importance que revêt à leurs yeux la notion de partenariat. Ils attendent de notre part une relation beaucoup plus contractuelle et diversifiée. Ils refusent de se laisser enfermer dans les formes de coopération traditionnelles et font remarquer que les temps ont changé. Le redéploiement de nos effectifs de coopérants, correspond aussi à l'idée que l'avenir n'est pas à la coopération de substitution. Certes, les transferts de savoir-faire sont encore nécessaires, mais pour des domaines très précis tels que la formation technique ou la gestion, avec l'intention affirmée de passer le relais dès que possible à des nationaux.

De même, les énergies qui se sont libérées, avec la vague politique qui a suscité partout des changements de pouvoir et des élections, entraînent forcément une plus forte demande à la base et des contacts plus décentralisés. Les collectivités locales et les ONG peuvent avoir une action des plus utiles. Les entreprises sont également des partenaires à considérer. Au-delà de l'action des États, c'est ce qui fait le tissu des relations avec les autres pays du monde. Pourquoi ne pas adopter la même démarche avec l'Afrique ?

Ce livre fera certainement réagir. Je n'en ignore pas les points délicats et les arêtes. Il a parfois des rudesses, mais aussi beaucoup d'honnêteté. Je n'aurais jamais accepté de le préfacer si j'avais pensé un seul instant qu'il pouvait être interprété comme une leçon de plus. Ce n'est pour moi que la toute première partie d'une réflexion nécessairement réciproque. Il appelle de la part des Africains un deuxième ouvrage en forme de réponse. Et, je l'espère, un troisième, qui sera une écriture commune, dans un avenir partagé et dans l'amitié.

1

L'Afrique au bord du gouffre : faut-il laisser l'Histoire s'accomplir ?

Le pessimisme à l'égard de l'Afrique au sud du Sahara se généralise, disions-nous en avant-propos. Faut-il s'étendre sur la situation du continent alors que, chaque jour, les médias nous montrent l'Afrique s'enfonçant un peu plus dans les crises de toutes sortes : de la guerre à la famine en passant par l'extension du sida ? Faut-il prendre le contre-pied de cette attitude et recenser les raisons d'espérer ?

Mieux vaut se poser les bonnes questions.

Poser d'abord la question préalable, comme le font parfois nos parlementaires avant d'ouvrir un débat : y a-t-il lieu de débattre ? Si l'Afrique est condamnée au non-développement, point n'est besoin de pousser très avant la réflexion : faisons l'aumône à l'Afrique afin de ne pas voir de drames trop intolérables à nos portes ; comme nous aimons nous dire rationnels (et que nous sommes près de nos sous), « optimisons » nos aumônes, laissons les Africains vivre à leur guise et... essayons de nous protéger de l'invasion.

Mais si nulle malédiction, nulle fatalité ne pèsent sur l'Afrique, si elle n'est pas condamnée à l'échec, alors que peuvent être les futurs du continent ? Pouvons-nous influer sur ces futurs ? Devons-nous le faire ?

1

L'Afrique est-elle condamnée à l'échec économique ?

par Serge MICHAILOF

L'échec du développement en Afrique subsaharienne est aujourd'hui flagrant et généralisé

Les informations statistiques sont souvent sujettes à caution dans cette région du monde, aussi faut-il accueillir avec précaution les chiffres et en particulier les agrégats économiques couramment publiés (1). Depuis les indépendances, le produit intérieur brut par habitant aurait ainsi globalement stagné en Afrique subsaharienne. Il aurait également connu une nette régression pendant la dernière décennie, phénomène que l'on ne constate dans aucune autre région du monde. Indépendamment de ce type d'information marqué d'incertitude, l'évolution de multiples indices non contestables, et surtout leur concordance, apparaissent aujourd'hui extrêmement inquiétantes.

En vingt ans, la part de l'Afrique subsaharienne dans les échanges mondiaux a ainsi diminué de moitié, ses importations de céréa-

---

(1) De façon générale, les chiffres des comptes nationaux en Afrique laissent perplexe. Si l'on compare les évolutions des composantes du PIB sur une décennie, dans les pays qui disposent de comptes nationaux, on constate le plus souvent une totale incohérence avec les indices sectoriels fiables qui sont en général stagnants ou en régression. Comment le secteur BTP peut-il annoncer une croissance alors que la consommation de ciment stagne, le secteur des transports être en expansion alors que la consommation de carburant régresse, etc ?

les ont été multipliées par trois, sa dette totale multipliée par plus de vingt. L'exode rural, le chômage urbain, les crises financières à répétition, la faillite des institutions bancaires, la fuite des capitaux, constituent autant d'indices de ce qu'il faut bien appeler un échec économique.

Au cours de la dernière décennie, la coopération internationale (2), et la coopération française en particulier, ont multiplié les diagnostics et tenté de réorienter leur action pour rechercher une plus grande efficacité. Le constat qui suit, issu pour une bonne part de ces travaux, ne se veut nullement original. En mettant l'accent sur certains phénomènes majeurs, il témoigne néanmoins de l'ampleur des problèmes et permet de mettre en évidence les risques politiques et sociaux liés à la poursuite de ces tendances.

Dans la plupart des pays, en particulier en Afrique francophone, l'industrie régresse au lieu de se développer

La plupart des pays africains ont déjà connu deux phases d'industrialisation. La première, conçue dans un cadre colonial et orientée vers des marchés régionaux, a souffert de nationalisations hâtives qui ont désorganisé la gestion des entreprises et du repli, après les indépendances, sur des marchés nationaux trop étroits. La coopération internationale et les banques commerciales ont ensuite favorisé, au cours des années 70, une deuxième phase d'industrialisation qui a été conduite sur un mode étatique.

Dans les pays dits du champ de la coopération, en dehors de la Côte-d'Ivoire et du Cameroun où s'est constituée, sans appui de la coopération internationale, une industrie privée relativement diversifiée, le bilan que l'on pouvait effectuer, dès la fin des années 70, apparaissait décevant (3). Hormis un petit noyau d'industries bénéficiant d'un protectionnisme naturel (l'exemple le plus connu est le cas des brasseries), une bonne part de l'industrie étatique ressemblait largement à un champ de ruines. De nombreux projets ayant mobilisé des capitaux considérables avaient été fermés peu de temps après leur mise en œuvre. L'ampleur de ces désastres a conduit la coopération française, au début des années 80,

(2) La Banque mondiale a publié, en 1989, un diagnostic global critique et des propositions de stratégie à long terme cohérentes qui constituent un ouvrage de référence : *L'Afrique subsaharienne : de la crise à une croissance durable*.

(3) Cf. en particulier le chapitre « L'industrialisation de l'Afrique : mythe d'hier, pari réaliste pour demain ? », J.-P. BARBIER.

à faire son mea culpa et à reconnaître que l'échec industriel africain et l'échec de l'aide internationale avaient au moins trois principales causes :

— *Le modèle d'industrialisation étatique a débouché sur une impasse.* La corruption explique, pour une bonne part, les erreurs graves de conception de projets systématiquement surdimensionnés et surfacturés. La mauvaise gestion liée à l'interférence constante des responsables politiques dans la désignation des dirigeants, les contraintes inhérentes au fonctionnement de cathédrales industrielles dans des déserts technologiques et l'étroitesse des marchés ont conduit rapidement la plupart des grandes entreprises étatiques à la faillite virtuelle, des subventions permettant souvent de différer les liquidations.

— *Les objectifs commerciaux à court terme ont dominé le souci de coopération.* La coopération internationale a ainsi été prise en tenailles entre les intérêts commerciaux des pays occidentaux soutenus par leurs dirigeants politiques et des acheteurs africains très « intéressés » par leurs partenaires. L'abondance des liquidités internationales après la crise de 1973 et le souci politique de multiplier les grands contrats, pour rééquilibrer les balances commerciales, ont accéléré ce processus, les financements bancaires prenant alors rapidement le relais de la coopération très réticente à participer à cette vaste escroquerie internationale. La France tout comme ses partenaires occidentaux a participé à la vente d'usines sans débouché, contribuant ainsi à gonfler une dette extérieure dont on savait dès l'origine qu'elle avait peu de chances d'être un jour remboursée.

— *L'environnement économique est rapidement apparu dissuasif pour l'investissement industriel privé.* L'absence d'état de droit, l'interventionnisme quotidien de la bureaucratie, le caractère discrétionnaire des interventions politiques, se conjuguent avec l'étroitesse des marchés, le coût très élevé des facteurs de production et une législation sociale inadaptée, pour dissuader l'investissement industriel privé. Alors que l'on assiste depuis une décennie à un essor considérable des investissements privés français à l'étranger, l'Afrique subsaharienne est en ce domaine totalement marginalisée (4).

(4) Les investissements privés à l'étranger ont décuplé de 1983 à 1990, passant de 14 à 147 milliards de FF. L'Afrique (y compris le Maghreb) bénéficie de moins de 1 % de ces flux.

La gestion des services publics et des institutions est la plupart du temps défaillante

Au-delà de l'échec industriel, la crise des économies africaines se manifeste aussi par le constat de faillite de nombreux services publics de base et de multiples institutions. Ces institutions, qui offrent des services indispensables tant au plan social qu'économique, constituent pour beaucoup l'environnement immédiat des entreprises (5). Or, elles ne remplissent plus leur fonction. Ainsi, des hôpitaux ne peuvent plus assurer les soins élémentaires ; des sociétés immobilières ne construisent plus ; l'électricité n'est souvent fournie que par intermittence ; l'eau en ville n'est plus potable ; les grands projets de développement rural sont paralysés par l'inefficacité ; les banques de développement sont pratiquement toutes en faillite ; les entreprises publiques du secteur marchand survivent grâce à d'importants transferts publics visibles ou invisibles.

— *Les programmes de réhabilitation institutionnelle apparaissent très fragiles.* Ce constat de faillite de nombreuses institutions africaines ne date pas d'aujourd'hui et a conduit à engager depuis plus d'une décennie de multiples programmes de réhabilitation institutionnelle. Or, le bilan global est aujourd'hui fragile et décevant. On ne compte plus les réhabilitations à répétition et la Caisse française de développement, principal maître d'œuvre en ce domaine, est désormais conduite à durcir les conditions de ses interventions, ce qui provoque une sensible irritation de la part de ses interlocuteurs africains.

L'expérience acquise au cours de cette décennie fait en effet apparaître l'inefficacité des assistances techniques placées en position de conseiller, le non-respect des contrats plans par les États, les graves dérives de gestion. Elle conduit naturellement, dans un souci d'efficacité à court terme, à envisager des opérations plus radicales de privatisation totale ou partielle, de mise en hiérarchie de cadres expatriés, de contrats de gestion, de partenariat, qui provoquent des phénomènes de rejet.

— *La coopération française est confrontée au dilemme du général Stilwell.* Celui-ci (6) tentait, entre 1941 et 1944, de réorganiser

---

(5) Cf. le chapitre « L'échec industriel et institutionnel en Afrique au sud du Sahara : que faire ? », J. Giri.

(6) Cf. *Sand against the wind : Stilwell and the american experience in China,* Barbara Tuchman, Futura.

l'armée chinoise et de limiter « l'évaporation » de l'aide militaire américaine tout au long de la route de Birmanie, tout ceci sans se fâcher avec les autorités chinoises. Toutes proportions gardées, les institutions africaines font parfois aujourd'hui penser à l'armée du Kuomintang dont la fonction était non de combattre mais de favoriser l'enrichissement de certains clans et de certaines factions...

Malgré l'ampleur des efforts, les résultats en matière de développement agricole sont peu satisfaisants

La coopération internationale et l'aide française ont été très actives depuis plusieurs décennies pour favoriser l'essor des agricultures africaines. Des équipes techniques de grande qualité et des ressources financières considérables ont été mobilisées pendant de longues périodes pour aider à concevoir, exécuter et gérer des opérations très diverses visant à accroître la production agricole et les revenus des paysans, créer des pôles agro-industriels performants, favoriser l'organisation du monde rural, renforcer l'autosuffisance alimentaire.

Ces efforts ont permis de réaliser des projets et de créer des entreprises souvent remarquables. De nouvelles filières de production telles les filières coton dans les pays sahéliens, ou huile de palme dans les pays côtiers, ont ainsi été développées avec succès pratiquement ex-nihilo.

La production agricole reste toutefois insuffisante. Son augmentation reste inférieure à la croissance démographique ainsi qu'en témoigne, au-delà de l'incertitude des chiffres de production, la croissance des importations vivrières (7). Dans l'attente de l'éventuelle transition démographique, le décalage entre l'offre des produits vivriers et les besoins alimentaires a toute chance de s'accroître et la dépendance vis-à-vis de l'extérieur de s'accentuer. Or, le déficit vivrier n'est pas compensé par une croissance des exportations de produits de base agricoles. Bien au contraire, en ce domaine, l'Afrique subsaharienne perd des parts de marché sous l'assaut en particulier des productions du Sud-Est asiatique (8).

---

(7) Cf. « La situation alimentaire des pays d'Afrique subsaharienne se dégrade-t-elle ? », Michel GRIFFON, CIRAD, in « L'échec du développement en Afrique subsaharienne et l'évolution souhaitable de l'action de la coopération française », Rapport du groupe de perspective, nov. 92, Ministère de la coopération et du développement.

(8) Cf. « La restauration de la compétitivité des filières d'exportation est-elle possible », Michel GRIFFON, CIRAD, in « L'échec du développement », *op. cit.*, et le chapitre « Les agro-industries africaines face à l'impératif de la compétitivité internationale : l'exemple des filières huile de palme et caoutchouc », R. HIRSCH.

Malgré l'ampleur des efforts, le bilan global de l'action de la coopération internationale en ce secteur, est donc peu satisfaisant. A cet égard, la pérennité de nombreuses opérations n'est pas assurée et la mauvaise gestion ou le non-respect d'engagements contractuels fragilisent des projets jusqu'ici considérés comme de remarquables réussites. Des entreprises autrefois exemplaires telles la CIDT et la SAPH en Côte-d'Ivoire sont ainsi en cessation de paiement. La reproductibilité de nombreux projets est également incertaine pour des raisons de coût ou de capacités de gestion. L'impact de ces actions sur le développement des agricultures africaines reste par conséquent, hormis quelques cas ponctuels, marginal. L'aide internationale en général, et l'aide française en particulier, n'ont eu qu'exceptionnellement dans le secteur rural africain, l'effet de catalyseur permettant d'amorcer la dynamique attendue. La déception est aujourd'hui considérable parmi de nombreux responsables de l'aide internationale. La désillusion est également sensible chez de nombreux dirigeants africains.

Les raisons de cette situation sont multiples.

— *De nombreux investissements se sont avérés excessivement coûteux, voire inadaptés.* Beaucoup ont été mal gérés. Des erreurs sont inévitables dans ce travail difficile d'initiation et de financement d'actions de coopération dans le secteur rural où il ne peut y avoir d'approche véritablement scientifique (9). Certaines opérations ont été trop peu étudiées ; le dialogue a été souvent insuffisant avec les bénéficiaires ; les expériences passées n'ont pas toujours été prises en compte. Il y a eu parfois des carences de pilotage, la coopération internationale a aussi trop souvent financé des institutions para-étatiques budgétivores au lieu de tenter d'aider directement les paysans et les populations rurales...

Au-delà de ces erreurs de conception technique, le choix des hommes appelés à diriger projets, institutions et entreprises n'a pas été assez rigoureux. En ce domaine, les dirigeants africains se sont longtemps refusés (suivant ainsi une longue tradition française) à reconnaître la nécessité de l'expertise, de l'expérience professionnelle et le rôle salutaire du binôme contrôle-sanction. Face aux nominations de complaisance de responsables indélicats ou incompétents, la coopération française s'est, de son côté, souvent voilé

---

(9) Un projet de développement rural n'est pas une simple juxtaposition d'actions techniques pour lesquelles il existe des solutions simples comme construire un pont ou un hangar...

la face, acceptant la réhabilitation à répétition d'entreprises ou d'institutions ruinées par leurs dirigeants. De façon générale, la coopération française a préféré maintenir une assistance technique pour « limiter les dérapages » au plan de la gestion (10) plutôt que d'affronter des conflits relatifs au choix des dirigeants.

— *Les politiques agricoles mises en œuvre se sont pour la plupart révélées inefficaces.* Les bailleurs de fonds ont rapidement effectué ce diagnostic et ont dénoncé les politiques gouvernementales qui, à l'expérience, sont apparues contre-productives.

Les gouvernements ont ainsi généralisé les offices étatiques qui ont entravé l'établissement des circuits marchands privés. Ils ont favorisé les importations de céréales à bas prix, permettant de répondre à une demande sociale urbaine et de percevoir des recettes fiscales conséquentes alors que ces importations décourageaient les producteurs locaux. Ils ont grevé de charges les filières exportatrices par des prélèvements parafiscaux excessifs au point de mettre souvent en péril leur compétitivité. Encouragés par les bailleurs de fonds et les firmes d'ingénierie internationale, ils ont multiplié en agro-industrie les opérations étatiques de grande dimension dont la gestion est difficile et la rentabilité incertaine ou négative (11). Ils ont enfin conduit des politiques macro-économiques et sectorielles inadaptées (taux de change, prix relatifs, etc.).

Ce diagnostic, qui n'a rien de novateur, a conduit depuis dix ans la coopération internationale et l'aide française à négocier avec les responsables africains des programmes d'ajustement sectoriels qui tentent de promouvoir et faciliter des réformes de politique agricole. Ces opérations complexes et délicates ont donné des résultats variables selon la rigueur avec laquelle elles ont été conduites. De façon générale, les résultats ne sont pas à la hauteur des espoirs ni des enjeux. Les réformes se heurtent en effet à de fortes coalitions d'intérêt très sensibles aux inconvénients immédiats des mesures proposées, alors que le poids politique de la paysannerie qui en serait le principal bénéficiaire reste très faible (12).

---

(10) Et non pour répondre à un réel besoin d'expertise technique.

(11) *Les apprentis sorciers du développement,* S. MICHAILOF, Economica, 1981.

(12) Le caractère incontournable de ces réformes est clairement mis en évidence par la récente étude de la Banque mondiale, « A Strategy to develop agriculture in Subsaharan Africa and a focus for the World Bank » (draft for discussion), préparée par Kevin CLEAVER qui constitue un document d'analyse et de propositions remarquable dont le style se démarque des publications habituelles de la Banque.

Les résultats des programmes d'ajustement financier apparaissent peu concluants

Après les indépendances, la France a régulièrement apporté des concours budgétaires aux pays du champ pour leur permettre de faire face aux déficits temporaires de leurs finances publiques. La détérioration des termes de l'échange, à partir de la fin des années 70, a provoqué des déséquilibres budgétaires d'une toute autre ampleur. Contraints à la rigueur financière par le FMI, la plupart des États du champ ont obtenu de la France des concours pour accompagner et faciliter la mise en œuvre de ces programmes d'ajustement. Initialement conçus pour faire face à des crises que l'on croyait conjoncturelles, ces concours sont progressivement devenus un mode de financement de déséquilibres structurels qui, loin de se résorber, se sont maintenus et parfois même accrus. L'aide à l'ajustement structurel a ainsi remplacé l'aide conjoncturelle sans résoudre pour autant le caractère récurrent des déséquilibres budgétaires.

S'inscrivant exclusivement dans le cadre des négociations avec le FMI, ces concours dits d'ajustement s'insèrent nécessairement dans un horizon à court terme, privilégiant les aspects financiers. Ces opérations font donc implicitement une place seconde à l'ajustement économique à moyen et long terme, domaine où intervient principalement la Banque mondiale (13).

— *L'ampleur prise par ces concours pose aujourd'hui un triple problème.* Un problème d'efficacité car cette contribution française permet de soutenir des modèles de développement économique qui semblent déboucher sur des impasses et qui ne favorisent pas une relance économique, seule capable de permettre le rétablissement de la crédibilité financière des pays concernés.

Ces concours posent également à la France un problème budgétaire car ils représentent près de 4 milliards de FF par an et s'ajoutent désormais au poids de l'annulation et des rééchelonnements de dettes dont le coût est du même ordre. Or, malgré cet effort important de la France, la plupart des États africains connaissent des difficultés très importantes pour assurer le service de leur dette résiduelle, en raison de la persistance des déséquilibres budgétaires. Cette situation est aggravée par la réduction des concours hors projet de la Banque mondiale désormais un peu décou-

(13) Cf. le chapitre « Quelles perspectives pour l'ajustement structurel ? », J. HANOÏ.

ragée par l'insuffisance des résultats. Cette évolution risque de reporter sur l'aide française une fraction accrue du poids du financement des déséquilibres budgétaires des pays du champ.

Enfin, se pose également un problème politique. Ces concours sont devenus, au fil du temps, des éléments de soutien à des États africains. Or, dans le contexte de l'évolution de nombreux pays vers la démocratie, la France peut difficilement cesser les facilités qu'elle accordait aux régimes antérieurs. Bien au contraire, la France risque fort d'être invitée à soutenir les régimes démocratiques à des niveaux supérieurs à ceux consentis aux régimes autoritaires, sans que les résultats en terme d'ajustement aient des chances sérieuses d'être plus significatifs.

— *Ces concours ont probablement des effets pervers, les facilités financières évitant les efforts d'ajustement.* Il est tout d'abord permis de s'interroger sur l'efficacité et le réalisme des programmes du FMI dans lesquels s'inscrivent ces concours. Conditionnant les négociations de rééchelonnement de dettes, et par là même, le maintien des relations avec la communauté financière internationale de pays en cessation de paiements, ces programmes revêtent une importance majeure. Face à ces enjeux et confrontés à un horizon à trop court terme, ces programmes tendent à présenter sous un jour optimiste la prospective et se fondent souvent sur des prévisions d'équilibre à court terme irréalistes. Les mesures d'ajustement ainsi exigées étant excessives et les objectifs ne pouvant être raisonnablement atteints, les gouvernements sont tentés de faire semblant de s'ajuster, le FMI prisonnier de sa logique faisant alors semblant de considérer l'ajustement effectif alors qu'il n'est qu'esquissé. Cet engrenage, dans lequel s'affrontent les contraintes propres au FMI et les contraintes politiques des États, a rarement permis la négociation et la mise en œuvre de programmes d'ajustement à long terme financièrement et politiquement réalistes.

Dans ce contexte, un certain nombre d'experts (14) considèrent que la disponibilité de quasi-droits de tirages sur concours d'ajustement structurel, qui constituent en fait des aides budgétaires déguisées, loin de favoriser l'ajustement, permet au contraire de différer en permanence les mesures douloureuses. Elle favorise en particulier une déconnexion croissante entre les possibilités réelles pour

(14) Cf. le chapitre « Illusions, erreurs et effets pervers en matière d'aide à l'ajustement », E. Berg.

l'économie de créer de la richesse et le maintien artificiel d'un train de vie grâce aux contributions extérieures.

Les systèmes éducatifs traversent une crise aiguë

En un quart de siècle, les effectifs scolarisés en Afrique subsaharienne ont été multipliés par cinq et, malgré l'exceptionnelle croissance démographique, le taux brut de scolarisation a connu une remarquable progression passant globalement de 36 à 75 % dans le primaire et de 3 à 20 % dans le secondaire. Ces indicateurs globaux recouvrent certes d'importantes disparités. Mais de façon générale, les systèmes éducatifs africains qui ont dû faire face à une prodigieuse croissance, de 1960 à 1980, sont depuis une décennie confrontés à une grave crise structurelle qui a largement contribué aux explosions sociales et politiques récentes.

Le ministère de la Coopération et du Développement consacre aujourd'hui près d'un tiers de son aide-projet aux actions d'enseignement et de formation et ses responsables sont parfaitement conscients (15) de la crise des systèmes éducatifs africains. L'aide française après avoir contribué, après l'indépendance, à la diffusion d'un modèle éducatif inspiré du modèle français, tente aujourd'hui de faciliter une réforme pour permettre à ces systèmes éducatifs de mieux répondre à la demande sociale et aux besoins des économies nationales en tenant compte du contexte global récessif et des contraintes budgétaires.

La réorientation de l'action de la coopération française, qui est ainsi passée d'une simple mise à disposition de moyens à des appuis diversifiés, visant à évaluer et réformer les systèmes éducatifs, a impliqué une prise de conscience et un diagnostic et s'est structurée autour de trois axes (16).

— *L'Afrique est paradoxalement à la fois sous-scolarisée, surscolarisée et mal scolarisée.* L'Afrique est en effet à l'évidence sous-scolarisée si l'on compare ses taux de scolarisation à ceux d'autres pays en développement, en particulier en Asie. Mais l'Afrique est aussi paradoxalement sur-scolarisée en regard des moyens finan-

(15) Voir à ce propos la note de politique générale : « Enseignement et formation en Afrique subsaharienne : Orientations de la coopération française », préparé par Robert PECCOUD, MINCOOP, 1991.

(16) Cf. le chapitre « L'éducation, la formation et l'emploi en Afrique », Ph. HUGON.

ciers que les États peuvent dégager pour l'éducation et de la structure des débouchés professionnels. L'effort financier relatif par rapport au PIB y est en effet près de dix fois supérieur à celui de l'Europe.

Les systèmes éducatifs africains apparaissent donc exceptionnellement coûteux, d'autant plus coûteux que leurs performances sont à l'évidence d'une médiocrité inquiétante tant au plan quantitatif que qualitatif. L'Afrique apparaît ainsi mal scolarisée : écoles, lycées et universités s'apparentant plus à des garderies sous-équipées qu'à des lieux de formation.

— *Les systèmes éducatifs apparaissent bloqués et en voie de dégradation.* Pendant près de trois décennies, les responsables politiques africains ont pu penser que le système actuel permettrait la généralisation de l'éducation et « l'enseignement pour tous ». Il faut aujourd'hui déchanter car, face à la croissance démographique et aux contraintes budgétaires, c'est en réalité à une fréquente régression des taux de scolarisation que l'on assiste, même si l'« habillage » des statistiques permet encore de dissimuler le phénomène. Ainsi que le souligne la note d'orientation du ministère de la Coopération, « les États d'Afrique subsaharienne ont pris en charge une scolarisation selon un modèle que la raréfaction des ressources et la pression démographique ont rendu intenable d'un point de vue financier, alors même qu'il se révélait déphasé du point de vue des formations comme des débouchés ». Le système apparaît ainsi doublement bloqué.

— *Les systèmes éducatifs apparaissent également inadaptés aux besoins sociaux, aux perspectives d'emplois et aux exigences des économies nationales.* L'école en Afrique s'est développée sur le modèle colonial destiné à former les cadres de l'administration. Or, les programmes d'ajustement structurels ont brisé le lien entre école, université et emploi dans le secteur public et les systèmes éducatifs africains, isolés du monde de la production, n'ont pas pu s'adapter (17). Ils « produisent » aujourd'hui des scolarisés, diplômés ou non, condamnés au chômage, qui constituent une force sociale insatisfaite et déstabilisante au plan politique.

---

(17) Cf. le chapitre « Contribution à l'analyse de la crise des systèmes éducatifs africains », C. DELORME et « Réalités et ressorts de la crise des systèmes éducatifs en Afrique au sud du Sahara », J.Y. MARTIN, ORSTOM, in « L'échec du développement... », *op. cit.*

L'ampleur du chômage urbain conduit les dirigeants africains à prolonger le maintien de ces jeunes dans un système éducatif « garage ». Le poids politique croissant de ces jeunes sans avenir professionnel accentue la tendance naturelle des systèmes éducatifs africains au laxisme dans la sélection. L'absence de filières courtes privilégiant l'acquisition d'un savoir professionnel au profit de filières fondées sur la préparation à l'accession à des universités « garages » renforce le phénomène.

Le bilan des efforts passés en matière d'intégration régionale apparaît décevant

Depuis les indépendances et l'éclatement des espaces économiques que constituaient l'ex-AOF et AEF, le développement industriel de l'Afrique francophone se heurte à l'étroitesse des marchés nationaux qui ne sont pas à la dimension de l'industrie moderne. Le développement agricole de son côté est fortement contraint par l'absence de cohérence des politiques sectorielles conduites au niveau des divers États. Certains services (tels que l'exploitation de lignes aériennes), la gestion de certaines grandes infrastructures (par exemple les équipements hydro-électriques) ne sont pas viables à l'échelle d'un seul pays. Face à ces contraintes, à la faible dimension des économies africaines (le PNB de nombreux pays africains ne dépasse guère celui de sous-préfectures françaises), l'idée d'intégrer les économies de pays voisins pour constituer des ensembles économiques significatifs a, de longue date, inspiré responsables politiques et économistes. Cette volonté d'intégration s'est principalement exprimée en Afrique de trois façons : par la constitution d'unions douanières, par les projets régionaux de développement, par les institutions régionales. Or, aujourd'hui, le constat est bien décevant.

— *Les unions douanières ont mal fonctionné.* Les huit principales organisations africaines, dont la composante principale est une union douanière, ont connu dans l'ensemble des résultats extrêmement décevants (18). Les mécanismes de tarification extérieure communs n'ont jamais fonctionné de façon satisfaisante et leur mise

---

(18) Cf. « L'intégration économique en Afrique de l'Ouest », E. BERG, OCDE, Club du Sahel, « Les avatars de l'intégration régionale en Afrique subsaharienne », J.-P. BARBIER, in « L'échec du développement... », *op. cit.*

en œuvre pose d'insurmontables problèmes à des États extrêmement dépendants, au plan budgétaire, de leur fiscalité de porte.

— *Les grands projets industriels régionaux étatiques ont échoué.* Fondés sur la satisfaction de marchés régionaux et une protection régionale, ils ont abouti à des fiascos, le cas le plus typique étant la cimenterie CIMAO qui, au début des années 80, après un investissement de 300 millions de dollars, n'a fonctionné que quatre ans...

— *Les institutions régionales sont pour la plupart mal gérées et nécessitent souvent d'importants soutiens externes.* On retrouve ici des organismes qui gèrent des infrastructures économiques (OCBN pour le chemin de fer, CEB pour l'énergie...), des centres de recherche et de formation (AGRHYMET pour la météorologie, l'EIER pour les ingénieurs des travaux agricoles), des organismes de mise en valeur de bassins (OMVS), des organismes financiers (BCEAO, BEAC, BOAD, BDEAC). De façon générale, les difficultés budgétaires des États ne leur permettent pas de verser leur contribution et se répercutent sur les institutions régionales qui accumulent les déficits. En outre, la gestion de ces organismes s'est avérée souvent défaillante, et même les institutions les plus réputées (les banques centrales) n'échappent pas à la critique lorsque l'on considère par exemple leur train de vie, l'ampleur déraisonnable de leurs programmes immobiliers et le laxisme dont elles ont longtemps fait preuve.

La poursuite de la dégradation de l'économie peut mener à la désorganisation sociale et aux conflits

Après plus de dix ans de politiques d'ajustement structurel, la persistance des déséquilibres financiers et l'absence de relance économique interpellent nécessairement l'aide internationale et les responsables africains. Insuffisantes ou inadaptées, les politiques d'ajustement ont toutefois réduit les possibilités de prélèvement financiers et de redistribution qui permettaient, en particulier par la croissance des secteurs publics parasites, d'acheter le calme social. Dans ce contexte, le binôme ajustement déflationniste-échec économique contribue fortement à la montée des tensions.

Les facteurs démographiques rendent explosif l'échec économique

— *En zone rurale, de nouvelles tensions surgissent.* Elles apparaissent aujourd'hui dans les régions où la pression foncière commence à se manifester, en particulier lorsque d'importantes migrations internes visant à la colonisation de terres disponibles, provoquent une montée des conflits interethniques. Les systèmes de production agricoles sont restés très extensifs et, dans ce cadre, la croissance de la population et de la production se heurte, dans de nombreuses régions, à des limites physiques contribuant ainsi à la déforestation et à la dégradation de l'environnement.

— *Dans les villes, les politiques d'ajustement remettent en cause les équilibres sociaux et déstabilisent les régimes.* Ces villes ont connu une croissance foudroyante puisque la population urbaine de l'Afrique subsaharienne est passée de 21 à 200 millions d'habitants de 1950 à 1990 et dépassera 500 millions d'habitants en 2010. Or, la détérioration des conditions de vie y est quasi générale (19). Après une période d'espoir en un « progrès » continu grâce à la scolarisation, à l'amélioration des conditions sanitaires, à l'extension du salariat dans les fonctions publiques, les politiques d'ajustement, mises en œuvre depuis le début des années 80, ont ébranlé les équilibres sociaux et accru le chômage urbain.

Le désespoir de la jeunesse scolarisée préparée pour une fonction publique qui doit aujourd'hui débaucher, la colère des déracinés parqués dans des bidonvilles, la lassitude des classes moyennes supportant par le jeu des solidarités familiales le poids social de l'ajustement, constituent nécessairement un mélange que les facteurs démographiques rendent explosif. Dans un pays tel que le Sénégal qui ne se trouve nullement dans une situation exceptionnelle et dont la stabilité politique constitue pourtant un modèle, la classe d'âge des 16 ans qui arrive chaque année sur le marché de l'emploi en ville aura quadruplé en 25 ans et dépassera 120 000

(19) Gilles DURUFLÉ note, dans une récente étude confidentielle (avril 1992), la paupérisation urbaine dans une des grandes capitales africaines : « Une des conséquences de la surévaluation du PIB et, par voie de conséquence, de ses emplois (consommation et investissement), est qu'il est difficile de documenter la baisse du revenu par tête dans le secteur urbain, dont pourtant la vie courante permet de déceler de multiples signes. Certains indices de consommation permettent toutefois de l'étayer : effondrement de la vente de véhicules neufs, baisse de la consommation d'essence, baisse de la consommation de viande par tête, de la consommation de bière et de boissons gazeuses, etc. (...). Au total, c'est sans doute une baisse du pouvoir d'achat par tête de l'ordre de 30 à 40 % sur l'ensemble de la décennie qui a dû se produire dans les familles qui dépendent des salaires du secteur moderne. »

à la fin de la décennie. Or, le secteur moderne, fonction publique comprise, dont les effectifs globaux stagnent, crée moins de 5 000 emplois par an. Entre 1982 et 1989, le nombre des bacheliers s'est accru dans ce pays de 12 % par an. Si l'économie ne peut créer des emplois au même rythme, cette situation ne peut que préparer une explosion sociale.

— *L'évolution sociale fragilise les édifices politiques.* Les populations urbaines dont le poids relatif s'accroît tendent à échapper à l'encadrement politique, social, voire religieux qui assurait autrefois la stabilité politique. La jeunesse désormais dominante dans la structure d'âge se libère des systèmes de contrôle familiaux au moment où son insertion économique devient très difficile et les sujets de mécontentement nombreux : extension du chômage, dégradation des systèmes de santé, montée de l'insécurité, banalisation de la petite corruption, absence de débouchés après l'école. Les élites urbaines, ouvertes sur le monde et bien informées, sont aujourd'hui conscientes, après 10 ans de politique d'ajustement structurel, de l'impasse économique et de ses conséquences pour leur vie personnelle et familiale.

Les mouvements démocratiques n'apportent pas nécessairement de réponse satisfaisante au plan économique

Dans les pays à régimes autoritaires, le départ de dirigeants discrédités et leur remplacement par des équipes désignées de façon plus démocratique a soulevé de grands espoirs au sein de la population urbaine. Cette évolution n'a pas réellement inversé les tendances à la dégradation de l'économie. Elle risque donc de ne constituer qu'une étape transitoire dans un processus de bouleversements politiques et sociaux de grande ampleur si ces changements politiques ne s'accompagnent pas d'une transformation radicale des perspectives économiques ; or, transition démocratique et relance économique n'avancent manifestement pas au même rythme. Les revendications immédiates des groupes sociaux essentiellement urbains qui conduisent la contestation sont en effet peu compatibles avec une relance des économies africaines.

— *Les revendications démagogiques ne peuvent constituer une base pour la croissance économique.* Les classes moyennes et les étudiants, mobilisés dans le cadre des mouvements démocratiques, rêvent d'une reprise de la croissance avec une redistribution étatiste de ses fruits. Cette vision est totalement irréaliste compte tenu de la mauvaise santé des secteurs productifs. Les chômeurs et les déracinés urbains attendent les mesures immédiates de nature populiste (baisse des prix des produits de première nécessité, gratuité des services sociaux) également incompatibles avec la relance des secteurs productifs, le bon fonctionnement des services publics et l'impécuniosité des budgets. Les syndicats du secteur public, souvent à la pointe de la lutte démocratique, s'opposent fortement dans cette logique à l'indispensable démantèlement de ces dinosaures que sont les grandes entreprises publiques africaines et à la compression drastique de leurs effectifs.

L'exemple de quelques pays en voie de développement (certains sont africains) dont l'expérience démocratique est ancienne, révèle aisément la paralysie économique qui, sous le poids des groupes de pression urbains, peut saisir les nouvelles démocraties africaines et montre que la démocratisation n'est pas en soi une garantie de succès économique. Elle peut même dans certains cas (cf. le Niger et le Congo) contribuer à accélérer de graves dérapages économiques et financiers.

— *Les pouvoirs politiques appellent pour assurer leur transition démocratique à des transferts de ressources et négligent l'indispensable définition d'un modèle économique viable.* Dans les régimes anciennement autoritaires, la gestion en douceur de situations explosives exige, pour acheter la paix sociale auprès des soutiens que constituent les agents du secteur public, des apports financiers externes dont la pérennité est incertaine. Ces régimes se trouvent, par là même, dans de redoutables impasses (20).

Dans certains pays nouvellement démocratiques, les dirigeants attendent de l'extérieur des « primes démocratiques », alors que les surenchères et le laxisme conduisent au naufrage des économies très fragiles.

Pour tous ces pays, la croissance économique implique non des aides budgétaires mais des réformes économiques fondées sur de difficiles renversements d'alliance au profit de groupes sociaux engagés dans la production (secteur privé urbain, paysannat). Les nouvelles équipes gouvernementales doivent par conséquent imaginer simultanément un modèle de démocratie permettant de gouverner efficacement et un modèle de développement viable. La situation

(20) Cf. le chapitre « La dimension politique de l'ajustement », A. BONESSIAN.

devient très préoccupante car le simple transfert de ressources demandé par ces régimes ne peut que colmater provisoirement les brèches d'un modèle de développement qui fait eau de toutes parts. Les risques sont donc réels que, sur la toile de fond de l'échec économique et d'un renouveau des tensions ethniques, s'amorce une spirale nourrie des échecs économique et politique pour conduire à des drames de type libérien ou somalien.

La montée des tensions peut à brève échéance conduire aux conflits et à des scénarii inacceptables

Le développement de cette spirale est aisé à reconstituer. Tout comme le météorologue voit apparaître les signes prémonitoires du cyclone sans pouvoir prédire son itinéraire, l'observateur attentif voit les nuages s'amonceler sur l'Afrique ; la crise financière chronique, la crise morale de l'État, la désorganisation des services publics, la transformation des universités en foyers de tension et de contestation, le développement de l'insécurité dans les grandes métropoles puis dans certaines zones rurales, la circulation des armes, l'accentuation des rivalités entre ethnies et factions politiques rivales annoncent la tempête.

L'un des analystes les plus réputés de l'Afrique contemporaine (21) estime que de multiples facteurs, au-delà de l'échec économique et de la poussée démographique déjà cités, rendent très plausible un scénario de passage à la guerre civile. Ainsi, la diffusion récente des armes légères modernes fait franchir aux conflits de terroir une étape qualitative et facilite le développement d'un banditisme social à forte rentabilité économique... De même, la guerre, grâce à la prédation, au contrôle des richesses et des circuits (cf. le circuit de la drogue), permet l'enrichissement rapide de certains groupes et constitue dès lors une option attrayante pour ceux-ci. Des factions politiques en voie de criminalisation renforcent en certaines régions leur pouvoir sur une économie de type maffieuse.

Dans un contexte de crises sociales et économiques, on enregistre la résurgence de haines ethniques ancestrales (cf. le problème Touareg au Mali et au Niger), aiguisées par la multiplication de camps de réfugiés dans les zones de conflit. Des zones d'insécu-

---

(21) Cf. « L'Afrique entre la guerre et la démocratie », J.-F. BAYART, in « L'échec du développement... », *op. cit.*, et le chapitre « Fin de partie au sud du Sahara », J.-F. BAYART.

rité comme au Libéria, que l'on pouvait croire jusqu'ici géographiquement circonscrites, peuvent se transformer en de véritables cancers, impossibles à réduire et susceptibles d'exporter un modèle de société fondé sur les rapines. Enfin, l'irruption de nouveaux acteurs (tels que l'Iran), qui ont établi en certains cas des têtes de pont africaines (Soudan), constitue un nouveau sujet de préoccupation.

Dans un contexte aussi inquiétant, des évolutions incontrôlables vers des situations de guerre civile, d'insécurité généralisée, de famine, comme en Somalie aujourd'hui, sont de plus en plus plausibles.

L'Afrique n'est nullement condamnée à l'échec économique et peut au contraire connaître une croissance rapide

La sévérité du jugement porté sur l'échec économique en Afrique ne doit nullement conduire les responsables africains et les sources d'aide à désespérer mais, bien au contraire, à redoubler d'efforts pour inverser les tendances actuelles grâce à des réformes de politique économique et de comportement au sens large (22). Mais, les réformes et les changements, intervenus en Afrique au cours de ces dernières années, restent superficiels, n'ont rien réglé et n'ont nullement permis une inversion des tendances à la dégradation des économies.

L'histoire récente montre pourtant qu'en économie les retournements de situation peuvent être rapides et une croissance accélérée succéder à la crise. Il y a vingt-cinq ans, « l'Asia pessimisme » était de rigueur. Gunnar Myrdal, prix Nobel d'économie, publiait un livre au titre évocateur : « Drame de l'Asie : enquête sur la pauvreté des nations » ; des experts internationaux condamnaient la Corée du Sud à l'exportation de riz. Une mission des Nations unies estimait que la ville-État de Singapour n'était pas viable. Des chercheurs considéraient

---

(22) A cet égard, les travaux de la Banque mondiale sur le thème vaste et complexe de la « governance » doivent être étudiés avec attention, car ils mettent l'accent sur des facteurs largement oubliés par les institutions d'aide. Voir « Good governance, a crucial dimension for development assistance », Pierre LANDELL MILLS, ronéoté, 1990, et « Governance, civil society and empowerment in Subsaharan Africa », Pierre LANDELL MILLS, ronéoté, 1992.

que l'héritage culturel confucianiste et bouddhiste était incompatible avec la logique industrielle. L'Asie du Sud et du Sud-Est étaient ainsi condamnées à la stagnation économique, voire à la famine. En Afrique du Nord, à la veille de l'indépendance tunisienne, le directeur du Plan estimait qu'avec 30 000 emplois industriels, la Tunisie avait atteint un maximum et était surindustrialisée... Ce pays compte aujourd'hui 400 000 emplois industriels ! Plus récemment, l'arrivée au pouvoir au Mexique d'une nouvelle équipe gouvernementale et d'une nouvelle génération de responsables économiques a montré comment, en quelques années, l'économie et la société d'un pays en crise profonde et dont désespéraient tous les experts, pouvaient être transformées.

Ces rappels soulignent à quel point les prévisions peuvent être démenties, mais ils montrent surtout les possibilités de renversement de tendance dès lors que le cadre macro-économique et les politiques sectorielles sont adaptées.

Aucune fatalité ne pèse sur l'Afrique

Si certaines régions d'Afrique sont dépourvues de tout potentiel, d'autres regorgent de richesses énergétiques ou minières et les avantages comparatifs pour certaines spéculations agricoles y sont ou peuvent devenir exceptionnels (23). Une décennie de bonne gestion économique a montré, de 1965 à 1975, les progrès remarquables (même s'ils étaient très fragiles) qu'un pays comme la Côte-d'Ivoire, pourtant sans ressource minière, pouvait accomplir. L'Afrique du champ de la coopération dispose en réalité d'atouts considérables si l'on compare sa situation à celle de nombreux autres pays en développement (Afrique hors champ, Bangladesh...). Elle dispose encore d'une infrastructure économique exceptionnelle (routes, ports, réseau ferré, télécommunications, production énergétique, infrastructures urbaines). Elle dispose également d'un encadrement technique et économique de valeur qui n'a pas à réinventer, par un long et douloureux apprentissage, les règles de l'économie de marché comme c'est le cas en Chine et en Russie.

— *Les explications habituelles et désespérantes de la crise économique en Afrique sont peu convaincantes.* Sans doute les res-

---

(23) Au-delà des dotations en ressources naturelles, un pays peut parfaitement, en effet, construire des avantages comparatifs par des politiques cohérentes et stables.

ponsables politiques africains et les donateurs occidentaux ont-ils fait preuve de trop d'optimisme à l'égard des perspectives de croissance à l'époque des indépendances. Mais aujourd'hui ni les péchés du colonialisme, ni les spéculateurs internationaux ne peuvent plus porter seuls le fardeau de l'échec économique de l'Afrique. Une génération est passée depuis la fin de l'ère coloniale, et si les termes de l'échange ont connu une évolution désastreuse au cours de la dernière décennie, ils ont été exceptionnellement favorables (même hors pétrole) au cours des années 70 sans que les pays africains en retirent grand profit. D'autres pays soumis aux mêmes contraintes (Thaïlande, Malaisie), certains d'ailleurs proches de l'Afrique subsaharienne (Maurice, Tunisie), ont brillamment réussi leur décollage économique. L'afro-pessimisme aujourd'hui à la mode relève ainsi d'un raisonnement aussi superficiel qu'autrefois le péril jaune. Il est donc temps de reconnaître, comme le fait d'ailleurs la Banque mondiale dans ses publications officielles, que la faillite économique en Afrique est pour une large part le produit de politiques économiques désastreuses et de la mauvaise gestion. Cette situation n'est pas le fruit du hasard. Elle a des causes politiques et socioculturelles à l'égard desquelles tant la nouvelle génération de responsables africains que la coopération française ne sont pas désarmées. La sévérité du jugement porté sur les politiques économiques et la gestion en Afrique est, par conséquent, paradoxalement, un facteur d'espoir. Elle justifie un dialogue plus franc avec nos partenaires africains car des politiques économiques peuvent se changer et une gestion se réformer (24). La franchise dans le dialogue est donc désormais indispensable car le temps n'est plus aux « cadeaux » mais aux appuis concrets pour conduire des politiques difficiles. Notre coopération doit, dans cet esprit, devenir plus que jamais contractuelle et exiger de nos partenaires le strict respect des termes du contrat qui doit dorénavant accompagner toute action de coopération. Dans ce contexte, deux phénomènes incitent aujourd'hui à plus d'optimisme.

— *Le cadre conceptuel dans lequel s'exerce l'action de la coopération internationale évolue.* La coopération internationale a pris conscience de la nécessité de changer le cadre conceptuel dans

(24) Il est paradoxal de constater qu'au plan idéologique, certains grands « prédateurs » africains font partie des derniers « dépendantistes », héritiers des économistes marxistes américains des années 60 qui, tels Baran et Gunder Franck, rejetaient exclusivement sur l'impérialisme et l'extérieur les responsabilités du sous-développement et des crises...

lequel s'exerce son action qui ne doit plus être un cadeau politique mais un effort mutuel exercé dans un cadre contractuel clair. En cette période où l'histoire hésite, la France doit désormais mettre au second plan ses soucis clientélistes pour aider en priorité les équipes dirigeantes africaines, qui sont réellement soucieuses de redresser leur économie, à se fixer des objectifs et des étapes réalistes. La coopération française dispose pour cette tâche des équipes, des compétences et des ressources nécessaires à la mise en œuvre de tels plans de redressement. Mais elle ne peut évidemment se substituer à une volonté africaine. Les pages qui suivent résument les actions qu'elle conduit ou qu'elle peut conduire et qui sont susceptibles de contribuer efficacement au sauvetage des économies africaines.

La prise de conscience et surtout le renouvellement des générations en Afrique ouvrent de nouvelles perspectives

A cet égard, l'épisode libérien a paradoxalement un mérite. Il montre aux élites africaines où peut conduire le renforcement des luttes factionnelles dans un contexte de totale désorganisation économique. Confrontés aux risques d'un jeu où tous perdent, les responsables politiques africains sont désormais au pied du mur ; ou bien ils laissent les bateaux dériver et la montée des tensions conduira à des conflits violents ; ou bien, s'appuyant sur l'aide internationale, ils se décident à remettre de l'ordre dans leurs économies en perdition. Tout comme au Mexique, *l'arrivée d'une nouvelle génération de responsables mieux formés et plus consciente des problèmes (et des solutions) rend cette option crédible.* Le développement ne doit-il pas d'ailleurs s'inscrire dans le cadre d'une succession de générations ?

2

Rompre avec un demi-siècle d'anti-développement

par Jacques GIRI

L'Afrique n'est pas condamnée à l'échec économique. Mais quand sortira-t-elle de la crise dans laquelle elle semble s'enfoncer un peu plus chaque jour ? Quelles conditions doivent être réunies pour qu'apparaissent enfin des jours meilleurs sur ce continent ?

Cet essai de réflexion concerne surtout l'avenir de l'Afrique francophone et, plus particulièrement, celui des pays qui sont restés étroitement liés à la France dans le cadre de la zone franc. Cette réflexion cherche à mettre en évidence les tendances lourdes qui, nées à l'époque coloniale voire avant, ont survécu à la décolonisation et ne disparaîtront vraisemblablement pas du jour au lendemain. Elle présente aussi les changements qui sont intervenus ou qui s'amorcent en ce moment et qui finiront sans doute un jour par infléchir les tendances. Elle propose enfin plusieurs scénarios possibles d'évolution de ces pays.

Des économies rentières depuis la nuit des temps

A qui débarque dans l'AOF ou l'AEF des années 50, une évidence s'impose immédiatement : tout y est cher. Les prix de vente des produits manufacturés et des services sont de 50 à 100 % plus élevés qu'en métropole, parfois plus ; les Européens « font du CFA » grâce à des salaires ou à des marges bénéficiaires nettement plus élevés que dans leur pays d'origine ; même les salaires des indigènes, salaires pourtant fort modestes, sont beaucoup plus élevés que dans les colonies britanniques voisines.

Seuls les produits du village, vendus sur le marché sans avoir pénétré dans le secteur moderne, sont proposés à des prix qui, comparés aux autres, semblent ridiculement bas.

Pourquoi des pays où la majorité des gens sont pauvres et peu productifs sont-ils aussi des pays « chers » ? Des pays où les salaires sont plus élevés qu'ailleurs ? Pourquoi la « chèreté » atteint-elle des sommets au Gabon qui est alors dite la « Cendrillon » des colonies françaises d'Afrique ?

Ce régime semble être établi, ou en tout cas s'être considérablement renforcé, après la Seconde Guerre mondiale. Pour en expliquer la naissance, on peut retenir, en la développant, la thèse soutenue par l'historien Jacques Marseille (1) : il est le résultat de la pression exercée par une partie des industriels français, ceux dont les produits ne sont plus compétitifs sur les marchés mondiaux, qui n'ont plus le dynamisme suffisant pour moderniser leurs unités de production et reconquérir des parts de marché et qui poussent à la création d'une zone privilégiée où des débouchés leur seront assurés.

Cet objectif est atteint en combinant plusieurs mesures. D'abord en protégeant, autant que faire se peut, la zone de la concurrence des autres nations industrialisées. Ensuite, en acceptant de payer certains produits africains à un prix supérieur au prix mondial, procurant ainsi un pouvoir d'achat supplémentaire dans la zone. Et le dispositif est complété après la guerre par la création d'une unité monétaire, le franc CFA, surévaluée par rapport au franc français, ce qui facilite les exportations des industriels métropolitains.

On notera qu'un tel régime n'est possible que grâce aux rentes agricoles, forestières, minières dont bénéficient les produits exportés par ces pays et aux « sur-rentes » qu'accepte de payer la métropole. Les entreprises prélèvent sur ces rentes pour surpayer leur

---

(1) Jacques MARSEILLE, *Empire colonial et capitalisme français*, Albin Michel, Paris, 1984. Rappelons que, en 1958, « l'Empire » absorbait plus de 80 % des exportations françaises de tissus de coton, un tiers des produits chimiques et plus du tiers des automobiles exportées par la France.

main-d'œuvre, surpayer leurs fournisseurs locaux, payer leurs impôts et il leur reste encore de beaux bénéfices. L'administration coloniale effectue une péréquation entre ces territoires rentiers et ceux qui ne le sont pas (le Niger, le Tchad, etc.) de telle sorte que le même régime de chèreté peut exister dans ces territoires défavorisés. Le Gabon qui bénéficie de belles rentes forestières (et commence à jouir d'une rente pétrolière) est aussi le pays où le coût de la vie est un des plus élevés.

On notera aussi qu'un tel régime n'est viable que grâce aux difficultés de transport entre colonies françaises et britanniques. Ces dernières, qui ne bénéficient pas de la même protection, devraient être des concurrents redoutables pour les territoires français mais, à cause de ces difficultés, leur concurrence ne s'exerce que sur une frange et « l'empire » est relativement isolé.

Un tel régime a deux conséquences :

— Il est impossible de fabriquer quoi que ce soit dans ces pays qui puisse être vendable à l'extérieur. Les seuls produits manufacturés exportables sont ceux qui résultent de la transformation d'un produit brut bénéficiant d'une rente : l'huile d'arachide, le contreplaqué... L'économie sur les frais de transport des produits transformés paie les surcoûts de la transformation locale et si nécessaire on prélève un peu sur la rente pour payer ces surcoûts.

La toute jeune industrie de l'aluminium d'Edea au Cameroun, que célèbrent abondamment les « développeurs » de l'époque, est-elle autre chose qu'une entreprise d'exploitation de la rente d'un « gisement » exceptionnel d'électricité ?

— Il est impossible de fabriquer quoi que ce soit dans ces pays pour le marché intérieur sans protection. Dans les pays d'Afrique équatoriale où la Convention de Berlin interdit la protection, il n'y a pratiquement aucune industrie produisant pour le marché local (en dehors des brasseries qui bénéficient d'une protection géographique). Dans ceux d'Afrique occidentale, grâce à la protection tarifaire mise en place par le colonisateur français et grâce aux difficultés de transport entre pays francophones et pays anglophones, il existe un embryon d'industrie pour le marché local.

Cette économie que l'on pourrait qualifier de rentière s'enracine dans la nuit des temps. Dès le moment où s'instaurent des relations commerciales à travers le Sahara entre l'Afrique de l'Ouest et les Arabes, qu'exportent les Africains ? Des produits qui bénéficient d'une rente substantielle : de l'or et des esclaves, bien plus abondants et beaucoup moins coûteux dans le Sahel que dans le bassin méditerranéen. Et ils importent déjà des produits manufacturés, notamment des tissus. Lorsque les Européens apparaissent à leur tour sur la scène africaine, le même type de relations commerciales s'instaure : ce sont les mêmes produits bénéficiant de rentes qui sont échangés contre des produits manufacturés. Peu à peu, d'autres produits de rente, l'ivoire, la gomme, l'arachide, l'huile de palme, etc., s'y ajouteront.

La colonisation n'a-t-elle pas eu pour premier objectif de maximiser la rente que les maisons de commerce européennes tiraient du continent africain, notamment en abolissant les obstacles que les potentats africains mettaient au développement du commerce ? Dans le vocabulaire de l'époque, cela s'appelle la « mise en valeur ». Et lorsque, après la Seconde Guerre mondiale, la métropole commence à donner une aide à ses colonies, cette aide est-elle autre chose qu'une aide à la croissance de l'économie rentière ? Elle est centrée sur l'amélioration des infrastructures de transport, avec l'objectif de faire émerger de nouveaux gisements de rentes, et sur le développement des cultures pour l'exportation (cultures dites « de rente »).

Cette économie rentière léguée par l'histoire antécoloniale et coloniale est éminemment défavorable à tout accroissement de la productivité, c'est-à-dire à tout développement réel. Mieux vaut chasser la rente que d'accroître la productivité de son entreprise. De toute façon, il y a un tel écart entre la productivité et le coût des facteurs de production qu'atteindre la compétitivité est une tâche sans espoir.

Aujourd'hui, les rentes s'effondrent mais les économies sont toujours rentières

Trente ans après, qu'est-ce qui a changé et qu'est-ce qui a résisté au changement dans les anciennes colonies françaises ?

— La « chèreté » persiste et la hiérarchie des niveaux de prix entre les pays reste plus ou moins ce qu'elle était à la fin de l'époque coloniale. Il y a peut-être un peu moins de main-d'œuvre expatriée coûteuse (et encore est-ce sûr ?), mais la productivité de la main-d'œuvre locale n'a guère augmenté alors que les salaires n'ont pas diminué. Par ailleurs, les prélèvements de l'État sur les entreprises se sont accrus, les surcoûts de production dus aux interventions des détenteurs du pouvoir dans la gestion des affaires ou au jeu des solidarités à l'intérieur de la société ont augmenté de façon parfois vertigineuse. La situation du point de vue des coûts de production est sans doute pire qu'elle ne l'était, il y a trente ans. Comme à l'époque coloniale, cette situation n'est possible que grâce à la rente.

— Cette chèreté persistante fait que la compétitivité sur les marchés extérieurs est toujours absente. L'Europe pourrait être inondée de produits « made in Africa » ; même si l'on admet (mais est-on obligé de l'admettre ?) que les Asiatiques ont aujourd'hui des avantages comparatifs sur les Africains, pour la production de matériels électroniques par exemple, l'Europe pourrait être inondée de cotonnades produites dans les savanes, de vêtements fabriqués dans les faubourgs urbains, de produits artisanaux de toutes sortes. Or, trouver dans un supermarché européen un produit manufacturé africain relève de l'exploit.

— Cette chèreté persistante diminue la compétitivité sur les marchés intérieurs, en particulier parce que, à cause de la baisse des coûts des transports internationaux et grâce à l'action des agences d'aide qui ont financé beaucoup d'infrastructures de transports, les protections géographiques ont diminué. Quant aux protections tarifaires héritées de la puissance coloniale et renforcées par les nouveaux gouvernements dans les premières années de l'indépendance, elles ont été, grâce à l'action persévérante du FMI et de la Banque mondiale, largement démantelées. Le résultat est une invasion encore jamais vue de produits importés, notamment d'Asie, à partir des points de moindre résistance (presque tous hors de la zone franc). Trouver un produit manufacturé africain en Afrique relèvera aussi bientôt de l'exploit. Un exemple entre mille : la boîte de jus de mangue consommé en Mauritanie ne vient ni du Mali voisin (grand producteur de mangues de qualité) ni de la Côte-d'Ivoire (qui a essayé de développer une industrie du jus de fruit) mais... de Singapour.

Dans ces conditions, peut-on s'étonner de la fuite des entrepreneurs étrangers et de la rareté des entrepreneurs nationaux ? Ne résistent que ceux qui jouissent d'une bonne rente ou d'une solide protection géographique.

— Le secteur à bas prix baptisé désormais « informel » s'est énormément développé et inclut des activités de toutes sortes. Mais il ne peut subsister qu'à condition d'échapper aux prélèvements de l'État et des serviteurs de l'État et aussi d'éviter autant que possible tout achat de biens et de services dans le secteur moderne. Faute de pouvoir investir, il est condamné à une très basse productivité. Il permet certes à la grande masse des Africains de vivre mieux que ne le montrent les indicateurs économiques, mais il ne constitue pas une amorce de développement.

— Les économies africaines sont restées des économies rentières mais assises sur des rentes dont beaucoup se sont effondrées. Dans les années 60, la métropole a mis fin aux sur-rentes agricoles ; puis après une éclaircie dans les années 70, la rude concurrence d'autres pays en développement où la productivité du travail est meilleure a pesé sur les rentes de la plupart des produits agricoles tropicaux qui sont probablement maintenant à leurs plus bas niveaux historiques. Quant aux rentes pétrolières et minières, après une période faste dans les années 70 et au début des années 80, elles sont de nouveau déprimées. D'où la situation de crise que connaissent nombre d'économies africaines.

Cette situation de crise est aggravée par le fait que les années de bonnes rentes n'ont pas été utilisées à financer des investissements productifs et compétitifs, mais ont fourni l'occasion d'hypothéquer l'avenir en s'endettant avec la complicité active des Occidentaux, en anticipant des rentes futures qui ne sont pas venues.

— Une nouveauté est que la péréquation entre pays rentiers et non rentiers n'a plus été assurée. Sous la pression des pays bénéficiant des rentes les plus élevées, les fédérations de l'AOF et de l'AEF ont éclaté et le relais de la puissance coloniale n'a pas été pris ; la « fraternité » dont les Africains nous rebattent les oreilles n'a pas été jusque-là... C'est l'aide extérieure qui joue désormais le rôle de la rente dans les pays défavorisés et même, de plus en plus, dans les pays rentiers en crise.

La décolonisation avait été largement motivée par la volonté de diminuer le coût des colonies afin de rendre l'économie française plus compétitive, notamment dans la perspective de l'ouverture du Marché commun. Cet objectif n'a été que très partiellement atteint. Tout au plus a-t-on réussi à faire partager le fardeau par d'autres pays industrialisés.

Trente ans après, on peut dire que la logique économique de la fin de la période coloniale n'a pas été remise en cause. D'une part, certains industriels français poussent toujours au maintien d'une zone d'exportation privilégiée, même si cette zone n'absorbe plus maintenant qu'une faible partie des exportations françaises. D'autre part, les bourgeoisies locales, administratives et politiques, se sont très largement substituées aux entreprises étrangères dans les opérations de prélèvement sur les rentes (les offices de commercialisation ont été, à cet égard, au moins aussi efficaces que les maisons de commerce coloniales !) renouant ainsi avec le passé anté-colonial où les pouvoirs tiraient déjà l'essentiel de leurs ressources de l'or et des esclaves exportés. Et elles ont très vite compris l'intérêt que présentaient pour elles une zone à hauts prix et à monnaie surévaluée.

Les pressions des uns et des autres ont conduit à la situation actuelle qui est plus que jamais défavorable au développement. Pourquoi rechercher un accroissement de la productivité alors que les occasions de prélever sur les rentes naturelles, et de créer (par des mesures administratives) des rentes de rareté artificielles et de prélever sur ces rentes se sont multipliées ? Les ajustements dits « structurels » se sont heurtés à la résistance des groupes privilégiés et n'ont pas réussi à rétablir la compétitivité ; l'écart entre le coût des facteurs de production et leur productivité n'a probablement jamais été aussi grand.

Sur la longue période d'un demi-siècle, on peut dire que la tendance lourde est à l'anti-développement. Les changements intervenus depuis les indépendances ont plutôt renforcé cette tendance et les ajustements structurels des années 80 ne semblent pas l'avoir encore infléchie.

Quels scénarios sont envisageables pour les deux ou trois décennies à venir ? On en proposera deux : l'un s'inscrit dans la continuité des tendances constatées ; on le baptisera « le culte du cargo ». L'autre est un scénario de rupture dénommé « la fourmi africaine ». Comme le premier ne semble pas prolongeable indéfiniment et comme la probalité du second semble assez faible à moyen terme, on s'interrogera sur la possibilité d'un scénario intermédiaire.

Le scénario le plus probable : « le culte du cargo » ?

On rappellera que le culte du cargo est le nom donné à des religions nouvelles nées dans certaines îles du Pacifique au lendemain de la Seconde Guerre mondiale. Des indigènes se sont alors imaginés que des ancêtres bienveillants leur envoyaient les biens manufacturés qu'ils convoitaient. Mais les cargos apportant ces biens étaient détournés par de méchants hommes blancs à leur profit. Tout le problème était de trouver la formule magique qui rétablira l'ordre des choses.

Le culte du cargo connaît un bel essor dans l'Afrique contemporaine avec la participation active des Occidentaux. Un bel essor qui n'est sans doute pas terminé !

Le prodigieux développement des médias (notamment de la radio) depuis trente ans a induit partout, dans les périphéries urbaines mais aussi dans les villages reculés, une demande de biens de consommation modernes. Ce développement n'est certainement pas terminé ; il est vraisemblable en particulier que l'évolution des techniques (récepteurs à très faible consommation d'électricité, systèmes photovoltaïques produisant de petites quantités d'électricité à un coût acceptable, etc.) va considérablement favoriser la dissémination de la télévision, y compris en milieu rural. Quant à la bourgeoisie urbaine, en contact étroit avec le monde occidental, elle a peine à comprendre pourquoi elle ne jouirait pas d'un niveau de vie équivalent à celui des Occidentaux ; et il est peu probable qu'il en aille différemment demain.

Face à cette demande croissante de biens et de services modernes, comment va se présenter l'offre ? Tout s'est passé depuis trente ans comme si « l'Afrique avait rejeté le développement de toutes ses forces » (2), comme s'il était exclu de fabriquer la majeure partie de ces biens en Afrique et comme si le problème était de trouver la formule magique qui amènerait les cargos chargés de Mercedès, de réfrigérateurs et de chaînes haute-fidélité dans les ports africains.

Différentes explications ont été données de ce refus du développement : explications par des traits culturels propres à l'Afrique au sud du Sahara, explications plus sociopolitiques soulignant le rôle qu'ont joué les élites qui ont pris le pouvoir au lendemain des indépendances. On peut faire l'hypothèse que les deux types d'explications se renforcent mutuellement.

Quoi qu'il en soit, différentes formules magiques ont été essayées pour obtenir la venue des cargos convoités :

— L'incantation aux termes de l'échange pour rétablir les rentes à leur ancien niveau et si possible les accroître. Quels peuvent être les effets de telles incantations à l'avenir ? Il est inévitable que les rentes pétrolières augmentent fortement un jour à cause de l'épuisement des ressources mondiales, mais la plupart des experts s'accordent pour dire qu'il est peu probable qu'il en soit ainsi à moyen terme. Peu d'efforts ont été faits, au cours de ces dernières années, pour mettre en évidence des ressources minières nou-

(2) Axelle Kabou, *Et si l'Afrique refusait le développement ?* L'Harmattan, Paris, 1991.

velles et il n'est pas exclu que des situations de pénurie apparaissent et que certaines rentes minières s'envolent, mais il est probable que de telles situations seront provisoires. Enfin, on peut compter sur les pays d'Asie du Sud-Est pour mener la vie dure aux produits agricoles africains sur les marchés mondiaux et maintenir les rentes agricoles à un niveau bas.

Au total, il est peu probable que les rentes se rétablissent à un niveau élevé.

— L'incantation à une aide extérieure accrue, en jouant d'abord sur la rivalité Est-Ouest puis, cette rivalité s'étant atténuée avant de disparaître, en faisant appel à la solidarité de l'Occident, ou en menaçant les pays nantis d'une invasion pacifique de travailleurs immigrés, ou encore (dernière formule en date) en demandant réparation pour les préjudices subis par l'Afrique au cours des siècles du fait de la traite des esclaves et de la colonisation.

Cette dernière formule s'est révélée jusqu'à présent très efficace. D'une part, les hommes politiques africains sont passés maîtres dans l'art de satisfaire ou de faire semblant de satisfaire les exigences formulées par les Occidentaux en contrepartie de leur aide (Établissez un plan de développement ! Rétablissez les grands équilibres financiers ! Libéralisez l'économie ! Dégraissez l'État ! Démocratisez vos régimes !) D'autre part, tout s'est passé comme si les Occidentaux trouvaient commode de livrer quelques cargos contre le maintien d'une paix relative, de zones d'influence commerciale ou politique, etc. La France, en particulier, en consentant les (longtemps modestes) sacrifices nécessaires au maintien d'une zone franc, zone de hauts prix où la non-compétitivité est de règle, a été un fidèle artisan de ce scénario.

Celui-ci est ardemment défendu par la classe politique africaine (toutes tendances confondues) qui occupe une position stratégique pour tirer parti d'une aide extérieure dont la majeure partie transite par l'État. Pourquoi cela serait-il différent demain ?

Ce scénario aura vraisemblablement un coût croissant pour les pays occidentaux. D'abord, parce que le nombre d'individus à aider augmentera ; ensuite, parce que, dans la logique de la société de consommation, au Sud comme au Nord, les besoins de chacun augmenteront ; enfin, parce que, comme on vient de le dire, les rentes dont bénéficient les pays africains n'ont guère de chance de se redresser. Les opinions publiques des pays occidentaux commencent à s'interroger sur le coût et l'efficacité de l'aide à l'Afrique au sud du Sahara ; mais ce coût peut rester supportable pendant encore un certain temps. Un tel scénario ne peut évidemment pas durer indéfiniment, mais pourquoi ne continuerait-il pas pendant au moins la prochaine décennie et peut-être plus ?

Ce scénario continuera d'autant plus qu'à mesure que le temps passe, les économies africaines deviennent plus dépendantes et que, de ce fait, la sortie de ce scénario devient plus difficile. L'expérience a appris à la classe politique africaine que, même si elle ne tient pas les promesses dont elle n'est pas avare en contrepartie de l'aide, les gouvernements des pays industrialisés hésiteront à couper ou à diminuer fortement une aide devenue littéralement vitale pour les sociétés africaines : cela entraînerait des souffrances et des désordres inacceptables par les opinions publiques occidentales.

A cet égard, l'idée évoquée de transformer à l'avenir la zone franc en un zone écu ressemble étrangement à celle qui a présidé aux indépendances à la fin des années 1950 : sous de généreuses intentions affichées, elle consiste en fait à élargie le cercle de ceux qui contribuent à apporter leur concours au maintien d'une zone d'anti-développement afin de permettre à cette situation de perdurer un peu plus longtemps...

Un essai récent (3) compare la situation du monde depuis la chute de l'empire soviétique à celle de l'empire romain à partir du second siècle de notre ère : les nouveaux citoyens romains que sont les « développés » (de l'Ouest et de l'Est) renoncent désormais à étendre leur civilisation à de nouveaux pays ; ils abandonnent à leur sort les nouveaux barbares que sont les « sous-développés », se mettent à l'abri des invasions derrière un nouveau *limes* et n'interviennent au-delà de ce *limes* que pour prévenir les incursions. Le *limes* n'empêche pas les échanges de part et d'autre, mais il marque une différence de statut entre l'en deça et l'au-delà. Disons qu'il y a dans ce schéma au moins une tentation pour le Nord et que le scénario du culte du cargo, qui permet d'acheter à un prix acceptable une tranquillité relative dans une zone au-delà du *limes*, s'inscrit bien dans cette perspective.

(3) Jean-Christophe RUFIN, *L'Empire et les nouveaux barbares*, Jean-Claude Lattès, Paris, 1991.

Peut-on exclure un scénario de la fourmi africaine ?

Il y a trente ans, la plupart des observateurs du continent asiatique le voyaient condamné à la famine et à la misère. Il n'en a rien été, au moins dans un certain nombre de pays qui ont mis en œuvre ce que l'on pourrait appeler un scénario de la fourmi asiatique : révolution verte dans les campagnes au prix d'un travail accru et de l'utilisation croissante d'intrants d'origine industrielle, production de biens manufacturés à bas prix, compétitifs sur les marchés mondiaux grâce à une main-d'œuvre acceptant de très bas salaires réels, monnaies sous-évaluées favorisant l'exportation. D'autres pays qui avaient misé sur des stratégies différentes se sont plus ou moins ralliés à un scénario de ce type ou sont sur le point de s'y rallier : la Chine, l'Inde, le Sri Lanka, peut-être le Viêt-nam.

Personne ne se risque aujourd'hui à élaborer un scénario de la fourmi africaine. Pourtant, les atouts de l'Afrique pour construire à l'avenir un tel scénario ne sont pas minces :

— Contrairement au cliché courant, les Africains peuvent fournir un travail important s'ils sont motivés. Ayant disposé pendant longtemps d'un espace illimité et ayant, de ce fait, la possibilité de mettre en œuvre des systèmes de production extensifs, exigeant très peu de capital et relativement peu de travail, ils n'ont guère été motivés, ni aux époques antécoloniales, ni pendant la période coloniale, ni même depuis les indépendances ; de plus les migrations et l'existence d'une aide internationale abondante leur ont procuré des échappatoires. Mais on voit aussi qu'ils peuvent être très motivés lorsqu'il n'y a plus d'échappatoire et qu'il y va de la survie de leur groupe familial (on citera le cas des paysans mossis qui investissent un travail considérable dans l'amélioration de leur capital foncier, dès lors que les possibilités d'émigration se ferment). Les échappatoires devenant demain moins nombreuses, on peut penser que ce mouvement s'accentuera.

— Les Africains seront d'autant plus capables de fournir un travail important qu'une pression sociale s'exercera dans ce sens. En dépit de la déstructuration croissante des sociétés traditionnelles, le poids du groupe sur l'individu reste très fort, plus fort en Afrique au sud du Sahara que dans la plupart des autres régions du monde. Jusqu'à présent, le travail et l'accumulation n'ont pas été des valeurs reconnues par les sociétés africaines, mais si un jour le groupe pèse pour que la quantité de travail et la productivité croissent, les travailleurs africains ne seront-ils pas capables de performances aussi étonnantes que les Asiatiques, voire supérieures ?

— Depuis trente ans, un gros effort d'alphabétisation et de formation a été fait ; le niveau général demeure inférieur à ce qu'il est en Asie, mais du point de vue de la formation de sa main-d'œuvre, l'Afrique devrait se trouver, au cours des prochaines décennies, dans une situation plus favorable, peut-être semblable à celle de l'Asie des années 60. De même, l'effort de développement des infrastructures de transport qui se retourne actuellement contre le développement pourrait être aussi un atout pour un futur développement.

— Les Africains ont récemment établi et font fonctionner des réseaux intercontinentaux remarquablement efficaces pour importer et distribuer des produits manufacturés aux meilleurs prix (4). S'ils sont placés dans des conditions favorables, pourquoi ne déploieraient-ils pas la même ingéniosité pour placer leurs produits sur les marchés mondiaux ?

La réalisation d'un tel scénario suppose plusieurs changements radicaux :

— La transformation du continent africain, et en particulier de la zone franc, d'une zone de hauts prix en une zone de bas prix, c'est-à-dire la rupture d'habitudes prises depuis près d'un demi-siècle.

— Une telle transformation ne se fera pas sans un affaiblissement des actuels détenteurs du pouvoir en place qui profitent de la surévaluation des monnaies pour acquérir biens et services sur les marchés internationaux. Ce n'est pas le multipartisme et le remplacement d'une faction de la classe politique actuelle par une autre faction de cette même classe qui peut provoquer cette transformation. Elle ne se fera vraisemblablement que si d'autres forces politiques émergent, que si le poids des producteurs, intéressés à un autre régime économique que celui de l'économie rentière, augmente.

— La réalisation de ce scénario suppose aussi des changements considérables dans les valeurs et les comportements des Africains (l'attitude vis-à-vis du profit, de l'accumulation des richesses, de la solidarité, de la mobilité sociale, etc.), ce que Daniel Etounga-Manguelle appelle un « ajustement culturel » (5).

---

(4) Un exemple très éclairant de l'efficacité des réseaux commerciaux africains est donné par Victoria EBIN dans *Politique Africaine* de mars 1992 (« A la recherche de nouveaux "poissons". Stratégies commerciales mourides par temps de crise »), Karthala, Paris.

(5) Daniel ÉTOUNGA-MANGUELLE, *L'Afrique a-t-elle besoin d'un programme d'ajustement culturel ?*, Éditions Nouvelles du Sud, Ivry-sur-Seine, 1990.

On peut imaginer au moins deux variantes de ce scénario de la fourmi :

Un scénario de la tâche d'huile autour du Nigeria

Le Nigeria, du fait du volume et de la densité de sa population, du fait aussi du dynamisme de certaines de ses minorités, a la possibilité de jouer un rôle très particulier en Afrique au sud du Sahara. Malheureusement pour lui, il dispose de la rente pétrolière la plus élevée du continent ; il l'a largement gaspillée jusqu'à présent et il continue à le faire. Mais, poussé par les organismes internationaux et par la dureté des temps, poussé peut-être aussi par une classe de commerçants qui a accru son poids politique, il représente désormais une puissance commerciale qui, grâce à une monnaie relativement sous-évaluée, inonde les pays de la zone franc, à la monnaie surévaluée et convertible, sous une masse de produits manufacturés, certains étant fabriqués sur place, beaucoup étant réexportés.

Cette donnée nouvelle renforce encore le handicap de la zone franc dans la course au développement. Certes, il est possible d'imaginer que le Nigeria va retomber dans l'état plus ou moins chaotique qu'il a connu depuis trente ans et dont il n'est pas entièrement sorti, et que la situation actuelle est toute provisoire. Mais le pire n'est pas toujours certain et on peut imaginer aussi que l'amorce de développement constaté dans ce pays va se renforcer.

S'il en est ainsi, la zone franc se trouvera réduite à être la périphérie d'un pôle de développement et ce ne sont pas les tentatives actuelles d'organiser cette zone en une zone de coopération économique qui y changeront quoi que ce soit. Cela signifie que, après une première phase de développement du Nigeria, ce développement s'étendra aux pays voisins, les hommes d'affaires nigérians allant investir dans ces pays où la main-d'œuvre sera devenue meilleur marché qu'elle ne l'est chez eux (comme les Thaïs investissent désormais au Cambodge...)

On peut rêver d'un meilleur scénario pour les anciennes colonies françaises d'Afrique...

Un scénario multipolaire

Le Nigeria n'est sans doute pas le seul point du continent où des conditions favorables à l'émergence d'un scénario de la fourmi pourraient être réunies. On avait pu penser à une époque que la forte croissance de l'économie rentière en Côte-d'Ivoire ou au Cameroun allait entraîner un véritable développement qui s'autoentretiendrait ; beaucoup d'observateurs avaient même imprudemment conclu que le développement avait déjà démarré dans ces pays. Une telle conclusion était prématurée, mais il n'en reste pas moins que les changements radicaux évoqués ci-dessus se produiront peut-être plus facilement dans des pays qui ont goûté à une certaine croissance.

On ne voit guère de tels changements se produire ou, en étant optimiste, disons qu'on les voit s'amorcer avec une sage lenteur. Est-il possible d'agir pour favoriser leur émergence ? Les actions suggérées et soutenues actuellement par la France et qui visent à faire de la zone franc un véritable espace de coopération économique pourraient être utiles pour renforcer le dynamisme des économies nationales si un tel dynamisme existait (encore que l'on puisse se demander si l'espace géographique retenu est encore pertinent). Mais ce n'est pas la mise en place d'une réglementation régionale des banques et des assurances qui va rendre la zone capable de s'insérer dans l'économie mondiale... Les remèdes proposés apparaissent dérisoires face à l'ampleur du renversement nécessaire d'une tendance demi-séculaire.

On voit mal comment ce renversement pourrait se faire sans des changements autrement profonds dans l'économie de la zone, et notamment dans des conditions monétaires, même si le changement de parité n'est probablement pas suffisant.

Des scénarios du repli sur soi sont-ils possibles ?

On peut admettre avec certains Africains que les temps ne sont pas encore tout à fait mûrs ou même sont loin d'être mûrs pour que le scénario de la fourmi africaine devienne réalité et que l'Afrique se réinsère dans l'économie mondiale. Peut-on envisager des scénarios intermédiaires qui prépareraient mieux le futur que le culte du cargo, lequel ne débouche sur aucun avenir ?

Certains économistes ont proposé depuis longtemps des scénarios d'une déconnexion plus ou moins prononcée de l'Afrique au sud du Sahara, une déconnexion qui pourrait être réduite à celle « des critères de rationalité des choix économiques internes de ceux qui gouvernent le système mondial » (6). L'expérience des dernières décennies a montré que les pays qui ont voulu s'isoler du marché mondial et suivre leur propre voie de développement indépendamment du reste du monde n'y sont guère parvenus. Tout s'est passé comme si l'aiguillon de la confrontation internationale était nécessaire pour éviter une mauvaise répartition des ressources disponibles, une déperdition des énergies ou le fourvoiement dans des impasses.

Cela dit, si l'on admet que, à moyen terme, l'Afrique n'est pas en mesure de s'insérer dans le jeu international, une déconnexion pourrait être un moindre mal et mieux préparer une future réinsertion dans l'économie mondiale que le scénario actuel de dépendance croissante. Ce serait une voie quelque peu analogue à celles qu'ont suivies l'Inde ou la Chine qui, après une période de relative déconnexion, cherchent avec un succès certain à se réinsérer (mais sans avoir connu, faute de donateurs suffisamment généreux, la dépendance croissante que connaît l'Afrique au sud du Sahara).

Le problème est que le « marché commun africain » étant devenu aujourd'hui une réalité sur le terrain, on voit mal certains pays opter pour la déconnexion alors que d'autres choisiraient d'autres voies. Les frontières étant ce qu'elles sont, les premiers seraient mis dans l'impossibilité de suivre la voie choisie. Or, l'ensemble des pays africains ne semble pas du tout prêt à accepter une déconnexion, si bien que cette option paraît actuellement peu réaliste.

---

(6) Samir AMIN, *L'empire du chaos*, L'Harmattan, Paris, 1991.

3

Faut-il laisser l'Histoire s'accomplir en Afrique ?

par Jean-Pierre COMES

Bien avant l'indépendance, l'Histoire s'est arrêtée en Afrique avec le début de la colonisation. En effet, cette dernière a créé différentes colonies sans tenir compte ni du passé, ni des religions, ni des ethnies qui se partageaient l'Afrique, même si les grands empires africains du passé sont un mythe plus qu'une réalité. A l'indépendance, surtout en Afrique francophone, et, à part le Nigeria, pour toute l'Afrique de l'Ouest, les nouveaux États furent calqués sur le découpage des anciennes colonies, créant autant d'États qui ne sont pas viables et qui, souvent ne tiennent compte d'aucune des réalités : l'un des exemples les plus criants, ou les plus absurdes, est celui de la Guinée équatoriale, minuscule pays réparti entre une île et le continent, partagé entre deux groupes ethniques, l'un qui se rattache aux ethnies du Gabon, l'autre à celles du Cameroun.

Consciente du risque de conflits découlant de cette situation, l'OUA a adopté comme principe l'intangibilité des frontières, tandis que les anciens colonisateurs pouvaient trouver un certain intérêt à ce morcellement, clientèle dans les instances internationales, partenaires manipulables car de peu de poids. Ainsi la situation qui prévalait en 1960 n'a-t-elle pas évolué depuis, et l'histoire du continent est restée bloquée.

On peut se demander si cette situation se perpétura, et s'il est souhaitable et possible qu'elle se perpétue. Jusqu'à présent, les Européens et les organismes internationaux ont pu dicter leurs conditions et imposer leurs conseils à des États sans poids et sans existence réelle, la démocratie interprétée comme le multipartisme n'en étant qu'un avatar qui lie l'importance de leur aide au respect de leurs conseils. Par facilité ou par paresse intellectuelle, ils ont également proposé ou imposé leurs modèles d'organisation sans savoir s'ils étaient adaptés. Par exemple, au Cameroun, la France fit mettre en place, il est vrai avec l'accord du président camerounais, pour une armée de quelque 15 000 hommes, la réplique du modèle d'organisation français conçu pour une armée moderne de plus de 300 000 hommes, ayant de plus à faire face à d'autres menaces et à être apte à d'autres types d'action, organisation qui avait été également mise en place au Sénégal et en Côte-d'Ivoire.

Or, avant de considérer l'Afrique comme un champ d'expérimentation vierge et non comme un ensemble de partenaires égaux en droits, il pourrait être intéressant de considérer ce qui s'est passé et ce qui se passe encore en Europe pour perdre peut-être quelques illusions :

— les nations européennes se sont constituées au cours de l'histoire, jusqu'à un passé très récent pour certaines d'entre elles, à travers guerres et conflits pour que chacune d'elles arrive à se définir, accouchement de longue durée et douloureux. Les pays constituant l'Europe de l'Ouest ont eu une évolution culturelle et économique à peu près semblable, et pourtant ce n'est pas sans difficulté que ces nations pourront s'unir en une véritable communauté ;

— à l'Est, le régime communiste a pu bloquer l'histoire depuis la fin de la Seconde Guerre mondiale. Avec son écroulement, l'histoire a repris ses droits pour accomplir une évolution qui n'avait pu se produire, qu'il s'agisse de la guerre en Yougoslavie ou des troubles dans les États de l'ex-Union soviétique, et des conflits qui pourront suivre.

Ces conflits sont regrettables et horribles, surtout aux yeux des nations qui ont pu poursuivre et sans doute achever leur évolution naturelle à travers les guerres du passé. Par contre, il est possible qu'ils soient inévitables, car il est difficile de s'opposer à la volonté des peuples tant qu'ils n'ont pas su régler et dominer leurs querelles ancestrales.

*
* *

Que peut-on observer en Afrique ?

On observe un ensemble de pays qui ne sont souvent ni économiquement ni culturellement viables :

— ces pays ne constituent pas des nations véritables et n'ont pas les structures et les pouvoirs d'États forts ; ils se sont dotés à l'indépendance de l'apparence des structures d'États modernes, d'ailleurs mises en place par l'ancien pays colonisateur ou fortement inspirées par lui ;

— ces structures, démultipliées en raison du nombre excessif d'États, sont coûteuses et inefficaces, les pays concernés n'ayant pas les moyens d'en assurer un fonctionnement normal. De plus, c'est un motif ou au moins une excuse pour avoir créé un nombre excessif de postes de fonctionnaires sans qu'il ait été possible d'en assurer une formation satisfaisante, ni de leur inculquer un minimum de déontologie et de traditions ;

— aux débuts de la colonisation, on considérait l'Afrique comme un continent sous-peuplé. En leur apportant brutalement une médecine moderne que les pays développés avaient acquis en des décennies, donc en pouvant y adapter leurs comportements, on a donné aux jeunes Africains la possibilité de naître et non pas de vivre, faute à laquelle on donne le nom moins choquant de démographie galopante ;

— tous sont maintenant conscients des problèmes de l'Afrique et les nations les plus riches et les plus développées souhaiteraient apporter des solutions à ces maux, tout en critiquant généralement les dirigeants africains, d'un comportement certes souvent condamnable, mais dont ils ne sont pas seuls responsables.

*

* *

Alors que peut-on faire pour l'Afrique ? Deux solutions :

— continuer, comme au cours des décennies passées, à dicter aux pays africains ce que les pays les plus riches considèrent qu'ils ont à faire : politique de restructuration — étalement de la dette qu'ils ne pourront pas rembourser, même échelonnée dans le temps, interventions, sans suite réelle, du FMI, de la Banque mondiale, de la Communauté ou d'autres organismes —, subventions accordées pour tenter de leur maintenir la tête hors de l'eau, abandon partiel du fardeau par la France en le partageant avec d'autres, subventions versées pour maintenir un quelconque régime en place, en lui permettant de payer, encore un mois, des fonctionnaires, en surnombre, inefficaces et corrompus, qui souvent ne touchent plus depuis des mois des salaires par ailleurs excessifs...

Ainsi, il serait possible de faire perdurer quelques années encore la situation actuelle, en prétendant pouvoir y remédier en proposant par exemple la création de grandes zones économiques, sans économie, s'inspirant peu ou prou de la Communauté qui a ses propres difficultés et qui en tout état de cause n'a aucun élément qui puisse se rapprocher du cas de l'Afrique ;

— tenter de responsabiliser les pays africains quels qu'en soient les risques et les désordres violents qui en résulteront, au lieu d'en faire des assistés irresponsables, quémandeurs et insatisfaits d'une aide toujours plus insuffisante. On peut se demander si les plus grands malheurs de l'Afrique n'ont pas été causés par l'intervention passée des Occidentaux et par leurs bonnes intentions. Peut-être serait-il temps de laisser l'Afrique aux Africains, sans pour cela avoir mauvaise conscience, sans pour cela les abandonner ou réduire le montant de l'aide qui leur est consentie.

*
* *

C'est sur la seconde solution que se penche la suite de cet écrit, sans prétendre ni détenir la vérité, ni faire autre chose que de tracer quelques traits de manière grossière, caricaturale, et incomplète.

Suivent quelques principes généraux indiqués à titre d'exemple :

— le moteur essentiel du développement humain est la nécessité : les Mozabites se sont lancés dans le commerce ou ont creusé des puits artésiens parce que, pour des raisons religieuses, ils avaient été repoussés dans une région inhospitalière dans laquelle il leur fallait pourtant survivre ; la Grande-Bretagne s'est créée un empire au-delà des mers parce qu'elle était une île, et la France en a fait parfois autant parce qu'elle ne pouvait plus s'étendre sur le continent européen — et le chien ouvrira facilement une porte si ça lui est nécessaire ; par contre, il sera difficile de lui apprendre à la fermer car il n'en voit pas l'utilité ;

— le propre de toute société humaine est de toujours chercher à s'agrandir, et lorsqu'elle ne peut plus le faire, souvent elle disparaît : pour les États-Unis, c'était la conquête de l'Ouest avant d'étendre leur influence plus loin encore ; pour l'Espagne ancienne, c'était les Amériques ; pour le Japon, ensemble d'îles, ce fut tantôt l'aventure militaire, tantôt l'expansion économique mal conçue initialement, jusqu'à la défaite écrasante après laquelle il ne lui restait plus qu'à tenter de vaincre son vainqueur avec ses propres armes. Ainsi, toute société humaine cherche à étendre sa domination, ou au moins son influence, jusqu'à ce qu'elle rencontre une autre société capable de bloquer son entreprise, telle l'Allemagne vis-à-vis de la France ;

— pour qu'une activité puisse voir le jour, il est certes nécessaire de disposer d'hommes formés capables de l'exercer. Par contre, ce n'est pas l'existence de personnels instruits et formés qui permettra à lui seul de développer une activité si la nécessité n'en est pas comprise, ou si les conditions économiques voulues ne sont pas remplies. Ainsi, il existe un rapport étroit entre développement de l'instruction et développement économique, mais ils doivent se faire simultanément et d'une façon coordonnée, sans que l'un doive impérativement précéder l'autre ;

— il n'existe pas de modèle unique permettant d'obtenir partout des résultats identiques, mais seulement des principes généraux. L'exemple de l'Asie du Sud-Est permet d'en dégager quelques-uns au même titre d'ailleurs que les cas de l'Europe ou des États-Unis ; par contre, aucun ne constitue un modèle directement exportable.

Les enseignements tirés de la confrontation de ces principes avec la réalité africaine, sont les suivants :

— en faisant abstraction des données culturelles, la nécessité comme moteur de développement n'a pas existé pour l'Afrique de l'Ouest, et n'existe toujours pas. En effet, après avoir créé de toutes pièces des États, et des dirigeants à leur image, les Occidentaux les ont déresponsabilisés par leur aide et leurs interventions en donnant parfois l'impression que l'objectif essentiel était de se créer une clientèle ;

— la volonté de puissance n'existe pas, pas plus que le besoin d'expansion ; il y a quelques décennies, le continent africain était sous-peuplé, et il le reste, même si sa population est trop nombreuse en fonction de son mode de vie et de son niveau de développement. Il en résulte qu'au morcellement de pays issus de la colonisation se rajoute, surtout en zone de forêt, un morcellement ethnique, les deux ne se recoupant pas toujours ;

— les bases d'un développement coordonné de l'instruction et de l'économie n'existent pas : la France s'est contentée d'appliquer à l'instruction son propre modèle, inadapté au cas africain, sans s'être interrogée d'abord sur les besoins ; il est vrai que cette solution a permis de créer de nombreux postes d'assistants techniques financièrement attrayants, même s'il arrive aux intéressés de se plaindre ;

— les responsables africains n'ont jamais cherché à concevoir un modèle original adapté au cas africain. D'ailleurs, le pouvaient-ils ? Issus de la décolonisation, formés à l'école de l'ancien colonisateur, coupés souvent de leurs propres racines, persuadés peut-être par mentalité ou par habitude que le signe le plus net d'évolution est d'être la copie conforme des responsables de l'ancienne puissance colonisatrice même s'ils les critiquent, ils n'étaient capable que de copier les modèles qu'on leur avait appris.

*

* *

A partir de ce constat, peut-on concevoir une ébauche de solution ?

— D'abord accepter une idée force : en faisant table rase des erreurs passées, et de ses responsabilités en tant qu'ancien colonisateur, la France doit laisser les pays africains se débrouiller, sans fausse honte à l'égard des principes humanitaires, sans encore prétendre trouver des solutions pour résoudre leurs difficultés, et sans pour autant ne plus accorder d'aide mais en modifier les modalités. Coopérer veut dire collaborer ; il ne peut pas y avoir de coopération réelle entre un donateur et un quémandeur. Il est donc nécessaire de rendre responsables les dirigeants africains, et ce n'est qu'alors que pourra s'instaurer une coopération entre partenaires indépendants et égaux en droits et en devoirs ;

— établir une base financière initiale. Les politiques de réajustement ou de rééchelonnement de la dette risquent de se révéler sans avenir et utopiques : les difficultés sont trop grandes et ne peuvent que s'amplifier pour espérer qu'un jour les pays concernés soient en mesure de rembourser leur dette. Alors peut-être faut-il faire une croix dessus, et d'ailleurs le prêteur prenait des risques et des responsabilités qu'il lui reste à assumer ;

— à partir de là ne plus accorder d'aide financière sans contrepartie aux responsables politiques africains, mais traiter sans complexe avec les pays sur un pied d'égalité ; les dons ne sont ni un dû, ni une aumône. Avant de consentir un don ou un prêt, il faut se mettre d'accord sur un projet proposé par l'un puis accepté par l'autre après discussion et adaptation. Dans la réalisation du projet, le donateur doit exercer ses droits de contrôle et ses responsabilités ;

— par voie de conséquence, ne plus offrir de garanties financières aux entreprises qui voudraient se lancer dans la réalisation d'un projet peu ou mal adapté aux besoins et aux possibilités du pays concerné, en espérant en tirer seulement un bénéfice ;

— modifier donc la conception de l'assistance technique et la définition des postes d'assistants : ils devraient être mis en place en fonction d'un projet et pour une durée déterminée, au lieu d'honorer seulement des postes, sans définition précise de leur finalité ;

— peut-être changer l'appellation du ministère de la Coopération, qui pourrait devenir celui de ministère délégué aux Affaires africaines, en tout cas en adapter les attributions : il ne devrait surtout pas être un simple répartiteur de budget, mais exercer une responsabilité dans la définition et l'acceptation des projets.

*
* *

Une telle solution ne pourra qu'entraîner des désordres ; reste à savoir si on a le courage d'en accepter le risque. Mais ces désordres accompagnent toujours la marche de l'histoire ; les Européens en fournissent le meilleur exemple. De plus, l'évolution actuelle de l'Europe peut conduire à une certaine humilité. Si l'Afrique peut faire progresser son histoire, au milieu d'affrontements et dans la douleur, il se pose une question qui concerne en premier lieu l'Afrique francophone : la nature des sociétés humaines veut qu'elles cherchent à s'étendre aussi longtemps qu'elles ne rencontrent pas une volonté d'expansion aussi forte que la leur. Or, il y a le Nigeria ; aucun des pays qui l'entourent n'a les moyens de s'opposer à lui et il est en mesure de dominer toute la région. Tenter de créer un grand ensemble économique peut paraître une solution satisfaisante ; pourtant, elle semble trop s'inspirer d'enseignements tirés de l'exemple de la Communauté européenne qui n'a pu voir le jour qu'après une étape dans son histoire. Un tel modèle permettrait-il de faire face aux menaces de conflits violents ? Il serait peut-être souhaitable que, dans leur évolution, les petits pays francophones s'unissent dans un même ensemble politique qui, à la différence de l'Europe, devrait précéder l'union économique.

4

L'Afrique délaissée

par André FONTAINE

Il peut paraître paradoxal d'écrire que l'Afrique est « délaissée » alors que 28 000 soldats américains, 2 000 Français et des contingents plus modestes, fournis par dix autres nations, sont intervenus en Somalie, avec la bénédiction du conseil de sécurité unanime, pour permettre à l'aide alimentaire de parvenir à ses destinataires et désarmer, dans la mesure du possible, les factions qui la mettaient à sac.

Pour la première fois dans l'histoire, la communauté internationale tout entière, Chine communiste comprise, a ainsi reconnu qu'il existait non seulement, comme cela avait déjà été admis à propos des Kurdes d'Irak, une limite au sacro-saint principe de la non-intervention dans les affaires des autres, mais, comme l'a dit le Pape en personne, un véritable « devoir d'ingérence humanitaire dans les situations qui compromettent gravement la survie des peuples et de groupes ethniques entiers ». Et c'est en Afrique, dans un pays que la plupart des gens auraient eu sans doute beaucoup de peine, quelques semaines auparavant, à situer sur la carte, que cette prise de conscience s'est matérialisée.

S'il en va ainsi, bien évidemment, c'est parce que, de toutes les souffrances, celle des enfants est la plus insupportable à ceux qui en sont les témoins : trop de visages atrocement émaciés, trop de cadavres aux membres de sauterelle ont défilé en gros plan sur les écrans de TV pour que les consciences les plus tranquilles n'en soient pas troublées. Pour excessive que cette « médiatisation » ait pu à bon droit paraître, on ne devrait donc à première vue que se féliciter de son impact. Mais en focalisant l'attention sur la Somalie, elle rejette inévitablement dans l'ombre le cas d'autres pays dont la situation est trop souvent à peine plus enviable. L'Éthiopie et le Mozambique sortent à grand peine de guerres civiles interminables qui les ont laissés exsangues. On avait trop vite salué la fin de celle d'Angola. Celle du Soudan ne donne aucun signe d'accalmie. Rien n'est réglé au Libéria, théâtre, il y a peu de temps encore, de combats de clans très comparables à ceux de Somalie, et pas davantage au Tchad, où les affrontements armés n'ont guère cessé depuis l'indépendance. L'impéritie généralisée et la corruption érigée en principe de gouvernement ont plongé le Zaïre et Madagascar, pour ne citer qu'eux, dans la désolation. Le rêve multiracial du Zimbabwe n'est plus qu'un souvenir. Au Mali et au Niger, les Touaregs ont pris les armes. En progrès indiscutable en de nombreux endroits, la démocratie pluraliste n'apporte pas la garantie automatique du salut : à en croire *Jeune Afrique,* on compte deux cent cinquante-sept partis politiques au Zaïre, déjà nommé, et soixante-quinze au Congo, qui n'a pourtant qu'un million et demi d'habitants.

On pourrait continuer longtemps, sans omettre de signaler bien sûr qu'il existe tout de même en Afrique quelques pays comme la Zambie, la Namibie, le Lesotho, pour ne pas parler de l'île Maurice, qui donnent l'exemple d'une relativement bonne gestion. Mais il faut aussi rappeler que le bilan économique d'ensemble est terriblement négatif : le PNB cumulé du continent noir, qui diminue régulièrement depuis cinq ans, ne dépasse pas celui de la Belgique. Sa part dans le commerce mondial est passée en trente ans de 9 à 3 %. Nulle part le sida n'exerce autant de ravages. Et la rapidité de la croissance de la population ne laisse guère d'espoir qu'elle puisse être rattrapée avant longtemps par celle de la production alimentaire.

Trop de leaders africains ont tendance à rejeter sur le monde occidental la responsabilité de ce naufrage, alors qu'entre la prévarication, le gaspillage, les rivalités ethniques, religieuses, tribales, la fuite des cerveaux et des capitaux, il y aurait tant à dire sur celle des élites, ou des prétendues élites, locales. De là pour les anciens colonisateurs à se déclarer totalement innocents, voire à dire, comme certains n'hésitent pas à le faire, que l'Afrique est un cas désespéré et qu'il n'y a qu'à l'abandonner à son triste sort, il y a un pas que ni le respect de la vérité, ni la morale élémentaire n'autorise à franchir.

Tandis que, partout ailleurs, la croissance de la population se ralentit, en Afrique subsaharienne, elle a tendance à s'accélérer.

Les démographes estiment que le pourcentage des Africains parmi les habitants de la planète, qui est aujourd'hui de 12 %, passera à 14 % en l'an 2000 pour atteindre 25 % dans un siècle. Il est impensable qu'ils se laissent dépérir sans recourir à la violence ou se résoudre à un exode auquel notre quiétude aura bien du mal à résister : toutes les nuits, déjà, des Noirs qui ont déchiré leurs papiers pour qu'on ne puisse les refouler vers leur pays d'origine, débarquent clandestinement sur les côtes de l'Espagne du Sud.

Les grands changements qu'apporte dans les relations internationales la fin de la guerre froide devraient aider les pays du Nord à réviser leur comportement vis-à-vis de l'Afrique. Certes, ils se trouvent saisis de demandes pressantes de la part des démocraties ex-populaires : il n'est que de constater le coût exorbitant de la réunification allemande. Mais ce serait une erreur grave d'oublier de ce fait les énormes besoins de l'Afrique. Il se trouve heureusement qu'elle n'est plus ce qu'elle n'avait cessé d'être depuis la décolonisation : un champ de bataille pour les superpuissances. Celles-ci, lorsqu'il s'agissait d'aider financièrement ou militairement tel ou tel régime, s'occupaient beaucoup plus du camp qu'il avait choisi que de l'honnêteté et de l'efficacité de sa gestion. Le poids des armements affectait lourdement bien des budgets, tandis que les combats entravaient dramatiquement la production agricole et son acheminement.

Aujourd'hui, Américains et Russes ont cessé de se battre par Angolais ou Éthiopiens interposés. Les Cubains sont rentrés chez eux. L'Afrique du Sud a abandonné l'apartheid et choisi courageusement la voie du dialogue à chaque instant, il est vrai, menacé par un regain de violence.

Ce n'est pas seulement en Somalie qu'il faut arrêter les feux de brousse. Le moment est venu pour la communauté internationale d'agir non seulement sur les effets mais sur les causes, et donc sur les moyens d'aider enfin les Africains à prendre pour de bon leur destin en mains.

2

La France au pied du mur : clientélisme ou développement ?

On pourrait dire, en simplifiant beaucoup, que deux lignes directrices émergent de la réflexion précédente : laisser les Africains prendre leurs responsabilités, ne pas les abandonner. C'est là un équilibre qui n'est pas facile à réaliser. Le moins que l'on puisse dire est que ni la coopération française, ni d'ailleurs les autres agences d'aide, ne l'ont encore trouvé...

Depuis plus de trente ans, notre coopération a fait preuve d'une remarquable continuité alors que tout bougeait autour d'elle. La compétition économique est devenue planétaire, l'interdépendance entre les nations a augmenté de façon fantastique. Les rapports internationaux viennent de subir une mutation brutale avec l'effondrement d'une des superpuissances. Certaines parties du monde ont connu et connaissent toujours une croissance prodigieuse, notamment en Asie ; alors que d'autres n'ont connu qu'un développement lent ou la stagnation : c'est le cas de l'Afrique au sud du Sahara.

Derrière une apparente continuité, le continent africain luimême a été marqué par bien des fractures et des mutations. Les sociétés africaines se sont ouvertes sur l'extérieur et ont probablement plus changé en une trentaine d'années qu'elles ne l'avaient fait pendant toute l'époque coloniale.

Dans ce monde nouveau qui va connaître de nouveaux bouleversements, la France a-t-elle encore un message pour l'Afrique ? A-t-elle autre chose à proposer que la poursuite de la politique clientéliste, le ravaudage du vieux pacte colonial et le soutien quasi inconditionnel à des États condamnés à la faillite ? Est-elle prête à s'engager dans une voie différente où l'appui au développement deviendra réellement prioritaire ? Est-elle prête à revoir, s'il le faut, le champ géographique où elle entend exercer son action et à se doter des instruments adaptés à une nouvelle politique ?

5

Faut-il brûler la coopération française ?

par Serge MICHAILOF

En coordination étroite avec les institutions multilatérales et les autres grands bailleurs de fonds, la coopération française, aujourd'hui critiquée et contestée, doit désormais centrer son action sur la réforme des politiques économiques et des comportements en Afrique. Il ne faut donc pas brûler la coopération française, mais celle-ci doit changer.

La coopération française doit clarifier ses objectifs et préciser ses priorités

L'opinion publique française reste sensible à l'action charitable de type « Médecins sans frontières », mais elle s'interroge sur l'utilité de la coopération institutionnelle qu'elle connaît fort mal. La confusion fréquente au cours des années 70, des objectifs commerciaux, politiques et altruistes, a contribué à altérer une image qui reste brouillée.

Malgré le dévouement et la qualité de ses équipes (1), c'est l'utilité de notre coopération qui est aujourd'hui contestée face à la

(1) Reconnus par les essayistes les plus critiques (cf. J. ADDA et M.C. SMOUTS, *La France face au Sud*, Karthala, 1989.

faillite économique de l'Afrique. L'afropessimisme qui a succédé au cartiérisme dans le domaine des idées à la mode, recèle en effet la même tentation de désengagement et d'abandon, le « à quoi bon » faisant suite au « d'abord nous ». Dans ce contexte, les responsables politiques français, sensibles à l'opinion publique et aux contraintes budgétaires, peuvent être tentés de se replier soit sur une action caritative qui ne peut rien sauver (hormis quelques détresses ponctuelles et notre bonne conscience), soit sur des « coups politiques » sans lendemain, soit enfin sur une coopération réduite aux aspects sécuritaires.

Depuis trente ans, la France joue en Afrique un rôle stabilisateur fondamental

Si la présence française dans les domaines politique, technique, financier et militaire n'a pu enrayer l'échec économique en Afrique, elle a néanmoins permis d'éviter, dans les « pays du champ », les drames qui aujourd'hui ensanglantent la corne de l'Afrique. La plupart des pays francophones connaissent de graves crises économiques et financières mais aucun ne connaît la situation de la Somalie ou du Soudan.

La coopération française, en trente ans, a en effet facilité la création et le maintien d'une infrastructure de base et d'appareils productifs non négligeables : la comparaison Ghana-Côte-d'Ivoire est à cet égard significative. Elle a largement contribué à assurer le fonctionnement des services publics essentiels et des appareils d'État de nombreux pays qui, sans elle, se seraient très probablement désintégrés dans la violence.

Elle n'a en revanche pas permis pour autant l'émergence d'un modèle de développement africain spécifique et efficace. Cette impasse économique et l'échec des politiques d'ajustement, qui exigent chaque année des transferts financiers accrus, la mettent aujourd'hui à l'épreuve.

Les contradictions de notre politique de coopération sont toutefois vivement dénoncées. Celle-ci a certes suivi depuis l'indépendance des objectifs multiples et partiellement contradictoires. Une telle situation n'est pas anormale car la coopération constitue un élément de notre politique étrangère. Fondée pour être durable sur les intérêts à long terme de notre pays, elle ne saurait reposer exclusivement sur les bons sentiments...

Mais, pour une bonne part de l'opinion publique française, la coopération est un inutile gaspillage de ressources (2). Parallèlement, une importante fraction de l'opinion publique africaine, relayée par des médias français, reproche à notre coopération de contribuer essentiellement au soutien politique de régimes contestés (3) qui ont parfois conduit, comme au Zaïre et à Madagascar, leur pays à la ruine. Des responsables africains et français accusent aujourd'hui notre coopération d'avoir surtout subventionné des entreprises françaises en parsemant le continent d'usines non rentables (4). Enfin, il est aujourd'hui permis de se demander si nos concours budgétaires et aides à l'ajustement ne permettent pas d'assurer la simple survie provisoire de systèmes économiques non viables.

Dès lors, la multiplicité des objectifs (aide au développement économique, aide aux exportations françaises, soutien de régimes politiques amis, etc.) et les ambiguïtés qui y sont liées ne permettent plus aujourd'hui de fonder une politique claire, cohérente et susceptible de provoquer une large adhésion de l'opinion publique.

L'ampleur des enjeux justifie la poursuite des efforts de coopération

La politique de coopération est une composante de notre politique étrangère. A ce titre, elle s'inscrit sans doute dans un domaine plus vaste que l'aide au développement *stricto sensu*. Elle constitue en effet un levier de notre diplomatie.

Mais ses enjeux apparaissent maintenant beaucoup plus clairement au plan géopolitique. En effet, un continent entier, proche de la France par la géographie et les liens historiques et culturels, constituant par là même une zone d'émigration naturelle, est en voie de marginalisation économique. Or, crise économique et démographie galopante ne peuvent conduire qu'à des désastres, ainsi que nous le rappellent nombres d'exemples de spirales infernales en Afrique ou dans d'autres régions du globe (Sri Lanka, Amérique centrale, Philippines...).

---

(2) Cf. Bernard LUGAN, *L'Afrique, bilan de la décolonisation*, Éd. Perrin.

(3) Cf. Sylvie BRUNEL, « L'aide sert trop souvent d'argent de poche aux dirigeants africains », *Science et vie économie*, janvier 1992.

(4) Cf. André POSTEL VINAY, « Empire de l'affairisme sur les financements français », *Le Monde* ; « Pour une nouvelle politique française à l'égard du Tiers-Monde », *Politique étrangère*, n° 3, 1990.

La décennie 90 décidera de l'avenir du continent africain pour la première moitié du XXIe siècle : zone d'expansion économique et de paix ou foyer de drames et d'exodes où s'affronteront des chefs de guerre ainsi que dans l'Europe du XIVe siècle ou la Chine des années 30. La coopération française, par une présence efficace, pourra être l'un des acteurs qui contribueront à faire pencher la balance dans un sens favorable aux intérêts de l'Afrique mais aussi de la France.

Dans un tel contexte, au-delà des impératifs relevant de l'éthique, il est de l'intérêt de la France de poursuivre un effort de coopération avec l'Afrique, pour autant que cet effort permette effectivement de favoriser le développement économique. Le développement apparaît en effet comme le seul rempart crédible contre les désastres sociaux et politiques qui menacent le continent africain.

Le nouveau contexte international permet de lever les ambiguïtés de notre coopération et de clarifier ses objectifs

On a pu croire pendant un certain temps que les « grands contrats » œuvraient pour le développement de l'Afrique. Il est aujourd'hui évident, comme le prouve la crise de la dette, que tel n'est pas le cas et que les objectifs commerciaux à court terme sont peu compatibles avec les préoccupations de développement.

Le soutien apporté à des régimes amis dans un contexte de guerre froide a eu ses mérites, permettant aux pays du champ d'échapper aux désordres et aux guerres qui, comme en Angola ou en Éthiopie, ont accompagné l'irruption en Afrique du conflit Est-Ouest. Ce soutien, sur ce seul critère, n'a plus de raison d'être.

Désormais, la marginalisation économique de l'Afrique subsaharienne et la fin de la guerre froide permettent de recentrer notre politique de coopération sur ce qui doit constituer son objectif principal : l'aide au développement économique.

— *La coopération française doit redéfinir ses priorités.* Dans un contexte de restrictions budgétaires, face à l'ampleur des enjeux, face aux urgences (5), il importe que la coopération française réexa-

(5) Urgences budgétaires, en particulier, dont le simple traitement pourrait absorber l'intégralité des ressources de la coopération...

mine le cadre global de ses interventions et que les responsables politiques veillent à la cohérence des objectifs et des moyens.

L'objectif majeur qui semble s'imposer à la politique française de coopération est d'aider à sortir quelques pays africains, en particulier les principaux pays à revenu intermédiaire, de la logique de l'échec économique pour en faire au contraire des pôles de croissance comme l'a été la Côte-d'Ivoire au cours des années 70. L'objectif est aussi de bloquer, autant que possible, dans les autres pays, la spirale de la désorganisation/désintégration économique, afin de redonner espoir à la jeunesse africaine et d'assurer le succès des expériences démocratiques. Ces objectifs justifient toutefois qu'une attention soutenue soit apportée aux préoccupations de sécurité des États africains dans la mesure où le développement est incompatible tant avec l'insécurité aux frontières qu'avec un niveau élevé de dépenses militaires.

— *La coopération française doit valoriser au mieux l'atout que représente une expérience étendue.* Depuis quelques années, des efforts de clarification considérables ont été engagés par les responsables de la coopération française au sein des diverses institutions concernées, pour redéfinir de façon novatrice des politiques sectorielles d'intervention (politique de l'éducation, politique urbaine, politique d'intervention dans le secteur rural, etc.), mettre en œuvre d'importants programmes d'ajustement sectoriels (redressement des filières exportatrices, assainissement des secteurs bancaires...), renforcer considérablement le soutien aux bailleurs de fonds multilatéraux (BIRD, CEE) dans le cadre de ces programmes sectoriels, redéployer les moyens humains. Ces efforts doivent être poursuivis, renforcés au plan technique, mieux articulés au plan institutionnel. Ils doivent recevoir un soutien accru au plan financier au détriment des « abonnements », des « cadeaux », des projets imposés par les « lobbies » techniques et des aides budgétaires déguisées en programmes d'ajustement globaux. Ils doivent enfin être appuyés fermement au plan politique français.

— *En veillant à l'efficacité de son action, elle peut contribuer à mobiliser et orienter les ressources de la Communauté européenne.* L'expérience acquise par la coopération française et une efficacité renouvelée de son action, peuvent lui permettre de mobiliser les autres pays européens pour la tâche ambitieuse que constitue l'appui à un réel développement économique de l'Afrique. Dans le cadre d'une Europe communautaire qui peut être guettée par la lourdeur des procédures décisionnelles, une aide bilatérale peut ainsi servir de modèle et de catalyseur. Le succès de cette entreprise est toutefois lié à la propre crédibilité de la coopération française, c'est-à-dire à son aptitude à favoriser l'amorce d'un réel développement économique. L'efficacité de son action conditionne par conséquent le rôle d'éclaireur, voire de pilote, qu'elle peut assumer à l'avenir dans un cadre européen.

— *La coopération française doit aussi reprendre son indépendance de jugement et d'expression.* Au-delà de la concentration de ses moyens, il importe que la coopération française recouvre son indépendance de jugement et relance un dialogue de fond avec le FMI et la Banque mondiale. La participation de la France aux programmes d'ajustement ne doit pas en effet se limiter comme actuellement à en gommer les aspects les plus douloureux à court terme et à en assurer une part notable du financement ; elle doit contribuer à leur redonner cohérence et réalisme au plan économique.

Il est à cet égard inquiétant et paradoxal de constater aujourd'hui que la France, qui est à la fois le plus gros bailleur de fonds de l'Afrique francophone et le pays qui y a le plus d'intérêt à court et long terme, n'y fait guère entendre sa voix au plan économique. En ce qui concerne l'usage de son aide, son souci excessif de ne pas froisser fait qu'elle n'est guère contraignante et peu écoutée. Au plan de la stratégie économique, après avoir lancé en vain, il y a une décennie, quelques slogans et concepts peu convaincants, elle se borne aujourd'hui face aux institutions de Bretton Woods à faire une ligne Maginot du maintien d'une parité contestée. Or, au moins deux messages forts plus significatifs pourraient être défendus auprès de ces institutions.

L'ajustement doit être conduit dans une perspective à moyen terme, et non à court terme comme le pratique le FMI dont les programmes financiers sont pour la plupart irréalistes en Afrique francophone, non par leurs objectifs, mais par leur horizon trop court.

L'autre message est une interrogation sincère sur l'insuffisance des résultats des programmes d'ajustement structurels conduits depuis dix ans. La France doit s'interroger, avec ses partenaires de Bretton Woods, à la fois sur le sérieux (ou l'absence de sérieux) avec lequel ces programmes ont été exécutés par nos partenaires africains, mais aussi sur l'adéquation de ces programmes (ainsi que le modèle macro-économique néoclassique qui les fonde) aux maux qu'ils sont sensés guérir.

— *Elle doit contribuer à l'émergence d'une nouvelle approche de la relance économique de l'Afrique.* Il est pour le moins frappant de constater que la pratique économique des pays qui ont réussi leur décollage, en particulier dans le Sud-Est asiatique, est sans grand rapport avec les principes néoclassiques libre-échangistes. Même si l'on ne peut qu'approuver l'essentiel des recommandations de la Banque mondiale, certaines de ses prescriptions, mal appliquées par les pays africains, ne contribuent-elles pas au désastre économique ainsi que le révèle l'échec des nouvelles politiques industrielles en Afrique au cours de la dernière décennie ?

Les pays africains ne devraient-ils pas, ainsi que le recommandent divers experts français (6), suivre l'exemple concret des pays du Sud-Est asiatique et non l'image idéalisée qu'en offrent certains analystes ? Ne devraient-ils pas libéraliser à outrance leurs circuits économiques internes, protéger modérément mais fermement tant leurs industries que leurs agricultures destinées à un marché intérieur qu'il faut créer et développer et enfin stimuler à outrance leurs exportations tant agricoles qu'industrielles ?

L'application partielle et déformée par les responsables africains de certaines recommandations de la BIRD ne conduit-elle pas au contraire à une non-libéralisation des circuits économiques internes (pour maintenir les prébendes de l'État prédateur), et à une déprotection catastrophique des secteurs productifs, déjà envahis par les importations frauduleuses ? Quant aux stimulations des exportations, les crises financières leur ont ôté toute crédibilité...

— *Il lui faut relancer pour cela la recherche en économie du développement et le dialogue sur les politiques économiques avec les institutions internationales et les responsables africains.* L'ampleur des enjeux justifie que la coopération française appuie ses chercheurs et ses universitaires et relance la recherche en économie du développement. Trop peu de centres français disposent, en ce domaine, des moyens leur permettant un rayonnement international. Cet appui faciliterait l'ouverture d'un dialogue de fond avec

---

(6) Cf. en particulier P. Judet et J.-R. Chaponnière, le chapitre « Succès asiatiques et nouvelles approches pour le développement de l'Afrique » et « Gouverner le marché : classiques, néo-libéraux et références asiatiques », in *L'échec du développement en Afrique subsaharienne : évolution souhaitable de la coopération française,* rapport du groupe de prospective, Ministère de la Coopération, novembre 1992.

les institutions internationales d'aide et le lancement d'un débat d'idées tant en Afrique qu'à Washington.

La Banque mondiale, à cet égard, est ouverte au débat et ne prétend pas avoir le monopole de la réflexion. Les positions en son sein y sont plus nuancées que ne le laissent croire certains responsables africains désireux d'en faire un bouc émissaire de leurs échecs. Il existe dans le monde des modèles réussis de sortie du sous-développement. Il est indispensable de les analyser attentivement et de s'en inspirer.

Certes, les contraintes internes à ces changements de politique économique sont considérables. Aussi, pour y faire face, sans doute faut-il travailler au niveau sectoriel ou sous-sectoriel, dans des approches qui évitent d'attaquer sur un front trop large les intérêts qui font obstacle à l'ajustement. Il est également nécessaire d'engager un important travail de pédagogie et d'explication appuyé sur les réussites ponctuelles qui montrent qu'il est parfaitement possible d'inverser les tendances actuelles. Il faudra enfin que, dans le cadre d'un dialogue franc et sincère, nos partenaires africains acceptent une sérieuse remise en ordre de leurs économies et peut-être que la France soutienne plus activement une nouvelle génération de responsables politiques, plus consciente de l'impasse actuelle et désireuse de chercher réellement des issues. Les propositions qui suivent cherchent, à cet égard, à servir de fil directeur pour un dialogue portant sur les stratégies économiques.

Aider à promouvoir une industrie africaine compétitive

Au-delà de la relance agricole indispensable à la croissance industrielle, quatre priorités semblent s'imposer pour relancer le processus d'industrialisation en Afrique : aider à liquider ou privatiser les industries étatiques lorsqu'elles sont en faillite (ce qui est souvent le cas), aider à constuire un environnement économique assaini puis attrayant pour l'industrie privée, aider à conduire de véritables politiques industrielles sur le modèle des politiques mises en œuvre dans le Sud-Est asiatique, accompagner la dynamique des micro-entreprises du secteur informel.

Ces priorités ainsi énoncées ressemblent à des banalités. L'observation des faits montre pourtant que la coopération française a beaucoup à faire pour aider les pays africains à accomplir la révolution idéologique et culturelle qui s'impose pour cette tâche (7).

Faciliter la liquidation ou la privatisation de l'industrie étatique lorsqu'elle est en faillite

L'essentiel de cette industrie, qui s'est développée sans se soucier ni de compétitivité ni de l'existence de marchés solvables, est aujourd'hui en faillite ou quasi-faillite. Ces entreprises constituent un drain pour les finances publiques et un élément de surcoût pour les consommateurs. Il importe malheureusement de clore cet épisode.

Depuis quelques années, la CFD (8) a conduit des opérations de privatisation totale ou de privatisation de la gestion de certaines de ces affaires. Ces opérations, souvent délicates, ne sont sans doute pas une panacée, mais elles permettent une professionnalisation des dirigeants, leur responsabilisation et leur assurent une plus grande indépendance à l'égard des pouvoirs publics. En dehors de toute considération doctrinale, ce type d'approche doit être conforté et systématisé lorsque les perspectives de marché et la situation globale des entreprises laissent entrevoir des perspectives d'équilibre (9).

Aider à construire un environnement économique assaini puis attrayant pour l'investissement privé

Depuis le milieu des années 80, d'abord alertée par le désinvestissement des entreprises françaises implantées en Afrique puis par l'échec des nouvelles politiques industrielles, la coopération française a été très active. Elle a ainsi tenté d'assainir l'environnement des entreprises, de favoriser la restauration de la rentabilité des

(7) Voir à cet égard le chapitre « Succès asiatiques et nouvelles approches pour le développement de l'Afrique », J.-R. CHAPONNIÈRE et P. JUDET, le chapitre « Doit-on renoncer à recourir en Afrique à tout instrument de politique industrielle ? Rappel des expériences brésiliennes et mexicaines », C. SICARD et le chapitre « L'échec industriel et institutionnel en Afrique : que faire ? », J. GIRI.

(8) Caisse française de développement (anciennement Caisse centrale de coopération économique).

(9) Voir à ce propos « Les programmes de privatisation des établissements publics en Afrique », G. PELTIER, in *L'échec du développement...*, *op. cité.*

firmes africaines sur les marchés locaux et de les rendre compétitives à l'exportation.

Dans ce cadre général, la coopération française a été à l'origine, en collaboration avec la Banque mondiale et d'autres sources d'aide, d'une série d'opérations de restructuration de secteurs bancaires en faillite. Une telle opération s'est achevée avec succès au Sénégal (10) ; elle est en cours en Côte-d'Ivoire et dans divers autres pays. Il s'agit à l'évidence d'une étape essentielle. La coopération française tente également d'agir pour faciliter la réduction du coût des facteurs (énergie, eau, télécommunications, etc.) (11) en favorisant une réforme de la fiscalité énergétique et de la gestion des services publics marchands. En ce domaine, les gisements de productivité, aisément décelables par la comparaison des ratios de productivités au plan international, sont souvent considérables.

La simplification et l'allégement de la fiscalité des entreprises, souvent conçue pour multiplier les chausse-trappes afin d'alimenter une administration démesurée par rapport à la richesse économique du pays constituent également une priorité (cf. le rapport Thill). Notre coopération se penche aussi sur l'élaboration de droits du travail adaptés aux contraintes d'économies compétitives pour compenser la productivité insuffisante du travail en Afrique. En ce domaine, une assistance française de haut niveau intervient dans quelques pays ; mais les réformes proposées se heurtent à la force des corporatismes syndicaux, parfois confortés de façon irresponsable par certains syndicats français peu conscients des contraintes de compétitivité internationale. Elle tente enfin de favoriser la réorganisation de la formation professionnelle et technique trop souvent coupée des entreprises et des organisations professionnelles.

La moralisation de la justice commerciale, qui passe nécessairement par la mise en place d'un contrôle des décisions de justice, constitue un autre chantier et une refonte du droit des affaires apparaît aujourd'hui incontournable pour rassurer les investisseurs inquiets des dérives actuelles. La restructuration des caisses de retraite et de prévoyance sociale, largement en faillite par suite de la mauvaise gestion et des prélèvements étatiques, est égale-

---

(10) Voir à ce propos le chapitre « Sauvetage réussi, bien qu'inachevé, d'un secteur bancaire en faillite », M. JAUDOIN.

(11) Nous n'évoquerons pas ici la manipulation des taux de change qui justifierait un développement particulier et éminemment délicat dans la conjoncture présente. La contrepartie des vertus stabilisatrices de la zone franc réside en effet dans ses aspects « conservateurs » ne permettant pas le « chambardement » de la structure des coûts qu'autorisent l'inflation et l'érosion monétaire...

ment indispensable pour contribuer à décrisper les relations sociales et permettre à ces organismes de jouer un rôle dynamique dans la vie économique des pays.

Enfin, l'aide à l'investissement, que ce soit sous forme de prises de participation ou de financement à moyen et long terme, est un domaine où l'on peut considérer que, depuis un an, les outils (PROPARCO, fonds de garantie ARIA) et les équipes nécessaires au sein du groupe de la CFD sont désormais rodés et opérationnels (12).

Cet assainissement de l'environnement économique qui est très difficile constitue le préalable indispensable à la mobilisation des investissements étrangers. Or, de multiples exemples démontrent *a contrario* par leur échec (URSS, Cuba, Algérie, etc.) que ceux-ci sont de plus en plus incontournables pour l'essor des exportations par suite de la sophistication croissante des processus technologiques et de l'intégration mondiale des activités.

Dans ce vaste chantier de construction d'un environnement économique, d'abord non dissuasif puis progressivement attrayant pour l'investissement privé en Afrique, la coopération française privilégie désormais une approche régionale (13). Face aux incohérences des pratiques et réglementations nationales, elle encourage, au niveau des unions monétaires, l'élaboration de règles supranationales. Ses premiers objectifs portent sur l'organisation de la collecte de l'épargne par l'assainissement et la remise en ordre du secteur des assurances, la restructuration des systèmes de protection sociale et la mise en place d'un droit des affaires. La coopération envisagée des politiques budgétaires permet d'espérer une harmonisation et une simplification des fiscalités. Les programmes ainsi engagés sont ambitieux. Ils exigent persévérance et continuité dans l'action.

---

(12) Contrairement à une opinion courante, il n'y a désormais guère de contrainte sérieuse pour financer l'investissement productif privé classique en Afrique et il y a plutôt pléthore d'offres de financement entre les ressources du groupe de la CCCE, les lignes APEX, BIRD, les refinancements BEI et BAD, etc. Ce qui manque, ce sont les projets rentables, un environnement sécurisant et attrayant pour les entrepreneurs, les gestionnaires expérimentés, les promoteurs disposant d'un minimum de capitaux. Ce qui manque également, ce sont des mécanismes de financement de la micro-entreprise du secteur non structuré.

(13) Cf. « Les objectifs poursuivis par la France dans son action d'appui aux politiques de redressement économique et financier », Ministère de la Coopération, ronéoté.

Aider à conduire de véritables politiques industrielles en s'inspirant de l'exemple concret des pays du Sud-Est asiatique

Beaucoup de pays africains ont déjà utilisé deux démarches en matière de politiques industrielles :

— une politique d'import substitution étatique combinée à une dissuasion délibérée de l'investissement privé. Ce type d'approche présenté sous un vocabulaire marxisant, cachait en général une volonté de prise de contrôle de l'économie, d'éviction des intérêts coloniaux et de redistribution du pouvoir entre clans, réseaux ou ethnies rivales ;

— une politique extravertie de type Nouvelle politique industrielle inspirée par la Banque mondiale, fondée à la fois sur une libéralisation interne très souhaitable qui n'a en général jamais été mise en œuvre et sur une ouverture des frontières à la concurrence internationale qui, mise en application sans précaution, à un rythme trop rapide, a jeté à bas des pans entiers des industries nationales.

Plutôt que de se lancer dans des débats idéologiques avec la Banque mondiale, qui a déjà fortement nuancé sa position, il faut recommander aux pays africains la mise en œuvre de politiques de stimulation industrielle inspirées des expériences concrètes qui ont brillamment réussi en Asie du Sud-Est. L'analyse de ces politiques (14) montre la coexistence d'un secteur exportateur subventionné de multiples façons et d'entreprises en compétition sur un marché local libéralisé mais également extrêmement protégé de la concurrence extérieure. Les entreprises dans ces pays ne se sont que rarement lancées spontanément à la conquête des marchés extérieurs ; elles y ont été largement encouragées par l'accès aux crédits, les interdictions d'importation aux non-industriels ou aux non-exportateurs, etc. Dans tous ces pays, la libéralisation intérieure (reposant en particulier sur une flexibilité des articulations entre État et entreprise, public et privé, sur la flexibilité du marché du travail, etc.) a donc coexisté avec une politique à long terme stable et active de stimulation des exportations et de protection rigoureuse des marchés (15). Ces politiques industrielles sont précisément l'inverse de celles conduites par les pays africains. Ceux-ci, sous

(14) Voir à ce propos le chapitre « Succès asiatiques et nouvelles approches pour le développement de l'Afrique », J.-R. CHAPONNIÈRE et P. JUDET.

(15) Voir à ce propos « Gouverner le marché : classiques, néo-libéraux et références asiatiques », J.-R. CHAPONNIÈRE et P. JUDET, in *L'échec du développement..., op. cité.*

la pression des syndicats du secteur parapublic, se refusent à conduire de sérieuses politiques de libéralisation au plan intérieur ; ils n'ont jamais eu de stratégie claire ni de ressources disponibles pour stimuler les exportations et laissent aujourd'hui démanteler leurs industries sous le double assaut des désarmements tarifaires recommandés par les institutions de Bretton Woods et de l'essor des importations frauduleuses.

Les enjeux sont trop importants pour que la coopération française ne concentre pas ses efforts pour aider à mettre sur pied des politiques industrielles efficaces. La croissance de l'industrie africaine implique une transformation radicale de l'environnement économique, des politiques de stimulation où l'État doit jouer un rôle stratégique (16) et surtout une démarche politique et culturelle radicalement différente de la démarche actuelle. Il faut, en particulier, dénoncer l'écart entre le discours officiel, maintenant imprégné d'un libéralisme à la mode, et une pratique marquée par la poursuite du racket des entreprises pour combler les déficits publics et pour limiter le pouvoir économique de groupes sociaux dont les responsables politiques se méfient (17). Au-delà de l'apport de ressources (PROPARCO, CFD, etc.), la coopération française a devant elle un chantier considérable où pédagogie et attaque des citadelles bureaucratiques doivent se conjuguer pour exercer des pressions sur les forces sociopolitiques qui s'opposent aux réformes.

Accompagner la dynamique des micro-entreprises du secteur non structuré

Dans le cadre aujourd'hui général de la récession des secteurs structurés (public et privé), seul le secteur non structuré est susceptible de fournir à court terme des emplois. La démarche visant à conforter ce secteur, en particulier dans les domaines du bâtiment et des activités manufacturières, permettra de s'approcher du modèle indien qui débouche, faute de mieux, sur une économie duale. Un secteur de l'économie à faible productivité et faible revenu occupe ainsi une fraction très importante de la population et lui apporte, dans le cadre d'un marché relativement protégé,

(16) L'expérience latino-américaine de planification industrielle, évoquée par Claude SICARD, devrait être méditée.

(17) Ethnies à tradition commerciale détenant déjà une part du pouvoir économique mais exclues du système politique.

une gamme de produits correspondant à ses besoins de consommation essentiels et à son pouvoir d'achat. Ce schéma est, sans doute, à court terme, incontournable en Afrique.

Pour agir en ce domaine, la coopération française peut monter et financer, en liaison avec des opérateurs privés et des ONG, des programmes d'appui aux micro-entreprises urbaines du secteur non structuré (18) afin d'améliorer leur productivité et de faciliter leur accès au crédit. Une expérience de ce type est en cours à Dakar sur financement CFD. Elle peut également organiser et financer, en liaison avec des ONG, des opérations de micro-crédit en milieu urbain soit sur le modèle de la Grameen Bank du Bangladesh, soit sur un mode plus classique (19), en veillant à faciliter l'accès du crédit aux femmes.

Enfin, des opérations d'urgence d'intérêt public créatrices d'emploi, sur le modèle des AGETIP financées par la Banque mondiale dans plusieurs pays d'Afrique de l'Ouest, pourraient être mises en œuvre en liaison avec les actions d'appui aux micro-entreprises. Dans ce contexte, il faut également encourager la sous-traitance à des PME utilisant des techniques à forte intensité de main-d'œuvre pour la réalisation de programmes d'entretien d'infrastructures publiques jusqu'ici assurées par de grandes entreprises (entretien routier, par exemple). Le but de ce type de programmes est de stimuler à court terme l'emploi, en particulier celui des jeunes. A moyen et long termes, ces actions ne sauraient remplacer les politiques de croissance agricoles et industrielles, indispensables tant à l'équilibre économique que politique du continent.

La liquidation et la privatisation des industries étatiques en faillite, la construction au plan régional d'un environnement économique sécurisant et attractif pour l'industrie privée, l'appui à la mise en œuvre de véritables politiques industrielles, le soutien au développement dynamique des micro-entreprises du secteur non structuré, constituent autant de « chantiers » ambitieux qui doivent mobiliser la coopération française. Les résultats seront fonction de la clairvoyance des équipes dirigeantes africaines et de la fermeté du soutien politique que la France apportera à la mise en œuvre de cette démarche.

---

(18) Elle ne doit pas, en revanche, s'illusionner sur la possibilité d'aider à la création *ex-nihilo* d'entreprises par des jeunes scolarisés chômeurs, sur le modèle des « opérations maîtrisards » vouées à l'échec.

(19) Un modèle peut être offert par l'ACEP à Dakar qui offre des crédits plafonnés à 60 000 FF et présente un taux de recouvrement après quatre années de fonctionnement supérieur à 96 %. Cf. le chapitre « Un exemple de financement adapté au secteur informel », J.-M. GRAVELLINI.

Aider à la remise en ordre des entreprises et des institutions en Afrique

La lecture de multiples travaux (20) laisse penser qu'il est difficile d'envisager un réel développement économique de l'Afrique sans une nette séparation de l'État (21) et de l'économie, pour des raisons qui tiennent tout autant aux fondements culturels et sociopolitiques des sociétés africaines qu'à l'inefficacité bien connue de l'économie étatisée.

Soutenir l'autonomie des acteurs économiques africains face au pouvoir des États

Le caractère particulièrement prédateur de l'État africain s'exerce à deux niveaux. L'État ponctionne les secteurs productifs (et l'aide internationale) par la fiscalité pour faire vivre ses clientèles bureaucratiques. Les responsables des entreprises sont, de leur côté, souvent contraints de ponctionner les institutions qu'ils dirigent au profit des réseaux dont ils dépendent et qui contrôlent l'État. Le désordre et le laxisme dans la gestion conduisent aux dérapages et à l'enrichissement individuel...

Si la réduction de la fiscalité est liée au problème plus vaste de la réduction des dépenses de l'État, la ponction par les réseaux ne pourra être remise en cause que par des actions qui renforceront l'autonomie des acteurs économiques face à l'État. Il y a, en effet, d'innombrables excellents gestionnaires africains qui dirigent avec talent des entreprises occidentales. Ils décrivent clairement le faisceau des contraintes qui ne leur permettraient pas de diriger correctement une entreprise en Afrique... Dans ces conditions, il importe au minimum de conforter quatre démarches : « désétatiser » et « déclientéliser » les grandes institutions en encourageant toute forme de partenariat permettant aux entreprises africaines d'accéder à des compétences et technologies extérieures, transférer à des collectivités de base tout ce qui peut l'être, encourager

(20) Cf. le chapitre « L'échec industriel et institutionnel en Afrique. Que faire ? » ainsi que « L'État de droit et le secteur privé en Afrique au sud du Sahara », J. GIRI, in *L'échec du développement..., op. cité,* et de multiples publications, en particulier, *L'Afrique a-t-elle besoin d'un programme d'ajustement culturel ?,* Daniel ÉTOUNGA MANGUELLE, Éditions Nouvelles du Sud, 1991, et *L'État en Afrique,* Jean-François BAYART, Fayard, 1989.

(21) Qui doit découvrir de nouvelles fonctions et un nouveau rôle.

le foisonnement et la diversité institutionnels pour créer des contre-pouvoirs tant à l'État qu'aux réseaux traditionnels, renforcer le secteur privé africain.

Aider à « désétatiser » et « déclientéliser » les grandes institutions africaines en encourageant des opérations de partenariat Nord-Sud

Cette action de « désétatisation » et de « déclientélisation » doit porter tant sur les entreprises publiques que sur les grandes entreprises privées car, même dans ces dernières, l'appartenance au bon réseau et le positionnement au sein de l'appareil d'État déterminent plus souvent l'accès aux postes de commande que les qualités de gestionnaire. Ces institutions sont rongées par le clientélisme. Aucun progrès significatif n'est possible dans ce contexte (22).

L'aide française peut apporter, pour autonomiser et responsabiliser les unités économiques, une aide multiple. Elle peut ainsi conforter, de façon prioritaire, par ses ressources financières (ce qu'elle fait), les entreprises bien gérées (qui sont de façon systématique celles dont les dirigeants sont politiquement autonomes), sanctionner (en coupant ses financements, ce qu'elle ne fait pas toujours) les entreprises inefficaces. Elle doit favoriser (ce qu'elle fait) les politiques contractuelles vis-à-vis des entreprises publiques, en veillant (ce qu'elle a plus de mal à faire) à leur respect (bien rare) par les pouvoirs publics. Elle peut aussi inciter activement (ce qu'elle n'ose trop faire) à la privatisation du capital ou à la privatisation de la gestion des institutions publiques (des banques aux sociétés d'énergie, des hôpitaux aux écoles techniques) dont les gestionnaires doivent être choisis pour leur compétence et responsables devant un véritable conseil d'administration et non devant des « parrains » politiques. Il lui faut enfin faciliter les opérations visant à la transparence des secteurs publics africains (ce qu'elle fait), par exemple par l'appui à la création de cours des comptes locales.

Dans ce cadre général, les entreprises publiques et privées françaises peuvent apporter un précieux concours par des opérations de partenariat pour la remise en ordre de la gestion des entreprises africaines, remise en ordre qui, pour être durable, exige l'élimination du contrôle politique de ces entreprises. Il n'est plus pos-

---

(22) Cf. le chapitre « Choc des cultures ou stratégies de pillage, essai d'explication de l'échec des entreprises et institutions modernes en Afrique subsaharienne », S. MICHAILOF.

sible aujourd'hui d'accepter, dans le cadre d'opérations financées par l'aide extérieure, la désignation de dirigeants choisis sur de simples critères politiques ou enserrés dans un faisceau de contraintes qui désorganisent l'entreprise, justifiant de coûteux programmes de redressement à répétition.

Aider à transférer aux mouvements associatifs et aux collectivités de base tout ce qui peut l'être

S'il n'y a qu'une façon d'organiser certaines grandes entreprises (sociétés d'énergie, de télécommunications, etc.), que ce soit à Abidjan ou à Tokyo, l'organisation et la conception d'autres institutions (crédit, santé, etc.) peuvent être adaptées au contexte culturel (23). C'est pourquoi le processus de « désétatisation » et de « déclientélisation » doit simultanément permettre de transférer progressivement aux mouvements associatifs et aux collectivités de base rurales et urbaines la gestion d'un ensemble de services publics, actuellement mal assurés par l'État. Services de santé, d'enseignement primaire, de crédit, d'encadrement technique, de gestion et de maintenance des points d'eau pourraient être ainsi gérés par des collectivités villageoises ou urbaines, de façon plus efficace et à moindre coût. Une telle approche permettrait, en particulier (24), de responsabiliser directement les usagers dans la gestion de ces programmes, d'alléger les charges de fonctionnement des budgets nationaux, de donner du poids au mouvement associatif qui peut constituer l'un des fondements d'une démocratie authentique, de faciliter la collecte de l'aide privée et de mieux mobiliser les ONG.

Ces propositions se heurtent évidemment à l'hostilité des nomenklatura concernées qui y perdraient tranquillité de vie et sécurité de l'emploi. Elles se heurtent aussi à la méfiance des responsables politiques africains imprégnés de principes jacobins tout comme à la réticence des institutions d'aide parisiennes. L'aide française devrait néanmoins jouer un rôle moteur dans des expériences pilotes en ce domaine. Ceci implique bien évidemment qu'une synergie s'établisse entre la promotion des collectivités locales et

(23) Voir à ce propos « Les entreprises en Afrique : des progrès méconnus », A. Henri, in *L'échec du développement..., op. cité.*

(24) Voir à ce propos « L'aide internationale doit-elle chercher à renforcer les organisations paysannes ? », M. Griffon, CIRAD, in *L'échec du développement..., op. cité.*

le développement d'activités économiques génératrices de ressources financières (telles que le coton en milieu rural, l'artisanat en milieu urbain...) et que s'engage une réflexion sur le problème de la gestion des redevances de proximité.

Encourager le foisonnement et la diversité institutionnels

Pour toutes les activités qui n'exigent pas d'importants transferts de technologies (25), en particulier pour tout ce qui doit répondre aux besoins des ruraux, des groupes défavorisés, il convient d'adapter la dimension des institutions (comme celle des entreprises et de la technologie) aux capacités de management (26). Des milliers de tontines regroupées en dizaines de fédérations sont ainsi préférables à une banque de développement étatique. Les ONG pourraient à cet égard favoriser la création d'institutions intermédiaires de service (formation des cadres, contrôle comptable, etc.), et appuyer les institutions locales existantes en améliorant leur environnement global pour faciliter leur essor, plutôt que d'imposer des modèles d'organisation.

La promotion d'institutions comme les tontines, les associations professionnelles par corps de métier pour les artisans, les groupements de gestion de l'eau sur les périmètres hydro-agricoles, les associations féminines, etc. exige toutefois que l'on examine leurs règles de fonctionnement afin d'éviter un triple écueil : l'exploitation des plus faibles — les jeunes, les femmes, les dépendants — d'où la nécessité d'une démocratie interne qui n'est pas toujours « naturelle » ; leur récupération par les hiérarchies politiques, claniques, etc. ; la réglementation excessive de leur fonctionnement. Certes, l'instauration de règles démocratiques de fonctionnement fait surgir de sérieux conflits entre les hiérarchies anciennes et les individus les plus actifs. De même, le foisonnement institutionnel inquiète toujours les pouvoirs politiques qui y voient une source d'affaiblissement de leur contrôle de la société. Enfin, si la réglementation excessive des nouvelles institutions décourage leur développement, le caractère informel de leur existence juridique leur dénie certaines activités économiques (en leur interdisant, par exem-

(25) Encore que ce point soit à vérifier. Un choix technologique discutable justifie parfois des constructions institutionnelles inadaptées et coûteuses (cf. le cas de Palmindustrie en Côte-d'Ivoire). Cf. *Les apprentis sorciers du développement, op. cit.*

(26) Cf. *Small il beautiful*, E.F. SCHUMACHER, Blond and Briggs, 1973.

ple, l'accès au crédit). Le succès est toujours lié au respect des règles fondamentales de la démocratie à la base et de la transparence de la gestion. Cette démarche ne peut que conforter un processus de formation d'élites politiques locales, indispensable au progrès de la démocratie.

Favoriser efficacement l'essor des agricultures africaines

Le développement des agricultures africaines qui doit être le fondement du développement et, en particulier, de l'industrialisation, a été fortement contraint par l'inefficacité des politiques agricoles mises en œuvre dans la plupart des pays. Aujourd'hui, la raréfaction progressive des ressources foncières condamne les agricultures africaines à des changements techniques que l'abondance des terres disponibles ne rendaient pas, jusqu'à présent, indispensables. Or, le risque écologique de dégradation des sols est considérable. Les problèmes sont donc plus aigus et plus difficiles. L'Afrique doit désormais faire face à des mutations de l'ampleur de plusieurs révolutions vertes (27) alors que les conditions naturelles y sont plus difficiles qu'en Asie (28). Ces mutations exigeront du temps mais l'ampleur des problèmes milite pour la mise en œuvre immédiate d'un ensemble de mesures d'urgence.

Restaurer la compétitivité des grandes filières exportatrices (café, cacao, coton, palmier, hévéas...)

Ces opérations complexes mobilisent aujourd'hui la coopération française. Des études approfondies ont montré le potentiel de certaines filières agro-exportatrices africaines, potentiel qui, au plan technique, n'a rien à envier à celui de l'Asie ou de l'Amérique latine. Des programmes de restructuration de certaines filières (coton, en particulier) dont les sociétés gestionnaires sont redimensionnées et recentrées sur leurs métiers de base, ont été mis en

(27) Cf. le chapitre « Politiques agricoles, agro-alimentaires et développement rural en Afrique subsaharienne. Un scénario de sortie de crise », M. GRIFFON et I. MARTY.

(28) Or, les institutions de recherche nationales (problème qui n'est pas abordé dans ces travaux) sont dans un état critique !

œuvre avec succès (29) et montrent que ces opérations sont parfaitement réalisables aux plans technique, économique et financier ; les véritables obstacles sont en fait de nature politique.

Certains groupes prédateurs, situés au sein ou dans l'entourage des appareils d'État, ont en effet la possibilité de ponctionner les filières exportatrices africaines en gardant la haute main sur les institutions étatiques qui les contrôlent. La gestion au sein des filières des excédents et des pertes, la « déclientélisation », la privatisation des institutions étatiques ou la professionnalisation de leur gestion sur le modèle de la filière hévéicole ivoirienne, la réduction de leur dimension en les recentrant sur leur métier de base, constituent des solutions techniques parfaitement identifiées à un problème, qui doit de toute façon être aussi traité à un niveau politique.

Pour mettre en œuvre ces programmes de réhabilitation, les nomenklaturas devront être évincées et les États devront se désengager résolument de la production et des circuits de commercialisation. En revanche, la réduction des coûts de production des agro-industries de main-d'œuvre fondées sur la grande plantation (hévéas, palmier, etc.) pose en plus, de façon incontournable, face au caractère quasi incompressible des salaires nominaux, le très difficile problème de l'ajustement dans un contexte de parité monétaire fixe et de faible inflation.

Encourager la réforme des politiques agricoles et alimentaires

Parmi les multiples réformes qu'il faut engager (30), deux doivent bénéficier d'une attention particulière car elles sont susceptibles d'avoir un impact rapide (31) alors qu'elles se heurtent encore

(29) Voir à ce propos le chapitre « Le sauvetage des filières cotonnières africaines », J.-B. VÉRON. La nouvelle chute des prix du coton, liée à la vente des excédents américains, à la baisse du dollar et aux ventes provenant d'Asie centrale, révèle néanmoins la fragilité de ces filières dans le contexte actuel des parités monétaires de la zone franc.

(30) Cf. le chapitre « Politiques agricoles, agro-alimentaires et développement rural en Afrique subsaharienne. Un scénario de sortie de crise », M. GRIFFON et I. MARTY ; cf. également l'étude remarquable de la Banque mondiale, préparée par Kevin CLEAVER : « A strategy to develop agriculture in subsaharan Africa and a focus for the World Bank ».

(31) Le problème crucial de la sauvegarde du capital naturel (lutte contre la déforestation et la dégradation des sols) est éminemment difficile et ne peut être abordé ici. Il est clairement esquissé dans : « Comment faciliter une gestion durable des ressources naturelles renouvelables ? », M. GRIFFON, in *L'échec du développement..., op. cité.* De multiples ouvrages spécialisés le traitent de façon approfondie. Voir à ce propos l'ouvrage récent de François FALLOUX et Lee TALBOT *Environnement et développement. Crise et opportunité,* ACCT, 1992.

à des blocages considérables provenant à la fois de l'idéologie et de groupes d'intérêts particuliers.

— *Accélérer, avec le soutien des autres sources d'aide, la libéralisation et la privatisation des circuits en amont et en aval de l'agriculture.* La libéralisation et la privatisation de ces circuits est une recommandation déjà ancienne des bailleurs de fonds (32). L'ampleur des faillites financières des organismes étatiques en situation de monopole, qui assuraient l'approvisionnement des agriculteurs et la commercialisation de leur production, n'est pas à rappeler (33). Ces institutions ont contribué dans certains États à la paralysie économique. Pourtant, la libéralisation partout revendiquée se heurte ici aussi à des blocages de nature politique de la part des appareils bureaucratiques. Dans ces conditions, les libéralisations restent trop souvent de façade et sont parfois sabordées, en particulier lorsque les bureaucraties contrôlent les mécanismes de fixation des prix qui, pour des considérations en théorie d'ordre social, restent largement administrés.

En ce domaine, la coopération française ne doit-elle pas conjuguer ses efforts avec ceux des autres sources d'aide pour allier pédagogie et conditionnalités contraignantes afin de clarifier les options stratégiques et politiques et de bousculer les citadelles bureaucratiques ?

— *Encourager une protection appropriée de l'agriculture vivrière.* Contrairement à certaines visions naïves, le développement des agricultures vivrières africaines exige que celles-ci deviennent des agricultures commerciales. Le développement de l'agriculture africaine passe nécessairement par le développement de la capacité des zones rurales à alimenter les villes et par les liens économiques qui peuvent s'instaurer à cet effet (34). Or, la tendance actuelle qui repose, pour alimenter les villes, sur le recours aux importations de céréales subventionnées par les pays exportateurs (35), conduit à accentuer

(32) Le rapport de la Banque mondiale, qui a mis clairement l'accent sur ce point (le « rapport Berg »), date de 1981... Le rapport de K. CLEAVER, déjà cité, liste cette réforme en priorité n° 1.

(33) La faillite de l'ONCAD, au Sénégal, a laissé un passif non couvert de l'ordre de 2 milliards de FF.

(34) Voir à propos « Performances du secteur agricole et redistribution de la population en Afrique subsaharienne », J.-M. COUR, ronéoté et le chapitre « Pour une meilleure gestion du peuplement et de l'aménagement du territoire en Afrique subsaharienne », J.-M. COUR.

(35) Ne reflétant donc pas des coûts de production « normaux » ; l'aide alimentaire a pu également jouer un rôle néfaste en ce domaine. La charte de l'aide alimentaire limite maintenant ces dérapages.

la marginalisation des zones rurales. Or, les prix internationaux des grands produits alimentaires de base (blé, riz, sucre, etc.) ne peuvent servir de référence unique pour la détermination des stratégies alimentaires en Afrique. En effet, ces prix reflètent rarement des coûts de production « normaux » et font l'objet de distorsions considérables par suite des subventions que versent les grands pays exportateurs (USA, CEE en particulier) à leur paysannerie, mais aussi car ces marchés sont, pour l'essentiel, des marchés de surplus soumis à des interférences politiques. Ces phénomènes qui se cumulent à divers éléments techniques liés aux caractéristiques de ces marchés amplifient les variations périodiques des prix de ces produits qui deviennent ainsi des indicateurs très contestables, même s'ils ne peuvent bien sûr être ignorés (36). C'est donc bien une protection des agricultures vivrières qu'il faut encourager, mais celle-ci se heurte à de sérieux obstacles. Ce sont d'abord des obstacles techniques car tout écart significatif avec les prix mondiaux génère un essor de la fraude renforcé par le morcellement politique et la porosité des frontières d'États qui conduisent en outre des politiques contradictoires. Mais les obstacles sont aussi politiques car cette protection ne peut que renchérir le prix des denrées alimentaires en ville, alors que le bas prix a souvent un caractère symbolique et passionnel. Enfin, au plan idéologique, il y a opposition avec les traditionnelles positions néoclassiques des institutions de Bretton Woods, même si, aujourd'hui, l'examen pragmatique des politiques concrètes très protectionnistes, conduites par les pays du Sud-Est asiatique, les a rendues plus nuancées et plus tempérées...

Malgré ces obstacles, il ne faut pas se décourager : des solutions existent. Au plan technique, la protection doit être fixée à un niveau inférieur à celui qui provoque, en la rentabilisant, une généralisation de la fraude (37). Au plan politique, des campagnes d'explications et l'appui d'organisations paysannes peuvent aider à convaincre les opinions publiques urbaines. Au plan idéologique enfin, la coopération française devra donner une cohérence for-

(36) Les prix mondiaux, qui peuvent servir d'indicateurs utiles, sont en fait les coûts de production moyens des grands pays producteurs, coûts qui peuvent servir utilement d'élément de comparaison au plan international.

(37) Il est en ce domaine également indispensable, pour favoriser la substitution de produits locaux aux importations céréalières, d'appuyer les recherches technologiques conduites par le secteur privé pour mettre au point des produits stabilisés destinés à la consommation urbaine à base de tubercules et céréales locales. La plupart de ces recherches, visant à la mise au point de produits stabilisés d'emploi très aisé, sont au stade de prédéveloppement et le passage au développement est entravé par la disponibilité de céréales importées à bas prix et divers problèmes secondaires (conditionnement, marketing).

melle à son analyse pour tenter de faire partager ses convictions par les pays de la CEE et par la Banque mondiale. Elle devra aussi engager une action d'explication et de pédagogie de grande ampleur en Afrique. Il lui faudra pour cela rappeler clairement l'incohérence de leur discours aux responsables africains qui, tout en parlant d'autosuffisance alimentaire dans les forums internationaux, pratiquent une politique systématique de vente à bas prix des céréales importées qui ne peut que condamner leur agriculture nationale.

Certes, une politique de protection agricole concernant en premier chef les marchés céréaliers (38), devra être engagée par étapes, au plan régional ; cette politique soulève, au-delà de ses aspects politiques et idéologiques, de considérables problèmes techniques. Les modalités pratiques (la faisabilité) de cette stratégie restent largement à établir. Mais ces difficultés militent pour un approfondissement des recherches, des discussions et des expériences.

Engager d'importants programmes d'équipement et d'amélioration du cadre de vie en zone rurale

Comme nous venons de le voir, les politiques agricoles, mises en œuvre en Afrique subsaharienne, sont très souvent parfaitement contre-productives. Mais elles répondent à des intérêts établis, fortement retranchés, en particulier dans les bureaucraties étatiques. Même si ces politiques agricoles sont à terme suicidaires, les réformes ne peuvent donc être envisagées sans un travail d'explication, de pédagogie et sans que s'exercent — peut-être — d'amicales pressions, justifiées par l'intérêt propre des pays du Nord (39). En attendant ces réformes qui exigent des délais, la coopération internationale et la coopération française peuvent favoriser le lancement de programmes d'équipement, d'améliorations du cadre social et de réformes de l'environnement économique dans le monde rural.

La coopération française peut ainsi multiplier les nombreuses actions, grandes et petites, conduites tant par la coopération institutionnelle que par les organismes caritatifs qui permettent d'améliorer l'équipement de base en milieu rural (40). En ce domaine,

(38) Cf. la réunion des ministres de l'Agriculture africains, organisée par la coopération française à Dakar en 1991.

(39) L'aide au retour pour la réinsertion des immigrés dans leur pays d'origine est vaine dans un contexte de crise agraire locale.

(40) Faute de quoi l'exode vers les grandes villes et les pays industrialisés ne peut que s'accroître de façon inexorable.

les opérations réussies sont nombreuses, qu'elles soient de grande ampleur (tels les programmes d'hydraulique villageoise financés par la CFD dans les pays du Conseil de l'Entente) ou de toute petite taille (puits, électrification rurale, etc.). Des programmes spécifiques de désenclavement (pistes rurales) sont essentiels pour le développement des régions, si des mécanismes appropriés permettent l'entretien des infrastructures.

Pour améliorer également le cadre social et l'environnement économique, il est indispensable de renforcer l'organisation des agriculteurs, hommes et femmes ; ceci exige le respect des règles démocratiques et peut faciliter la commercialisation primaire, la gestion de l'eau, la gestion des centres de santé et des écoles rurales, la collecte de l'épargne, le crédit rural, l'alphabétisation des adultes, la réalisation et l'entretien des petites infrastructures (pistes), etc. Pour atteindre ces objectifs, l'aide française devrait systématiquement privilégier l'octroi de financements directement aux bénéficiaires, sans passer par les organismes étatiques locaux (41), en mobilisant, en cas de besoins, des ONG comme opérateurs pour l'exécution des projets. Or, ces évolutions ne vont pas sans difficultés : elles se heurtent à la vive réticence des administrations et de certains responsables africains (42) et aux faibles capacités techniques des ONG françaises.

Faciliter le désengagement de l'État

En matière de politiques agricoles, les États devront donc se désengager de la propriété des ressources naturelles car ils ne peuvent en assurer la gestion (sols, forêts, eaux...). Si la propriété doit parfois être commune, elle doit impérativement être dévolue à des collectivités locales reconnues. L'expérience prouve, à cet égard, que la viabilité des mouvements coopératifs et mutualistes est largement liée à leur indépendance vis-à-vis des États.

Ces derniers devront aussi se désengager de la gestion et de la propriété des entreprises de production et de commercialisation. La réglementation indispensable de ces activités ne devra plus être

(41) Où surviennent toujours des « pertes en ligne » malgré toutes les précautions prises... Voir, pour corriger ces défauts, le chapitre « Intérêt et difficulté d'un financement direct de la société civile par l'aide française », J.-F. VAVASSEUR.

(42) En particulier, dans l'administration qui voit disparaître son contrôle des projets (et... le bénéfice des pertes en ligne), mais aussi des responsables politiques parfois très méfiants à l'égard du renforcement des mouvements associatifs autonomes.

fixée autoritairement mais négociée entre opérateurs et professions, ce qui implique représentation des intérêts des producteurs et... liberté d'association.

Pendant cette période de remise en ordre des agricultures africaines, qui peut dans les meilleures hypothèses exiger une bonne décennie, la coopération française devrait s'en tenir à quelques principes d'intervention :

— une réduction, voire un arrêt, des financements des grands projets dans le secteur vivrier tant que les conditions de politique sectorielle ne sont pas réunies ;

— un renforcement des concours sectoriels visant en particulier à rentabiliser l'agriculture vivrière commerciale ; cette démarche exige un effort considérable de pédagogie vis-à-vis des pays africains et une coordination renforcée avec les autres bailleurs de fonds ;

— un arrêt des financements des nouvelles filières agroexportatrices, en privilégiant des opérations de réhabilitation qui devront être conduites de façon à pérenniser les filières réhabilitées, ce qui implique privatisation et professionnalisation ;

— un renforcement des actions portant sur l'amélioration du cadre social et de l'environnement économique, en favorisant les circuits courts et le recours aux opérateurs privés et aux ONG.

Substituer progressivement des programmes sectoriels précis aux concours financiers globaux à l'ajustement

Entre les bailleurs de fonds, soucieux de provoquer des réajustements budgétaires et des gouvernements, avant tout désireux de sauvegarder les équilibres politiques locaux et des modèles de société à la viabilité douteuse, les arrière-pensées ne sont pas véritablement en accord. Les politiques d'ajustement, ainsi que nous l'avons noté, déstabilisent les régimes car elles remettent nécessairement en cause les mécanismes internes d'accumulation et de redistribution qui sont souvent au cœur des équilibres locaux (43). Dans un tel contexte, il est douteux que nos concours financiers, qui sont perçus comme un geste politique français, puissent s'inscrire dans le cadre contractuel clair qui assurerait leur succès.

(43) Cf. le chapitre « La dimension politique de l'ajustement », A. Bonessian.

Développer les concours sectoriels dans un cadre contractuel clair

L'ampleur des financements mobilisés et la minceur des résultats acquis (44) militent aujourd'hui pour une approche plus ciblée de type sectoriel aux objectifs plus limités et plus précis. Une approche sectorielle négociée avec rigueur permet en outre de surmonter plus aisément les blocages politiques constatés quand un front trop large d'intérêts acquis est lésé par la mise en œuvre de programmes globaux. De tels programmes d'ajustement sectoriels ciblés ont, depuis plusieurs années, été mis en œuvre avec succès dans divers pays, en liaison avec d'autres sources d'aide, pour assainir des filières productives, ou pour faciliter la remise en ordre des secteurs bancaires en faillite (45).

L'abandon progressif des concours financiers globaux, qui devraient être réservés à des situations exceptionnelles, et leur relais par des concours sectoriels, posera certes un problème politique. Les calendriers d'instruction et de négociation de tels concours sectoriels sont, en effet, en règle générale, décrochés des échéances budgétaires et des calendriers de négociations du FMI. Dans cette nouvelle approche, les décaissements sont fonction des délais de négociation et des performances réelles mesurables. Dès lors, les États se trouveront face au FMI sans l'intercesseur que constituait jusqu'ici la France.

Cette approche risque aussi de faire apparaître plus clairement le problème monétaire lié à la parité du franc CFA, déjà mis en évidence par le handicap de compétitivité des principaux secteurs productifs ; en effet, au-delà du règlement des arriérés intérieurs, les concours globaux ont aussi pour fonction de faciliter le règlement des échéances de la dette multilatérale et de maintenir l'équilibre du compte d'opérations (dont la situation est, par là même, peu significative).

(44) Cf. le chapitre « Illusions, erreurs et effets pervers en matière d'aide à l'ajustement », E. Berg.

(45) Cf. le chapitre « Sauvetage réussi, bien qu'inachevé, d'un secteur bancaire en faillite », M. Jaudoin.

Inciter les responsables africains à engager une réflexion/action sur l'équilibre de leurs finances publiques et l'évolution du rôle de l'État en Afrique

Les programmes d'ajustement des finances publiques africaines, mis en œuvre depuis une décennie, ont certes permis de limiter les dérapages. Mais leur efficacité se heurte aujourd'hui à un ensemble de contraintes considérables.

L'érosion de la base productive du secteur formel fait que la fiscalité a tendance à se concentrer sur un nombre restreint d'entreprises et de ménages, contribuant ainsi à dissuader l'investissement privé dans le secteur structuré. Les taux excessifs des droits de porte pénalisent la compétitivité des produits africains, qui consomment nécessairement des intrants lourdement taxés, et constituent une incitation évidente à la fraude : ceci ne peut que renforcer la tendance à « l'informalisation » de l'économie, c'est-à-dire au transfert des entreprises vers l'illégalité, ce qui a ses avantages (disparition des charges sociales) et ses inconvénients (impossibilité de recours au système bancaire, modernisation rendue ainsi très difficile, etc.). L'amélioration de l'efficacité de la réglementation et de l'administration fiscale ainsi que la simplification de la fiscalité, qui sont recommandées par l'étude Thill, sont indispensables.

Les économies réalisées jusqu'ici ont porté sur les secteurs où les coupes étaient aisées, en particulier les investissements publics (qui peuvent être différés ou financés par l'aide extérieure) et les dépenses de fonctionnement des administrations. La répartition fonctionnelle des dépenses des administrations a tendance à se déséquilibrer aux dépens des secteurs qui ne sont pas défendus par des lobbies urbains organisés (services régionaux de la santé et de l'éducation, etc.). En revanche, les effectifs et la masse salariale de la fonction publique, dont le coût absorbe fréquemment plus de 60 % des budgets de fonctionnement, tendent à croître.

— *L'évolution actuelle conduit à une impasse et impose une réflexion de fond.* Le coût moyen élevé, en valeur relative, des salaires des fonctionnaires africains (46) conduirait à recommander de fortes baisses salariales, si cette option était politiquement réaliste, ce qui semble douteux. Un ajustement significatif des postes

(46) De l'ordre de 9 à 10 fois le revenu par habitant, alors que ce ratio est de l'ordre de 2 à 4 en Asie.

de dépenses implique par conséquent la combinaison de trois principaux mécanismes :

— l'inflation et l'illusion monétaire liées à une manipulation des taux de change si celle-ci peut être mise en œuvre dans le cadre de programmes d'ajustement appropriés et réalistes : ceci implique au préalable une forte volonté politique pour soutenir un réel ajustement ;

— le lancement de programmes ambitieux de réduction des effectifs des fonctions publiques. Ces programmes sont techniquement possibles bien que fort coûteux et difficiles à gérer ;

— le transfert d'un ensemble de fonctions, mal assurées par les États africains, en particulier dans le domaine de l'éducation et de la santé, à des collectivités décentralisées, au secteur associatif et au secteur privé qui devront en contrepartie ajuster leurs prestations aux possibilités financières des usagers.

Cette dernière option implique qu'une réflexion sur l'évolution à long terme de l'État en Afrique permette de susciter les évolutions indispensables au plan idéologique, pour passer de la conception de l'État-providence de type social démocrate, aujourd'hui irréaliste en Afrique, à un État définissant des règles du jeu et permettant à des acteurs autonomes de répondre aux besoins sociaux fondamentaux.

Renforcer l'action visant à reformer les systèmes éducatifs africains

La crise des systèmes éducatifs africains contribue aujourd'hui à la déstabilisation politique des régimes en place. Au-delà de la résorption du gâchis actuel et de l'indispensable « réarticulation » des systèmes éducatifs avec l'économie et la sphère de la production, de simples exigences politiques à court terme militent pour l'appui à une réorientation radicale des systèmes éducatifs africains.

Aider à la prise de conscience des blocages actuels pour faciliter l'établissement de stratégies éducatives alternatives

Au-delà des obstacles de nature politique provoqués par les lobbies qui soutiennent le *statu quo*, en particulier les enseignants et l'administration des « éducations nationales », les blocages de nature idéologique apparaissent très importants. Les opinions publiques urbaines africaines ont largement intériorisé l'idéologie du « progrès par l'éducation pour tous » de notre IIIe République et accusent très vite les réformateurs de vouloir une école au rabais. Il importe que la coopération française aide aujourd'hui les responsables africains à faire prendre conscience à leurs opinions publiques de quelques dures réalités (47) pour faciliter la recherche de stratégies éducatives alternatives :

— l'école sur le modèle présent ne peut être généralisée à l'ensemble de la population pour d'évidentes raisons budgétaires ;

— l'école n'étant pas à l'écoute des besoins de l'économie, le contenu de l'enseignement est inadapté et dans le contexte de déflation actuel, le système scolaire produit essentiellement des chômeurs.

Favoriser la réduction du coût des systèmes éducatifs

Les systèmes éducatifs africains sont coûteux, en particulier par suite du niveau élevé des salaires (et parfois des sursalaires comme en Côte-d'Ivoire) rapportés aux revenus moyens par habitant ; ils le sont aussi par suite des normes contraignantes d'investissements et de l'importance excessive en valeur relative accordée, sous la pression des élites urbaines, à un enseignement supérieur particulièrement onéreux.

Les marges de manœuvre et les possibilités de réformes radicales sont politiquement très étroites. Il est pourtant indispensable de renverser les tendances et, pour cela, sans doute faut-il tenter de transférer aux usagers et aux collectivités de base le coût de l'essentiel de l'extension du système éducatif. Cette démarche est la seule susceptible de permettre une extension de l'éducation dans un contexte de restrictions budgétaires et de généraliser de nouvelles normes salariales, techniques, etc. Il est également souhaitable d'ouvrir l'école sur son milieu, par la participation de l'école à la vie communautaire, et de supprimer délibérément un certain nombre de filières de l'enseignement supérieur dont la qualité est

(47) Cf. le chapitre « Contribution à l'analyse de la crise des systèmes éducatifs africains », Ch. DELORME et le rapport du ministère de la Coopération, préparé sous la direction de R. PECCOUD, « Les défis adressés aux systèmes éducatifs subsahariens », MINCOOP, qui constitue un document d'analyse et de référence exceptionnel.

déplorable (48) et qui ne débouchent sur aucune perspective d'emploi. Le premier objectif est de redéfinir et construire des filières « professionnalisées », fondées sur une sélection pour éviter les phénomènes d'engorgement et répondant à des besoins clairement identifiés au plan économique. Le deuxième objectif est de concentrer les moyens sur ces filières. Cette démarche devrait en toute logique conduire à la suppression de certaines universités et à la spécialisation au plan régional des principales universités, permettant de faire émerger de véritables pôles d'excellence régionaux.

Il est ensuite prioritaire, en Afrique plus qu'ailleurs, d'introduire une sélection sérieuse, tant dans les lycées que dans les universités, pour « dégraisser » le système éducatif de ses « parasites » qui représentent dans ces pays un pourcentage considérable de la population scolaire. Enfin, les expériences de classes à double flux doivent être multipliées en prenant toutefois garde aux risques de dégradation qualitative de l'enseignement.

Toutes ces mesures présentent certes des inconvénients. La baisse des salaires réels des enseignants ne peut être que démotivante ; la décentralisation financière sans mécanisme de compensation peut exclure certaines régions ou certains groupes sociaux ; la professionnalisation des filières dans un contexte de crise économique peut aussi conduire à la formation de chômeurs. Mais ces axes de travail constituent néanmoins la base d'une réforme réelle des systèmes éducatifs. Les décisions correspondantes exigeront un courage politique considérable et une volonté d'explication pour briser les lobbies actuels et les préjugés idéologiques.

Développer des filières éducatives professionnelles parallèles

Pour briser les monopoles éducatifs et réformer en profondeur le système actuel, les filières éducatives parallèles, en particulier les filières techniques, doivent être encouragées, telles les filières d'alphabétisation fonctionnelle en langue locale dans les zones rurales, en liaison avec des appuis aux organisations professionnelles agricoles et la formation technique de base. Un modèle remarquable est offert par l'action conduite en ce domaine par la SODEFITEX au Sénégal (49) ; les filières de formation professionnelle, finan-

(48) Un hebdomadaire indépendant sénégalais titrait récemment : « Université : les étudiants sont nuls, les profs aussi ! »

(49) Cf. le chapitre « Un exemple d'alphabétisation réussie », C. MICHAILOF.

cées et pilotées par des organisations professionnelles ou des entreprises, peuvent être également encouragées (un modèle original est offert par l'Institut agricole de Bouaké en Côte-d'Ivoire) ; des écoles techniques de formation professionnelle privées, financées par les usagers et les Chambres de commerce, pourraient être appuyées par les écoles françaises de même type ; des centres d'apprentissage et des collèges techniques sur le modèle du Collège Saint-Michel à Madagascar peuvent être aussi multipliés.

A court terme, face à la montée du chômage des jeunes diplômés des universités africaines, des programmes d'urgence de reconversion des maîtrisards africains (juristes, économistes, littéraires) vers les formations techniques (gestion, comptabilité, banques, etc.) sur le modèle de ce que fait à petite échelle le CEFEB à Paris (50), devraient être encouragés. L'appui des écoles de gestion françaises et des Chambres de commerce régionales françaises (si l'on parvient à les intéresser) pourrait avoir un impact considérable tant au plan éducatif qu'au plan politique.

Enfin, certaines entreprises industrielles performantes pourraient se voir confier des responsabilités de formation avec le soutien de l'aide extérieure.

Réformer de façon radicale la conception et le contenu de l'enseignement primaire pour mieux répondre aux besoins élémentaires

L'essentiel des efforts doit se concentrer sur la création d'une école primaire de qualité pour tous (en particulier les filles trop systématiquement écartées) dont seul un flux d'excellence accédera aux filières supérieures.

Il faudra donc admettre que le primaire est un cycle terminal pour la quasi-totalité des élèves (51). Ses programmes devront par conséquent inclure toutes les notions de base indispensables à la formation d'un citoyen responsable dans un pays en voie de développement : alphabétisation en langue locale puis dans la langue administrative, hygiène, soins de santé élémentaires, techniques agricoles fondamentales en liaison avec le souci de protection de l'environnement, travail du bois et du métal, mécanique courante, comptabilité élémentaire, hydraulique de base, éducation civique, etc.

---

(50) Qui devrait être renforcé et appuyé au lieu d'être désorganisé et affaibli par une délocalisation irréfléchie sur Arras qui le coupe de ce qui constitue son originalité, à savoir sa symbiose avec les services de la CFD !

(51) Cf. le chapitre « Pour un soutien réfléchi à la formation scolaire initiale », B. HUSSON.

Ces thèmes correspondent aux besoins élémentaires et à la demande sociale, tant dans les zones rurales qu'en ville et, comparés au contenu effectif des programmes scolaires, ils permettent de mesurer l'ampleur de la révolution que devront accomplir les systèmes éducatifs africains pour préparer la jeunesse à affronter les défis qui l'attendent.

Encourager une intégration régionale permettant à terme l'émergence d'ensembles économiques viables

Après avoir fait un bilan sévère des échecs enregistrés depuis près de trois décennies en matière d'intégration économique, mais cependant soucieuse de sauvegarder les acquis obtenus, la coopération française a engagé divers chantiers pour relancer les processus d'intégration régionale. Ces programmes d'actions restent modestes dans leurs ambitions à court terme et apparaissent donc crédibles. Ils devraient permettre de constituer la base à partir de laquelle pourront, le cas échéant, s'édifier des unions économiques africaines. Le succès de la démarche n'est toutefois pas assuré.

Conforter les actions de coopération régionale en se limitant strictement aux institutions viables

Les programmes d'ajustement structurel et les difficultés budgétaires de nombreux États ont porté un coup sévère à l'équilibre de nombre d'institutions régionales africaines. Face aux appels au secours, la coopération française doit être extrêmement sélective. Elle doit en particulier se refuser systématiquement à intervenir pour le sauvetage d'institutions dont l'intérêt est incertain, dont la viabilité financière ne peut pas être assurée indépendamment des contributions des États, et qui ne sont pas capables de présenter un programme de restructuration crédible et une équipe de direction sérieuse.

Il lui faut de même privilégier les institutions qui permettent la gestion d'équipements collectifs existants (OMVS), la gestion de services clé (ASECNA), qui facilitent l'élaboration et la mise en œuvre de politiques sectorielles communes (CILSS) et qui permettent d'envisager des économies d'échelle significatives (universités régionales spécialisées).

De façon générale, nos futurs concours devraient être subordonnés à la réalisation d'audits approfondis, aux changements d'équipes qui s'imposent et à la modification des modes de désignation des cadres de direction. Enfin, il convient de privilégier une approche globale en examinant systématiquement, dans le cadre d'appuis même ponctuels, l'ensemble des problèmes institutionnels, financiers, techniques et de gestion des institutions concernées.

Renforcer l'instauration déjà engagée d'une communauté de règles

Derrière la façade que constituent les États de droit, la réalité africaine est tout autre. Dans le cadre d'une administration par l'exception et non par la règle (52), il faut bien constater aujourd'hui la faillite de multiples institutions bancaires, la faillite *de facto* de nombreuses sociétés d'assurances dont les réserves ont été dilapidées ou pillées, la prévarication au sein de nombreux systèmes judiciaires dont les règles sont en outre inadaptées au fonctionnement d'une économie compétitive, le pillage des institutions de prévoyance sociale, une fiscalité inadaptée, des procédures budgétaires contestables, l'absence de marchés financiers organisés, etc.

Face à ce constat, la coopération française a engagé une série d'importants chantiers (53) dont les finalités sont la création d'un espace financier régional, la consolidation de la gestion de la monnaie, l'amélioration de la gestion macro-économique et l'harmonisation des politiques sectorielles.

Pour permettre la création d'un espace financier régional, des programmes importants ont déjà été engagés :

— la réhabilitation des systèmes bancaires africains (précédemment évoquée) dont la pérennité implique le respect de règles contraignantes telles celles récemment définies au niveau de l'UMOA et contrôlées par la commission bancaire régionale installée à Abidjan ;

---

(52) Voir à ce propos « L'état de droit et le secteur privé en Afrique au sud du Sahara », J. GIRI, in *L'échec du développement..., op. cité.*

(53) Cf. pour la description de ces programmes et de leur finalité ; « Le renouveau de l'intégration économique régionale en Afrique : leçons tirées de l'expérience de la zone franc », P. et S. GUILLAUMONT, in *L'échec du développement..., op. cité.* « Les objectifs poursuivis par la France dans son action d'appui aux politiques de redressement économique et financier », MINCOOP et le chapitre « La zone franc à un tournant vers l'intégration régionale », P. et S. GUILLAUMONT.

— la remise en ordre, afin de faciliter la collecte de l'épargne, du secteur des assurances sur la base d'une loi unique applicable dans la zone franc se substituant aux lois nationales, sous la surveillance d'une commission de contrôle régionale, seule compétente pour délivrer les agréments. Ce programme adopté à Ouagadougou fait l'objet d'un traité signé en 1992 ;

— l'assainissement des organisations de prévoyance sociale de la zone franc qui implique la création d'une inspection régionale afin de restaurer un minimum de discipline dans la gestion des caisses. Sans doute faut-il aussi concevoir des dispositifs de prévoyance moins coûteux et mieux adaptés aux besoins des populations et aux contraintes des économies ;

— l'instauration progressive d'un droit régional des affaires, adapté au contexte économique, impliquant la mise en place d'une juridiction régionale statuant en dernier ressort, d'une inspection régionale des services juridiques, d'une chambre régionale de commissaires aux comptes et des auxiliaires de justice, d'une école régionale de la magistrature ;

— la mise en place d'un marché financier régional à partir de la régionalisation des activités de la bourse d'Abidjan en cours d'assainissement.

Par ailleurs, la consolidation de la gestion de la monnaie exigera la recherche d'une mise en cohérence des politiques budgétaires et fiscales fondée sur une surveillance multilatérale. Les travaux préparatoires au lancement de ce chantier sont en cours de réalisation (étude Thill, étude Vieux). Enfin, l'appui à l'amélioration de la gestion macro-économique et à l'harmonisation des politiques sectorielles au niveau régional n'est pour l'instant qu'esquissée (création d'Afristat, conférence de Dakar sur les politiques agricoles, etc.).

Poser ainsi des fondations modestes pour un programme ambitieux

L'ambition de ces « chantiers » peut apparaître modeste puisqu'il s'agit tout d'abord de conforter les institutions régionales crédibles. Mais l'objectif est aussi de substituer des règles communautaires définies à un niveau régional aux conditionnalités classiques des bailleurs de fonds dont on a déjà noté l'inefficacité en matière d'ajustement. La finalité est bien sûr d'assurer la pérennité de programmes de réhabilitation d'institutions nationales clé (banques, assurances, systèmes judiciaires, etc.). Cette démarche soulève néanmoins de vives réticences.

— *Le succès de cette démarche, qui est peut-être la seule réaliste aujourd'hui, est loin d'être assuré si la volonté politique n'est pas au rendez-vous.* Remettant en cause les prébendes, rentes et arrangements prédateurs, elle soulève beaucoup de résistances. Le respect de règles contraignantes instaurées au niveau communautaire implique une volonté politique. Alors que cette dernière a fait défaut pour soutenir les programmes d'ajustement des bailleurs de fonds, sera-t-elle plus active pour veiller au respect des règles régionales (54) ? Les organismes de contrôle régionaux seront-ils plus efficaces que les institutions nationales de contrôle qui ont été défaillantes ? Ne seront-ils pas investis par les groupes de pression et les intérêts particuliers qui ont perverti le fonctionnement des mécanismes nationaux ?

Pourtant, face à la faillite des systèmes bancaires et financiers en Afrique, à la défaillance des institutions qui conditionnent le fonctionnement d'une économie, on ne voit guère aujourd'hui d'autre issue et on ne peut qu'encourager, comme le fait depuis peu la Banque mondiale, la démarche de la coopération française. Le succès de cette approche exige toutefois un soutien clair des responsables politiques français car tout éventuel manquement à des règles définies en commun doit être financièrement sanctionné... Il exige aussi une détermination politique africaine. L'expérience prouve que lorsque ce double soutien peut être apporté, le succès est possible (cf. le succès du sauvetage fort risqué d'Air Afrique) (55).

— *Cette étape constitue un préalable nécessaire à l'unification des marchés régionaux.* La mise en œuvre de ces chantiers et leur réussite éventuelle permettront de tester la faisabilité d'une coordination des politiques budgétaires et économiques. Cette étape ultérieure exigera des abandons de souveraineté de grande ampleur et nécessitera, par conséquent, de rechercher des accords sur les grands principes et un consensus politique aujourd'hui encore bien incertain.

La progression vers l'intégration économique régionale suppose en effet que l'on résolve plusieurs problèmes épineux ; il faudra en particulier atténuer les conséquences de l'impact négatif de la mise en place d'un tarif extérieur commun sur les recettes budgé-

(54) Cf. « Le consensus actuel sur le besoin d'intégration africaine : origines, paradoxes, risques », J. Coussy, in *L'échec du développement..., op. cité,* le chapitre « Espoirs excessifs et possibilités concrètes d'intégration régionale », J. Coussy et le chapitre « Que peut faire la coopération française pour soutenir la coopération économique régionale en Afrique de l'Ouest ? », A. de Lattre.

(55) Cf. le chapitre « Air Afrique : réussite d'un plan de redressement », A. Vizzavona.

taires des États et prendre en compte les conséquences politiques et sociales de la mise en place d'une agriculture régionale protégée. Il est également prioritaire de définir le niveau optimal de protection du tissu industriel pour assurer à la fois son développement et sa compétitivité (problème non réglé par les récentes réformes douanières et fiscales de l'UDEAC). Il conviendra enfin de définir les relations avec les autres ensembles économiques, en particulier le Nigeria, sur la base de rapports de parités monétaires qui ne soient pas une incitation au commerce frauduleux ou un obstacle à la compétitivité internationale (56).

« L'intégration par les règles » constitue ainsi la première étape d'un voyage ambitieux et difficile sur la voie d'une réinsertion de l'Afrique dans l'économie mondiale par le biais de la constitution de vastes ensembles économiques (57). Sans doute d'autres démarches, fondées sur l'intégration directe au marché mondial, sont possibles, ainsi que le montrent les exemples de Maurice et de la Tunisie. Mais cette approche constitue vraisemblablement la dernière chance de sauver et de consolider le programme de coopération régional le plus remarquable qu'est la zone franc.

— *Elle est indispensable pour consolider la zone franc...* Si l'on excepte les dérapages et le laxisme dans la gestion des banques centrales qui, du moins faut-il l'espérer, font partie du passé, les unions monétaires constituent les programmes les plus remarquables d'intégration régionale. Les avantages de la zone franc sont bien connus : stabilité économique et monétaire, convertibilité, maîtrise de l'inflation, etc. Même s'il est possible de s'interroger sur le niveau actuel des parités monétaires, les mécanismes de la zone franc, qui ont résisté à trois décennies difficiles, ont fait la preuve de leur efficacité. Au contraire, l'instabilité monétaire des pays tels que le Nigeria, engagés dans des cycles dévaluationnistes cumulatifs, apparaît aux yeux de certains observateurs plus comme un facteur de stimulation de la spéculation que de développement d'une industrie compétitive. Face à l'influence déstabilisante grandissante du géant qu'est le Nigeria, où coexistent une industrie pétrolière florissante, de grands projets étatiques déraisonnables et une industrie qui découvre ses marchés régionaux, la zone franc ne pour-

(56) Cf. le chapitre « L'économie nigériane et ses enjeux pour la France et les pays voisins », A. Mérieux.

(57) Dont la sécurité peut en outre être assurée au moindre coût par des accords régionaux de défense.

rait ainsi résister longtemps à une nouvelle désorganisation de ses systèmes bancaires et financiers provoquée par le non-respect des règles bancaires de base ou la régression de l'économie des pays membres.

La survie des unions monétaires et le développement nécessaire à moyen et long termes de la coopération monétaire Europe/Afrique, qui apparaissent possibles et financièrement réalistes (58), impliquent nécessairement au niveau régional un minimum de remise en ordre et de respect des règles de base nécessaires à la vie économique. Sur la base d'économies ainsi assainies, la CEE pourrait à l'avenir conclure des accords de convertibilité limitée susceptibles de faciliter l'établissement d'un minimum de stabilité monétaire et une croissance saine dans la plupart des pays hors zone franc.

Ce rappel permet d'esquisser, en conclusion, l'un des scenarii d'évolution possible de l'intégration économique en Afrique et, par là même, d'évolution de l'Afrique. Les unions monétaires renforcées, engagées sur la voie de leur transformation progressive en unions économiques, pourraient développer leurs échanges, dans un cadre monétaire assaini, avec des pays périphériques, hors union monétaire, liés à la CEE par des accords de convertibilité limitée. Un ajustement des parités permettrait à cette condition de faciliter la recherche de compétitivité externe sans tomber dans le cycle des dévaluations cumulatives incontrôlables et des déstabilisations économiques, sociales et politiques qui vont de pair. Comme tout ceci est facile à décrire mais combien le chemin est long ! Sans doute y a-t-il, en effet, dans une telle démarche, une large part d'utopie ; mais celle-ci n'est-elle pas indispensable face à toute grande tâche ?

---

(58) Voir à ce propos le chapitre « Intégration régionale en Afrique et coopération monétaire euro-africaine », M.F. L'HÉRITEAU.

6

Une vocation pour la France vis-à-vis du Tiers monde

par Bernard ESAMBERT

De la guerre économique

La compétition économique est désormais planétaire : la conquête des marchés et des technologies a pris la place des anciennes conquêtes territoriales et coloniales. Nous vivons en état de guerre économique mondiale, et il ne s'agit pas seulement là d'une métaphore militaire. Ce conflit est réel, et ses lignes de force orientent l'action des nations et la vie des individus. L'objet de cette guerre est, pour chaque nation, de créer chez elle emplois et revenus croissants au détriment de ceux de ses voisins. Car, si les économies des nations se sont fait la courte échelle lors de la période des miracles économiques des années 60 et du début des années 70, elles se font des croche-pieds depuis que la crise a fait son apparition. C'est en exportant plus de produits, de services, d'« invisibles » que chaque nation essaie de gagner cette guerre d'un nouveau genre dont les entreprises forment les armées et les chômeurs les victimes.

Au-delà du formidable accroissement du commerce mondial qui en est la manifestation la plus éclatante, la guerre économique impose également des débarquements chez « l'ennemi » par implantation à l'étranger, la défense de l'arrière par des entreprises à caractère régional et l'établissement de protections au travers de tarifs douaniers qui ne représentent plus que des murets de fortune, de mouvements monétaires qui ont pris le relais des barrières douanières, enfin d'innombrables entraves aux échanges qui protègent ici ou là un pan de l'économie.

Les vraies richesses ne sont plus les matières premières mais les hommes avec leur niveau d'éducation, de culture, d'intelligence et leur ardeur au travail.

La créativité et l'innovation sont les atouts fondamentaux des entreprises jetées dans le conflit. Le développement scientifique est devenu un facteur important de la guerre. C'est par l'union de l'entreprise, de ses cadres et du scientifique que se développent les technologies nouvelles qui irriguent le monde en produits de consommation ou en services à taux de croissance élevés.

La formation y joue un rôle important. Le niveau d'éducation d'un pays et la capacité d'innovation, de réaction et de mobilisation des entreprises sont liés par une corrélation très forte.

Pour un État, se retirer du conflit serait suicidaire : la guerre économique a ses vertus. C'est par la dynamique qu'elle entraîne — et le Japon en est un exemple particulièrement éclatant — que le niveau de vie des pays occidentaux, et dans une bien moindre mesure d'une partie du Tiers monde, s'est accru sans interruption depuis la fin de la Seconde Guerre mondiale jusqu'à 1974, tandis que le plein emploi était presque atteint et maintenu dans plusieurs grands pays développés.

Si la stimulation provoquée par le nouveau conflit des temps modernes a pour conséquence une permanente mobilisation qui n'est pas acceptée partout et par tous, sa suppression signerait l'entrée en léthargie des nations qui voudraient se retirer d'un combat jugé trop éprouvant pour elles.

Chaque nation doit donc encourager ses entreprises à porter haut ses couleurs en les mettant en état d'innover, d'exporter sans cesse davantage, de s'implanter à l'étranger, d'utiliser la matière grise des laboratoires partout où elle existe, bref, de vivre dans un contexte devenu irréversiblement mondial et global.

Une certitude, en tout cas, la guerre économique ne cessera pas faute de combattants : il reste trop à faire pour vaincre la pauvreté et l'insatisfaction. A condition qu'un minimum de règles morales la rende plus soucieuse de la vie des hommes et qu'un minimum d'inspiration permette de mobiliser à nouveau et de réanimer les immenses foules d'âmes mortes, tuées par l'absence ou au contraire la tyrannie d'un idéal, de cette inspiration dont cette fin de siècle, qui peut au mieux espérer une « guerre propre » sur les chemins de la prospérité, est si cruellement dépourvue.

Le Tiers monde : le peloton de queue

Globalement, depuis trente ans, le Tiers monde semble administrer la preuve qu'il est possible de faire reculer la pauvreté. Entre 1960 et 1985, l'espérance de vie a été portée de 40 à 62 ans et le taux de scolarisation primaire de 70 à 84 %. Le taux d'inscription dans l'enseignement secondaire a partout sensiblement augmenté. La consommation annuelle par habitant a presque doublé, passant de 600 dollars en 1965 à 1 000 dollars en 1985. Il s'agit là de progrès non négligeables auxquels la Banque mondiale a fortement contribué. Mais les trois quarts de l'humanité contribuent seulement pour 11 à 12 % de la production industrielle de la planète et ne représentent pas plus de 10 à 20 % de la demande mondiale selon les produits. Entre 1960 et 1989, les 20 % les plus riches de la planète ont vu leur part de la richesse mondiale progresser de 70 à 83 %. La fameuse règle des 80 - 20 s'applique aussi aux habitants des pays en voie de développement. Le nouvel indice composite du PNUD, l'IDH (indice de développement humain intégrant la durée de vie, le niveau de connaissances et le revenu), malgré son imperfection, classe les pays du Tiers monde bien loin (de 1 à 10 ou 1 à 20) des pays développés.

Sur sa pente actuelle, le Sud représentera, à l'horizon 2025, 85 % de la population mondiale qui dépassera 8 milliards d'habitants, dont un tiers pour la Chine et l'Inde. A la même époque, la population africaine sera équivalente à la population actuelle de la Chine et de l'Inde réunies. La rive sud de la Méditerranée, aujourd'hui à égalité avec la rive nord, aura doublé sa population pendant que l'Europe du Nord maintiendra tout juste la sienne.

Un milliard de riches voisineront avec six milliards de pauvres, dont un milliard d'êtres humains dans le plus extrême dénuement. Ce scénario catastrophe n'est bien sûr que l'extrapolation d'une réalité qui voit s'étager le revenu par tête de 1 à 3 au sein des pays développés (de 1 à 2 au sein de l'Europe communautaire) tandis qu'il diverge de 1 à 30 au sein des pays en voie de développement. Car, si le produit mondial brut et la population du globe terrestre augmentent depuis deux décennies au même rythme annuel d'environ 2,5 %, le peloton des nations s'étire le long de la route à mesure que la guerre économique impose ses contraintes de compétitivité. Certaines régions ont régressé sur le plan économique. C'était vrai, jusqu'à une époque récente, de l'Amérique latine, dont les niveaux de vie ont chuté en dessous de ceux des années 60.

Si trois des nations les plus peuplées du monde, la Chine, l'Inde et l'Indonésie ont réalisé quelques progrès dans la lutte contre la pauvreté, certaines régions de l'Afrique subsaharienne ont vécu l'effondrement de leur niveau de vie. La pauvreté est un ennemi coriace : en Inde, malgré un décollage économique indiscutable, il reste autant de pauvres qu'il y avait d'habitants lors de l'indépendance. Dans de nombreux pays du Tiers monde, la proportion de la population qui appartient au réseau d'échanges de l'économie planétaire reste marginale.

A un bout de la chaîne, les nouveaux pays industrialisés, les fameux NPI, c'est-à-dire les quatre dragons d'Asie du Sud-Est, ainsi que le Brésil et dans une moindre mesure le Mexique, ont décollé et voient leur richesse s'accroître rapidement. Une deuxième génération émerge qui tend à les imiter (Inde, Pakistan, Malaisie, Thaïlande...). A l'autre extrémité, les PMA (pays les moins avancés) ont un revenu moyen par tête en voie de diminution. Le Sud est un concept flou et ambigu : il n'y a pas un Tiers monde mais plusieurs catégories de pays à revenus, structures mentales et niveaux de culture technologique différents. La Chine et le Brésil n'ont pas tout à fait le même mode de développement ; Hong Kong, comptoir commercial industriel, et la Malaisie, la même dimension. Le Sud a son Nord qui constitue la vitrine du progrès (dont on se demande pourquoi il continue à bénéficier d'avantages comme les préférences généralisées) et son extrême Sud avec des pays qui, démunis de toute base industrielle réelle et dans une large mesure de leur agriculture traditionnelle, s'enfoncent dans le dénuement. Le quart de la population urbaine du Tiers monde, soit 300 millions de personnes, vivent dans un état de pauvreté absolue. La concentration urbaine a créé une bombe de misère qui ravage le sol, l'eau et l'air d'une partie de la planète. Des mégapoles laissent présager de funestes mégacrises.

Dans un monde fini cohabitent des sociétés riches qui ont la volonté de continuer à s'enrichir, ne serait-ce que pour résorber leurs poches de pauvreté, des régions au sein desquelles la misère côtoie des îlots d'opulence occidentale et des zones désolées où la misère ne souffre guère d'exception. Ce rapide survol d'un monde en patchwork a de quoi rendre modeste.

Surtout si l'on braque les projecteurs sur une Afrique en perdition. Le naufrage du continent africain n'est pas une hypothèse d'école. Si, depuis deux ou trois ans, la Banque mondiale fait état de résultats encourageants, l'Afrique noire, avec près de 500 millions d'habitants, pèse économiquement autant que le Benelux avec ses 10 millions d'habitants. La part de l'industrie y régresse ou au mieux y stagne. Son poids dans le commerce mondial a été divisé par deux, de 1970 à aujourd'hui. L'Afrique importe désormais le quart de son alimentation alors qu'elle vivait en autosubsistance, il y a trente ans. Même la Côte-d'Ivoire, considérée il y a encore peu comme la vitrine d'une décolonisation réussie, n'est plus un miracle. Pourtant, ce continent a reçu une aide étrangère plus importante que n'importe quelle autre région sous-développée. Mais les aides publiques ont surtout permis de soulager les États africains en extrême difficulté. L'Afrique a cependant bénéficié de dons, du financement d'innombrables projets d'infrastructures, d'accords de coopération, de prêts privilégiés. Autant en emporte le vent ! D'innombrables despotes, politiciens et fonctionnaires corrompus, chantiers mégalos, guerres civiles, ont engendré des structures parasitaires, des réflexes d'assistanat, encouragé les évasions de capitaux et gaspillé les chances de notre voisine du Sud. Les pays africains ont été, dans une large mesure, les artisans de leur malheur.

Comme le remarquait le chancelier Kohl, « soit les richesses se déplacent, soit les hommes se déplacent ». Le naufrage du continent africain affecterait l'Europe si directement que, d'un point de vue purement réaliste, l'amplification de l'effort de coopération s'impose. A condition de miser sur des gouvernements dotés d'un minimum de moralité et de la volonté de s'en sortir en ressuscitant l'économie de marché recommandée par les organisations financières internationales.

Et de fait, une vingtaine de pays d'Afrique subsaharienne les plus avancés dans les programmes « d'ajustement structurel » ont commencé à enregistrer des résultats encourageants. En réduisant l'hypertrophie d'un secteur public constitué d'ateliers nationaux sans rentabilité, ces pays administrent la preuve que le pire n'est jamais sûr. A distance des cimetières d'usines, des entreprises viables commencent à s'implanter ou à se régénérer. Il est possible d'aider l'Afrique à s'assumer et de lui rendre l'espoir confisqué par des « pères de la nation » et autres leaders charismatiques de pacotille. « La lutte pour l'unité nationale, pour le développement, le socialisme, la paix, l'autosuffisance alimentaire ; salmigondis de slogans qui, à force d'être galvaudés, nous ont rendus sceptiques, pelés, demi-sourds, demi-aveugles, aphones, enfin, plus Nègres que nous ne l'étions avant et avec eux », écrit l'écrivain ivoirien Hamadou Kourouma dans un récent ouvrage. Après avoir contemplé longtemps sa propre chute, l'Afrique commence à découvrir les charmes de l'économie libérale. Sur le fond sombre des innombrables erreurs passées, elle aperçoit quelques lueurs d'espoir.

Une part importante de la dette extérieure (près de 280 milliards de dollars au total, soit 110 % du PNB africain !) des pays qui la composent a été abandonnée ou rééchelonnée. En Afrique, comme partout dans le Tiers monde, pour financer des projets pharaoniques et le développement d'un secteur public pléthorique, les gouvernements avaient choisi la facilité en s'endettant à l'excès, laissant fuir à l'étranger le capital national. Seulement voilà, « le recours excessif à l'endettement présente tous les signes de l'intoxication ; au début, c'est l'ivresse, l'expansion économique à un rythme effréné. Mais le lendemain, la gueule de bois est inévitable et fort déplaisante ». Même si ces propos du gouverneur de la Banque centrale américaine, M. Greenspan, s'appliquent aux entreprises agricoles américaines, ils pourraient aussi bien concerner les pays en voie de développement. Résultat, dans les années 80, la dette du Tiers monde atteindra les 1 000 milliards de dollars et dépassera 1 400 milliards de dollars en 1990. La plupart des nations du Tiers monde sont dans l'incapacité d'assurer le service de leur dette qui représente dans le meilleur des cas les deux tiers des gains à l'exportation et, pour les nations les moins développées, la totalité de leur produit national brut, et cinq fois leurs exportations ! D'autant que les taux d'intérêts auront la cruauté de se maintenir à des niveaux élevés. Obligées de dégager des excédents massifs de leur balance commerciale pour commencer à assurer le paiement des intérêts de leur dette, la plupart des nations réduiront leurs importations sous la pression du Fonds monétaire international qui exigera plus de rigueur dans la gestion des pays débiteurs. Comme conséquence des politiques austères imposées par les organisations financières internationales, les tensions monteront, singulièrement en Amérique latine, où des scènes de pillage auront lieu, notamment au Brésil et au Venezuela. Le président colombien parlera des « vents d'orage qui se lèvent ». Le Mexique et le Pérou cesseront de payer leurs dettes jusqu'au moment où un accord conduisant à l'abandon d'une partie des créances du monde développé et à l'échelonnement des crédits résiduels permettra de sauvegarder l'orthodoxie de la relation prêteur-emprunteur. Le système financier international aura été à deux doigts d'une rupture en chaîne.

Dès lors, le FMI, devenu la bête noire des dirigeants des pays endettés, acceptera d'autres abandons de créances et rééchelonnement de dettes. Grâce à un accroissement des interventions de la Banque des règlements internationaux, à une meilleure coordination entre le FMI et les banques privées et au rôle du Club de Paris, les pays riches joueront les pompiers face à des pays condamnés à exporter du capital pour payer leurs créanciers. Le pape Jean-Paul II descendra dans l'arène : « Le principe qui veut que les dettes doivent être payées est assurément juste, mais il n'est pas licite d'exiger un paiement quand cela revient à imposer des choix politiques de nature à pousser à la faim et au désespoir des populations entières. Dans ces cas, il faut trouver des modalités d'allègement, de report ou même d'extinction de la dette ». C'est le langage que tiendra également la France. A partir de 1985, près de 90 milliards de dollars seront rééchelonnés et le secrétaire d'État américain au Trésor, James Baker, hasardera à Séoul quelques idées en faveur d'une relance de la croissance mondiale et d'un nouvel apport de capitaux aux pays du Tiers monde. Ce sera l'amorce du plan Baker en faveur du Tiers monde. Parallèlement, une partie de la dette des PVD sera convertie en actions. Pour les débiteurs les plus pauvres, incapables de payer plus de 40 % du service de la dette, le Club de Paris mettra en œuvre une restructuration totale de celle-ci. Cette bonne volonté des pays créditeurs sera récompensée. Nombre de pays en développement accepteront avec courage les rigoureuses mesures qui leur seront imposées par les institutions internationales. Sans autorité internationale pour imposer l'expropriation des créanciers du Tiers monde, la sagesse et le réalisme auront néanmoins prévalu. Voici vingt ans, les pays pauvres s'endettaient pour se développer. Ils vont désormais se développer de façon vertueuse pour rembourser leurs dettes résiduelles.

Faut-il aller plus loin et, à l'instigation d'institutions comme Frères des Hommes, Action internationale de lutte contre la faim (AICF) et de quelques autres, donner aux aides publiques une dimension moins symbolique ? Les pays industrialisés ont pris en 1970 l'engagement, non tenu, de porter l'aide publique au développement à 0,70 % de leur PNB, au lieu de 0,36 % ! Bien que n'ayant jamais été aussi riches, l'Europe et la France auraient-elles perdu toute générosité ? « Le plus grand des maux et le pire des crimes, c'est la pauvreté », écrivait Georges Bernard Shaw. Des investissements de type éthique adaptés à la solution des vrais problèmes seraient-ils encore de nature à choquer ceux qui privilégient la Corrèze par rapport au Zambèze, s'agissant d'aider les pays les plus pauvres de la planète, là où la machine à fabriquer du pauvre continue à tourner et où la lèpre de la misère s'étend malgré les missions humanitaires ; là où, comme en Éthiopie, un enfant sur quatre meurt avant l'âge de cinq ans et où les écoles forment de futurs jeunes chômeurs en colère ; là où l'insécurité règne et où la malnutrition crée des camps de la mort lente ? Car l'un des scénarios possibles, pour plusieurs pays parmi les plus pauvres, est celui du « grand souk » où des enfants erreraient dans des mégalopoles dans lesquelles s'installerait la loi de la jungle.

Nombre de pays du Sud oscillent entre des situations extrêmes. En Amérique latine et au Proche-Orient, des situations permanentes d'affrontements militaires et de guérillas ne laissent que peu de place au développement économique et à l'entrée dans la compétition des Temps modernes. Pourtant, ce que la Corée du Sud, moins riche que le Nigeria, le Brésil ou l'Algérie a réalisé, de nombreux autres pays pourraient l'accomplir, à condition de tenter par eux-mêmes de sortir de la misère, d'amorcer une croissance vigoureuse et de faire concurrence aux pays industriels. L'Inde elle-même n'a-t-elle pas approché un scénario de croissance à 10 % par an ?

Pour ne pas rester à la périphérie du développement, ne faut-il pas partir du développement agricole ? L'expérience montre que l'échec de nombre de stratégies de développement est lié à un mauvais traitement du problème agraire. L'Afrique, de ce point de vue, est un désastre. « Elle produit ce qu'elle ne consomme pas et consomme ce qu'elle ne produit pas ». Pourtant, la recherche agricole n'est pas la plus coûteuse. Ne pourrait-elle permettre une synthèse ou, à tout le moins, une coexistence des modes anciens et modernes de cultures du sol, de façon à ce que autosubsistance et exportation de produits agricoles se conjuguent harmonieusement ?

Plus généralement, l'idée d'une stratégie type de développement est théorique. Les modes se sont succédées en faveur des industries substituts de l'importation, d'une stratégie d'exportation, du développement « autocentré », de l'industrie « industrialisante », du développement endogène à base de PME et de technologies adaptées, du raccourci en faveur de l'industrialisation que permet l'ère de l'ordinateur...

Aujourd'hui, on sait que pour qu'un peuple sorte de la misère, il doit prendre le dur chemin de l'ardeur au travail dans le cadre de l'économie libérale qui est le meilleur support de la croissance ; c'est ainsi que l'Occident s'est enrichi et c'est dans ce domaine qu'il peut être imité avec profit. La récente encyclique du pape reconnaît que les pays du Tiers monde qui se sont détournés de l'économie de marché « ont connu la stagnation et la régression ». Mais les pays en voie de développement doivent être aidés là où les facteurs de croissance sont insuffisants au départ. Ils ont besoin d'entreprises qui créent de la valeur ajoutée. Ceux qui en manquent doivent accepter un partenariat entre promoteurs locaux et entrepreneurs étrangers, seule voie possible pour créer dans les PVD l'esprit d'entreprise. Pour avoir suivi ce chemin, le Brésil exporte désormais cinq fois plus de produits industriels modernes qu'il n'en importe. La marche vers le développement comporte souvent une phase initiale, intermédiaire, de relative vassalisation. Avant d'accéder à leur autonomie économique, Taïwan et la Corée du Sud ont été des colonies économiques japonaises, avec les réactions de rejet que cet État suscite. Mais une fois formés la main-d'œuvre et les techniciens, une fois acquises puis développées les licences et les techniques, le pays accède à l'indépendance. Pour que le processus entrepreneurial débouche sur un réel décollage, pour que le développement des pays du Sud soit le plus rapidement possible entre leurs propres mains, la priorité revient à l'enseignement. L'implantation des multinationales doit être recherchée quand elles offrent aux privés locaux une forme de participation à tout ce dont ils ont besoin pour se développer. « Il est ennuyeux d'être exploité par les multinationales ; il l'est encore plus de ne pas l'être ». Car le savoir-faire est détenu par les entreprises des pays développés que l'on doit inciter à la transmission de la connaissance vers les entreprises des fragiles économies du Tiers monde. Bref, le Nord pourrait se passer du Sud tandis que le Sud a besoin du Nord pour amorcer son décollage.

Mais l'industrialisation du Sud est aussi conforme à l'intérêt du Nord car elle conduit à rendre solvables des pays qui ne l'étaient pas et à maintenir sur place de potentiels émigrants. Elle permet à un nombre croissant de pays d'entrer dans la guerre économique en participant aux échanges internationaux, et d'espérer que les élites ne verseront pas toutes dans le maoïsme ou l'intégrisme.

Chaque être humain devient aujourd'hui citoyen d'un monde fouillé dans ses moindres recoins par un voyeurisme à l'échelle planétaire. Dès lors, les masses du Tiers monde ne peuvent accepter d'être à l'écart d'une société matérialiste qui leur permettra de consommer des objets et des images. Mais, comme l'a proclamé François Perroux, « le développement ne peut se résumer à la seule croissance quantitative ». Dans le monde de la compétition économique, il n'y a pas d'innocents, pas plus les pauvres que les riches : dans les paysages de misère du Tiers monde, on découvre trop souvent quelques « somptuaires temples des vanités » et, pendant que la corruption y étend sa lèpre, la civilisation des pays riches est, dans une large mesure, celle du lucre, de l'égoïsme et de la drogue. Les États pauvres n'ont d'autre choix que de répondre aux profondes aspirations populaires en faveur du bien-être matériel, faute de quoi, « un jour, des millions d'hommes quitteront les parties pauvres du monde pour faire irruption dans le jardin des riches. Ils y partiront à la recherche de leur propre survie ». C'est ce qu'écrivait Houari Boumediène, l'ancien président algérien, quelques jours avant sa mort. Mais il ajoutait : « Il restera plus tard au Sud à reprendre le flambeau humaniste que le Nord a peut-être laissé s'éteindre ».

Une vocation pour la France et pour l'Europe

La France ne peut être le berceau de seigneurs de la guerre économique disposant d'un pouvoir absolu sur leurs féaux. Les serfs de l'ère moderne ne supporteront pas indéfiniment la tyrannie du pouvoir économique.

Si l'industrie française s'implantant aux États-Unis doit nécessairement y pratiquer les règles du jeu américain, on ne comprend pas très bien pourquoi elle devrait introduire à Lomé, Mexico, Kuala Lumpur, où l'on recherche une certaine fidélité à soi-même et une insertion de la tradition dans la vie moderne, les pratiques qui ont fait leurs preuves à New York, Chicago ou Détroit. Le rayonnement de l'économie française est certes fonction de la capacité de son industrie à faire connaître son existence à l'étranger, mais il ne peut ni ne doit négliger les aspirations qui émergent dans le monde. Et si l'industrie française, dont les moyens sont limités, doit s'efforcer d'identifier les marchés les plus prometteurs par leur importance, leur croissance et ses atouts pour y pénétrer, l'Europe et les États-Unis font partie de ceux-là mais ils ne sont pas les seuls. Dans les pays du Sud, nouveau tremplin de l'industrialisation, elle peut se porter à la pointe du combat en ouvrant la voie à la naissance d'une industrie du Tiers monde, en encourageant des transferts de licences, et surtout, en développant un effort de formation qui est notoirement dans sa vocation.

Qu'une nation de professeurs et d'enseignants comme la France soit incapable de former plus de quelques milliers de cadres techniques étrangers par an, que ses grandes écoles n'accueillent pas plus de quelques centaines d'élèves étrangers par promotion, voici bien l'un des paradoxes d'une nation qui a décidément du mal à dépasser un vieux fond de malthusianisme.

Quelle chance pourrait-elle cependant offrir à l'Europe si, faisant progresser la notion de multinationalisation, elle s'efforçait de l'appliquer à la formation des hommes aussi bien qu'aux capitaux, si, à l'implantation directe dans les pays en voie de développement elle ajoutait une coopération véritable, apportant au pays d'accueil davantage qu'un « placage industriel » sans retombée suffisamment rapide sur son potentiel économique ? Le gigantesque effort de développement de pays comme la Côte-d'Ivoire, le Sénégal, le Brésil, le Mexique, l'Inde ou la Malaisie, même s'il a, dans certains cas, été dévoyé, a modifié le flux des échanges. Mais, les mentalités, elles aussi, ont changé. Participer à la mondialisation de l'économie, c'est désormais mener une politique de coopération qui passe par le respect du partenaire dont l'accès à la majorité économique doit être privilégié ; dans des pays qui ont pris en main leur destin, augmenter l'influence de notre pays, c'est leur apporter un sang neuf en y envoyant de nouvelles entreprises mener une politique moderne et intelligente de coopération et de formation.

C'est développer un multinationalisme « à la française » en attendant un multinationalisme à l'européenne. Ayant pris la route du seul mercantilisme, l'Europe n'est qu'une addition d'égoïsmes alors qu'elle pourrait être une communauté d'expériences et non de routine où se lirait l'avenir dans la diversité ; un combattant de la guerre économique apportant au monde cet impondérable qui transformerait les réalités nationales et le distinguerait d'une collectivité de marchands unis par l'avidité, d'un conquérant sans âme.

Qu'il s'agisse de l'épanouissement de l'homme et donc de son cadre de vie et des modalités de son travail, des correctifs à apporter aux effets spontanés de la croissance en faveur des plus déshérités, de l'immense problème du Tiers monde jaloux de conjuguer tradition et développement, l'Europe devrait pouvoir trouver dans sa diversité et son pluralisme des éléments de réflexion, d'action et un nouvel élan.

L'histoire des décennies à venir sera faite de la prise de conscience d'une interdépendance qui ne serait plus « la dépendance pour les plus faibles et la domination pour les plus forts ». A la dérive des continents succédera-t-il un véritable concert des nations dont un pape intervenant dans l'arène économique souhaitera qu'il soit davantage orchestré par « des critères de justice et de respect des droits et des besoins de tous les autres », plutôt que par les rapports de puissance du passé qui ont conduit à des équilibres précaires malgré les engagements les plus solennels ?

La guerre économique se mettra-t-elle au service de la solidarité internationale et d'un objectif de justice ? Poursuite dans certains pays de l'explosion démographique, montée de la misère partout dans le monde, occupation de l'Afghanistan par l'Union soviétique, pressions de la Libye sur le Tchad, apartheid en Afrique du Sud, transformation du Proche-Orient en champ clos où s'affrontent des ambitions extérieures, non-règlement du problème palestinien : les foyers d'injustices ne manquaient pas, il y a peu d'années. Beaucoup subsistent.

L'extrême richesse et l'extrême pauvreté se regardent par écrans de télévision interposés. Des milliards d'êtres humains ne pourront rester durablement à l'écart du grand mouvement qui entraîne la partie développée de la planète. Car, dans les bas-fonds de la misère, nombreux sont ceux qui sont prêts à suivre le premier gourou venu.

L'on doit peut-être à la guerre économique, qui a canalisé les pulsions guerrières des peuples vers une forme de combat plus pacifique, une limitation des autres conflits. Bien sûr, elle n'a pas permis leur extinction au Proche-Orient, en Asie du Sud-Est, en Afrique. Mais on peut constater qu'il n'y a là rien de comparable aux grands conflits du passé. Souhaitons donc longue vie à la guerre économique à condition qu'elle s'assagisse un peu et qu'elle apporte aux combattants d'autres satisfactions que celles purement matérielles sur lesquelles elle a débouché jusqu'à présent.

Nous combattions égoïstement pour notre confort de nantis. Il nous faudra désormais effectuer un douloureux retour à la réalité, celle de la misère du Sud, des Sud qui sont chez nous, de la démographie du Tiers monde et des migrations irrésistibles qu'elle provoquera, des cauchemardesques agglomérations géantes et des nouveaux sauvages urbains qu'elles engendreront, des menaces sur notre écosystème.

Selon la formule désabusée de Vaclav Havel : « Que les couleurs extérieures du système capitaliste et la grisaille du monde socialiste ne nous cachent pas que la vie est un même désert qui a perdu son sens ».

7

Fin de partie au sud du Sahara ?

*La politique africaine de la France**

par Jean-François BAYART

Paris n'a jamais cessé de penser sa politique africaine comme un simple instrument au service de sa politique de puissance. Du rêve impérial de la fin du XIXe siècle à la retraite en bon ordre de la décolonisation et à la gestion conservatoire de la coopération, la continuité a été évidente. Au moins dans les deux dernières phases de ce continuum, la France a usé de sa prépondérance au sud du Sahara pour redéployer ses intérêts à l'échelle mondiale. La clientèle diplomatique que l'Afrique lui a fournie — et plus précisément le jeu des votes qu'elle lui a apportés dans l'enceinte des Nations unies — avait l'avantage de garantir son siège de membre permanent du Conseil de sécurité, d'accroître l'audience des résolutions qu'elle entendait faire adopter sur les affaires du monde, de la préserver d'attaques trop massives envers ses essais nucléaires ou ses problèmes pendants de décolonisation dans le Pacifique et l'océan Indien. Plus généralement, l'existence d'une aire continentale de prédominance française, dont témoignent par exemple la nébuleuse de la francophonie, la zone franc et les sommets franco-africains, ont longtemps accru le rayonnement de la diplomatie élyséenne, y compris dans le champ européen.

La primauté de ces considérations planétaires a fait que la politique africaine de la France a souvent été commandée par des fac-

---

* Ce chapitre reprend pour l'essentiel un article publié dans le numéro 56, été 1992, de la revue *Politique internationale*, sous le titre : « France-Afrique : aider moins pour aider mieux ». Nous remercions la revue de bien avoir voulu autoriser sa reproduction.

teurs extra-africains, au détriment de sa cohérence interne, et qu'elle n'a jamais été l'objet d'une évaluation sérieuse — et encore moins d'une révision pourtant nécessaire ! Les choix africains de l'Élysée ont pris la forme d'un dogme dont chacun s'est contenté : la classe politique, parce que l'ensemble de ses composantes en ont profité pour financer les campagnes électorales ; la presse, qui est elle-même partie prenante à ce système de pouvoir et parce qu'il lui est paru au-dessus de ses moyens ou de ses désirs de rompre des lances avec l'Élysée au sujet de ce dossier, somme toute secondaire ; les millieux d'affaires, qui ont joui en silence de situations de rente appréciables sous l'ombrelle de la zone franc et de la coopération ; l'opinion publique, qui s'est satisfaite des mythes dont on la gavait et qui justifiaient que l'on continuât de tutoyer l'Afrique éternelle.

Droguée par l'argent facile et les succédanés de l'idéologie impériale, la France ne s'est pas rendue compte que sa diplomatie subsaharienne s'était sclérosée et ne répondait plus aux mutations du continent, ni d'ailleurs aux exigences nouvelles du système international. En définitive, aucun des gouvernements qui ont succédé à ceux du général de Gaulle n'est parvenu à se détacher des péchés originels de sa politique africaine : primauté des relations personnalisées, et plus ou moins occultes, avec les dirigeants du cru ; balkanisation des fédérations de l'AOF et de l'AEF ; maternage des pouvoirs autoritaires, rentiers et prédateurs ; volonté vaine d'ignorer, d'endiguer, voire de diviser — lors de la guerre du Biafra — un Nigeria coupable de parler l'anglais, d'avoir condamné les essais nucléaires de Reggane et de prétendre à un rôle régional ; engagement militaire gratuit (et néanmoins très coûteux !) au Tchad ; coopération visant à reproduire le ravaudage monétaire du vieux pacte colonial et une forme d'État vouée à la faillite financière. Tous ces choix, faits dans les années 60, ont été reconduits depuis, notamment par François Mitterrand, en 1981. Mais cette dernière ligne de continuité n'a au fond rien d'étonnant : le projet africain du général de Gaulle avait repris pour l'essentiel une épure dessinée dès le début des années 50 par la IVe République, sous la signature... du même François Mitterrand, alors ministre de la France d'outre-mer. La permanence de la politique africaine de la France est plus ancienne qu'on ne le dit généralement : elle s'est nouée lorsque René Pleven a pris l'option stratégique de coopter le Rassemblement démocratique africain comme partenaire gouvernemental, en obtenant de lui qu'il rompe avec le Parti communiste et en se donnant les moyens économiques de cette « seconde occupation coloniale » (1).

L'impasse de l'ajustement structurel

La reproduction à l'identique de sa politique africaine a mené la France dans une triple impasse. Tout d'abord, l'impasse de l'ajustement structurel, tel que l'ont conçu et progressivement imposé le Fonds monétaire international et la Banque mondiale. Faute d'avoir révisé le champ, l'orientation et les modalités de sa coopération dans les années 70, Paris a progressivement perdu sa capacité de proposer à ses partenaires africains une stratégie macro-économique globale, alors même que les effets pervers de l'aide-projet devenaient patents et que les institutions multilatérales de Bretton Woods affirmaient leur hégémonie, grâce à un patient et colossal travail d'élaboration théorique et d'information statistique (2). Manque de moyens financiers, sans doute, mais aussi de volonté politique : une fois de plus, les considérations extra-africaines l'ont emporté, et l'enjeu n'a pas été jugé tel que l'on risque une confrontation avec les Américains à son propos, quand tant d'autres problèmes plus sérieux — du GATT à l'Airbus, en passant par le Proche-Orient et la participation des ministres communistes au gouvernement — nourrissaient un dialogue déjà serré. Toujours est-il que la France n'a pas formulé de stratégie de substitution. Elle s'est progressivement cantonnée dans un double rôle de cogestionnaire de l'ajustement structurel et de médiateur entre les capitales subsahariennes et les institutions multilatérales de Bretton Woods.

Or, selon les meilleurs spécialistes, les programmes d'ajustement structurel conçus dans la dernière décennie n'assureront pas à l'Afrique la sortie de la crise dans laquelle elle s'est enfoncée, du fait

---

(1) J.-F. BAYART, *La politique africaine de François Mitterrand*, Paris, Karthala, 1984 ; J. ADDA, M.-C. SMOUTS, *La France face au Sud : le miroir brisé*, Paris, Karthala, 1989. Par le terme de « seconde occupation » coloniale, D. Low et J. Lonsdale désignent l'intensification de l'encadrement des forces productives indigènes à laquelle conduisirent la grande crise de 1929 et les menaces qu'elle fit peser sur la reproduction fiscale des possessions européennes (« Introduction : towards the new order, 1945-1963 », in D.A. Low, A. Smith, eds., *History of East Africa*, Oxford, Clarendon Press, 1976, vol. III, p. 12).

(2) Dès 1980, le rapport Charpentier, commandé par le gouvernement de M. Barre, en faisait le constat *(Rapport du groupe de travail sur la coopération technique présidé par M. Charpentier, inspecteur général des finances (Mme Maillet, inspecteur des finances, rapporteur)*, Paris, s.d. (1980), multigr.)

de ses propres erreurs, tout au long des années 70, à la faveur de la hausse des cours de ses principaux produits d'exportation, mais aussi du fait de l'épuisement du modèle de développement défini lors de la « seconde occupation coloniale », et prorogé au lendemain des indépendances (3). La démonstration en avait été faite dès la première moitié des années 80 par le Bureau des évaluations du ministère de la Coopération et du Développement, notamment au sujet du Sénégal, de la Côte-d'Ivoire et de Madagascar (4). Mais en vain : le Trésor a continué d'imposer le suivisme comme seule politique possible. Aujourd'hui, la poursuite des programmes d'ajustement structurel n'a plus pour propos la rédemption économique de l'Afrique pécheresse, nonobstant la superbe des idéologues de la Banque mondiale. Elle répond à deux préoccupations plus terre à terre : d'une part, elle permet à une bureaucratie internationale et à ses agents locaux — africains, mais aussi arabes, asiatiques ou européens, par le biais de la sous-traitance des études et de l'assistance technique — de satisfaire à l'exigence toute spinozienne de « persister dans leur être » ; d'autre part, et surtout, elle autorise les institutions multilatérales à se rembourser à elles-mêmes, par la création de « new money », les prêts qu'elles ont très libéralement consentis à des débiteurs potentiellement insolvables, et elle résoud ainsi leur propre problème de rating.

En apportant son concours à cette fuite en avant, la France s'expose à un double effet de boomerang, politique et social — sans même parler de l'addition qu'elle devra un jour ou l'autre présenter à ses contribuables. Force est de reconnaître que l'Afrique a derechef perdu l'essentiel de sa souveraineté au profit de l'expertise internationale. Elle se voit imposer une conditionnalité délirante, au sens clinique du terme, qui couvre la totalité des activités économiques, jusqu'aux attributs les plus fondamentaux de l'État : par exemple, la fiscalité, et même les institutions, du fait de la mise en œuvre d'une « conditionnalité démocratique » à géométrie ô combien variable ! A la faveur du mouvement de revendication démocratique, son personnel politique se recrute d'ailleurs de plus en plus dans le vivier des technocrates passés par le FMI et la Banque mondiale. De façon plus insidieuse, cette dernière procède à la captation des meilleurs éléments des hautes fonctions publiques

(3) G. Duruflé, *L'ajustement structurel en Afrique (Sénégal, Côte-d'Ivoire, Madagascar)*, Paris, Karthala, 1988.

(4) *Ibid.* et C. Freud, *Quelle coopération ? Un bilan de l'aide au développement*, Paris, Karthala, 1988.

nationales en leur garantissant des traitements de standard international, tout en enjoignant aux États africains de réduire les salaires dans leurs administrations. Le prix de cette recolonisation rampante ou tout au moins de ces nouvelles capitulations pourrait être un formidable réveil anti-impérialiste, sans doute moins nationaliste que xénophobe, religieux et violent, qui se grefferait sur la colère sociale des exclus de l'indépendance.

En effet, les programmes d'ajustement structurel ont contribué à la destruction méthodique des services de l'État — à commencer par l'hôpital et l'école — et ont acculé un nombre croissant d'Africains à emprunter le « second sentier », celui de l'économie informelle. Mais ce « sentier », devenu autoroute, mène à l'appropriation sauvage des ressources, sur le modèle des émeutes zaïroises de septembre 1991, plutôt qu'au redressement productif qu'espèrent les libéraux invétérés. Le glissement du sous-continent dans la misère, les conflits et les migrations risque de s'en voir simplement accéléré.

La restauration autoritaire : de l'État kleptocrate à l'État mafieux

Cette évolution dramatique est d'autant plus inéluctable qu'une autre espérance africaine — celle de la démocratisation — est, elle aussi, en passe de s'évanouir. Et, à nouveau, la France s'est laissée dépasser par les faits. Devant la montée de la contestation dans quelques-uns de ses États-clients — au Bénin, au Gabon, en Côte-d'Ivoire, au Zaïre, au Cameroun — elle a pris acte, en 1990, de l'acuité de la revendication démocratique au sud du Sahara, après avoir protégé, pendant de longues années, des régimes dictatoriaux souvent sanguinaires. Reconnaissance bien tardive, et surtout très ambiguë, comme allait le prouver la suite des événements. En effet, les pouvoirs présidentiels, ébranlés par le mécontentement populaire, par l'aiguisement des luttes factionnelles au sein des classes politiques et par les pressions des bailleurs de fonds, n'ont pas tardé à entreprendre des stratégies de reconquête, souvent en se concertant étroitement comme l'a prouvé la préparation, par les principales capitales africaines, des Sommets de La Baule (juin 1990) et de Chaillot (novembre 1991). Pour ce faire, ils ont eu recours à toutes les armes dont ils disposaient — mobilisation des ressources financières amassées en plusieurs décennies de pillage de l'État ; harcèlement policier des leaders de l'opposition ; *lobbying* à l'échelle internationale ; manipulation du multipartisme par la création en sous-main de partis régionalistes destinés à diviser l'opposition, selon la vieille technique du colonisateur — tout en donnant le change et en semblant se convertir à l'idée démocratique. Face à ces stratégies, souvent menées de main de maître, la France a fait preuve d'une certaine candeur d'âme : elle n'a pas su les anticiper, bien qu'elles fussent prévisibles, et souvent prévues ; elle n'a pas su les empêcher, par des arguments vraiment dissuasifs ; et elle n'a pas su les sanctionner quand elle se trouvait mise devant le fait accompli. Ainsi, elle a pu donner l'impression qu'elle s'accommodait de la perpétuation ou de la restauration de l'autoritarisme, pourvu que fussent sauvegardées certaines apparences. En conséquence, la revendication démocratique, jusque-là remarquablement peu nationaliste, est sur le point de se transformer en rejet xénophobe, dont de multiples incidents, dans différentes capitales, constituent des signes avant-coureurs.

Cependant, la restauration autoritaire, si elle devait se confirmer, ne s'effectuerait pas à l'identique. D'une part, les régimes autoritaires conserveront vraisemblablement les atours du multipartisme pour au moins deux raisons. Les élections semi-compétitives ont de longue date permis aux plus habiles des chefs d'État de limiter « par le bas » le pouvoir des barons qui menaçaient de leur porter ombrage et de donner à bon compte l'illusion de la liberté (par exemple au Kenya, en Tanzanie, au Sénégal, en Côte-d'Ivoire, au Cameroun, au Togo, et même au Zaïre !). En outre, la logorrhée démocratique est le nouvel idiome grâce auquel l'on peut mobiliser des soutiens extérieurs (après le discours anti-communiste ou anti-impérialiste, et quelques autres...). Conditionnalité oblige, elle constitue en soi une rente, comme l'ont bien compris les dirigeants sénégalais depuis plusieurs années. Les subventions d'équilibre budgétaire que la France accorde à des États en « transition démocratique », en marge de ses concours à l'ajustement structurel, sont dès maintenant en augmentation.

D'autre part, l'aggravation de la crise économique et l'existence d'un marché politique semi-compétitif amèneront les pouvoirs autoritaires à se dédoubler pour mieux se protéger. Plus encore qu'auparavant, le « domaine réservé » des affaires importantes — la sécurité, les finances — échappera au contrôle et même au regard de l'opinion pour être confié à un entourage occulte. D'ores et déjà, la réalité du pouvoir est exercée par de semblables « mafias » dans un grand nombre de pays. Or, les conflits nés de la « démocratisation » incitent celles-ci à durcir leur action, à recourir à l'assassinat politique pour éliminer les gêneurs, à organiser des provocations sanglantes afin d'aviver les clivages ethniques ou agraires et de se poser en dernières garanties de l'ordre (par exemple au Cameroun, au Togo, au Zaïre, au Rwanda, au Kenya). En outre, ces fractions sont de plus en plus tentées de se livrer à des trafics fructueux (drogue, armes, ivoire, diamants, proxénétisme). Sous les atours du multipartisme, la restauration autoritaire véhiculerait inévitablement une criminalisation galopante de la Cité, à laquelle incline l'évolution de l'économie mondiale et du système international. A l'État kleptocrate des années 70 et 80, succéderait l'État mafieux, dont la Somalie de Siyad Barre, la Sierra Leone du général Momoh, le Liberia du sergent-chef Doe et de Charles Taylor, le Cameroun de Paul Biya ou le Nigeria d'Ibrahim Babangida offrent autant de préfigurations.

Le spectre de la guerre

Le processus de criminalisation de l'État, déjà préoccupant en lui-même, est susceptible de prendre une tournure plus dramatique encore. Contrairement à l'idée reçue, le nerf de la vie politique au sud du Sahara est moins la lutte ethnique que la lutte factionnelle, et les acteurs en sont moins des communautés organisées selon le principe de la solidarité de sang que des leaders agissant pour leur propre compte et de manière éminemment concurrentielle (5). Dans un certain nombre de situations, les régimes présidentiels de parti unique sont parvenus à institutionnaliser et à réguler cette lutte factionnelle entre les entrepreneurs politiques, non sans user largement de la coercition ; dans d'autres situations, la lutte factionnelle s'est rapidement effectuée sur un mode militaire et a nourri de longues guerres civiles, par exemple en Angola, au Mozambique, en Ouganda, au Soudan, au Tchad. L'aggravation de la crise économique et la délégitimation progressive des régimes de parti unique sont susceptibles de généraliser ce second scénario. D'autant que la guerre peut en soi reposer sur une base sociale — la mobilisation de la jeunesse marginalisée par l'État —,

(5) J.-F. BAYART, *L'État en Afrique. La politique du ventre*, Paris, Fayard, 1989.

sur des représentations culturelles — celles de la sorcellerie — sur des ressources économiques — l'exploitation sauvage d'un certain nombre de gisements minéraux, le trafic de stupéfiants et d'ivoire notamment — et sur des soutiens internationaux.

De nouvelles structures complexes de conflits sont donc en passe de se cristalliser à l'échelle régionale, sur le modèle de ce que connaît la Corne depuis plusieurs décennies ; et ce précédent indique qu'elles seront de nature à se reproduire dans la durée. La France est malencontreusement engagée dans la plupart de ces foyers de tension, soit de façon explicite (au Tchad, au Rwanda, à Djibouti), soit de façon potentielle (en Sénégambie, du fait de ses accords avec le Sénégal ; au Liberia, en raison du soutien de la Côte-d'Ivoire et du Burkina Faso à Charles Taylor, et des liens que certaines de ses entreprises ont noués avec ce dernier ; au Mali et au Niger, où la question touarègue ne cesse de s'envenimer et où les gouvernements lui demandent médiation et équipements, avant peut-être de réclamer une intervention directe ; au Cameroun, où la marginalisation politique des anglophones peut éclore en tentative de sécession ; voire au Togo, où peut se réveiller l'irrédentisme ewe à la faveur d'une dégradation de la situation intérieure). Si l'on part de l'hypothèse, hélas probable, qu'aucun de ces foyers de tension ne s'apaisera dans les années à venir, le coût financier et diplomatique, voire humain, de la présence militaire de la France au sud du Sahara risque de devenir très lourd, et quelque peu disproportionné par rapport aux vrais enjeux. C'est naturellement au Tchad, au Rwanda et à Djibouti que la question se pose dès maintenant avec le plus d'acuité, dans la mesure où Paris s'est compromis avec des pouvoirs aux abois, sans être capable d'en brider les horreurs : aucune transition pacifique ne semble envisageable à moyen terme dans ces trois pays, pour des raisons tantôt militaires (abondance des armes en circulation) et régionales (imbrication d'États-tiers), tantôt démographiques (migrations liées à la pénurie de terres) et économiques (insuffisance des ressources).

Pour une stratégie du ramassement

Pour n'avoir pas redéployé, dans les années 70 et 80, son influence à l'échelle du continent au-delà des limites du « pré carré », quitte à la partager avec d'autres partenaires en s'assurant le rôle de chef de file (6), la France est aujourd'hui appelée à ramasser sa politique africaine autour de quelques points d'appui. Il n'est pas d'autres stratégies réalistes. La perpétuation des relations traditionnelles avec une multitude d'États-clients qui seraient retournés à des formes coercitives d'organisation politique, ou qui maintiendraient sous perfusion internationale des institutions représentatives, serait d'un coût exorbitant. Coût financier, notamment : il est maintenant avéré, chiffres à l'appui, que des États comme ceux du Sahel — y compris le Sénégal, pilier, s'il en est, de la politique africaine de la France — ne sont pas viables économiquement et ne peuvent vivre, ou plutôt survivre, que sous la tente à oxygène de l'aide. Mais aussi coût politique et militaire : l'inévitable multiplication des conflits entre ces États, ou au sein de ces États, rendrait impossible à gérer la position tutélaire de la France, qui serait contrainte de mobiliser un nombre croissant de ses diplomates et de ses soldats pour des médiations et des missions d'interposition sans issue.

Quant au désengagement complet, auquel incline une partie croissante de l'opinion française, il est une vue de l'esprit. On imagine mal une diplomatie, quelle qu'elle soit, passer par pertes et profits plusieurs siècles de présence au sud du Sahara et pouvoir se désintéresser d'une zone d'un milliard d'habitants (en 2010), aussi proche de l'Europe, qui serait livrée à la guerre, aux trafics, aux convoitises du Proche-Orient, au développement de pandémies incontrôlables, à la dilapidation irresponsable d'une partie importante du capital écologique de la planète. La scène de la grande bouderie à l'égard de l'Afrique est un enfantillage. En outre, la gravité des maux de ce sous-continent n'autorise pas à évacuer d'un revers de main toute possibilité de redressement : dans les années 50, c'était au sujet de l'Asie qu'il était de bon ton d'afficher son pessimisme...

A mi-chemin de ces deux impossibilités, la stratégie du ramassement impliquerait que l'on définisse, d'une part, les lignes de force géopolitiques sur lesquelles faire porter un effort renouvelé de coopération, et, d'autre part, les zones de renoncement, afin d'embrasser moins pour mieux étreindre. Elle devrait prendre en compte trois types de facteurs que l'on tend souvent à négliger : les dynamiques démographiques, notamment migratoires, qui restructureront l'espace sous-continental autour de quelques pôles de crois-

(6) J.-F BAYART, « France-Afrique : la fin du pacte colonial », *Politique africaine*, 39, septembre 1990, pp. 47-53.

sance et qui s'articuleront éventuellement à d'autres processus économiques ou sociaux, tels que la progression de mouvements religieux et de grandes langues véhiculaires, ou le dynamisme commercial de certaines zones frontalières (7) ; le poids de la longue durée historique, qui dessine en filigrane des fractures tectoniques sous-jacentes aux évolutions politiques contemporaines et qui, réactualisées par les enjeux de l'époque, continuent de modeler pour l'essentiel les grandes lignes de partage entre le monde arabe et le monde noir, entre le Sahel et la forêt, entre la côte et l'hinterland, ou entre ce que nous appelons trop rapidement les ethnies ; les stratégies concurrentes, enfin, des autres acteurs du système international, en particulier des États-Unis, des pays arabes, de l'Iran, d'Israël, en attendant l'arrivée en force des pays asiatiques et le retour de la Russie au sud du Sahara.

On le voit, la stratégie du ramassement recoupe d'une certaine manière la problématique de l'intégration régionale, dont la France s'est désormais fait l'apôtre zélé. Encore faudrait-il bien saisir que cette dernière approche est au moins partiellement contradictoire avec d'autres objectifs dont se réclame Paris : le maintien en l'état de la zone franc, que condamnent de toute manière les gabegies ivoirienne et camerounaise, autant que la sous-évaluation du naïra nigérian ; la poursuite des programmes d'ajustement structurel, qui sont négociés entre les institutions multilatérales et les États-nations subsahariens sur une base bilatérale et dont les effets ont jusqu'à présent plutôt contrarié les interdépendances régionales. Plus fondamentalement, la problématique de l'intégration régionale, tributaire du respect des « grands équilibres » — ceux du système des États-nations ou du marché — s'est avérée très décevante dans les faits, ainsi que l'ont également démontré les remarquables études du CERED (8).

Quels pôles régionaux privilégier ?

Quoi qu'il en soit, deux partenaires majeurs s'imposent d'eux-mêmes à la France, bien qu'ils ne fassent pas partie du « pré carré »

(7) Cf. notamment les travaux de J.-M. Cour, notamment in *Afrique contemporaine*, 146, 2e trimestre 1988.

(8) J. Coussy, P. Hugon, dir., *Intégration régionale et ajustement structurel en Afrique subsaharienne*, Paris, Ministère de la Coopération et du Développement, 1992 (collection Études et Documents).

de son influence et qu'ils suscitent pour l'instant plus d'interrogations qu'ils n'apportent de réponses. A l'ouest, le géant nigérian dispose, avec ses quatre-vingt dix millions d'habitants, d'un marché digne de ce nom, dont les investisseurs français ont très tôt compris l'intérêt. Il a su relancer son appareil productif, tant industriel qu'agricole, en poursuivant une politique sauvage de sous-évaluation de sa monnaie et en s'imposant un programme d'ajustement structurel plus courageux qu'ailleurs. Certes, cet effort de redressement s'essouffle depuis quelque temps — la dernière dévaluation du naïra, par exemple, n'a pas bénéficié de mesures d'accompagnement satisfaisantes — et il s'est exercé très cyniquement au détriment des intérêts industriels de la région. Mais, précisément, on ne peut en comprendre la vraie portée qu'en ayant en mémoire la domination historique des villes nord-nigérianes sur une bonne part de l'Afrique occidentale et de l'Afrique centrale, grâce à leur maîtrise des principaux flux commerciaux du XIXe siècle. Ce rayonnement économique, aujourd'hui, se traduit de plus en plus explicitement par une volonté d'hégémonie politique à l'échelle du sous-continent, dont témoignent l'intervention militaire au Liberia et le dialogue noué au plus haut niveau avec la République sud-africaine. Bien que la Fédération nigériane soit en proie à de nombreuses tensions internes, notamment entre musulmans et chrétiens, elle a probablement exorcisé le spectre de l'éclatement depuis la guerre du Biafra. Tout indique qu'elle affermira son ascendant et qu'elle satellisera inexorablement son environnement, pour le meilleur et pour le pire : divers experts estiment qu'aucun des pays de l'Afrique de l'Ouest ou de l'Afrique centrale ne peut résister à sa concurrence (encore que les plus dynamiques d'entre eux pourraient s'ajuster à celle-ci s'ils voulaient en saisir l'opportunité). La France, déjà très présente économiquement, doit donc trouver les moyens (et les formes) d'intensifier sa coopération et sa concertation politique avec Lagos. L'objection selon laquelle son influence n'y sera jamais que négligeable est spécieuse : si elle ne réussit pas cette percée, ce sera à l'échelle de l'Afrique de l'Ouest qu'elle endurera une marginalisation irréversible ; et l'on voit mal pourquoi elle n'entreprendrait pas au Nigeria ce qu'elle a réussi, avec plus ou moins de bonheur, dans d'autres grands pays à revenu intermédiaire.

Dans l'hémisphère austral, la République sud-africaine pose à la France un problème encore plus délicat. Selon toute vraisemblance, celle-là connaîtra à la fois une exacerbation de la violence sociale — héritée d'un siècle d'exploitation minière quasi totalitaire —

et une certaine stabilité politique, sous la houlette d'une coalition conservatrice formée par le Parti national, les courants modérés de l'ANC et les organisations ethnonationalistes des bantoustans et du Natal. Mais sa capacité économique à absorber le chômage, la pauvreté urbaine et la faim de terre de sa population noire, tout en s'ajustant aux nouvelles donnes — en particulier minières et industrielles — du système international, reste aléatoire, et pour tout dire, tributaire d'une stratégie qui n'a pas encore été définie. En dépendent notamment l'ampleur et les modalités de sa projection dans le sous-continent : il n'est par exemple pas exclu qu'une politique protectionniste, reposant sur la satisfaction du marché intérieur, aboutisse à une réduction des échanges entre la SADCC et la République sud-africaine (9). La « pretoriamania » qui s'est emparée des milieux d'affaires mérite donc d'être tempérée. Au demeurant, la structure oligopolistique de l'investissement en République sud-africaine n'est pas forcément propice aux outsiders... Il n'empêche que la France ne peut contourner la seule vraie société industrielle du continent, de surcroît puissance militaire notable, dont les nombreux services secrets ont fait la preuve de leur savoir-faire dans le domaine de la déstabilisation comme dans celui des échanges délictueux (10). Or, elle est d'ores et déjà placée devant des choix difficiles par le biais de l'aide communautaire. A terme, celle-ci doit-elle être considérée comme une aide au développement, et comptabilisée comme telle au CAD, au risque de pénaliser rapidement ses autres bénéficiaires ? La République sud-africaine doit-elle adhérer à la Convention de Lomé, comme le réclament, dans un élan de générosité, mais au détriment de leurs intérêts, certains ACP, avec pour conséquence probable le déséquilibre du mécanisme communautaire régulateur des cours des minerais — le Sysmin — et la baisse du nombre des appels d'offre du FED que les entreprises des ACP parviennent à emporter ? Ou au contraire devra-t-elle se contenter d'un accord spécifique ? Autant de dilemmes qui peuvent rapidement faire imploser le fragile édifice, déjà bien vermoulu, des relations franco-africaines et de la Convention de Lomé.

Avant de prendre position, la France aura à jauger les potentialités réelles de ses rapports avec ses partenaires traditionnels. Car il ne peut être question de lâcher la proie du « pré carré » pour

(9) Voir l'étude en cours de rédaction de J. Coussy (Centre d'études et de recherches internationales, Paris).

(10) *Africa Confidential* 32 (9), 3 mai 1991 ; 32 (19), 27 septembre 1991 ; 33 (8), 17 avril 1992.

l'ombre d'un redéploiement continental qui resterait hasardeux. Certains pays, certaines économies, plongés aujourd'hui dans une crise catastrophique, n'ont pas forcément dit leur dernier mot. L'ensemble que constituent la Côte-d'Ivoire et le Ghana forme un pôle de croissance potentielle dont on ne peut sacrifier le cœur léger les investissements d'infrastructures déjà consentis (encore que l'on puisse craindre que la Côte-d'Ivoire, écrasée par sa dette, laminée par dix ans d'ajustement structurel sévère, sociologiquement et historiquement assez proche du Liberia, ne finisse par être aspirée dans le cauchemar que vit celui-ci et qu'elle a bien imprudemment alimenté en soutenant Charles Taylor). De même, les enclaves pétrolières off-shore du littoral de l'Afrique centrale — Cameroun, Gabon, Congo — pourraient entraîner leur arrière-pays, pour peu que les élites dirigeantes daignent se discipliner et — dans le cas du Gabon, peuplé de 800 000 habitants pour une production pétrolière de 15 millions de tonnes — renoncent à mettre en faillite, à intervalles réguliers, l'équivalent tropical du Koweït, tout en bénéficiant de l'aide publique au développement ! Plus au sud, le diptyque angolo-zaïrois a un poids démographique et des ressources naturelles qui interdisent de penser qu'on puisse longtemps le laisser en déshérence, quel que soit l'héritage accablant du mobutisme et de la guerre civile. Et, enfin, l'axe Mombasa-Nairobi-Kampala peut tenir sur l'océan Indien la place dévolue dans le Golfe de Guinée au couple ivoiro-ghanéen, pour des raisons similaires et si la guerre, venue du nord, ne le déstabilise pas. Cette Afrique peut à bon droit espérer, y compris sur le plan économique, si elle parvient à accrocher ses wagons aux locomotives nigériane et sud-africaine, et à s'ajuster à ce nouvel environnement. C'est d'abord à elle que doit s'adresser la France pour peu qu'elle veuille faire œuvre utile.

La part du feu

Il conviendrait alors d'abandonner la doctrine illusoire du respect des « grands équilibres » et d'aider à la restructuration de l'espace subsaharien à partir de ces pôles, qui seraient chargés de tirer économiquement le reste du continent, en concentrant les investissements, en réalisant des économies d'échelle dans les dépenses d'équipement, en attirant des courants migratoires, en relançant la production agricole par l'augmentation de la demande urbaine. Ce choix impliquerait que soit maintenu le cap, de manière durable, sur une conception géopolitique claire, et que les moyens bilatéraux et multilatéraux de notre APD soient mis au service de cette vision stratégique. Une telle révision supposerait que la question de la dette soit apurée en priorité au bénéfice de ces pays — dont la plupart sont dits « à revenu intermédiaire » — et non pas à celui des « pays les moins avancés » (PMA), comme on l'a fait charitablement pendant plusieurs années (11). Elle supposerait aussi que les modalités, voire le principe même de l'aide, soient franchement reconsidérés au profit notamment d'une coopération culturelle, scientifique et technique modernisée, qui garantirait mieux l'avenir de la présence française dans la région.

La contrepartie de cette politique serait l'adoption d'un « very low profile » dans les autres parties du sous-continent. La France mesurerait au plus juste ses interventions politiques et *a fortiori* militaires directes. Elle bornerait son action à la formation de cadres, dissociant sa diplomatie et sa coopération des intérêts particuliers éventuels de ses entreprises et abandonnant à d'autres le leadership régional. Naturellement, la politique du « low profile » ne serait pas exclusive de toute présence française, par le biais notamment de l'action propre du secteur privé et de l'aide humanitaire. Mais il serait clair que cette Afrique ne figurerait pas parmi les priorités diplomatiques de l'Élysée et du quai d'Orsay. Cette rétraction concernerait au premier chef deux conflits dont l'expérience a prouvé qu'ils étaient inextricables et dont l'enjeu stratégique, pour la France, est à peu près nul : celui du Tchad et celui des Grands Lacs, dont il conviendrait de se désengager dans les meilleurs délais pour éventuellement travailler diplomatiquement sur leurs marges. La cause de Djibouti est à peine plus plaidable, dans la mesure où l'utilité régionale de cette base a été surestimée, comme l'a prouvé la guerre du Koweït, en 1991. En réalité, seul le cas du Sénégal fait vraiment problème : d'une part, l'aéroport et la rade de Dakar contrôlent la route de l'Atlantique Sud, et la charge affective et imaginaire de la présence française y est encore plus forte qu'au Tchad et au Congo ; mais, de l'autre, le pays s'est fourvoyé dans une impasse macro-économique et est menacé par la revendication autonomiste en Casamance (12).

---

(11) Les mesures prises à La Baule, en juin 1990, représentent d'ailleurs un premier pas dans cette direction.

(12) Sur l'économie du Sénégal, cf. G. Duruflé, *op. cit.*

A nouvelle politique, nouveaux instruments

Une telle stratégie du ramassement exigerait que soient profondément transformés les instruments de la politique africaine de la France. Bien que toutes les réformes institutionnelles aient échoué face à la coalition des intérêts rentiers africains et français, bien que l'agitation administrative dissimule souvent à Paris l'immobilisme politique, chacun admet désormais que les choses ne peuvent plus rester en l'état. La multiplication des centres de décision est aberrante : le président de la République, la cellule africaine du 2 de la rue de l'Élysée, la Direction des affaires africaines et malgaches au ministère des Affaires étrangères, le ministère de la Défense, la direction du Trésor au ministère des Finances, pas moins de deux administrations d'aide au développement dont on aimerait dire qu'elles font double emploi (les services du ministère de la Coopération et ceux de la Caisse française de développement) mais qui naturellement suivent des démarches différentes, plus quelques autres directions et ministères techniques — cela fait beaucoup pour un pays qui prône l'ajustement structurel à ses partenaires africains et se pose volontiers en modèle de bonne administration ! Une remise en ordre institutionnelle s'impose, qui devrait en priorité dépasser la notion du « champ » du ministère de la Coopération, si contraire à toute appréhension géopolitique du continent.

Mais, à dire vrai, c'est le ministère même de la Coopération qu'il importerait de supprimer, en répartissant ses compétences : un ministre délégué du ministre des Affaires étrangères suivrait les questions politiques, sous la haute autorité de celui-ci ; la Caisse française de développement, dont l'autonomie par rapport au pouvoir politique serait considérablement accrue, serait érigée en véritable banque de développement et se conformerait à une logique stricte d'investisseur, en veillant à étendre ses services d'étude et d'évaluation ; une agence de coopération culturelle, scientifique et technique, elle-aussi autonome, serait créée et se verrait adjoindre, d'une part, la direction compétente du ministère des Affaires étrangères, de l'autre, les organismes pléthoriques traitant de la francophonie. Ces mesures auraient d'abord l'avantage de dégager l'action administrative de la gangue des règles de la comptabilité publique, complètement inadaptées aux opérations internationales : n'oublions pas que c'est la nécessité de contourner la dictature des contrôleurs financiers qui a été à l'origine de l'association Carrefour du

Développement... Rendus à eux-mêmes, les services de coopération pourraient enfin se conformer aux mœurs modernes de la gestion et acquérir un minimum de compétitivité par rapport aux grandes fondations allemandes ou américaines. En effet, la société française étant ce qu'elle est, il n'est pas sûr que l'on puisse fidèlement imiter celles-ci : les performances de nos ONG sont pauvres, et leur professionnalisation est sujette à caution, comme l'indique le bilan de leur association croissante à l'action du ministère de la Coopération, depuis 1981.

Une telle mise à plat administrative permettrait surtout de reprendre le délicat problème de la conditionnalité, qui est actuellement au centre du débat sur l'aide au développement. En soi, ces notions n'ont aucune signification. L'Asie orientale a bénéficié d'une aide massive dans les années 50 et 60, qu'elle a recyclée dans des circuits productifs, grâce aux atouts que lui conférait une histoire multiséculaire. Il n'est nullement certain que l'Afrique tirerait le même parti d'un tel afflux de capitaux : le cas exemplaire du Sénégal suggère plutôt qu'un surcroît d'aide serait systématiquement dévoyé par des pratiques rentières et que tout relâchement des contraintes économiques externes — telles que le service de la dette ou les cours de l'arachide ou du coton — aurait vraisemblablement des effets pervers. Accroître la conditionnalité macro-économique reviendrait à aggraver à terme le risque de rejet politique et se heurterait de toute façon aux stratégies d'évitement des groupes dirigeants, dont la Banque mondiale et le FMI peuvent prendre la mesure, trente ans après le colonisateur. En outre, le problème a été définitivement compliqué par l'introduction d'une conditionnalité dite démocratique, certes très sympathique, mais dont on ne veut pas voir qu'elle est potentiellement contradictoire avec la conditionnalité macro-économique de l'ajustement structurel : la revendication du multipartisme, en Côte-d'Ivoire et au Gabon, s'est en premier lieu soldée par de substantielles augmentations de salaire, qu'une dévaluation du franc CFA devra bien annuler un jour ou l'autre.

Face à ces apories, il faut se donner les moyens institutionnels de dissocier les relations politiques, l'aide économique, la coopération scientifique et technique, l'aide humanitaire. A l'heure actuelle — et ce depuis trente ans — tout chef d'État africain peut obtenir à peu près ce qu'il veut par un simple coup de téléphone au 2 de la rue de l'Élysée : le ministère de la Coopération, la Caisse française de développement n'ont plus alors qu'à s'exécuter, et à faire le contraire de ce que leur commandent leurs études (13). Une banque française de développement résisterait mieux aux pressions politiques et serait mieux à même de veiller à une conditionnalité *ex post*, en faisant valoir des considérations économiques ; elle aurait aussi pour tâche de relancer la réflexion et les études macro-économiques, dont le quasi-monopole a été concédé à la Banque mondiale, avec le succès que l'on sait. De leur côté, l'Élysée et le quai d'Orsay feraient prévaloir leur vision politique par les moyens de la diplomatie classique, dans une relation enfin banalisée avec les capitales africaines, et cela leur serait d'autant plus aisé qu'ils auraient renoncé à l'acharnement thérapeutique, à grands coups de subventions d'équilibre attribuées à des États exsangues. Car, s'il est nécessaire d'épurer l'aide économique des miasmes du clientélisme diplomatique et du financement électoral, il est tout aussi urgent de repolitiser notre politique étrangère et de la libérer de l'idéologie du développement, de la coopération ou de l'humanitaire. Qu'il soit enfin dit que nous cherchons à agir au sud du Sahara, comme dans le reste du monde, au mieux de nos intérêts, et que tous les enjeux géopolitiques, à cet égard, ne se valent pas ! Que soit enfin proclamé, à Yamoussoukro ou à Gbadolite comme au Kremlin ou à Cancun, notre attachement à nos valeurs, comme celles de la démocratie ou d'une certaine conception universaliste de la Cité ! Que soit réaffirmé, vis-à-vis d'un Mobutu ou d'un Bongo, l'impératif de justice sociale, à un moment où « l'aide au développement », redoutable « anti-politics machine », contribue surtout à désamorcer le problème de la pauvreté (14) !

*
* *

Il est en réalité grand temps de surmonter la contradiction entre l'exaltation fétichiste de notre politique africaine, qui a empêché tout aggiornamento, et sa soumission à des considérations extra-africaines, qui la prive de toute cohérence. Ce n'est pas parce que l'on veut faire peu que l'on doit faire mal. Au sud du Sahara, les

---

(13) Dans son article très sévère sur la Caisse centrale, E. Chambaud ne nous semble pas suffisamment tenir compte de ce facteur de la dépendance politique (« Comment on aide l'Afrique. L'exemple de la Caisse centrale de coopération économique », *Le Débat*, 68, janvier-février 1992, pp. 117-134).

(14) J. Ferguson, *The anti-politics machine. « Development », depoliticization and bureaucratic power in Lesotho*, Cambridge, Cambridge University Press, 1990.

États-Unis, qui n'attachent guère de prix à l'Afrique noire, travaillent mieux que nous : ils ont une vision globale du sous-continent, ont compris l'intérêt qu'ils avaient à appuyer une nouvelle génération de dirigeants à la faveur du mouvement de revendication démocratique, et se montrent souvent très professionnels (environ 90 fonctionnaires au Bureau Afrique du Département d'État, contre une vingtaine à la Direction des affaires africaines et malgaches au quai d'Orsay). De toute évidence, le sort de la France ne se joue pas entre Dakar et Brazzaville, contrairement à ce qu'écrivait François Mitterrand, il y a quarante ans, mais bien plutôt sur les rives du Rhin, du Danube, de la Méditerranée, de l'Atlantique Nord et du Pacifique. Remettons donc l'Afrique à sa juste place dans la hiérarchie de nos priorités : ce n'est point la première, ni sans doute la dernière. Mais, une fois celle-ci définie, donnons-nous les moyens de nos fins en ayant une politique...

3

Faillite industrielle : à quand les dragons africains ?

Il n'y a pas de domaine où l'échec de l'Afrique ait été plus patent que celui de l'industrie. Au lendemain de l'indépendance, industrialiser a été le premier rêve de tous les gouvernements africains qui ont souvent mobilisé des ressources importantes à cette fin. Avoir accès à des produits manufacturés est devenu le rêve de tout Africain. Avec le développement des médias, les attraits de la société de consommation se font sentir en Afrique aussi fortement que dans les autres parties du monde.

Dans les années 60 et 70, on avait pu, dans la plupart des pays, assister à une amorce de développement industriel. Une amorce sans lendemain car, au début des années 90, non seulement le poids de l'Afrique est toujours négligeable dans l'industrie mondiale, mais l'Afrique, est en voie de désindustrialisation. Non seulement trouver dans un pays occidental un produit manufacturé africain est une gageure, mais trouver un produit manufacturé africain en Afrique est en train de le devenir aussi tant ce continent est désormais envahi par des produits d'autres régions, notamment made in Asia.

Les gouvernements africains ont conduit des politiques très volontaristes d'industrialisation qui se sont avérées des échecs. Mais d'autres pays du monde ont aussi mené des politiques volontaristes qui ont réussi. Au fond, l'Afrique n'a pas jusqu'à présent su conclure les alliances entre les pouvoirs politiques et les entrepreneurs, alliances qui ont fait preuve ailleurs d'une efficacité remarquable. Elle n'a pas su créer les conditions de la compétitivité de ses entreprises.

Est-elle définitivement hors course ou peut-elle encore s'industrialiser ? A-t-on des chances de voir demain des « dragons » africains venir concurrencer avec succès des dragons asiatiques devenus des pays à main-d'œuvre coûteuse ? Peut-elle s'inspirer des stratégies qui ont été suivies par les dragons asiatiques, ou doit-elle trouver une voie originale ?

La coopération française a déjà en partie fait sa révolution culturelle en ce qui concerne son appui à l'industrialisation. Est-elle prête à aller plus loin, à aider les gouvernements africains à faire leur propre révolution culturelle, à bâtir et mettre en œuvre de nouvelles politiques industrielles qui ne seront peut-être pas les politiques ultra-libérales aujourd'hui à la mode ? Est-elle prête à poursuivre son aide pour sauver ce qui mérite encore de l'être dans le champ de ruines qu'est devenue l'industrie africaine ? Est-elle prête à aider les dynamiques que l'on voit émerger partout dans des sociétés qui, faute de mieux, s'expriment de façon informelle ?

8

L'échec industriel et institutionnel en Afrique. Que faire ?

par Jacques GIRI

L'échec des entreprises, publiques et privées, en Afrique ainsi que l'échec des gouvernements africains qui ne sont pas parvenus à créer un environnement favorable à leur développement et à l'accroissement de leur productivité, ont fait l'objet de nombreux débats. Ce texte va tenter de faire une synthèse des principales idées avancées et des recommandations qui pourraient être faites concernant l'action future de la coopération française.

Un constat d'échec

Le constat est simple et ne soulève guère de contestations : dans la plupart des pays africains et hormis quelques entreprises qui bénéficient d'une protection naturelle, l'industrie (prise ici au sens le plus large incluant les services) édifiée depuis 1960 et même parfois celle édifiée avant 1960 se sont effondrées. Les entreprises qui assurent une mission de service public n'ont dû leur salut qu'au soutien des pays occidentaux et, parfois, à une quasi- « recolonisation ».

De toute façon, avant l'effondrement, l'industrie africaine n'avait jamais joué qu'un rôle très marginal sur les marchés mondiaux. Elle y est maintenant pratiquement inexistante.

Les ajustements dits structurels et les « nouvelles politiques industrielles » mis en œuvre pour rétablir une base économique saine et relancer l'industrialisation n'ont pas eu jusqu'à présent les effets attendus. Seuls, quelques rares pays, Maurice, le Zimbabwe, peut-être le Nigeria, connaissent aujourd'hui une dynamique industrielle.

Les causes immédiates de cet échec ne donnent pas lieu non plus à de grandes divergences. Résumons les principales généralement avancées :

— les choix stratégiques faits par les États africains pour promouvoir eux-mêmes une industrie moderne en procédant à des investissements publics ; la mise en œuvre de ces stratégies sans souci suffisant des marchés et plus généralement sans souci des conditions locales (des « cathédrales industrielles dans un désert technologique ») a conduit à des entreprises non viables ou extrêmement fragiles ;

— la complicité des pays occidentaux qui ont permis, voire encouragé, ces investissements pour vendre leurs biens d'équipement ;

— la mauvaise gestion des entreprises publiques ou semi-publiques liée aux interférences de l'État et aux modes de fonctionnement des sociétés africaines (le jeu des solidarités entre groupes, le poids du chef dans le groupe, etc.) et le peu d'intérêt que les Occidentaux ont porté à ces questions pendant longtemps ;

— le refus ou l'incapacité des gouvernements à créer les conditions favorables à l'émergence et au développement d'initiatives privées (établir un « État de droit » qui assure un environnement stable). Celles-ci n'ont d'autres issues que de rester discrètes, informelles autant qu'il leur est possible, afin d'échapper à la prédation de l'État et des détenteurs d'une parcelle de pouvoir, quitte à végéter.

Tout ceci a conduit à des économies que l'on peut qualifier de « rentières » parce que seules y survivent les entreprises bénéficiant de rentes. La productivité du travail est restée en moyenne très basse. Et jusqu'à présent, dans la plupart des pays du « champ », en particulier dans ceux de la zone franc, cette faible productivité n'a pas été reflétée par les taux de change. Les conséquences de cette situation sont leur non-compétitivité sur les marchés régionaux et mondiaux et l'envahissement croissant des marchés nationaux par des produits importés soit directement par le pays, soit par un pays voisin et transférés par des commerçants informels redoutablement efficaces.

Les causes profondes

Certes, bien des dysfonctionnements relevés ci-dessus se retrouvent dans d'autres parties du monde où, apparemment, ils n'ont pas eu les mêmes effets.

Il faut reconnaître, bien que cela ne soit pas dans la ligne de l'idéologie ultra-libérale régnante, que l'État a aussi adopté des stratégies interventionnistes et joué un rôle-clé dans l'émergence de la plupart des Nouveaux Pays Industrialisés d'Asie. La Corée du Sud, écrit la *Far Eastern Economic Review*, un journal publié à Hong Kong à l'intention des hommes d'affaires et que l'on ne saurait taxer de marxisme inconditionnel, « a basé son développement sur la planification centrale, sur l'intervention bureaucratique et sur les directives et les encouragements du gouvernement ». Presque tous les autres pays asiatiques qui ont connu un développement brillant ont plus ou moins agi de même.

Il faut reconnaître aussi que le jeu des solidarités qui vient perturber le fonctionnement des entreprises n'est pas une spécialité africaine. Dans un certain nombre de pays d'Asie, la corruption atteint des proportions dignes de l'État africain moyen... Et on peut se demander si tous les Nouveaux Pays Industrialisés ont vraiment été gérés par des « États de droit ».

Cependant, ces pays connaissent des taux de croissance auquel aucun pays africain n'oserait aujourd'hui rêver ! Cela montre que, sous les causes apparentes, il doit y avoir des raisons plus profondes qui expliquent l'échec.

Plusieurs analyses de ces causes profondes ont été proposées, mais on ne retrouve pas à ce niveau de quasi-unanimité.

On peut, très schématiquement, répartir ces analyses en deux catégories :

— les unes proposent une explication que l'on pourrait dire « culturaliste » de l'échec africain ; ce seraient les valeurs ou les modes de fonctionnement spécifiques aux sociétés africaines et solidement ancrés dans celles-ci qui seraient à la racine de l'échec constaté ;

— les autres une explication plus sociopolitique et historique ; les pouvoirs dans les sociétés africaines auraient détourné les institutions modernes de type occidental en fonction de leur propre intérêt, créant ainsi des conditions défavorables au développement. Ils seraient allés jusqu'à créer des formes d'économie « mafieuse » fondées sur un degré de corruption qui interdit toute saine gestion.

Le débat n'est pas académique car des réponses données dépendent en grande partie les orientations proposées pour l'action. Mais n'est-il pas un peu artificiel ? et les deux approches ne sont-elles pas utiles pour tenter de rendre compte des réalités africaines dont le moins qu'on puisse dire est qu'elles sont complexes ?

Des causes liées aux cultures ?

Plusieurs observateurs africains qui ont récemment cherché à comprendre les causes de la crise actuelle lui attribuent des racines culturelles. Il est frappant en effet de voir combien, en dépit de la déstructuration chaque jour un peu plus grande des sociétés africaines, certaines valeurs demeurent vivaces quelle que soit la diversité des cultures et de leur évolution.

Les valeurs occidentales de consommation ont pénétré et ont été assimilées par pratiquement toutes les sociétés africaines et par toutes les couches de la société, les uns essayant de profiter le plus largement possible de la société de consommation et les autres d'en recueillir au moins quelques miettes. Mais — et c'est bien là le drame de l'Afrique actuelle — les valeurs traditionnelles (par exemple, le poids de la famille ou du clan qui « exploitent » les individus qui ont « réussi », ou qui surexploitent la petite entreprise qui les font vivre au lieu de la développer) s'opposent à ce que les systèmes de production évoluent assez vite pour faire face aux nouveaux besoins.

Un tel conflit culturel n'est pas spécifiquement africain : toutes les sociétés ont connu des conflits entre valeurs traditionnelles et développement. Mais il est probablement plus aigu dans une Afrique qui a été isolée du reste du monde pendant des siècles et a conservé des cultures très spécifiques et très résistantes aux chocs. Il peut sans doute se résoudre. Mais, jusqu'à présent, force est de constater que ni les Africains, ni ceux qui cherchent à les aider n'ont vraiment cherché à s'appuyer sur les traits particuliers des cultures africaines pour trouver des modes de gestion adaptés (comme les Japonais et les NPI d'Asie l'ont fait). Ils se sont limités à une imitation servile de modèles européens inadaptés.

Des causes plus historiques et sociopolitiques ?

Que les nouveaux pouvoirs qui ont succédé au pouvoir colonial se soient appropriés ces modèles et les aient détournés à leur profit est certainement vrai. Faute de pouvoir créer des richesses nouvelles par une augmentation de la productivité, jusqu'à présent impossible, les pouvoirs n'ont eu d'autres issues que de s'approprier les rentes. Le respect dû au pouvoir et le jeu des solidarités ont rendu acceptable ce détournement.

L'accroissement des besoins, alors que les ressources extérieures s'amenuisaient ont exacerbé ce processus, provoquant ce que J.-F. Bayart appelle la « mise à sac » des grandes entreprises et la « dérive mafieuse » de l'économie qui rendent sans espoir toute tentative de développement. Ces excès en même temps que les changements survenus dans les sociétés africaines ont provoqué les réactions que l'on connaît depuis quelque temps, sans apparemment créer des conditions plus favorables pour le développement. Dans certains pays, elles ont affaibli le pouvoir politique sans que la mise en coupe réglée de l'économie disparaisse pour autant. Au contraire peut-être.

Que peut-on faire ?

Les limites et les causes d'optimisme

Une première idée qui résulte des réflexions et des débats actuels est sans doute qu'il faut accepter les sociétés africaines telles qu'elles sont. Elles changent mais, pas plus que les sociétés européennes, on ne les changera par décret. Tout au plus peut-on (peut-être ?) accélérer le changement en appuyant les éléments dynamiques de la société. Et les accepter signifie s'appuyer sur ce qu'elles sont, sur leur culture, pour aider à faire émerger et à conforter une amorce de développement.

Cela signifie aussi qu'il ne faut peut-être pas trop attendre des politiques qui visent à désengager les États africains. Les « dérives mafieuses » ont produit des excès contre lesquels réagissent actuellement les sociétés africaines, mais les modes de fonctionnement des États ne sont-ils pas largement ceux de leurs sociétés civiles ?

Cela dit, une autre idée intéressante est qu'il y a dans les sociétés africaines bien des opérateurs qui sont depuis longtemps rompus à l'économie de marché et dont on a dit que certains d'entre eux pouvaient s'avérer redoutablement efficaces. Il y a tout un nouveau dynamisme de gens qui cherchent à entreprendre. La situation africaine est à cet égard moins désespérée que celle de certains pays de l'Est... Encore faut-il que, non seulement les gouvernements, mais la société au sein de laquelle ils opèrent, consentent à laisser opérer efficacement les uns et les autres.

Ménager l'avenir

Il n'est probablement de l'intérêt de personne que les sociétés africaines implosent et que se généralise le chaos que l'on peut déjà voir installé en certains points du continent. Il faut d'abord que les sociétés puissent vivre, tant bien que mal, en attendant des jours meilleurs.

Les actions dites de « réhabilitation », entreprises pour permettre à un certain nombre d'entreprises publiques essentielles pour la vie de la société de continuer à fonctionner, se sont avérées décevantes et ont souvent conduit à des réhabilitations à répétition qui montrent bien que les causes de la dégradation ne sont pas superficielles. Il n'y a aucune raison de les poursuivre.

En revanche, les actions appelées pudiquement de « privatisation » ont connu de meilleurs succès ; elles méritent donc d'être poursuivies même si elles ne peuvent résoudre en aucune façon le problème du développement à long terme. Tout au plus peut-on espérer qu'elles permettent la survie en attendant des temps meilleurs et, dans les cas les plus favorables, que les entreprises « privatisées » auront acquis une capacité de résistance interne qui leur permettra d'affronter le vent du large le jour où elles voleront à nouveau de leurs propres ailes.

Les expériences de ces dernières années (Air Afrique, Énergie Électrique de la Côte-d'Ivoire, etc.) suggèrent quelques conditions de « succès » qui doivent être réunies pour entreprendre des actions de ce type :

— qu'il existe une volonté politique africaine et française de redressement ;

— que les modalités du redressement soient négociées et arrêtées en un contrat ;

— que la volonté de l'apporteur d'aide de faire respecter les clauses du contrat conclu soit inébranlable.

Appuyer l'émergence d'une classe d'entrepreneurs

Il ne suffit pas d'attendre des jours meilleurs, il faut aussi les préparer. Dans tous les pays du monde qui ont connu un processus soutenu de développement, le moteur de ce processus (après une période de démarrage où l'État a souvent joué un rôle important) a été une minorité d'entrepreneurs.

On soulignera à nouveau qu'il existe en Afrique des diasporas de commerçants que leur culture propre prédispose à entreprendre et qui peuvent jouer le rôle que leurs homologues ont joué dans d'autres parties du monde. De même, il existe de plus en plus d'individus entreprenants dans tous les autres segments des sociétés : on voit un nombre croissant d'initiatives, souvent brouillonnes, mais qui témoignent d'un dynamisme qui n'existait pas il y a vingt ou trente ans.

Que peut faire la coopération française pour appuyer ce dynamisme ? Jusqu'à présent, l'accent a été mis sur le partenariat avec des entreprises homologues françaises. Est-ce la bonne voie ? S'il se développe une classe de vrais entrepreneurs, alors il sera possible de faire appuyer leur action par un partenariat avec des entreprises françaises. Mais ce n'est pas ce partenariat qui suscitera les conditions propres à faire émerger une classe de vrais entrepreneurs. L'action menée par PROPARCO (filiale de la Caisse centrale) depuis quelques années, si positive soit-elle, montre bien les limites de ce type d'actions : c'est une goutte d'eau qui n'est en rien à la mesure du problème.

Cela dit, il est possible, avec ou sans partenaire français, de conforter sur les plans de la finance, de la technique et de la gestion les entreprises émergentes petites et grandes, de transformer les entreprenants en vrais entrepreneurs. Des actions en ce sens ont déjà été mises en œuvre et méritent d'être poursuivies et amplifiées. Il est possible surtout d'aider ces entrepreneurs à s'organiser, à devenir une force avec laquelle l'État et la société civile devront compter.

En particulier, la recherche de modes d'organisation et de gestion des entreprises s'appuyant sur les traits culturels propres aux sociétés africaines devrait être fortement appuyée. Il y a en France un acquis considérable des sciences humaines concernant les sociétés africaines qui n'est pas utilisé et qui devrait l'être.

De même, il est possible de favoriser l'éclosion de structures locales et le transfert des activités de service public aujourd'hui centralisées vers ces structures. Certes, ces structures n'échapperont pas aux modes de fonctionnement des sociétés africaines, mais il est sans doute plus facile d'en tirer parti en vue d'une gestion plus efficace dans une petite structure décentralisée que dans une grande. Le contrôle des utilisateurs notamment peut être plus direct.

Pousser à la création d'un environnement favorable aux entreprises

Mais, pour qu'émerge une classe de vrais entrepreneurs, il faut surtout que plusieurs conditions soient réunies :

— il faut que les entrepreneurs puissent apparaître au grand jour et investir à la fois dans les équipements et dans la formation des hommes et accroître ainsi la productivité de leur entreprise ;

— pour pouvoir apparaître au grand jour, il faut qu'il leur soit possible de s'enrichir sans la permission du prince et sans être pillés par les détenteurs du pouvoir, mais, disons, en assurant un enrichissement raisonnable desdits détenteurs ;

— il faut que les occasions de s'enrichir en créant une entreprise productive soient multipliées. Si elles sont limitées aux seuls marchés naturellement protégés ou protégés par la volonté du prince et donc à la merci de celui-ci ou d'un trou dans le dispositif de protection, beaucoup d'entrepreneurs potentiels continueront à chasser sur d'autres terres : l'immobilier, le commerce informel entre États ayant des politiques différentes, etc.

Ces conditions nécessaires, seuls les États peuvent les mettre en place. Encore faut-il qu'ils soient assez puissants pour le faire. Encore faut-il que les sociétés civiles s'y prêtent. Les agences d'aide peuvent les aider ou les pousser à cette mise en place, mais elles ne peuvent pas faire beaucoup plus.

Quel rôle peut avoir la coopération française ?

D'abord limiter le pillage des entreprises en poussant à la simplication du cadre formel dans lequel évolue les entreprises et que la coopération française a largement contribué à mettre en place et qui est d'une complexité parfois ahurissante (le Plan comptable !). Moins il y aura d'occasions de racketer les entreprises, moins il y aura de racket (on peut au moins l'espérer !) et plus les entreprises se développeront.

La coopération française a commencé à agir dans ce sens en privilégiant une approche régionale. Une telle approche, qui laisse à l'extérieur le principal pôle de développement de la région ouest-africaine, le Nigeria, est-elle réaliste ? La question vaut au moins la peine d'être posée.

Ensuite, elle peut pousser à la mise en place d'un système fiscal qui oblige toutes les entreprises, formelles ou informelles, à participer raisonnablement aux dépenses publiques et limite, autant que faire se peut, les prélèvements officieux.

En ce qui concerne l'ouverture des marchés pour les entreprises productives, il faut souligner que la zone franc a certainement tous les avantages qui lui attribuent ses laudateurs et même d'autres, mais que le niveau des taux de change qui ne reflète plus les niveaux respectifs des productivités est devenu aujourd'hui un obstacle majeur au développement de l'entreprise à l'intérieur de la zone. Rétablir la compétitivité des entreprises sans ajustement monétaire s'est avéré une tâche sans espoir. Cependant, bien des observateurs craignent qu'une dévaluation soit sans effets dans des sociétés incapables de maîtriser la hausse des prix qui s'en suivra. L'exemple de bon nombre de dévaluations ayant totalement échoué hors de la zone franc montre qu'ils ont sans doute raison. Le problème est donc : comment les aider à maîtriser une dévaluation ? Car on ne voit pas comment les pays de la zone pourrait s'insérer réellement dans le marché régional et le marché mondial et arrêter l'invasion des produits importés avec la parité actuelle.

Enfin, si et si seulement les conditions préalables sont réunies, on pourra songer à aider les États africains à bâtir des politiques industrielles efficaces, les amener d'abord à s'organiser pour connaître les marchés mondiaux (que la plupart ignorent superbement), à choisir des créneaux sur lesquels bâtir des avantages comparatifs (qui, contrairement aux idées reçues, sont rarement des données de la nature) à l'instar de ce qu'ont fait les pays asiatiques et à appuyer leurs industries sur ces créneaux.

L'idée générale est celle d'une « ingérence contractuelle », négociée avec les États et ensuite fermement appliquée, qui pousse et aide les pouvoirs à créer un cadre favorable à l'épanouissement du dynamisme de la société civile et à le faire respecter, qui les pousse à pallier la myopie du marché, à informer et aider les entrepreneurs sur quelques créneaux.

9

L'industrialisation de l'Afrique

Mythe d'hier, pari réaliste pour demain ?

par Jean-Pierre BARBIER

Alors que les pays du Nord et quelques pays du Sud sont engagés dans une compétition industrielle et commerciale sans merci, l'Afrique au Sud du Sahara paraît observer, étrangère, sur le bord de la route de l'histoire, cette course qui n'appartient pas à son monde. Mais ce serait faire preuve de myopie que de considérer que les positions sont irrémédiablement acquises et que l'Afrique ne sera pas partie prenante, dans un avenir encore incertain, de ces enjeux concurrentiels.

En effet, la création d'un outil industriel demande du temps : l'industrie européenne s'est forgée tout au long des deux derniers siècles et lorsqu'on cite en exemple l'industrie coréenne, on oublie de mentionner que la première étape de l'industrialisation de ce pays, avec création d'une industrie lourde, date des années 20.

Une part de l'échec de l'industrialisation en Afrique tient probablement à l'oubli de cette contrainte : l'ambition nationale des responsables africains, conjuguée à l'impatience ou à la recherche de profits immédiats des partenaires du Nord, a souvent conduit à des erreurs graves, voire à des catastrophes en matière industrielle.

En guise d'introduction à des réflexions ou études plus approfondies sur le processus d'industrialisation en Afrique, nous nous contenterons de rappeler à grands traits :

— comment s'est constituée l'industrie manufacturière en Afrique subsaharienne et quel a été impact de la crise sur ce secteur ;

— quelles sont les faiblesses de l'entreprise africaine et de son environnement et quelles leçons on peut en tirer pour l'avenir.

Du pacte colonial à la crise économique

L'histoire de l'industrie africaine s'analyse aisément en trois périodes : celle de l'époque coloniale marquée par un retard d'industrialisation, celle des quinze années ayant suivi les indépendances avec un effort de rattrapage parfois incohérent, enfin la crise, survenue selon les pays, vers la fin des années 70.

L'industrialisation de la période coloniale

Au risque d'être schématique, rappelons que la colonisation africaine, quel que soit le pays colonisateur, s'est caractérisée par la volonté des Européens de développer avec leurs colonies un commerce basé sur l'importation des produits bruts, miniers ou agricoles, et l'exportation de produits manufacturés en sens inverse. L'industrialisation n'entrait pas dans le projet des colonisateurs, souvent dénommé « pacte colonial », qui correspondait à une division internationale du travail réservant l'activité manufacturière au Nord.

Les quelques industries créées concernaient soit des produits à faible valeur ajoutée, voyageant mal (brasseries), soit des industries de première transformation de produits bruts (scieries), en particulier pour traiter localement les produits de seconde qualité qui ne pouvaient être exportés.

Hors secteur manufacturier, des industries minières, organisées sous forme d'enclaves vivant en semi-autarcie, se sont implantées sur les sites les plus intéressants : bauxite de Guinée, fer de Mauritanie, cuivre du Shaba, etc.

D'autres industries se sont créées à la faveur des deux guerres mondiales lorsque les colonies plus ou moins coupées de leur métropole ont dû s'organiser pour devenir plus autonomes. De ces périodes, date, par exemple, une partie de la première industrialisation du Sénégal (industrie arachidière).

Au cours de ces périodes troublées, les grandes sociétés de négoce (SCOA, CFAO, Lonhro, le Niger, Hollando...) ont été souvent actives, jouant le rôle de promoteurs d'activités industrielles à défaut de pouvoir importer les produits traditionnellement objets de leur commerce.

Au total, le retard d'industrialisation de l'Afrique était patent au moment des indépendances, comparé aux autres régions sous-développées du monde.

La déclaration récente du Président Houphouët-Boigny, affirmant : « Au moment de l'indépendance, il n'existait dans mon pays que trois usines. Aujourd'hui, nous avons 800 entreprises modernes significatives », est probablement statistiquement inexacte ; mais elle est parfaitement justifiée dans son esprit. Au cours de la période 1960-1975, une vague d'industrialisation va déferler, avec une intensité variable selon les pays.

La vague d'industrialisation qui a suivi les indépendances

L'industrialisation a été érigée par les gouvernements africains comme l'une des principales priorités de leur politique, symbole emblématique de leur souveraineté et de leur ambition à rattraper un retard ressenti comme une injustice.

Certains pays ont d'emblée voulu privilégier une industrialisation purement nationale, d'autres ont cherché à attirer des investisseurs étrangers. Mais même dans ce deuxième cas, l'urgence décrétée des projets à réaliser a souvent conduit à bâtir largement cette industrialisation sur des schémas financiers qui faisaient des États les promoteurs des projets. Ils y étaient encouragés par les dispositifs des bailleurs de fonds qui préféraient diriger leurs financements vers le secteur public plutôt que vers un secteur privé supposé plus risqué.

Selon les pays, cette industrialisation a suivi des stratégies différentes : priorité donnée aux industries de base, dites structurantes, dans les pays à idéologie socialiste ; ouverture aux capitaux étrangers et tentatives d'implanter des industries d'exportation dans les pays à idéologie plus libérale.

Au milieu des années 70, une partie du retard en matière d'investissements industriels semblait avoir été rattrapée en particulier dans les secteurs :

— des industries de substitution aux importations : certaines apparaissent alors adaptées aux tailles des marchés locaux et justifiées économiquement : industries alimentaires, industries textiles, transformation simple des métaux ou du plastique, industries de matériaux de construction ; d'autres sont basées sur des différences fiscales comme les industries de montage ; etc. ;

— des industries de transformation de ressources locales en particulier agricoles : huileries, sucreries, fabrication de beurre de cacao, valorisation des bois tropicaux, etc. ;

— des industries résolument tournées vers l'exportation : industrie textile ou sucrière de Côte-d'Ivoire, conserveries de poisson au Sénégal et en Côte-d'Ivoire, etc.

En revanche, très peu a été fait en matière de sous-traitance internationale (Maurice excepté) et rien dans le domaine de la fabrication de biens d'équipement.

En 1980, au moment où la crise mondiale suscitée par le deuxième choc pétrolier se propageait, l'industrie manufacturière africaine représentait 5 pour 1 000 de l'industrie manufacturière mondiale contre 2 pour 1 000 lors des indépendances. Cette industrie avait pour caractéristiques, dans chaque pays d'Afrique, d'être composée peu ou prou des mêmes unités (l'industrie ivoirienne servant de référence aux autres en Afrique francophone), d'avoir été financée principalement par l'emprunt (souvent souscrit par les États ou avalisé par eux) et de comporter assez peu de capitaux nationaux privés. L'arrivée de la crise allait démontrer la fragilité de cette construction.

L'industrie manufacturière confrontée à la crise

Les difficultés financières des États, liées à la baisse des cours des produits de base, à l'effet « boule de neige » de l'endettement sans cesse rééchelonné et à la croissance non maîtrisée des dépenses publiques, ont rapidement eu des répercussions très préjudiciables sur les entreprises manufacturières : augmentation de la pression fiscale sur les entreprises « modernes », effondrement des marchés locaux du fait de la baisse du pouvoir d'achat des consommateurs, incapacité de l'État à remplir ses devoirs d'actionnaire en recapitalisant les entreprises, assèchement des disponibilités bancaires accaparées par le secteur public, multiplication des arriérés de l'administration à l'égard des entreprises travaillant dans la légalité, etc.

La crise a surtout été le révélateur impartial des erreurs d'investissement ou de la faiblesse des entreprises. Rappelons les résultats de l'enquête du Centre Nord-Sud de l'Institut de l'Entreprise en 1985 : sur 343 entreprises industrielles observées, 79 étaient totalement arrêtées, 195 fonctionnaient dans de mauvaises conditions, n'utilisant qu'une partie de leurs capacités, et, seules 20 % des entreprises travaillaient normalement. Au cours des cinq dernières années, d'autres entreprises appartenant notamment au groupe central de l'enquête, entreprises fragilisées car fonctionnant dans de mauvaises conditions, ont cessé leurs activités. Plus tard, à la fin des années 80, le coup de grâce a été porté à certains secteurs industriels par des politiques inadéquates, prônées par la Banque mondiale sous le nom de nouvelle politique industrielle (NPI) (1). Cette politique visant à libéraliser les économies comporte en particulier l'ouverture des frontières par le démantèlement des protections non tarifaires et la réduction de la protection tarifaire, d'une part, le désengagement de l'État de l'industrie par le désarmement réglementaire et la privatisation des entreprises publiques, d'autre part. Si tout n'est pas condamnable dans les objectifs poursuivis par cette politique, loin de là, ce sont les modalités d'application, moyens mis en œuvre et calendrier, qui se sont avérées totalement pernicieuses pour les entreprises. Trop de précipitation, une méconnaissance évidente de la réalité industrielle des pays concernés, l'application sans nuance de schémas idéologiques supposés avoir fait leur preuve ailleurs, en Asie en particulier, ont définitivement condamné les entreprises en difficulté et ébranlé fortement celles qui paraissaient capables de surmonter la crise. La situation de l'industrie sénégalaise à laquelle la Banque mondiale a appliqué avec beaucoup de détermination sa NPI a démontré la nocivité de cette politique.

Aujourd'hui, la Banque mondiale reconnaît que la brutalité des méthodes imposées au Sénégal fut une erreur. L'exemple de la Côte-d'Ivoire, soumise elle aussi à la NPI de Washington, mais mieux armée en particulier à travers des syndicats professionnels ou des chambres consulaires plus puissantes qu'au Sénégal, montre qu'il est possible et souhaitable que la mise en œuvre d'une telle politique se fasse en étroite concertation avec les milieux professionnels.

L'un des moindres maux de la NPI n'a pas été de servir d'alibi pour stimuler la fraude fiscale et surtout douanière : sous couvert de désengagement de l'État et d'ouverture des frontières, on a assisté à un déferlement de produits d'importation, entrés illégalement sur les marchés africains déstructurant aussi bien la distribution que la production locale. Le secteur textile, l'un des secteurs

(1) « Nouvelles politiques industrielles en Afrique subsaharienne ou les écueils de la course au large », J.-P. Barbier, *Notes et Études CCCE,* juillet 1988.

manufacturiers africains les plus prometteurs jusqu'en 1975, est aujourd'hui menacé de disparition, confronté qu'il est au double handicap de la baisse du pouvoir d'achat des populations et surtout de l'invasion de produits étrangers importés frauduleusement.

Après dix ans de crise, l'industrie manufacturière africaine est exsangue. Même la Banque mondiale ou les organismes des Nations unies hésitent à fournir des chiffres : l'absence de statistiques traduit parfois plus sûrement que de fausses certitudes quantitatives le désarroi d'un secteur économique très durement mis en cause.

L'entreprise africaine et son environnement

L'analyse des faiblesses de l'entreprise africaine est suffisamment connue de tous pour qu'il soit inutile d'y revenir ici de façon détaillée. A cet égard, les constatations faites par le rapport Thill (2) n'ont pas perdu leur pertinence. Notre propos étant de tenter de tirer les leçons de l'expérience passée, nous limiterons notre analyse aux trois thèmes essentiels que sont la gestion des entreprises, le marché et la compétitivité, et le rôle de l'État.

Gestion des entreprises

Au sens large, la gestion des entreprises fait référence aussi bien au choix des investissements, à leur mode de financement qu'à la gestion courante de l'exploitation.

— *Choix des investissements*

Ils se sont révélés trop souvent inadéquats : surinvestissements et mal-investissements caractérisent l'industrie africaine (3). Basés sur des anticipations de croissance des marchés irréalistes (4), sacri-

(2) « La coopération française et les entreprises en Afrique subsaharienne », mars 1989, Ministère de la Coopération et du Développement.

(3) Voir notamment *L'Afrique en panne. Vingt-cinq ans de développement,* Jacques GIRI, Karthala, 1986.

(4) Même si les projections s'appuyaient souvent sur les prévisions de la Banque mondiale longtemps exagérément optimistes.

fiant aux rêves de grandeur de dirigeants africains méconnaissant les règles économiques et le contexte commercial international, encouragés par des vendeurs d'équipements du Nord et des banquiers en mal de recyclage de pétro-dollars, confortés par des économistes séduits par des économies d'échelle, des investissements industriels démesurés au regard des capacités d'absorption des marchés ont vu le jour pendant les années 70. Dans d'autres cas, et pour des raisons similaires, des investissements inadaptés par manque de matières premières à traiter, par erreur dans le choix du process retenu, par incohérence, voire incompatibilité entre équipements ont pu être réalisés. Ces erreurs ont touché tous les pays : raffinerie de pétrole de Mauritanie, programme sucrier en Côte-d'Ivoire, industrie sidérurgique au Nigeria, cimenterie au Togo, usine de pâte à papier au Cameroun, fabrication d'engrais à Madagascar, etc. pour ne citer que quelques-uns des plus célèbres « éléphants blancs ».

La plupart de ces investissements sont aujourd'hui des cadavres industriels dont il ne reste que la trace sous forme d'accumulation de dettes. Quelques projets économiquement contestables survivent à travers des subventions des États, pour ceux d'entre eux qui en ont encore les moyens, ou une protection abusive qui fait supporter des coûts indus aux consommateurs ; une saine gestion des ressources rares devrait conduire à leur abandon. D'autant plus qu'ils sont source de non-compétitivité pour le reste de l'économie.

— *Mode de financement*

L'un des problèmes des entreprises africaines tient à leur sous-capitalisation qui a pour conséquence un recours excessif à l'emprunt, et souvent l'utilisation de crédits à court terme, les plus onéreux, pour financer des actifs qui devraient l'être par d'autres ressources. Ces cas sont les plus fréquents pour les entreprises publiques, sous-capitalisées dès l'origine et à l'égard desquelles les États se sont souvent montrés des actionnaires irresponsables quand il aurait fallu procéder à leur recapitalisation. Les États africains ne sont cependant pas seuls à l'origine de ces structures de financement défavorables : les maisons-mères occidentales ont toujours tenté d'immobiliser le moins de capitaux possibles en Afrique ; certains actionnaires africains d'entreprises privées sont parfois les derniers à souscrire leur part du capital, mais les premiers à demander de larges distributions de bénéfices au risque de « saigner » l'entreprise au-delà du raisonnable.

Dans les entreprises purement africaines, la tradition de redistribution limite considérablement l'autofinancement des investissements. L'une des origines importantes de surendettement des entreprises a été aussi la pratique des pays du Nord, dans les années 70, d'accorder trop facilement à leurs banquiers et industriels des garanties publiques pour tout investissement à l'étranger, sans se soucier outre mesure de la nature du projet en cause.

— Gestion courante des entreprises du secteur moderne

Les défaillances de la gestion quotidienne des entreprises sont multiples. Dans les entreprises de la sphère publique, elles proviennent aussi bien de choix inappropriés et sans cesse remis en cause, de dirigeants choisis sur des critères trop souvent politiques ou ethniques, d'effectifs pléthoriques et insuffisamment formés, de systèmes de gestion interne inexistants ou inadaptés, d'assistants techniques « mal dans leur peau » car contestés et poussés à des tâches « politiques » (lutte contre les malversations). Dans les entreprises privées, l'interventionisme tatillon de multiples administrations, le poids de la fiscalité officielle et de la parafiscalité occulte grèvent les comptes d'exploitation des entreprises. Celles-ci sont d'autant plus vulnérables qu'elles ont pignon sur rue, d'où la tentation pour les petites de disparaître dans l'informel et pour certaines, plus importantes, de développer un secteur souterrain à côté de leur activité officielle.

Ces différentes défaillances et les réactions qu'elles suscitent sont sources de non-compétitivité et de destruction du tissu industriel.

Quelles leçons opérationnelles tirer de ces constatations concernant la gestion des entreprises ?

L'échec patent de l'industrialisation pratiquée depuis les indépendances étant reconnu partout, des leçons en ont d'ores et déjà été tirées, qui sont rarement contestées. Rappelons-en quelques-unes car une embellie, improbable aujourd'hui, pourrait pousser à les oublier demain, et les mêmes causes produisant les mêmes effets...

— La prudence s'impose dans les projections sur l'évolution des marchés en Afrique : le croît démographique exceptionnel de cette région du monde ne se traduit pas immédiatement en augmentations à rythme exponentiel de la demande (taux de croissance démographique + anticipation sur la progression du pouvoir d'achat).

— Les grands projets sont toujours des aventures risquées en Afrique, même si les études font ressortir des taux de rentabilité attractifs. En la matière, il convient de rejeter les projets « clés en main » dont la nocivité a été amplement démontrée. Au contraire, et malgré les difficultés qu'il rencontre, le secteur des PMI doit être privilégié. Ce secteur constitue la cible principale de PROPARCO.

— Le redressement des entreprises ne doit pas limiter l'approche organisationnelle à la mise en place de systèmes de gestion de l'information. La dimension culturelle, incluant le rôle des expatriés et les formes d'organisation, doit être prise en compte (5). Elle suppose de continuer à investir pour mieux connaître l'entreprise africaine et les logiques sociales auxquelles elle obéit (6).

Problèmes de marché

Les erreurs d'anticipation liées à des scénarios-fiction du marché irréalistes venant d'être abordées, nous retiendrons ici trois problèmes importants touchant au manque de compétitivité, à la balkanisation des marchés et à la fraude.

— Les handicaps de compétitivité

Qu'il s'agisse d'exportations ou de parts de marché local que les entreprises africaines peuvent satisfaire, le problème de la compétitivité constitue le point focal de toute analyse. Or, il est clair que les écarts de compétitivité des entreprises africaines par rapport à leurs concurrentes du Nord comme du Sud sont, dans tous les secteurs, larges et toujours en défaveur de l'Afrique.

Plusieurs études menées à la Caisse centrale dans le secteur agro-industriel (huile de palme, hévéaculture) ou lors d'une comparaison sur dix produits agro-industriels (7) et industriels, ainsi que des travaux présentés lors d'un récent colloque organisé par le CERDI (8) permettent de mesurer le retard de compétitivité des entreprises africaines.

---

(5) Travaux de A. Henry, notamment « Mieux organiser les entreprises africaines », octobre 89, *Notes et Études CCCE.*

(6) D. Étounga Manguelle, *L'Afrique a-t-elle besoin d'un ajustement culturel ?,* Éd. Nouvelles du Sud, Paris, 1991.

(7) J.-P. Barbier, « Réflexions sur la compétitivité, comparaisons Afrique-Asie », mai 1989, *Notes et Études CCCE.*

(8) Publication prévue début 1992, CERDI, Université de Clermont.

Les causes en sont multiples :

— tous les facteurs de production sont, à des degrés divers, d'un coût supérieur en Afrique à ceux de leurs concurrents, asiatiques notamment : main-d'œuvre, énergie, frêt, crédit ;

— à ces coûts des facteurs s'ajoutent des coûts liés à l'environnement politique et administratif (bureaucratie par exemple), à la pauvreté de l'environnement industriel et économique qui entraîne des coûts supplémentaires : nécessité de constituer des stocks de précaution, de doubler des équipements, de renforcer les effectifs dans certaines spécialités, de supporter les défaillances de fonctionnement des télécommunications, etc.

— En zone franc, le problème de la parité du F CFA ne peut être occulté. Il est certain qu'en matière industrielle, beaucoup de pays ont utilisé dans le passé (Japon) ou utilisent actuellement (Nigeria) les manipulations sur les taux de change pour renforcer leur compétitivité. L'exemple de l'île Maurice, qui gère intelligemment le glissement de la roupie de façon à maintenir sa compétitivité internationale, prouve que, dans un contexte par ailleurs favorable, une politique de taux de change adéquate peut constituer un atout supplémentaire dans la compétition internationale.

Les pays qui se privent de cette arme ne peuvent jouer que sur des facteurs réels politiquement plus délicats à utiliser pour tenter de rétablir l'équilibre avec leurs concurrents. En ce sens, la force actuelle du F CFA constitue un handicap à l'égard de pays à monnaie fondante. Inversement, les industriels implantés en zone franc bénéficient des avantages que leur procure un système de change ouvert. Beaucoup d'industriels en zone franc reconnaissent que l'existence de la zone franc a constitué un élément décisif dans leur décision d'investissement. Par ailleurs, ils reconnaissent que les facilités que leur donne ce système pour l'importation de matières premières et pièces détachées ou les transferts de capitaux sont des atouts pour l'exploitation de leurs entreprises.

En définitive, selon le secteur d'activité dans lequel ils opèrent, selon qu'ils bénéficient plus ou moins d'une protection, le poids respectif donné au problème de compétitivité ou de facilité d'exploitation ne sera pas le même. Certains secteurs, tel le secteur textile, sont plus que d'autres menacés ; des pays concurrents sont plus particulièrement dangereux : les exportations, généralement clandestines, du Nigeria vers la zone franc ou les entrées de produits en fraude sont stimulées par l'acquisition de devises fortes. La communauté d'affaires, en zone franc, reste pour cette raison, divisée sur ce problème, entre ceux qui craignent d'être sacrifiés sur l'autel de la rigueur monétaire et ceux qui redoutent plus que tout les risques incontrôlables que pourrait faire courir l'abandon de la politique actuelle. Le débat reste ouvert.

— La balkanisation des marchés et les tentatives d'intégration régionale

L'une des caractéristiques du marché africain est son éclatement en de multiples micro-marchés dont aucun, si ce n'est le marché nigerian, n'est à la mesure des technologies performantes employées dans les pays du Nord (9). Qui plus est, au cours de la vague d'industrialisation qui a suivi les indépendances, chaque pays s'est doté d'équipements industriels directement concurrents entre eux : pour cette raison, on retrouve peu ou prou les mêmes activités manufacturières dans tous les pays. Conscients de ce mal congénital à leur indépendance, les gouvernements africains ont tenté, sans réel succès à ce jour, de promouvoir des politiques d'intégration régionale principalement selon deux approches différentes :

— l'approche institutionnelle des communautés douanières : CEAO, CEDEAO, UDEAC, ZEP, SADCC. A ce jour, si l'on excepte le coup de fouet sans lendemain donné à l'industrie ivoirienne et sénégalaise en particulier avec la mise en place de la taxe de compensation régionale (TCR) pour les exportations dans la CEAO, les résultats de toutes ces tentatives d'union douanière se sont révélées dérisoires. L'existence même de ces communautés est actuellement menacée du fait des difficultés qu'elles ont à financer leurs structures ;

— l'approche par les projets régionaux. Les quelques projets ayant abouti se sont généralement soldés par des échecs. A ce titre, le cas le plus exemplaire est probablement celui de la CIMAO qui associait Togo, Ghana et Côte-d'Ivoire dans la production de clinker au Togo. En dépit de la forte implication dans ce projet de tous les principaux bailleurs de fonds (BM, BAD, BEI, CCCE, etc.) tant au niveau des études que pour le financement, le projet n'a pas résisté à la première bourrasque venue. En l'occurrence, la baisse des cours du ciment sur le marché mondial a rendu non-compétitive la production de la CIMAO ; les pays participants qui

(9) Les quarante pays d'Afrique au sud du Sahara ont un PNB inférieur à celui de la Belgique et celui de quatorze pays de la CEDEAO, hors Nigeria, est comparable à celui de la seule Hongrie.

s'étaient pourtant engagés sur des niveaux minima d'achat de clinker, ont alors préféré s'approvisionner sur le marché mondial, obligeant à la fermeture définitive de l'usine.

Le cas d'Air Afrique est l'exception qui confirme la règle : sans volonté politique forte et constante et un minimum de protection, un projet régional en Afrique est à la merci des concurrents extérieurs plus forts.

Bien entendu, on se doit de souligner que la forme la plus tangible d'intégration régionale reste celle qu'illustre la zone franc qui a su depuis trente ans se maintenir contre vents et marées. Ceci justifie la prudence de ses autorités sur le problème du taux de change et milite en faveur de sa mutation comme zone d'intégration non seulement monétaire mais aussi économique.

— *La prolifération de la fraude*

Parmi les maux qui rongent l'industrie africaine, celui de la prolifération de la fraude n'est pas le moindre. Outre le manque à gagner considérable que représente la fraude douanière et fiscale pour les budgets des États, ce qui a pour conséquence de les amener à accroître encore les ponctions sur les entreprises en situation régulière, la fraude entraîne une déstructuration dramatique des économies : elle bat en brèche la position concurrentielle des entreprises fabriquant localement les produits et entraîne la faillite de ces entreprises et de leurs sous-traitants ; elle s'attaque directement à la distribution organisée qui joue un rôle structurant, trop souvent sous-estimé, dans les économies africaines. La fermeture de plusieurs filiales des grandes sociétés de négoce en Afrique fragilise considérablement l'industrie locale qui a besoin de distributeurs sérieux aussi bien pour anticiper la production que pour écouler régulièrement celle-ci.

Le commerce frauduleux, importation et distribution locale, est le pire ennemi de l'industrie : non seulement il accapare ses marchés, mais il détourne les capitaux vers ces activités hautement spéculatives et rentables qui, in fine, iront souvent grossir des comptes en Suisse ou dans les paradis fiscaux des Caraïbes ; il privilégie le très court terme au détriment du long terme qui caractérise l'investissement industriel. Il est, enfin, d'autant plus pernicieux qu'il s'abrite derrière un secteur informel amortisseur de la crise aujourd'hui, espoir pour la sortie de crise de demain.

Quatre leçons principales peuvent être tirées de ces constatations :

— L'amélioration de la compétitivité passe par l'abaissement des coûts des facteurs de production et la lutte contre toutes les « déséconomies externes » provenant de l'environnement.

Des analyses doivent être menées sur chaque facteur de production — travail, énergie, frêt, coût du crédit, fiscalité — notamment pour voir quelles mesures sont susceptibles d'abaisser leurs coûts et de renforcer la productivité. La récente étude Thill sur la fiscalité des entreprises participe très directement à cet objectif. Dans ce contexte, le renforcement ou la création des infrastructures économiques indispensables à la vie des affaires restera encore longtemps une priorité pour les investissements en Afrique.

L'un des moyens d'améliorer la compétitivité des entreprises concerne l'instauration de régimes de zone franche. Sous forme de points francs plutôt que de zones géographiquement closes, ce régime permet aux entreprises exportatrices de travailler en supportant un minimum de contraintes juridiques et surtout fiscales et douanières. La « recette » n'est pas applicable partout ; elle mériterait cependant d'être retenue quand le contexte géographique et économique s'y prête (10).

— La protection des marchés est indispensable pour les économies jeunes. La refuser, c'est méconnaître, pour des raisons idéologiques, le processus d'industrialisation des nouveaux pays industrialisés d'Asie notamment. Ceux-ci ont su en même temps protéger férocement leur marché tout en encourageant une industrie dynamique d'exportation. En ce sens, la politique d'ouverture promue par certains pays avec développement de zones franches industrielles d'exportation ne peut être considérée que comme un volet d'une politique qui doit par ailleurs savoir protéger ses industries d'import-substitution.

— L'élargissement des marchés en explorant toutes les potentialités offertes par l'intégration régionale, s'avère aujourd'hui tout à fait prioritaire en Afrique. Les approches visant à l'harmonisation des réglementations nationales et à la mise en commun de moyens dans le cadre de politiques sectorielles comme le transport, l'énergie, paraissent aujourd'hui les plus fécondes. Une autre approche, relevant exclusivement du secteur privé, est celle des

(10) J.-P. Barbier et J.-B. Véron, *Les zones franches industrielles d'exportation*, Karthala, 1991.

entreprises communes créées par des partenaires régionaux sous forme de joint-ventures entre Africains.

— La lutte contre la fraude est une tâche de tous les instants : d'elle dépend non seulement la capacité à maintenir et à développer une industrie en Afrique mais au-delà la capacité de ces pays à accéder progressivement à une certaine autonomie économique et à ériger un état de droit.

Rôle de l'État

La première partie de cet article ayant fait ressortir le rôle de l'État dans la naissance de l'industrie en Afrique, puis ses responsabilités lors de la crise, il n'est pas utile d'y revenir. Tous s'accordent à considérer que le rôle de l'État a été négatif : il a accaparé l'épargne en l'utilisant dans des projets dispendieux et improductifs ; il a créé un environnement de l'entreprise défavorable ; il a été interventionniste à mauvais escient. Ceci ne signifie pas pour autant, comme voudraient en conclure trop rapidement certains, qu'il doit se désengager totalement.

Un trop fort désengagement de l'État n'apparaît en effet ni possible ni même souhaitable :

— impossible, car cela supposerait l'existence d'un secteur privé dynamique et prêt à se substituer rapidement à l'État « actionnaire ». La difficulté de réaliser de « vraies » privatisations est significative des limites d'une telle politique qui relève parfois plus d'un mimétisme de mauvais aloi du Nord que d'une réelle politique pour l'avenir de ces pays ;

— non souhaitable, car l'État conservera un rôle indispensable à jouer dans le processus d'industrialisation comme l'exemple de l'Asie du Sud-Est nous le rappelle.

En définitive, en matière de politique industrielle en Afrique, le « moins » d'État est sans aucun doute une nécessité, mais il importe surtout de définir un État « autrement ».

Trois missions principales relèvent de son autorité.

— La fixation d'un environnement favorable aux entreprises

Actuellement, les entreprises ont tout à craindre des interventions de l'État qui agit plus comme prédateur que comme l'arbitre responsable de l'élaboration des règles du jeu et de leur respect, ces règles du jeu s'imposant à tous et à lui-même au premier chef.

Les entreprises ont besoin pour travailler d'un environnement adéquat et stable où les règles connues et comprises de tous s'appliquent sans passe-droit ou dérogations. En d'autres termes, les entreprises souhaitent un état de droit, en rupture avec le système actuel de « gouvernement par l'exception » (11) marqué par la continuité indispensable pour des investissements qui engagent durablement l'avenir.

Cet environnement concerne le droit des sociétés, le droit du travail, la fiscalité, le fonctionnement de la justice, la protection du marché et la lutte contre la fraude, etc. Il touche aussi au financement des entreprises : dans sa politique monétaire et de crédit, l'État doit organiser l'intermédiation bancaire de telle sorte qu'une partie de l'épargne des ménages puisse être orientée vers le financement des entreprises. Le rôle de l'État est également essentiel concernant les systèmes de formation : éducation de base comme formation professionnelle.

Enfin, l'État doit défendre ses entreprises lors de négociations internationales et trouver les politiques adaptées pour soutenir efficacement ses exportateurs.

Dans ces différentes missions, l'État doit s'appuyer sur les acteurs économiques locaux et les faire participer qu'il s'agisse de la définition du cadre juridique et économique ou de son application.

— *La stratégie industrielle*

Ce concept, dénaturé par des exercices de planification qui n'étaient souvent que la mise en forme de listes de projets, mérite d'être réhabilité. Le secrétariat de la CNUCED, dont le libéralisme ne peut être mis en doute, rappelait en 1988 : « Dans la plupart des pays en développement dont la compétitivité industrielle a été attestée par une croissance rapide des exportations, les gouvernements ont au départ aidé leur industrie par tout un éventail de mesures de politique générale. Un certain nombre de gouvernements ont également poursuivi des stratégies sectorielles visant à accélérer les transformations structurelles. De longues consultations avec les milieux commerciaux et industriels ont, dans certains cas,

(11) J. Giri, « Société et développement en Afrique au sud du Sahara », octobre 1991, *Notes et Études*, CCCE.

joué un rôle important dans l'élaboration et l'application de stratégies sectorielles visant à promouvoir une production compétitive au niveau international... ». De telles réussites ont pu être observées en Corée du Sud pour les industries du BTP, en Malaisie dans la filière huile de palme, en Indonésie pour le contreplaqué, et en Thaïlande pour les conserves d'ananas, etc. Relève d'une réflexion stratégique de même nature la réussite des activités EPZ (Export Processing Zone) de l'île Maurice.

Considérant qu'aucun développement durable ne peut être assis sur une politique limitée à l'exportation de produits de base, l'Afrique subsaharienne doit se fixer des stratégies industrielles claires fondées sur une connaissance sérieuse des marchés, établies en concertation entre administration et industriels sur un certain nombre de filières ou sous-filières telles que l'industrie textile, de transformation du bois, l'industrie agro-alimentaire. Doté de ces stratégies, l'État aura alors les éléments lui permettant d'arrêter sa politique industrielle : investissements d'infrastructures, aides aux entreprises, politique fiscale, douanière et de crédit, politique de partenariat, formation technique et professionnelle.

— Les entreprises du secteur public ou assimilés

Le retrait de l'État des entreprises industrielles ou touristiques est largement engagé dans de nombreux pays d'Afrique. Il doit se poursuivre de façon à aboutir, pour celles qui subsistent, à une réelle privatisation de toutes les entreprises concurrentielles n'ayant pas à remplir des missions de service public. Dans ce dernier cas, les problèmes sont plus complexes pour deux raisons : d'une part, il est rare que des repreneurs acceptent de prendre le risque total de telles entreprises ; d'autre part, les missions de service public impliquent que des règles précises fixant les obligations réciproques soient retenues en général dans un contrat-plan.

Si les privatisations doivent se poursuivre, même s'il s'agit le plus souvent d'opérations en « trompe-l'œil », car seule la gestion est privatisée, c'est surtout parce qu'elles sont l'occasion d'une restructuration des entreprises et de la définition de nouvelles règles de fonctionnement fondées sur une large autonomie de gestion.

Il importe là aussi que l'État soit pleinement responsable en jouant son rôle d'actionnaire ou de tutelle sans empiéter sur l'autonomie indispensable des sociétés concernées. Selon la formule de

Michel Crozier, l'État en Afrique comme ailleurs est d'autant plus « moderne », c'est-à-dire efficace, qu'il sait rester « modeste ».

*
* *

La première greffe industrielle opérée après les indépendances n'a pas pris : on assiste même actuellement à des formes de désindustrialisation dont il ne faut cependant pas exagérer l'importance compte tenu du faible poids de l'industrie dans l'économie de ces pays. La période d'ajustement structurel actuelle comporte à côté d'éléments positifs — amélioration progressive des grands équilibres, désengagement de l'État du secteur productif, restructurations d'entreprises, tentatives pour fixer un environnement mieux adapté pour les entreprises —, quelques éléments négatifs parmi lesquels le fort développement de la fraude et les incertitudes politiques liées à la nécessaire transition démocratique.

Si la sortie de crise se traduit dans ces pays par l'instauration d'un État de droit, par une prise de conscience du rôle de l'entreprise et de son indispensable besoin d'autonomie à l'égard des structures administratives, par la conviction que l'espace régional représente la seule dimension géographique adéquate pour les économies, cette période difficile n'aura pas été inutile. L'Afrique conservera en ce cas ses chances de gagner progressivement sa place dans l'économie internationale du XXIe siècle. Pour l'y préparer, la France doit appuyer toutes les initiatives qui paraissent aller dans un sens positif et poursuivre sans relâche les efforts de formation aux métiers et à la vie de l'entreprise qui conditionne l'avenir de l'Afrique. La route à parcourir est longue, la mission d'accompagnement suggérée pour la France tourne le dos aux actions spectaculaires, mais cette voie est celle du développement participatif qui met au premier rang les opérateurs économiques au sein de l'entreprise. L'acceptation par la société africaine en pleine mutation du transplant industriel mettra du temps à s'imposer. Faire preuve d'impatience est vain ; en revanche, il convient de ne pas prendre davantage de temps pour s'y employer. Tel est d'ailleurs le sens des réponses faites dernièrement au journal *L'Expansion* par quelques responsables de grandes entreprises françaises qui « parient sur l'Afrique » (12).

---

(12) *L'Expansion,* 21 novembre/4 décembre 1991.

10

Succès asiatiques et nouvelles approches pour le développement de l'Afrique

par Jean Raphaël CHAPONNIÈRE et Pierre JUDET

La montée en puissance de l'Asie du Sud-Est et de l'Asie orientale

A la suite du Japon, la croissance industrielle s'est étendue à l'ensemble de l'Asie et s'est accélérée au cours de la décennie 80. Les Nouveaux pays industriels (Corée, Taïwan, Hong Kong et Singapour) connaissent depuis trois décennies une croissance industrielle extrêmement rapide ; ils sont suivis depuis quelques années par la Thaïlande, la Malaisie et l'Indonésie... mais aussi par la Chine du Sud (région de Canton) où la croissance a été particulièrement dynamique depuis 1980.

La croissance industrielle asiatique s'est accélérée au cours des dix dernières années, alors que cette période est considérée comme une « décennie perdue » en Amérique latine et en Afrique.

Quelques indicateurs permettent de prendre la mesure de la distance qui sépare aujourd'hui les économies du Sud-Est asiatique de celles des pays africains et latino-américains :

— Niveau de revenu : en 1950, un classement du PNB par tête situait la Corée au niveau du Cameroun, et la Thaïlande à celui du Togo. Aujourd'hui, la Corée a dépassé le Portugal, la Thaïlande a rattrapé la Tunisie.

— Effectifs industriels : les effectifs coréens (près de 4 millions de personnes) dépassent ceux de l'ensemble du continent africain : Maghreb (1 million), Afrique au sud du Sahara (1 million) et Afrique australe (1 million).

— Productions industrielles : qu'il s'agisse de « high tech » (la Corée et Taïwan se situent au 5e et 6e rang dans l'électronique mondiale, la Malaisie est le premier exportateur mondial de composants) ou d'industries relevant de technologies plus facilement maîtrisables (Taïwan exporte 350 millions de paires de chaussures).

— Importation : la Corée ou Taïwan importe autant de biens d'équipement que l'ensemble de l'Afrique.

Des explications contradictoires

Le succès des pays asiatiques soulève en effet autant de questions qu'il permet d'en résoudre. Les explications d'ordre culturel sont décevantes car elles étaient invoquées, il y a quarante ans, pour excuser la stagnation de cette région. Elles ne peuvent cependant pas être écartées lorsqu'on est à la recherche de leçons transférables dans d'autres pays en développement relevant de contextes culturels et historiques très différents. Les explications d'ordre économique sont tout aussi contradictoires dans la mesure où ces expériences ont fait l'objet de tentatives de « récupération » à partir d'horizons très divers : les organisations internationales ont été les premières à proposer les Nouveaux pays industriels (Corée, Taïwan, Hong Kong et Singapour) comme modèles. Ces derniers ont été présentés comme la « preuve par neuf » du succès de la solution libérale au développement qui plaide, dans le cas de l'industrie, pour un effacement du rôle de l'État et l'adoption d'une politique tarifaire neutre vis-à-vis de la substitution des importations et de la promotion des exportations. Cette présentation édulcorée a été contestée, par la suite, à partir d'une analyse plus fine d'une réalité beaucoup moins transparente qu'on avait bien voulu l'écrire (1).

Les économistes « radicaux » américains ont, plus récemment, récupéré à leur tour le succès asiatique. Ils y voient la preuve du bien-fondé de l'interventionnisme dans la politique économique ; la

(1) Plusieurs ouvrages ont décrit dans le détail le fonctionnement de la politique industrielle et commerciale des Nouveaux pays industriels d'Asie. Ces analyses approfondies amènent à s'interroger sur la pertinence de ce qui avait été présenté par des experts qui ne séjournaient que pendant un temps très limité. Comme le reconnaissait l'un d'eux : « Au-delà de trois jours, les choses deviennent confuses » (cité dans WADE, *Governing the market*).

réussite de ces pays sert alors de justification pour la mise en œuvre aux États-Unis d'une politique industrielle jugée indispensable pour relever le défi japonais.

Qu'un même succès fasse l'objet d'explications aussi contrastées est la preuve d'une complexité dont il faut tenir compte lorsque l'on prétend en tirer des enseignements. Cette difficulté est d'autant plus réelle que la réussite d'une telle transition est aujourd'hui le principal défi auquel sont confrontées de nombreuses économies en développement au Sud comme à l'Est. Pour comprendre les succès asiatiques, il faut tenir compte de plusieurs facteurs.

— Le bon emploi de l'aide : la Corée et Taïwan font partie des pays qui ont bénéficié d'une aide civile importante au cours des années 50. Dans les deux cas, les fonds provenant de l'aide ont été utilisés dans des travaux d'infrastructures (reconstruction en Corée), ainsi qu'à la mise en œuvre des opérations de réforme agraire.

La programmation de la fin de l'aide (arrêtée en 1965) a été un des facteurs qui ont favorisé et accéléré l'organisation d'une politique active de promotion des exportations.

— La vigueur des exportations : l'essor des exportations est un élément décisif de la croissance asiatique. Les exportations coréennes et taïwanaises ont décuplé dans les années 60 ; elles ont été multipliées par vingt dans les années 70 ; elles ont encore doublé entre 1986 et 1991. Cette croissance est devenue contagieuse : les exportations industrielles de Thaïlande ont quintuplé et celles d'Indonésie ont triplé entre 1985 et 1991.

Cela a tellement frappé les esprits que l'on a, pendant un temps, attribué cette forte croissance à un phénomène de zones franches. Or, ces zones n'ont joué qu'un rôle marginal dans l'industrialisation de la Corée ou de Taïwan (assurant environ 3 % de l'emploi manufacturier).

— Le recours à l'import-substitution : l'import-substitution pratiqué par les NPI a été moins souvent évoqué. Dans la vision « expurgée » que l'on a présentée du modèle NPI, ces pays, après avoir suivi, dans les années 50, une première étape d'import-substitution dans le secteur de l'industrie légère, auraient évité l'écueil de la seconde étape dans les industries de biens intermédiaires pour se lancer dans une stratégie de promotion des exportations dans les années 60, ce qui leur aurait ensuite permis d'aborder la construction d'une industrie lourde avant de s'attaquer au « high tech ».

Ce schéma simpliste ne correspond pas à la réalité car l'exportation a commencé avant l'adoption des réformes qui ont permis de lancer la politique de promotion des exportations. On constate, d'autre part, que la Corée et Taïwan ont décidé de se lancer dans la seconde phase d'import-substitution dès la fin des années 60, sans attendre l'« épuisement de leurs avantages comparatifs », en anticipant sur la demande. On doit rappeler à ce propos que la Banque mondiale s'était vigoureusement opposée au projet de sidérurgie intégrée coréenne, POSCO, qui est aujourd'hui l'une des sidérurgies les plus performantes au monde.

— Une insertion mondiale et non seulement régionale : certes, la dimension régionale de la croissance asiatique est frappante au point qu'on croit assister à une course poursuite ; un Japon talonné par les pays de la « Bande des Quatre » suivis à leur tour par les pays de l'ASEAN, tandis que la Chine les rejoint et que le Vietnam souhaite participer à la course.

Toutefois, les échanges les plus dynamiques ont d'abord été orientés dans une direction Sud-Nord (vers le marché américain, puis vers les marchés européen et japonais) et ce n'est qu'assez récemment que les échanges Sud-Sud se sont développés à leur tour. Ainsi, au sein de l'ASEAN, les échanges régionaux plafonnent-ils depuis plusieurs années en valeur relative autour de 18 à 20 % des échanges de l'ensemble des pays (le pétrole assurant une part importante de ce commerce régional). On constate, par contre, que les échanges entre les pays plus avancés de l'Est asiatique et ceux de l'ASEAN se développent plus rapidement que les échanges entre pays de l'ASEAN.

C'est un enseignement pour d'autres pays en voie de développement qui attendent parfois trop — et trop vite — d'une intégration régionale pour développer leurs exportations, alors que leurs économies sont davantage concurrentes que complémentaires. Les échanges industriels ne se développent rapidement, on le sait, que sur la base d'une division « horizontale du travail » entre pays.

Une industrialisation fondée sur des agricultures prospères

Les pays asiatiques possèdent des agricultures dynamiques et des riziculteurs industrieux. Le caractère intensif (jardinier) et la prospérité des agricultures coréenne, taïwanaise, chinoise, mais aussi indonésienne et thaïlandaise, ont constitué le terrain favorable pour l'enracinement de mouvements de croissance longue.

L'industrialisation ne s'y est pas réalisée aux dépens de l'agriculture, alors que la mise en œuvre de réformes agraires, sous la pression américaine, a contribué à la fois à la distribution égalitaire des revenus et à l'élargissement des marchés au bénéfice des produits industriels. Par contre, les obstacles se sont accumulés aux Philippines, le seul pays à avoir conservé une structure latifundiaire.

La bonne santé de l'agriculture est probablement une des premières raisons dans le temps du succès industriel asiatique, tandis que les difficultés des agricultures africaines, qui constituent un handicap supplémentaire pour leur industrie, ne sont pas seulement imputables à des facteurs climatiques, mais aussi (2) à des blocages culturels aggravés par les politiques agricoles mises en œuvre.

Des avantages comparatifs qui ne sont pas donnés mais construits

Les politiques de libéralisation pratiquées en Afrique visent — entre autres choses — à permettre aux pays africains de valoriser leurs avantages comparatifs en termes de coûts salariaux. L'expérience asiatique montre que cette valorisation n'a rien eu d'automatique : en Corée, au début des années 60, l'État a dû subventionner les exportations de produits textiles, alors que les coûts salariaux étaient inférieurs aux coûts japonais (3). La faiblesse des coûts salariaux n'a ensuite jamais représenté un facteur déterminant de la compétitivité industrielle. Le niveau de formation générale de la main-d'œuvre, dans ces pays asiatiques, et sa qualification concourent largement à une productivité très forte. Les « petites mains » asiatiques ont souvent effectué dix années d'études. En Asie, la scolarisation dans le primaire est à peu près universelle. On en est encore très loin en Afrique où, en moyenne, moins de 25 % de la classe d'âge des 12-18 ans est scolarisée dans le secondaire (20 % des filles) alors que ce ratio est de 48 % en Indonésie, 57 % en Malaisie et 84 % en Corée. Quant aux effectifs universitaires, ils représentent moins de 3 % du groupe d'âge correspondant en Afrique mais 7 % en Malaisie et 37 % en Corée. En outre, en Afrique, l'affaiblissement des systèmes d'éducation professionnelle (apprentissage) constitue un handicap supplémentaire (4).

---

(2) A ce propos, voir P. Gourou, *Tropiques de l'espérance,* Terres Humaines.

(3) Voir à ce propos A. Amsden, *The next industrial giant,* MIT Press, 1989.

(4) Le cas des Philippines — 71 % dans le secondaire, 28 % dans le supérieur — montre d'ailleurs qu'il n'y a rien d'automatique.

En ce qui concerne les ressources naturelles, l'exemple du Japon et des NPI, qui en sont totalement dépourvus, tend à accréditer l'idée paradoxale qu'une telle absence constitue plutôt un avantage qu'un désavantage car, du fait de leur « déconnection » (5) de plus en plus affirmée avec la production industrielle, les matières premières ne constituent plus un atout aussi important qu'on pouvait naguère le penser. Toutefois, les pays du Sud-Est asiatique, qui en sont dotés (la Malaisie, en particulier, premier producteur mondial de caoutchouc et d'huile de palme, possède en outre des richesses énergétiques), sont en train de réussir à s'affranchir de cette spécialisation et à éviter à la fois le piège de la rente et les dangers du « syndrome hollandais » en s'engageant dans les activités manufacturières d'exportation.

Dans les pays qui possèdent des ressources naturelles, il est généralement admis qu'un des axes de toute stratégie d'industrialisation passe par leur valorisation : les exportateurs de bois doivent développer des industries d'ameublement ; les producteurs de caoutchouc des industries de pneumatiques. Ces stratégies sont considérées comme relevant du bon sens. Il est toutefois paradoxal de constater que les pays qui ont le mieux réussi dans ces domaines, ne sont pas toujours des producteurs de matières premières puisque les Coréens et les Taïwanais sont parmi les premiers exportateurs de meubles. Il est également intéressant de constater que la Malaisie n'a pas eu beaucoup de succès dans ses tentatives de valorisation de ses ressources naturelles, mais qu'elle a, par contre, réussi à développer ses capacités de recherche (6), en amont de ses plantations agro-industrielles, et que ses avancées (reconnues mondialement) sur ce terrain lui permettent de se maintenir aux premiers rangs devant l'Indonésie et la Thaïlande qui bénéficient de coûts plus faibles de main-d'œuvre.

Plus généralement, les pays asiatiques, qui ont toujours identifié et utilisé leurs avantages comparatifs du moment, se sont surtout appliqués à construire, grâce à des stratégies à long terme, de nouveaux avantages comparatifs.

---

(5) Selon l'expression de P. DRUCKER : « delinkage ».

(6) Avec, entre autre coopération, celle de l'Institut de recherche sur les huiles et oléagineux.

Originalités asiatiques

De l'éducation à l'entreprise

Les sociétés asiatiques ont été encouragées (cf. rôle de l'État) à promouvoir à la fois :

— l'éducation, et en particulier, l'éducation de masse ;

— l'épargne du plus grand nombre. La société a été organisée pour extraire chaque goutte d'épargne : côté ville, grâce au retard des salaires sur la productivité et côté campagne, par la promotion d'une production agricole abondante et rémunératrice ;

— l'entreprise, soit suivant le modèle nippon de grands groupes intégrés mis en concurrence vive, soit suivant le modèle de la diaspora chinoise d'entreprises moyennes, flexibles, prêtes à s'adapter à la moindre évolution du marché.

Exporter pour importer

Les efforts de promotion des exportations n'ont pas signifié pour autant l'ouverture du marché intérieur. Il s'agit là d'une vieille tradition qui commence avec la gestion de l'ouverture pratiquée par le Japon de l'ère Meiji. Les NPI ont réussi à protéger leurs marchés en mettant en place des barrières tarifaires, mais surtout des barrières non tarifaires : contingentements, monopoles de fait des importations réservées aux producteurs. Ces méthodes sont jugées condamnables car elles laissent une trop grande place à l'arbitraire des administrations. Toutefois, lorsqu'elles sont appliquées par des technocrates avisés, elles ont l'avantage d'offrir plus de souplesse dans l'application que des tarifs douaniers. On constate en outre que les taux de protection, pratiqués en Corée comme à Taïwan, ont été caractérisés par une très forte dispersion qui témoigne d'une politique industrielle très ciblée.

Les économies asiatiques ont su pratiquer un protectionnisme très discret. Leurs marchés ne représentaient pas un enjeu suffisant pour que l'on prête attention à ce double jeu. Le succès à l'exportation a permis d'enclencher un cercle vertueux de croissance dans la mesure où il a permis d'élargir le marché intérieur qui en vient parfois à représenter le débouché le plus dynamique (automobile en Corée).

Tout cela change depuis cinq ans... depuis que, sous la pression américaine, ces économies ouvrent (entrouvrent) leurs marchés intérieurs.

Savoir s'ajuster sans délai

Ce qui frappe en Asie, c'est la capacité permanente d'ajustement. Ces pays n'attendent pas que le monde change ; ils se transforment pour s'adapter au monde.

Cette capacité d'ajustement est particulièrement évidente dans les pays d'Asie de l'Est, où l'on dit que « l'État court ». Mais elle caractérise également les pays du Sud-Est asiatique : en Malaisie, où le gouvernement « a mis entre parenthèses » sa politique de soutien aux Malais (7) ; en Indonésie où l'État vient de décider de suspendre pour 30 milliards de dollars US projets. Il n'en demeure pas moins qu'en dépit de cette pratique de l'ajustement, les pays asiatiques se sont montrés très prudents dans la négociation de l'ouverture de leurs marchés domestiques. Cette ouverture a été négociée pas à pas. Rappelons que, jusqu'en 1987, fumer une cigarette étrangère était en Corée un délit sanctionné par une amende de 1 000 FF.

En Afrique, où les États n'avaient pas cette pratique, les programmes d'ajustement imposés ont télescopé les « habitudes ». Menés tambour battant, ils ont parfois conduit à la catastrophe. Les marchés intérieurs ont été ouverts et des industries beaucoup plus fragiles que les industries asiatiques ont été soumises sans ménagement à la concurrence. Ces pays ont été contraints sans raison sérieuse de sacrifier leur marché intérieur sur « l'autel du libéralisme ».

Or, d'une part, les industries africaines sont encore loin d'avoir épuisé l'étape de la première import-substitution. En conséquence la protection prolongée de marchés, qui ne sont pas des enjeux importants, ne soulève pas de problème majeur pour leurs partenaires commerciaux.

D'autre part, les organisations internationales adoptent des attitudes moins « rigides » que par le passé, acceptant par exemple qu'un contingentement soit remplacé par un droit compensatoire jusqu'à 100 %.

---

(7) La Nouvelle politique économique, lancée en 1970, s'était employée à favoriser la promotion des Malais face aux Chinois qui constituent plus d'un tiers de la population.

En Asie, comme dans plusieurs pays d'Amérique latine où les responsables économiques sont de plus en plus convaincus du bien-fondé d'une libéralisation des importations pour promouvoir la compétitivité de leurs entreprises, il semble bien que le débat porte moins sur l'ouverture que sur la vitesse de ce processus. Car, comme cela a été démontré en Afrique, le remède appliqué trop rapidement risque de tuer le malade.

Protéger sans créer de rente

Les économies asiatiques ont été fidèles à l'enseignement initial de F. List : se protéger pour se préparer à la concurrence mondiale. Mais en pratiquant un certain protectionnisme, elles ont évité de placer leurs entreprises en position de rente.

En Corée, les entreprises qui profitaient de protections sur le marché intérieur, devaient par ailleurs faire leur preuve à l'exportation : pour récompenser tel ou tel exportateur de produits manufacturés, l'État lui offrait par exemple la possibilité d'importer et de commercialiser des bananes qui se vendaient 10 F l'unité au début des années 80.

La politique industrielle a consisté non seulement à sélectionner les secteurs « vainqueurs », mais aussi dans certains cas à « fabriquer les vainqueurs » en choisissant et en aidant les entreprises chargées de mettre en œuvre les projets prioritaires. Mais contrairement à d'autres, les États asiatiques ont souvent évité la pratique du « champion national », en choisissant plusieurs champions qui se livraient entre eux une concurrence acharnée.

Un État chef d'orchestre

Contrairement à ce qu'ont affirmé plusieurs auteurs libéraux, l'État joue un rôle central dans les développements asiatiques.

C'est un État dur (8)

L'État, dans les pays de l'Est asiatique, a tiré sa légitimité de la croissance économique. Il a été un État dur, imposant la paix sociale

(8) Selon la terminologie de Myrdal qui oppose État « dur » à État « mou ».

et réprimant les mouvements sociaux. Mais cet État a su s'opposer aux lobbies pour faire accepter des décisions qu'ailleurs d'autres États réputés dictatoriaux étaient incapables de faire respecter : la réforme agraire par exemple dans les années 50, mais aussi les mesures qui ont lancé la politique de promotion des exportations dans les années 60, de même que les restructurations industrielles dans les années 70.

C'est un État complice

La notion d'État dur ne suffit cependant pas à expliquer les paradoxes évoqués plus haut (exporter pour importer, protection sans rente). Pour en rendre compte, il faut mettre en évidence les connivences entre l'État et le milieu des affaires, des connivences que l'on « illustre » par les termes Corée Inc, Taïwan Inc, Thaïland Inc, ce qui correspond au constat que faisait un syndicaliste français à propos de la Corée : « Ce qui divise ici est souvent moins important que ce qui unit ». On constate, en effet, dans ces pays, une volonté commune de relever un défi (défi lancé par la Corée du Nord, par le Japon ou par la Chine), problème posé par la survie d'une enclave capitaliste — Hong Kong — dans un univers socialiste ou par une enclave chinoise dans un monde malais — Singapour. C'est parce que les populations étaient conscientes de ces défis qu'elles se sont mobilisées.

C'est un État « pro »

Bhagwati (9) a fait la distinction entre États « proscripteurs » et États « prescripteurs » : les premiers privilégient l'interdiction et la réglementation, alors que les seconds préconisent les projets et les incitations. Les États africains ou latino-américains relèvent souvent de la première catégorie et leur intervention tatillonne se fait au détriment de l'industrie : elle bride le dynamisme du secteur informel et des entreprises étrangères.

Sautter (10) parle, au contraire, à propos des pays asiatiques, d'« État pro » : un État promoteur, un État producteur et un État protecteur...

---

(9) *Protectionism,* MIT Press, 1990.
(10) C. SAUTTER, « Un État pro », dans « État et marché en Asie », *Cahiers de l'IREPD,* n° 13, 1988.

Learning Resources Centre

— Un État promoteur : la promotion des investissements étrangers ne se résume pas à la publication d'un code des investissements ni à la construction d'une zone franche. Elle passe par un démarchage systématique des entreprises dont on est en droit d'estimer qu'elles pourraient avoir intérêt à investir. Cette démarche a été celle de Taïwan dans les années 60 et de Singapour dans les années 70. Une démarche que ces pays continuent de pratiquer aujourd'hui pour attirer non plus les 500 premières entreprises de *Fortune* qui connaissent ces pays, mais des « start up » qui en ignorent parfois l'existence.

— Un État programmateur (et prospecteur) : alors que, partout, on s'interroge sur le bien-fondé de la planification, il est intéressant de constater qu'en Asie, les États continuent de se projeter dans l'avenir... tout en faisant preuve d'une très grande flexibilité pour tenir compte des évolutions imprévues, pour saisir les opportunités ou pour changer d'orientation.

La Corée et Taïwan s'inspirent directement du modèle japonais et essaient de l'améliorer ; ils mesurent en années l'écart qui les sépare de leur modèle et ils s'intéressent constamment aux évolutions de leurs concurrents. Les pays du Sud-Est asiatique cherchent « à l'Est » leur modèle.

Mais pour se projeter, il est nécessaire de savoir évaluer ses forces et d'apprécier ses avantages comparatifs du moment... Cela pose la question de la reconnaissance du secteur informel en tant que potentiel industriel (plus important que l'industrie de plein exercice dans la plupart des pays africains).

— Un État producteur : les entreprises d'État n'ont pas joué un rôle très important en Corée. Par contre, à Taïwan, elles ont assuré plus de la moitié de la production industrielle dans les années 50 (pourcentage embarrassant pour un pays qui dénonçait l'appropriation collective des moyens de production en Chine). Le recours à la création d'entreprises d'État est encore d'actualité à Taïwan où l'État a lancé en 1985 une fonderie de silicium (en joint-venture) ainsi qu'à Singapour. En Asie du Sud-Est, ces entreprises se sont développées dans les pays où les minorités d'origine chinoise contrôlent le monde des affaires. L'État se fait alors le promoteur d'un capitalisme indigène.

Dans un contexte asiatique, pragmatique, les privatisations n'ont jamais fait l'objet d'un débat idéologique. Ce passage du public au privé, mais aussi du privé au public, est une caractéristique de ce que certains auteurs appellent le « capitalist developmental state », ce qu'on pourrait traduire en « capitalisme d'État développeur ».

Un État fort est la condition d'une libéralisation réussie

Les réussites, mais aussi les échecs (Philippines), des processus d'ajustement en Asie, mettent en lumière un paradoxe : le succès des processus de libéralisation exige un État fort.

Cela s'est vérifié au début des années 60 avec la mise en œuvre des programmes de promotion des exportations.

Cela se vérifie dans le contexte des programmes de privatisation en cours dans les pays d'Asie de l'Est et de l'ASEAN. Privatiser exige de s'opposer à des intérêts acquis, de briser des résistances. Un programme qui présente de bonnes chances de succès est celui de la Malaisie où, paradoxalement, l'État est particulièrement fort.

A partir des succès asiatiques : vrais et faux problèmes du développement

Densité de la population

Il semble bien que la faible densité de la population de la plupart des pays africains (exception faite des États des Grands Lacs et du Nigeria) constitue un obstacle qui ne doit pas être sous-estimé :

C'est un handicap pour la viabilité des infrastructures car, dans des pays à haute densité, les infrastructures de transport sont très rapidement amorties.

C'est une contrainte supplémentaire pour l'industrie. Un artisan exerçant dans l'île de Java dispose d'un marché potentiel d'un million d'habitants dans un rayon de 20 km, c'est-à-dire sur un espace qu'il peut parcourir à bicyclette. La densité ne semble pas poser de problème, ni dans le pays bamiléké au Cameroun, ni dans le Sud-Ouest flamand (densité javanaise de 1 000 hab/km²).

Pas de pessimisme à l'exportation

A ce sujet, il est intéressant de constater qu'en quatre ans (1986-90), les exportations manufacturières de la Thaïlande ont quadruplé. Comme le souligne Bhagwati, la multiplication des réactions protectionnistes à l'encontre des NPI (mise en place de quotas, multiplication des mesures antidumping) n'a pas eu les effets escomptés sur les exportations, du fait de la multiplicité des possibilités de détournement qui existent.

L'ensemble de l'Afrique (Afrique du Sud exclue) exporte (toutes productions confondues) moins que la Corée en 1990. Les pays d'Afrique francophone sont à l'origine d'un courant négligeable d'exportations manufacturières (moins de 500 millions de dollars US) tandis que les pays du Maghreb — Tunisie et Maroc — exportent pour 3 milliards de dollars US. Les quotas ne sont pas toujours remplis (c'est le cas en Tunisie) et il n'existe pas de quotas pour les pays ACP.

Le pessimisme à l'exportation ne se justifie pas.

Les « places » sont-elles déjà prises ?

L'émergence des NPI et, à leur suite, de pays candidats est parfois perçue comme un obstacle à l'émergence de nouveaux pays. De fait, on remarque que la multiplication des acteurs élargit le champ des possibles pour les nouveaux venus et qu'elle offre de nouvelles opportunités, qu'il s'agisse de délocalisations ou de nouveaux marchés... La seule Corée importe plus que toute l'Afrique réunie, tandis que la Corée et Taïwan importent davantage que toute l'Amérique latine réunie.

La technologie est disponible.

A Monrovia, les pays africains avaient envisagé de bannir le concept même de transfert de technologie (1979). Celui-ci est en effet parfois présenté comme une contrainte majeure qui pèse sur l'industrialisation des pays africains : les technologies sont onéreuses, elles se transféreraient mal...

Or, que constate-t-on en Asie ? Dans les NPI, les achats de technologie ne sont devenus importants qu'au cours des années 80. Jusqu'à cette date, les achats de technologie ont été limités. De fait, les entreprises ont pratiqué le « reverse engineering », en utilisant les informations disponibles dans les revues scientifiques et techniques, en fréquentant de façon assidue les foires et les expositions, en s'inspirant directement d'échantillons (telle chemise « démontée » systématiquement) ou en copiant les équipements importés avant de les améliorer. Paradoxalement, c'est seulement depuis que ces pays investissent systématiquement dans la recherche/développement que leurs achats de technologies augmentent. Aujourd'hui, alors qu'ils s'imposent dans des industries dominées par des oligopoles mondiaux (électronique, automobile, aluminium), l'accès à la technologie ne constitue toujours pas une contrainte majeure : ils peuvent s'appuyer sur le maillon faible de l'oligopole ou jouer sur les concurrences nippo-américaines pour acquérir les technologies dont ils ont maintenant besoin (télévision à haute définition, mémoires à très haute densité, acier inox, etc.).

Cette capacité de saisir les technologies n'est pas spécifique à l'Asie : les industriels africains sont très souvent au fait des technologies qui leur sont nécessaires ; ils fréquentent eux aussi les foires et connaissent leurs besoins en équipement. L'Afrique a été présentée comme un cimetière d'« éléphants blancs » : le rapport de l'Institut de l'entreprise (CNPF) avait ainsi montré qu'une proportion importante des grands projets industriels avait conduit à des échecs ; cette appréciation doit être relativisée dans la mesure où il existe aussi en Afrique des histoires à succès (11). Par ailleurs, les cathédrales dans le désert ne sont pas le privilège de l'Afrique.

Les industrialisations réussies commencent par « le bas »

La première sidérurgie japonaise construite en 1875 a été un échec. Un siècle plus tard, le projet sidérurgique de Krakatau en Indonésie apparut d'abord comme un exemple typique d'« éléphant blanc ». En effet, une industrialisation conçue sur la base de projets parachutés et administrés est contradictoire avec un processus long mais efficace de transformation sociale. La première procède par le haut, elle fait « table rase du passé », refuse d'intégrer des expériences souvent qualifiées de « survivances » (les artisanats doivent disparaître pour faire place à l'industrie moderne). Son échec est d'autant plus prévisible que les promoteurs de projets ont trop souvent eu une approche partielle négligeant le fait que l'industrie est un système et que son bon fonctionnement dépend de celui de services industriels, de sous-traitants qui font défaut...

Alors que la majorité des pays africains ont adhéré à une vision de la modernisation qui va du haut vers le bas, l'expérience asiatique, mais aussi celle des pays les plus dynamiques du Maghreb, montrent que le processus d'industrialisation ne suit pas une sorte de voie royale où l'industrie sortirait armée de pied en cap. L'indus-

---

(11) R. TIBERGHIEN, C. COURLET, « Émergence et développement des petites entreprises en Afrique au sud du Sahara », résultats d'une enquête effectuée au Cameroun, *Notes et Études*, n° 6, Caisse centrale de coopération économique, 1986.

trie procède au contraire d'un foisonnement d'activités et de cheminements détournés.

Les industrialisations réussies commencent par le bas : on recensait environ deux cents minisidérurgies à Taïwan, lorsque l'État a lancé la grande unité de China Steel. En Corée, l'entrée dans la construction de grands pétroliers n'a été possible que grâce à la mobilisation de techniciens formés dans de nombreux petits chantiers. Ces foisonnements ne sont pas spécifiques à l'Asie. Ils existent en Afrique mais ils sont trop souvent ignorés ou brimés par les États qui les maintiennent dans l'informel : « Être informel, c'est, comme le souligne Giri (12), être en dehors du système de relations entre le pouvoir et l'économie formelle ». Cette attitude n'est pas spécifique à l'Afrique puisqu'en Inde, les minisidérurgies n'ont pu se développer en raison des restrictions aux importations de ferrailles et qu'au Pérou, une enquête avait montré qu'un entrepreneur devait effectuer des centaines de démarches pour « formaliser » son entreprise.

Dans la plupart des pays asiatiques, le commerce a été le « terreau » d'où ont émergé les entrepreneurs qui ont réussi une accumulation primitive dans des conditions parfois douteuses. Au début de son mandat, le président Park a réuni les hommes d'affaires coréens soupçonnés d'avoir fait fortune en spéculant. Au lieu de les condamner, il leur a demandé de mettre leurs énergies au service de son projet d'industrialisation. Le compte rendu de cette rencontre est peut-être apocryphe, mais il est en tout cas révélateur de l'attitude de l'État. Dans les pays de l'ASEAN, les États (Malaisie, Indonésie) ont accepté (même si c'est avec beaucoup de réticence) de s'appuyer sur le dynamisme des réseaux de la diaspora chinoise à travers lesquels transite une partie de leurs exportations. Cette atitude est bien différente de celle des États africains vis-à-vis des commerçants dioulas, haoussas, syro-libanais ou pakistanais qui sont, eux aussi, organisés en réseaux.

Il n'y a pas non plus de voie royale pour pénétrer sur les marchés. Les NPI sont entrés par la petite porte, en exportant produits alimentaires, ananas de Taïwan, et produits divers, perruques coréennes dans les années 60, bijoux thaïlandais ou ornements pour arbres de Noël dont la Thaïlande est devenue le premier producteur mondial après Taïwan, etc. Ensuite, ils ont capitalisé à partir

---

(12) GIRI, *Le secteur privé moteur du futur développement du Sahel,* Club du Sahel, 1989.

de ces entrées. Encore faut-il être en mesure de saisir les opportunités, ce qui pose le « vrai » problème de l'information.

La maîtrise de l'information est au cœur de l'industrialisation et du développement

De nombreuses sociétés ne saisissent pas encore l'importance de l'information. Maîtriser l'information veut dire tout d'abord connaître ses propres forces, savoir apprécier son potentiel. L'état des statistiques est un indicateur pertinent du niveau de développement et de la capacité de mobilisation. Dans les NPI, on est frappé par l'abondance de statistiques qui permettent de suivre certaines évolutions sur longue période en temps réel (c'est le cas des exportations). Dans de nombreux pays africains, les données chiffrées concernant la production industrielle sont parcellaires et rarement à jour, au point que parfois l'annuaire du téléphone tient lieu de recensement industriel. Cette faiblesse de l'information (sur l'industrie et sur l'emploi) traduit la faiblesse ou l'absence de coopération entre l'État et les milieux d'affaires : les industriels sont d'autant plus réticents à livrer des informations que l'administration ne leur fournit pas en retour de synthèses utiles.

Alors que les difficultés d'accès à l'information technologique sont surestimées, les problèmes posés par le manque d'information économique sont ignorés.

Les États africains s'intéressent peu à la concurrence des autres économies des pays en voie de développement sur les marchés internationaux. L'information économique revêt dans de nombreux pays un caractère « provincial » : elle est limitée aux pays voisins et à l'Europe. Tel pays, qui se déclare pourtant à la recherche d'investisseurs étrangers, ne répond pas à des demandes d'information envoyées par Samsung, classé pourtant au 19e rang des plus grandes entreprises mondiales. Du fait de ces lacunes, des occasions ne sont pas saisies, des démarches ne sont pas entreprises pour rechercher des partenaires ou trouver de nouveaux marchés.

On constate au contraire que les Coréens, mais aussi les Thaïlandais, se préparent à entrer en Europe et s'intéressent aux ouvertures offertes par l'Afrique : le groupe indonésien Astra s'intéresse au Burkina Faso, les groupes chinois de Hong Kong, présents à Maurice, prospectent du côté de Madagascar.

L'information est devenue aujourd'hui une variable stratégique.

Quatre réflexions en guise de conclusion

Une affaire de générations

Lorsqu'on compare les résultats des processus d'industrialisation, il ne faut jamais oublier que les pays asiatiques sont partis avec plusieurs décennies d'avance sur les pays africains : on recensait 70 000 personnes dans l'industrie japonaise de 1868, 300 000 emplois industriels dans la Corée de 1940, c'est-à-dire le tiers des emplois industriels de l'Afrique francophone d'aujourd'hui.

En Thaïlande, la première cimenterie date de 1910, mais dès la seconde moitié du XIXe siècle, de nombreuses rizeries y avaient déjà été créées.

Le processus d'industrialisation relève du long terme : de l'évolution des mentalités, du changement dans l'échelle des valeurs. Les pays africains en sont à leur première génération industrielle ; la Tunisie entame la seconde génération alors qu'en Asie, on en est à la troisième génération. L'« afro-pessimisme » (13) d'aujourd'hui est-il fondé ? Il ne faut pas oublier à ce propos que l'« Asia pessimisme » était de rigueur, il y a quarante ans. Au début des années 50, en effet, de nombreux observateurs des réalités asiatiques dressaient des bilans tout à fait négatifs : la région était divisée par les guerres, les pays s'étaient donnés des États que G. Myrdal (14) avait qualifié de « mous », dans la mesure où ils étaient incapables de mettre en œuvre leurs décisions.

Un défi à relever

Depuis cent ans, le dynamisme des économies asiatiques s'enracine dans la volonté de relever un défi : en Chine (les traités inégaux), au Japon (les vaisseaux noirs et les traités iniques), en Corée (l'humiliation de la colonisation japonaise et la menace du Nord). Existe-t-il d'autres chemins pour transformer ses faiblesses en dynamisme et en ouverture prédatrices ? Cette prise de conscience d'un

(13) Qui est peut-être un phénomène davantage franco-français, *Business Week*, « Is Africa in for a welcome rain of capital », 25 novembre 1991, signale plusieurs cas d'investissements importants par des entreprises américaines et européennes au Nigeria, au Zimbabwe et en Côte-d'Ivoire.

(14) G. MYRDAL, *Le drame asiatique*, 1963.

« défi du développement » qu'il faut relever commence à apparaître dans l'Afrique d'aujourd'hui (15).

Ne pas confondre le point d'arrivée avec le point de départ

Selon certains, la grande entreprise serait inadaptée à l'Afrique. En réalité, la grande entreprise est partout le résultat d'un long processus de développement organique. L'initiative et l'accumulation dans un cadre familial sont la loi générale : au Japon, dans la diaspora chinoise, à Taïwan comme en Corée où les grands groupes (les *jaebuls*) sont encore caractérisés par leur structure familiale. Et puis, le succès d'Ethiopian Airlines, comme le succès de tontines gérant sur ordinateur des millions de CFA ouvrent dans ce domaine des perspectives.

Pour un ajustement culturel

La connaissance des sociétés africaines par l'Europe est largement réductrice et stéréotypée. On s'intéresse certes au secteur informel ; on découvre les tontines, mais on connaît peu les histoires à succès (histoires d'entreprises et d'entrepreneurs).

L'extrême modestie de la place faite par les accords de Lomé à la promotion du secteur industriel africain (ACP), laisserait penser que la volonté de promouvoir l'industrie africaine n'est pas en Europe une priorité.

Et si la France et l'Europe, par rapport à l'Asie mais aussi par rapport à l'Afrique, avaient elles aussi besoin d'un ajustement culturel ?

---

(15) Voir à ce propos l'ouvrage de A. KABOU, *Et si l'Afrique refusait le développement ?*, L'Harmattan, 1991, et celui de ÉTOUNGA MANGUELLE, *L'Afrique a-t-elle besoin d'un programme d'ajustement culturel ?*, Éd. Nouvelles du Sud, Paris, 1991.

11

Doit-on renoncer à recourir en Afrique à tout instrument de politique industrielle ?

Rappel des expériences brésiliennes et mexicaines

par Claude SICARD

Le triomphe de la doctrine libérale, en matière économique, est tel que l'on semble s'accorder, depuis l'effondrement du bloc des pays socialistes, pour ranger aujourd'hui au musée des antiquités tous les outils de planification économique que les économistes avaient pu élaborer depuis l'achèvement de la Seconde Guerre mondiale.

On démantèle donc les protections douanières derrière lesquelles la plupart des pays en voie de développement avaient entrepris de se placer pour réaliser leur décollage économique ; on privatise à vive allure toutes les entreprises d'État, dans un souci de bonne gestion, et l'on postule, ce qui d'ailleurs est exact, qu'un pays ne peut se développer qu'en débridant l'initiative privée.

La planification industrielle, tout comme la planification économique, apparaît donc aujourd'hui comme une technique totalement discréditée. Mais ce procès fait à la planification industrielle est-il réellement justifié ?

Ainsi, au lendemain de la dernière guerre, on proclama que, dans l'histoire de la pensée économique, la période libérale se trouvait dorénavant révolue puisque l'on disposait maintenant, grâce à des connaissances bien plus certaines qu'autrefois en matière d'analyse économique, d'instruments très efficaces de modélisation et de planification du développement ; mais, depuis la fin de la décennie 1980, on ne table plus que sur les vertus du libéralisme économique pour opérer le décollage des pays du Tiers monde.

Dans le cas de l'Afrique, on a affaire à des pays qui, dans leur très grande majorité, sont encore fort peu industrialisés, de très faible dimension au plan économique, avec un revenu par tête d'habitant très bas et des populations peu nombreuses.

Tous ces pays, au lendemain de leur indépendance, ont voulu recourir à ce que l'on a appelé, à cette époque, la « planification économique ». De jeunes cadres africains, totalement inexpérimentés, et n'ayant en tout cas aucune connaissance réelle des problèmes industriels (et on sait que, dans nos facultés de droit et de sciences économiques, on n'enseigne aux étudiants la micro-économie que d'une façon très théorique), se sont trouvés portés à la tête d'organismes nationaux de planification, voire dans un certain nombre de cas, de « ministères du Plan ».

Ces cadres se sont entourés d'experts étrangers, fournis par des sociétés d'études privées ou publiques, qui ont tenté de les guider pour mettre sur pied des plans de développement, généralement des plans quinquennaux.

Malheureusement, le plus souvent, ces « experts » n'avaient guère eux-mêmes de connaissances très précises dans le domaine industriel, étant eux aussi de formation strictement économique ; et, ce qui est plus grave, ils n'ont guère vu, dans la plupart des cas, qu'en matière de planification du développement, ce qui était essentiel pour réussir, c'était de parvenir à déterminer pour chaque pays une stratégie gagnante, plutôt que de s'acharner à élaborer des matrices d'échanges inter-industriels.

Finalement, toutes les expériences de développement planifié en Afrique ont profondément déçu, soit parce que les experts avaient mal travaillé, soit parce que les modalités de mise en œuvre des plans qu'ils avaient conçus n'ont pas fonctionné correctement. On a donc condamné sans appel la « planification économique ».

Nous voudrions, ici, déterminer dans les causes d'échec, ce qui, d'une part, revient à un manque de vision stratégique des planificateurs, au manque de connaissance qui a été, semble-t-il, le leur en matière de maîtrise des instruments de planification sectorielle, et ce qui, de l'autre, revient aux difficultés pratiques que l'on rencontre toujours dans les pays africains pour mettre en place des mécanismes d'aide au développement qui puissent, dans la durée, conserver toute leur efficacité originelle.

Nécessité d'une vision stratégique des problèmes de développement

L'histoire récente du prodigieux développement du Japon montre que ce pays, pour devenir, en un temps relativement bref, pratiquement la plus grande puissance économique mondiale, a suivi une stratégie bien précise dont on peut clairement distinguer aujourd'hui les éléments de succès.

L'évolution des « quatre dragons » qui ont pris leur essor, au cours de ces deux dernières décennies, bien après le Japon, montre également que ces pays ont su lucidement choisir les voies par lesquelles il convenait de cheminer pour donner à leur économie un rythme de développement extrêmement important.

Et si l'on remonte au siècle dernier, on retrouve bien chez les différents pays européens qui se sont développés un processus logique qu'il est possible d'identifier et d'analyser, et qui révèle une certaine pensée stratégique au niveau des responsables de l'économie de ces pays.

Le cas japonais

Les premiers gouvernements de l'ère Meiji ont, au cours du XIXe siècle, rendu l'enseignement obligatoire tout en maintenant son caractère payant ainsi que son caractère confucéen. Peu après, ils ont suscité l'importation des techniques occidentales. Une industrie locale s'est donc, peu à peu, développée à l'abri de véritables murailles protectionnistes. Puis, progressivement, certaines grandes *kaisha* (grandes entreprises) se sont lancées à la conquête du monde. Dès avant la dernière guerre, le marché mondial était envahi par les Japonais dans le domaine du textile et dans celui de l'horlogerie avec des montres de faible qualité.

Au lendemain de la dernière guerre, on vit le Japon évoluer par étapes, allant des industries à faible contenu technologique vers des industries de plus en plus sophistiquées, les *sogo soshas* (sociétés d'exportation) jouant un rôle extrêmement important dans la conquête des marchés mondiaux : on est passé (1) de « l'âge de la tonne », de 1950 à 1965 (sidérurgie, construction navale, textile, ciment, engrais chimiques...), à « l'âge du kilo », avec des produits plus élaborés,

(1) Cf. l'ouvrage de Dominique TURCQ, *L'inévitable partenaire japonais*, Fayard, 1992.

au contenu technologique plus important (automobiles, photocopieurs, électronique grand public, appareils photos, ordinateurs...) ; puis, plus récemment (1975-1985), à « l'âge du gramme » avec l'apparition des puces, des nouveaux matériaux et les premiers développements de la biotechnologie. Le Japon est parvenu maintenant à l'âge des industries de l'intelligence et des services.

Ce développement extrêmement rapide s'est effectué d'abord par imitation des technologies occidentales avec amélioration constante des produits et mise au point de techniques de production extrêmement rationnelles pour effectuer une production de masse. Aujourd'hui, la recherche/développement (R&D) japonaise prend le relais des R&D occidentales. Au plan technique et au plan de la créativité, elle devance même les R&D des États-Unis et des pays européens.

Cette évolution s'est faite sous le contrôle du MITI (regroupant les fonctions des ministères de l'Industrie et du Commerce extérieur), et dans le cadre d'une concertation très étroite avec les grands groupes industriels. Le pouvoir appartenait beaucoup plus aux techniciens qu'aux économistes.

Cette évolution s'est opérée dans le cadre d'une politique économique favorisant très fortement les entreprises exportatrices : faiblesse du yen pendant une très longue période, protectionnisme très poussé, et toujours actuel, d'ailleurs, pour défendre le marché intérieur, très fort taux d'épargne imposé au pays, excellente maîtrise de l'inflation. Tout cela demanda beaucoup de sacrifices au peuple japonais qui y était prêt du fait de son tempérament conquérant et du vif désir qu'il avait de relever le défi pour effacer la défaite militaire de 1945.

Cette évolution a bénéficié de la mansuétude et de l'aide américaine, et elle s'est opérée au mépris des règles du commerce international qui sont aujourd'hui celles du GATT.

Dans cette évolution sommairement esquissée, on note un certain nombre d'idées stratégiques clés :

— un accent extrêmement fort mis sur l'investissement humain, et ce, depuis plus de cent ans, et parallèlement, le développement d'une culture rendant les individus extrêmement solidaires entre eux au sein des entreprises ;

— une vision mondiale des marchés, vision que les Japonais ont été les premiers à avoir et dont ils ont su tirer des avantages compétitifs majeurs pour leurs entreprises ;

— de vives incitations à l'épargne ;

— un protectionnisme très poussé et quasi structurel sur le marché intérieur, et ce, en sacrifiant quelque peu les infrastructures, l'habitat et les transports (2).

Le MITI a été au centre de toutes ces évolutions grâce à la concertation notamment entre les grands acteurs économiques, en impulsant et coordonnant les programmes de politique industrielle et de R&D, et en permettant de mener à bien les transformations successives de l'activité industrielle du pays.

L'exemple des pays scandinaves

Les pays scandinaves (Danemark, Suède, Norvège) constituent des exemples extrêmement intéressants de pays aux dimensions limitées qui ont su, chacun, trouver au XIXe siècle la voie de la croissance.

Un ouvrage paru au Chili, en 1990, *Trayectorias divergentes,* de Blomström et Meller, analyse fort bien les stratégies de développement suivies par ces pays, et tente d'en dégager des leçons utiles pour des pays d'Amérique latine :

— Agriculture : des réformes agraires importantes ont été faites au début du XIXe siècle dans ces pays. Elles ont permis de développer la production agricole, en donnant à ce secteur un caractère beaucoup plus intensif et, simultanément, de réaliser une répartition plus équitable de la richesse nationale. Ces deux éléments ont, chaque fois, constitué des préalables au développement.

— Éducation : un haut niveau d'éducation de la population apparaît avoir été le second élément clé qui permit le développement économique de ces pays. Selon les auteurs cités, cet enseignement avait un caractère « utile » qui, même dans le secteur supérieur, a surtout été tourné vers les formations techniques et scientifiques. Ces pays ont donc formé, très tôt, beaucoup d'ingénieurs.

— Ressources naturelles : ces pays ont su très habilement tirer parti chacun des ressources naturelles dont ils disposaient pour exporter et jeter les bases de leur industrialisation. On notera, toutefois, que le Danemark se trouvait très défavorisé dans ce domaine par rapport à ses voisins, ce qui ne l'a nullement empêché de trouver les moyens d'effectuer son décollage grâce à l'agriculture.

---

(2) Les problèmes de défense se trouvant pris en charge par traité par les États-Unis, la puissance protectrice.

— Politique économique : les gouvernements de ces pays ont suivi des politiques libérales. Ils ont mis en place les infrastructures de base nécessaires, mais aussi des mécanismes d'incitation fiscale très précis qui ont orienté et accompagné leur développement.

Ils ont su, en particulier, favoriser le développement de grandes firmes en évitant les effets de domination qu'elles auraient pu exercer sur le marché intérieur, et faciliter, lorsque cela était nécessaire, les adaptations structurelles. Mais rappelons qu'il s'agissait d'une époque qui était celle du début de l'ère industrielle.

— Technologie et capitaux étrangers : les pays de petite dimension doivent s'appuyer nécessairement sur la technologie des grands pays. Aussi, les pays scandinaves, à l'exception du Danemark, ont fait venir chez eux des étrangers qui leur ont apporté, dans les premières phases de développement, de la technologie et des capitaux. Ils ont su également acheter les technologies nécessaires à l'extérieur et laisser les firmes étrangères s'implanter sur leur marché.

Enseignements à tirer pour l'Afrique

On peut tirer de cette rapide analyse des expériences de développement de divers pays, expériences anciennes comme celles des pays scandinaves, ou expériences plus récentes comme celles des pays asiatiques, certains enseignements utiles pour le développement des pays africains.

Un élément paraît, dans tous les cas, avoir un rôle déterminant : un système d'enseignement efficace, tourné principalement vers l'acquisition de connaissances techniques et scientifiques.

Dans la plupart des cas, l'agriculture a joué un rôle important ; elle a permis, d'une part, de nourrir les populations qui se concentrent dans les villes, et elle a fourni, et parfois très massivement, les éléments permettant de développer les exportations.

Dans tous les cas de figure, la croissance n'a pu s'opérer que lorsque les pays, candidats au décollage, ont été capables de trouver et de développer des activités orientées vers l'exportation. La croissance s'alimentant d'importations, il faut, à tout pays qui se développe, un flux croissant d'exportations lui permettant de disposer des devises dont il a besoin.

Si, au cours du XIXe siècle, les pays qui ont assuré leur décollage économique ont pu le faire dans le cadre de politiques économiques très libérales, il semble bien que, dans le monde actuel, en cette seconde moitié du XXe siècle, les États aient à jouer un rôle actif, non pas en se substituant à l'initiative privée, mais en la stimulant et en la canalisant fortement.

Enfin, il apparaît évident que tout pays, qui veut opérer son décollage économique et sa croissance, est contraint de recourir à la technologie que possèdent les pays les plus avancés économiquement. Cela peut se faire par différents moyens à mettre en œuvre simultanément, notamment lorsque le retard à rattraper est grand : achats de licences de fabrication, importation de cadres et de personnels techniques étrangers, implantation de firmes étrangères dans des conditions de sécurité totale, etc.

Les activités exportatrices

La croissance est très grosse consommatrice de devises : un pays qui se développe a donc besoin de se doter d'activités exportatrices. C'est une réalité incontournable. C'est pourquoi la recherche d'activités exportatrices nous paraît prioritaire par rapport à la création de grands ensembles régionaux : ceux-ci sont, juridiquement et politiquement, très difficiles à mettre en place, et, en Afrique, ne représenteront finalement que des entités de taille économique très modeste.

Il est certes toujours utile de se doter de marchés internes plus larges que son marché national ; mais cela ne résout guère le problème de l'alimentation en devises ; d'autant que, dans le cas des pays africains, les « grands ensembles économiques » ne pourront malheureusement pas être très importants avant longtemps, vu les faibles niveaux de revenus per capita.

Tous les pays qui se sont développés ont donc su trouver des activités exportatrices : matières premières (comme dans beaucoup de pays au siècle dernier), activités manufacturières ensuite, ou, plus récemment, activités touristiques. La nature de la source de devises importe peu, pourvu qu'elle existe et puisse ne pas être trop vulnérable.

Cette nécessité d'exporter nous paraît donc prioritaire pour le développement des pays africains.

Pour les matières premières, la clé du succès se situe avant tout au niveau des coûts de production. S'il s'agit de biens manufacturés, les problèmes sont plus complexes : il faut un contenu technologique, une discipline très stricte de production et de gestion, et un savoir-faire en matière de recherche de marchés et de maîtrise des canaux de distribution, du moins si l'on veut réaliser autre chose que de la sous-traitance pour des pays industrialisés. Encore que cette dernière éventualité ne soit nullement à négliger car elle s'est révélée extrêmement efficace pour les pays de l'Asie du Sud-Est.

Le problème, pour les pays africains, est de bien déterminer dans chaque cas quel sera le vecteur de leurs approvisionnements en devises ; il leur faudra alors s'acharner à déterminer une stratégie permettant de donner à ce ou ces secteurs d'activité une efficacité extraordinaire. Dans certains cas, les pays pourront opérer ces développements à l'exportation d'une façon autonome (cas, en particulier, de l'exportation des matières premières ou des produits de base) ; mais dans d'autres cas, et ce sera la majorité, ils devront nécessairement s'appuyer sur des acteurs étrangers qui possèdent déjà l'accès au marché mondial ou disposent des savoir-faire voulus pour pénétrer et réussir sur ce type de marchés.

Rôle de la planification sectorielle

Vu la compétition extraordinaire qui existe aujourd'hui entre les différentes nations, au plan économique, et le faible coût des transports, on ne peut plus tabler, comme ce fut le cas au XIXe siècle, sur les seules règles de l'économie libérale pour permettre à des pays, notamment lorsqu'ils sont de petite dimension, d'effectuer leur décollage, sans que les États n'interviennent. On doit donc recourir à des éléments de politique industrielle, et notamment à la planification sectorielle. Mais celle-ci doit chaque fois être l'expression de la stratégie que le pays entend suivre pour opérer son décollage économique et réaliser sa croissance.

Les États doivent donc intervenir sectoriellement, en jouant avec doigté sur la palette très large des mesures d'accompagnement, d'incitation, de contrôle et de régulation qui est à leur disposition.

La planification sectorielle doit s'appliquer aussi bien aux activités à développer pour le marché local (substitution aux importations) qu'aux activités tournées vers les marchés étrangers.

Nous voudrions donner ici quelques exemples de planification sectorielle réussie en Amérique latine.

— Le cas du Brésil dans l'industrie automobile

Les pays d'Amérique latine n'ont pas bonne presse aujourd'hui, en matière de planification économique, et les reproches que l'on adresse à R. Prebich, le père de cette planification, sont très sévères. Or, toutes les dispositions qui ont été prises dans ces pays n'ont pas été négatives. C'est pourquoi il nous paraît utile d'évoquer ici quelques exemples de planification sectorielle réussie.

Le Brésil a démarré son industrialisation au cours de la Seconde Guerre mondiale, alors qu'il avait du mal à s'approvisionner en biens industriels en provenance de l'Europe ou des États-Unis.

Mais c'est vers le début des années 50 que furent mis en place des instruments de politique industrielle. Nous voudrions évoquer cette expérience, en prenant le cas de l'industrie automobile.

Le Brésil a décidé de se doter d'une industrie automobile au cours de la décennie 1950 ; un organisme spécial a été créé, et des études technico-économiques importantes ont été menées. Finalement, un « plan de développement de l'industrie automobile » a été lancé, les dispositions les plus importantes de ce plan étant les suivantes :

— Une loi précisa que les automobiles fabriquées au Brésil devraient avoir un « contenu local » croissant, allant de presque rien au départ, pour atteindre 100 % pour les véhicules industriels, et 95 % pour les voitures particulières, en l'espace de dix ans. Cette loi détermina, année par année, comment devait progresser le taux d'incorporation locale, et comment celui-ci allait être mesuré (en effet, il y a là un problème de définition délicat).

— Cette loi établissait une quasi-interdiction d'importation de véhicules au Brésil, pendant toute la période du plan (10 ans).

Simultanément, cette loi prévoyait :

— des incitations fiscales très importantes, année par année (exemption d'impôts sur les bénéfices, notamment), au profit des entreprises qui s'engageaient dans ce processus,

— des pénalités fiscales graves pour les entreprises qui, bien qu'ayant accepté les règles du plan, ne parviendraient pas à atteindre les objectifs d'incorporation locale fixés par la loi.

Un appel de candidatures fut lancé, au démarrage du plan ; le Brésil sélectionna des candidats. L'organisme chargé de cette planification sectorielle (le GEIA) avait, en effet, déterminé combien de constructeurs de voitures particulières et combien de constructeurs de véhicules industriels il était souhaitable d'avoir au Brésil.

Une fois cette sélection réalisée, le plan démarra, et dix ans plus tard, le Brésil se trouva doté d'une industrie automobile puissante et compétitive. Certes, la dimension du marché intérieur permettait d'en arriver à pratiquement 100 % de contenu local ; si le marché avait été de plus petite dimension, l'objectif final, en fait d'incorporation locale, aurait été moins ambitieux (et l'on aurait substitué à la notion de « contenu local » celle de rapport entre ce qu'un constructeur automobile donné exporte et ce qu'il importe annuellement dans le pays — notion beaucoup plus intéressante au plan économique que celle dite du « contenu local »).

Ce type de planification sectorielle a été utilisé au Brésil dans plusieurs autres secteurs de la production industrielle. A la fin de la période couverte par chaque plan, on peut se permettre de faire jouer la concurrence internationale, car, lorsque le plan a été correctement conçu, les firmes locales se trouvent en mesure de soutenir cette concurrence. Dans le domaine de l'industrie automobile, le Brésil est devenu par la suite un pays exportateur de véhicules.

— La planification sectorielle au Mexique

Le Mexique a lancé, bien plus tard que le Brésil, des plans sectoriels, en s'inspirant de la technique de planification sectorielle brésilienne et en la perfectionnant. Une loi de base a été votée, dite « loi sur les industries neuves et nécessaires », et le ministère de l'Industrie a été chargé de l'appliquer sectoriellement.

Pour chaque secteur d'activité considéré comme pouvant relever des dispositions de cette loi, le ministère de l'Industrie a, comme dans le cas du Brésil, fixé l'objectif final à atteindre en matière de « taux d'incorporation locale » des fabrications, et précisé, année par année, les taux intermédiaires à respecter.

Mais plutôt que de déterminer autoritairement, au départ, les entreprises admises à réaliser ces fabrications, le jeu est resté ici très ouvert : à tout moment, en effet, en cours de réalisation du plan, de nouvelles entreprises pouvaient entrer sur le marché, à condition bien sûr de respecter les obligations légales en matière de taux d'incorporation locale, c'est-à-dire d'atteindre, dès leur première année de fonctionnement, le taux d'incorporation locale propre à l'année considérée.

Ainsi, plus une entreprise tardait à se lancer dans les fabrications du secteur considéré et plus il lui était difficile de satisfaire aux exigences du plan d'incorporation locale.

Par ailleurs, la loi prévoyait des aides fiscales et financières importantes, mais allant en s'amenuisant d'année en année : aussi, les entreprises qui entraient dans le plan dès le départ pouvaient-elles bénéficier d'aides importantes en matière de bonification d'intérêt et de fiscalité ; par contre, celles qui entraient dans le plan plus tardivement, bénéficiaient *ipso facto* d'aides moins importantes au total.

La loi sur les industries neuves et nécessaires est un système qui a donc toujours laissé le jeu ouvert, contrairement au dispositif brésilien où les entreprises, qui n'avaient pas été agréées au départ du plan, se trouvaient définitivement exclues du marché. Mais, à mesure que le programme se déroule, il devient dans ce système plus difficile, certes, mais pas impossible, d'entrer dans la compétition.

Cette loi a été appliquée au Mexique successivement à différents secteurs industriels, en commençant par l'électroménager ; elle a, par la suite, régi le développement de l'industrie automobile. Elle a permis à ce pays de se doter rapidement d'un certain nombre d'activités importantes qui sont devenues compétitives.

Ici encore, pour autant que l'objectif final d'intégration nationale (le fameux « local content » que l'on trouve dans la littérature anglo-saxonne traitant de ces problèmes) ait été bien calculé, on parvient à des fabrications qui, en fin de plan, sont compétitives sans aides particulières de l'État.

— Intérêt pour l'Afrique

Les expériences brésiliennes et mexicaines, évoquées brièvement, mériteraient une analyse bien plus approfondie ; elles nous paraissent parfaitement transposables à l'Afrique, notamment au niveau de ces grands ensembles ou sous-ensembles régionaux que l'on voudrait voir se mettre en place rapidement sur le continent.

La mise en application de politiques de ce type postule que les entreprises, dans un pays jeune, soient aidées, au départ, par la puissance publique pour permettre à une activité industrielle qui n'existe pas encore ou seulement de façon embryonnaire (« usine de montage », par exemple) de naître dans le pays.

L'objectif est de déboucher, au terme de chaque programme sectoriel, sur une situation compétitive. Il n'est nullement question, dans ce type de politique, de doter un pays d'activités industrielles qui ne pourraient jamais subsister autrement qu'en recourant à des aides publiques.

La voie brésilienne est sans doute trop rigoureuse car elle exclut du marché toute entreprise qui n'aurait pas eu la chance de voir sa candidature retenue au départ du plan. La voie mexicaine est, par contre, beaucoup plus libérale ; elle n'exclut aucun concurrent. Et, en aucun cas, qu'il s'agisse du Brésil ou du Mexique, il n'a été question de créer des entreprises publiques. Ce sont des mécanismes de stimulation du secteur privé intéressants ; ils nous paraissent indispensables dans les premiers stades d'industrialisation d'un pays.

Ce type de planification est intéressant parce qu'il donne une impulsion extraordinaire au développement industriel : la condition de sa réussite tient dans l'exacte appréciation du rythme auquel il convient de conduire l'industrialisation, dans la fixation d'objectifs finaux d'incorporation locale judicieusement choisis, et dans l'exacte détermination des montants d'aide nécessaires pour franchir les premières phases du développement, dans les secteurs d'activités choisis.

Si l'on fixe des niveaux irréalistes en matière d'incorporation locale, on dote structurellement le pays d'industries qui ne pourront jamais soutenir la concurrence étrangère.

Pour concevoir et piloter correctement des plans de ce type, il faut être en mesure de pénétrer au cœur des processus de fabrication : on est, là, au niveau de la micro-économie, et l'on doit intégrer un nombre de considérations importantes en matière de technologie, ce qui nécessite le recours à des techniciens et non pas seulement à des économistes.

Il ne s'agit plus d'une planification s'opérant par la manipulation de matrices d'échanges inter-industriels, ou s'effectuant en jonglant avec des agrégats économiques ; c'est une planification basée sur des études technico-économiques précises prenant en considération les problèmes technologiques de la branche, et faites par des experts ayant une vision mondiale des secteurs d'activité dans lesquels ils ont à intervenir.

Nous voudrions donc recommander que l'on n'exclut pas trop rapidement, comme on a trop tendance, semble-t-il, à le faire actuellement, ces mécanismes de pilotage du développement industriel de pays qui ont besoin de s'industrialiser, sous prétexte que le libéralisme économique est la meilleure voie à suivre. Certes, ces types d'action apporteront d'autant plus de développement que les ensembles économiques auxquels ils s'appliqueront seront importants.

Recours aux technologies étrangères

Pour réussir leur décollage économique, les pays africains ne peuvent, en aucune manière, se dispenser de recourir aux technologies étrangères. Cela suppose au moins trois conditions préalables :

— un nombre relativement important de personnes possédant de très bonnes connaissances techniques. Faute de quoi les transferts de technologies ne peuvent pas s'effectuer ;

— une articulation harmonieuse et qui s'inscrive très solidement dans la durée avec des acteurs étrangers ;

— une volonté sincère, enfin, d'effectuer tous les efforts nécessaires pour s'approprier les règles et les disciplines de la production industrielle qui sont celles qui font le succès des pays les plus développés économiquement aujourd'hui.

Les gouvernements doivent donc prendre conscience de ces nécessités, puis concevoir et adopter les dispositions voulues, notamment au plan politique, afin que, dans leur pays, les esprits s'orientent rapidement dans ce sens.

Le chemin à parcourir est, on le voit, considérable dans un très grand nombre de pays africains, qui ont été par trop agités jusqu'ici par de faux débats tournant autour de problèmes à caractère philosophique sur les relations Nord-Sud, en oubliant les principes fondamentaux qui régissent les processus de développement économique.

L'acharnement avec lequel les Japonais, puis à leur suite, plusieurs autres pays asiatiques, se sont mis à copier les techniques occidentales pour se les approprier et les améliorer (ce qui leur a permis de se hisser peu à peu à la hauteur des meilleures firmes européennes ou américaines) montre bien la voie à suivre.

Singapour qui, dans un premier temps, a voulu opérer un développement autonome s'est vite rendu compte de l'échec où le conduisait sa tentative. Aussi, le gouvernement décida-t-il rapidement de changer de cap en attirant le plus grand nombre possible de firmes multinationales et en mettant en œuvre une politique d'incitation fiscale bien choisie.

La Corée, et les autres pays asiatiques qui se développent, ont eu recours soit aux technologies des firmes japonaises qui ont eu intérêt à effectuer dans ce pays des délocalisations de leur production, pour des raisons généralement de coût de la main-d'œuvre, soit aux technologies des firmes américaines qui, elles aussi, ont voulu délocaliser des fabrications.

L'accès au marché international, par ses propres voies, est une étape qui peut être franchie ensuite, mais ce n'est généralement pas celle par laquelle il convient de démarrer. Ainsi, on a vu récemment une société tunisienne, spécialisée dans la fabrication de faisceaux électriques pour les automobiles Opel, créer une usine au Portugal. Elle est donc passée d'une situation de sous-traitant à celle d'un industriel allant conquérir de nouveaux marchés. L'existence de ce type d'activité en Tunisie, et l'évolution que nous indiquons de l'une des PME de ce pays n'auraient pu se faire si la Tunisie n'avait pas mis en œuvre, il y a déjà une quinzaine d'années, une politique adéquate visant à attirer chez elle des activités de sous-traitance industrielle pour l'Europe, dans le domaine industriel.

12

Choc des cultures ou stratégies de pillage ?

Essai d'explication de l'échec des entreprises et institutions « modernes » en Afrique subsaharienne

par Serge MICHAILOF

La crise économique, sociale et politique à laquelle est aujourd'hui confrontée l'Afrique subsaharienne est particulièrement visible au niveau des entreprises et des institutions « modernes » dont se sont dotés les États africains. L'état de faillite ou de semi-faillite dans lequel se trouvent beaucoup de ces entreprises et institutions coïncide en effet avec la place considérable qu'elles occupent dans les économies des pays africains. Les modèles dirigistes, qui ont inspiré les stratégies de développement juste après les indépendances, ont en effet favorisé la mise en place de vastes institutions, « administrations de développement » chargées de promouvoir et de gérer les grands projets, services publics pour l'éducation, la santé, le logement social, l'énergie, les postes, l'entretien routier, la commercialisation des produits agricoles et des produits de première nécessité, les transports urbains, les chemins de fer, les transports routiers et aériens. Les modèles de développement ont également encouragé la création d'un système bancaire étatique (banques de développement et banques commerciales contrôlées par l'État), la création de grandes entreprises publiques dans le secteur productif marchand (cimenteries, raffineries, sucreries, etc.). Les années 70 ont enfin vu se multiplier les institutions décentralisées de développement rural intégrant diverses fonctions (offices régionaux de développement, projets intégrés, etc.).

Constat de faillite

Or, le constat est aujourd'hui accablant : la crise financière des États a précipité la paralysie de ces organismes (1) déjà touchés par la lourdeur, l'inefficacité, le gaspillage des ressources, les détournements de fonds, les dérapages budgétaires.

De nombreux services publics ne remplissent plus leurs fonctions : la qualité de l'éducation se dégrade, des hôpitaux ne peuvent plus assurer les soins élémentaires, des sociétés immobilières ont arrêté de construire, l'électricité est souvent fournie par intermittence, l'eau en ville n'est plus potable, les services postaux ne sont plus fiables, les routes se dégradent, les grands projets sont paralysés par la lourdeur et l'inefficacité, les banques de développement et une bonne partie des banques commerciales ont dû être liquidées laissant des passifs considérables ; les entreprises publiques du secteur marchand sont enfin pour beaucoup en faillite et celles qui survivent le doivent le plus souvent au maintien d'importants transferts publics visibles ou invisibles et à la générosité des donateurs extérieurs.

Comment expliquer l'échec de ces institutions ? La mauvaise gestion est-elle une explication suffisante ?

On peut en douter car le phénomène et ses origines sont complexes. Beaucoup de dirigeants de ces institutions sortent en effet d'excellentes écoles occidentales. La plupart des cadres disposent d'un bon niveau de formation. En outre, des assistances techniques coûteuses ont aidé ces institutions, appuyé leurs plans de redressement. Malgré ces atouts, les bailleurs de fonds se désolent de constater en Afrique, année après année, contrat plan après contrat plan, que les mêmes carences se reproduisent, à tel point que les missions de diagnostic peuvent reprendre leurs rapports antérieurs et se contenter de changer les dates et marginalement les chiffres : trésorerie exsangue, service déplorable, accumulation d'impayés, tout ceci après trente ans d'assistance technique, quinze ans de plans de redressement.

Périodiquement, lorsque les situations sont par trop dégradées, des injections massives d'assistance technique et de capitaux extérieurs permettent de retrouver temporairement des ratios techniques, financiers et des normes de gestion de type occidental. Le

---

(1) La crise de ces entreprises et institutions a aussi parfois réciproquement approfondi la crise financière des États.

plus désespérant de tous ces exercices est de constater les dérives qui succèdent à ces périodes de rémission. Un cancer ronge-t-il ces institutions, brisant la volonté de dirigeants englués dans des univers qui les dominent et les écrasent ? Le vieux dicton colonial, « la brousse est toujours destinée à reprendre le dessus... », serait-il toujours d'actualité ?

Depuis quelques années, ce phénomène, pourtant ancien, est devenu si visible et a pris une telle acuité qu'il est indispensable de l'analyser sérieusement, ne serait-ce que pour réduire le gaspillage de l'aide internationale consacrée à la réhabilitation périodique des institutions africaines.

Je tenterai dans cet esprit d'examiner trois explications couramment avancées :

— Une explication d'ordre culturel s'appuyant sur le conflit de valeurs entre cultures autochtones et la culture occidentale qui sous-tend le fonctionnement de ces institutions. Y a-t-il ainsi rejet de greffes modernistes par les cultures autochtones ?

— Une explication d'ordre sociologique reposant sur le détournement des institutions modernes par les sociétés locales au profit des systèmes locaux de pouvoir dont la logique s'oppose à la logique économique occidentale.

— Une explication d'ordre sociopolitique mettant l'accent sur le développement dans des régimes autoritaires non transparents et non régulés, de formes d'économie de type maffieuse fondée sur un degré de corruption qui interdit une saine gestion.

Conflits de valeur et heurts culturels sont-ils un obstacle à une saine gestion ?

La crise des institutions publiques n'est pas propre à l'Afrique et la chute du mur de Berlin a marqué la fin du mythe du développement économique étatique. Mais le constat de faillite est particulièrement aigu en Afrique et contraste avec le rôle bénéfique des entreprises d'État à certaines périodes historiques de construction des économies nationales en Asie (Taïwan et Corée du Sud) et en Europe (France !).

Il est en outre révélateur de constater qu'au-delà des institutions publiques ou parapubliques, les grandes entreprises privées africaines succombent elles aussi fréquemment aux mêmes maux ;

citons dans le désordre, parmi les plus caractéristiques, l'absence de planification stratégique, le détournement régulier des procédures de fonctionnement définies à grand frais, les effectifs pléthoriques, la rotation accélérée du personnel de direction dans le cadre d'un système de « dépouille », la démotivation des personnels, l'absentéisme, des politiques de recrutement qui ne sont conformes ni aux besoins ni aux ressources des entreprises, le mauvais choix d'investissements souvent surdimensionnés, l'absence de maintenance des équipements, des investissements immobiliers prestigieux et disproportionnés, le laxisme financier (procédures de recouvrement non suivies et accumulation d'impayés, gestion imprécise de la trésorerie, absence de contrôle de gestion) la lenteur des prises de décision, l'absence de cadre rationnel codifié, la dispersion des informations techniques et financières, l'absence d'outils de management, enfin l'ingérence quotidienne de l'extérieur (tutelle, responsables politiques, « personnalités », bailleurs de fonds...).

Les dysfonctionnements sont-ils liés à l'existence de rationalités différentes ?

L'anthropologie économique, en particulier l'école française (cf. Meillassoux et Godelier (2)), a montré à quel point certaines valeurs qui nous semblent universelles, sont en fait le produit de notre culture. D'autres cultures secrètent d'autres valeurs.

Les institutions occidentales exigent un type de management qui s'insère dans un champ de valeurs spécifiques. Or, certaines cultures secrètent un champ de valeurs qui ne permet pas au management de type occidental de s'épanouir. Certaines sociétés privilégient ainsi le temps libre à l'accroissement de production. Le passage de la hache de pierre à la hache d'acier en Nouvelle-Guinée n'a-t-il pas accru le temps libre et non la production, ainsi que le soulignait Sahlins (3) ? Le cas des sociétés agraires du Sahel qui refusent aujourd'hui la deuxième culture sur les périmètres hydroagricoles n'est-il pas analogue ? Certaines cultures privilégient la redistribution, la consommation ostentatoire, voire la destruction des richesses (potlach (4)) à l'accumulation. La généralisation des sièges sociaux monumentaux pour les institutions en faillite ne

(2) Maurice GODELIER, *Rationalité et irrationalité en économie*, Maspero, 1966. Claude MEILLASSOUX, *Terrains et théories*, Anthropos, 1977.

(3) SAHLINS, *From stone to steel.*

(4) Marcel MAUSS, *Sociologie et anthropologie*, PUF, 1968.

procède-t-il pas de la même logique ? Enfin, nombreuses sont les sociétés soumises au poids des hiérarchies, des anciens, ainsi qu'à un conformisme et à un formalisme social pesant. Comment concilier ces contraintes avec la gestion industrielle qui exige adaptation rapide au marché pour faire face à la concurrence (5) ?

Certains traits culturels africains apparaissent ainsi en opposition avec les règles du management moderne : le souci par exemple de masquer les conflits au lieu de les traiter, de rechercher le consensus au risque de ne pouvoir décider, de privilégier la solidarité du groupe et non la responsabilité individuelle, de cultiver l'opacité et le goût du secret, situation qui n'est pas sans rappeler la Chine des XVIIIe et XIXe siècles. Mais il faut ici remarquer que ces conflits de valeurs ne sont pas propres aux cultures africaines. Les émeutes de mai 1968 en France ne correspondaient-elles pas au refus des valeurs de la société industrielle, à la glorification de valeurs idéalisées d'une société collective et rurale mythique ? Les conflits de valeurs aujourd'hui en Afrique ne sont-ils pas caractéristiques en fait du passage de sociétés agraires à une société urbaine et probablement individualiste ? Les cultures africaines sur ce point spécifique ne sont-elles pas tout simplement confrontées aux mutations qui ont caractérisé la France pré-industrielle à la fin du XIXe siècle ?

L'ajustement culturel, évoqué avec un grand talent par Daniel Étounga Manguelle, qui s'impose pour faire fonctionner une administration ou une entreprise africaine, n'est donc pas sans rappeler l'ajustement qui s'est imposé aux paysans français du XIXe siècle lorsqu'ils ont dû se plier à la discipline industrielle, au respect des horaires, à l'oubli des saisons... La nonchalance dans le rapport au temps n'a pas toujours été propre à l'Afrique.

Au-delà de ces éléments, que l'on retrouve ainsi dans toutes les sociétés pré-industrielles, les cultures africaines se caractérisent toutefois par un ensemble de règles de vie sociale et de comportements spécifiques : celles-ci s'expriment en particulier dans le rôle joué par les anciens, des modes de traitement originaux des conflits internes, des codes de conduite, des hiérarchies et des symboliques complexes. Ces règles de vie sociale entrent nécessairement en conflit avec les règles de fonctionnement de toute institution de type moderne (6). Or, ces conflits de valeur posent des problè-

(5) Daniel ÉTOUNGA MANGUELLE, *L'Afrique a-t-elle besoin d'un programme d'ajustement culturel*, Éd. Nouvelles du Sud, 1991.

(6) Un exemple très classique est offert en Afrique par les visites de « parents » au bureau. Ces visites peuvent absorber la totalité du temps d'un responsable africain qui ne peut, sans grave manquement aux règles élémentaires de la vie sociale, mettre à la porte ses visiteurs.

mes très concrets à quatre niveaux dans le cadre du fonctionnement des institutions des pays africains :

— Les valeurs des sociétés agraires sont étrangères à l'esprit du capitalisme libéral : l'accumulation, l'austérité, l'investissement, l'exploitation d'une main-d'œuvre anonyme sont rejetés si les valeurs de la culture d'origine sont la consommation ostentatoire, la redistribution, le contrôle et l'exploitation des dépendants dans un système familial fermé. Max Weber serait horrifié en Afrique !

— Ces valeurs se heurtent à l'instauration de la discipline industrielle et bureaucratique : c'est le problème du rapport au temps et du poids des saisons...

— Ces valeurs se heurtent aussi aux modes de management occidentaux : un contexte culturel marqué par la hiérarchie, les rites, le consensus décisionnel, la lenteur des procédures, le formalisme et l'occultation des conflits ne facilite pas l'instauration de la délégation, de la décentralisation des décisions, de l'autonomie, de la sanction, de la liberté de discussion, de la rapidité de décision.

— Enfin, ces valeurs se heurtent à la liberté et à la circulation rapide de l'information, contradictoire avec un souci d'opacité et le goût du secret propre à de nombreuses cultures (cf. les sociétés secrètes, les initiations, etc.).

Si les conflits de valeurs sont réels, ils n'apparaissent pas déterminants pour expliquer les graves dysfonctionnements constatés.

Trois raisons principales me conduisent à relativiser l'importance des conflits de valeur :

— la puissance de diffusion des valeurs occidentales est exceptionnelle, en particulier, les valeurs d'autonomie, de liberté, de mise en cause des hiérarchies, d'accumulation individuelle. Les valeurs « occidentales » ont pénétré le plus profond de la brousse africaine et sont d'ailleurs à l'origine de nombre de conflits avec les valeurs autochtones ;

— les « institutions » de formation, en particulier l'armée, l'école, et même la ville ont un impact considérable pour généraliser la discipline industrielle et bureaucratique et changer, en particulier, le rapport au temps ;

— les « valeurs traditionnelles » peuvent parfaitement être mises à profit pour améliorer l'efficacité des institutions de type moderne et peuvent contribuer à l'émergence d'un style de management africain efficace.

Bien que les heurts culturels soient fréquents et importants, il n'y a pas lieu de penser qu'il y ait là une raison profonde aux blocages actuels des institutions africaines. D'autres sociétés agraires dans le monde, tout aussi rigides, se sont remarquablement pliées aux contraintes institutionnelles modernes, comme l'a souligné Ph. d'Irribarne (7), en particulier, les sociétés agraires françaises et japonaises. Certes, les jeunes ruraux issus de ces pays ont dû adapter leur comportement pour se plier à la vie dans des institutions modernes ; mais les entreprises et les institutions japonaises et françaises ont, elles aussi, adapté leur mode de fonctionnement aux cultures propres au sein desquelles elles fonctionnent.

La logique égalitaire et marchande qui régule, grâce au droit, la vie des institutions américaines, est étrangère à la logique de l'honneur et aux règles de comportement social en vigueur au sein des entreprises japonaises. Pourtant, l'efficacité de ces dernières n'en a pas souffert. La généralisation du contrôle de gestion s'est longtemps heurtée, en France, au refus d'ingérence qui renvoie à un vieux substrat culturel de méfiance à l'égard de la hiérarchie. D'autres modes de contrôle ont alors été mis en œuvre.

Une adaptation réciproque des cultures africaines aux contraintes institutionnelles modernes est non seulement possible mais déjà bien engagée.

Même si de nombreux éléments culturels propres aux sociétés africaines constituent à nos yeux un handicap pour la gestion des institutions « modernes », ces handicaps, ainsi que l'a montré Mamadou Dia (8), ne sont pas insurmontables grâce à un double mouvement : les cadres africains se dégagent des contraintes excessives (9). Ils adaptent les règles de fonctionnement des institutions « modernes » aux caractéristiques propres de leur culture, ceci sans sacrifier nécessairement l'efficacité.

Dans la plupart des cultures africaines, l'univers est rempli de forces hostiles, susceptibles d'être manipulées par des ennemis. L'accident n'est ainsi jamais neutre, mais *a priori* la conséquence

---

(7) Ph. d'Irribarne, *La logique de l'honneur - Gestion des entreprises et traditions nationales*, Seuil, 1989.

(8) Mamadou Dia, « Développement et valeurs culturelles en Afrique subsaharienne », *Finances et développement*, décembre 1991 ; « Cultural dimension of institutionnal development and management in subsaharan Africa », IBRD, 1990.

(9) A un niveau caricatural, le responsable africain qui ne peut mettre à la porte ses parents, peut éviter de les voir ou de les entendre grâce à la merveille que représente la porte capitonnée à fermeture électrique.

d'une intrusion perverse. Dans un tel univers, la gestion des conflits inhérents à tout fonctionnement institutionnel est particulièrement difficile. Ce problème est d'autant plus aigu que la puissance, c'est-à-dire la capacité de nuisance, d'un « adversaire » n'est pas seulement liée à sa position hiérarchique visible mais à son rattachement à des hiérarchies parallèles voire occultes. Dans ce contexte, le recouvrement par exemple des impayés, qu'il s'agisse des impayés bancaires ou de ceux d'un service public de l'État est infiniment plus délicat qu'il n'y paraît.

Alain Henry (10) nous conte ainsi le dilemme du coupeur d'électricité africain, chargé de fermer le compteur électrique du client défaillant. Entre les risques d'agression physique ou de malédiction, et les avantages liés aux innombrables façons de « s'arranger », il est presque impossible de couper le courant. Face à ces contraintes, la solution simpliste consiste à mettre comme responsable hiérarchique du service de contrôle un assistant technique européen qui réintroduira une logique étrangère. Une solution africaine plus subtile et moins coûteuse, utilisée dans un cas précis, a fait la preuve de son efficacité. Elle consiste à mettre sur le compteur une pastille rouge (la pastille du déshonneur au niveau du quartier) — à séparer formellement le service chargé des coupures du service facturation (pour éviter la discussion donc le conflit) — à envoyer toute une équipe, la nuit (ce sont les forces de la nuit) pour impressionner et éviter une réaction brutale, etc. Le recouvrement des dettes bancaires, crucial pour le sauvetage des systèmes bancaires en perdition, relève, dans une certaine mesure, de la même problématique.

L'Afrique, sur ce plan, peut donc certainement adapter les règles de fonctionnement de ses institutions modernes à ses cultures propres, et cette adaptation, qui ouvre un champ de recherche considérable, débouchera nécessairement sur des solutions. La scolarisation de type occidental qui introduit progressivement (peut-être trop progressivement (11)) les habitudes de rigueur et de méthode chez les enfants, doit contribuer à cette adaptation. Celle-ci sera en outre facilitée par l'appartenance profonde et sincère de nombreux cadres africains aux deux cultures africaines et occidentales. Un de mes amis, banquier africain réputé, formé aux meilleures écoles françaises, sait habilement jouer de sa « force » c'est-à-dire, au-delà de sa personnalité, de son aptitude à manipuler les

(10) Alain HENRY, « Vers une efficacité spécifique des entreprises africaines », CCCE, 1989. Voir aussi à ce propos « Le développement face aux valeurs sacrées de l'Afrique », *Afrique Industrie*, 1987, et diverses publications ronéotées.

(11) Mais nous sommes renvoyés ici aux incohérences du modèle éducatif à l'œuvre en Afrique subsaharienne...

forces occultes, pour faciliter le remboursement des crédits impayés. Il n'y a donc pas de fatalité. Et sans doute les institutions d'aide, après avoir tant consacré au « hard » c'est-à-dire à l'investissement matériel, doivent-elles désormais porter plus d'attention au « soft » c'est-à-dire aux aspects institutionnels et à leur adaptation à des cultures pré-industrielles ainsi que le réclame et le pratique A. Henry à la CFD (12). L'explication d'ordre culturel qui peut éclairer certaines difficultés et blocages survenus dans le passé, ne peut donc à mon sens justifier seule le désastre institutionnel actuel pour lequel j'examinerai un deuxième type d'explication.

Les institutions de type occidental sont-elles rejetées ou au contraire appropriées et détournées de leur objet par les sociétés africaines ?

Ni les thèses des ethnologues de la période coloniale, dénonçant le viol par les Occidentaux des sociétés traditionnelles à l'abri du monde extérieur, ni celles des économistes marxistes de l'école dépendantiste des années 60, dénonçant l'exploitation de la périphérie par des institutions néo-coloniales n'ont résisté aux assauts du temps et de la critique. Les institutions et entreprises de type moderne en Afrique ne sont ni des greffes rejetées par l'arbre de la tradition, ni des théâtres de marionnettes dont les ficelles seraient tenues par l'impérialisme occidental.

Du théâtre de marionnettes...

La notion de société traditionnelle est tout d'abord bien contestable et très contestée. Rares sont les sociétés humaines qui ont été à la fois immobiles et fermées. Les sociétés ont toujours eu une histoire et de multiples contacts avec l'extérieur. Il suffit en Afrique, pour être convaincu, de se référer au rôle des sociétés charnières depuis le XVIe siècle (le Royaume d'Abomey, les Myene au Gabon (13), etc.). Lorsque l'on reconstitue l'histoire de ces sociétés, apparaît en outre une sédimentation culturelle complexe.

---

(12) A. Henry, « Vers un modèle de management africain », ronéoté, septembre 1991.
(13) F. Gaulme, *Le Gabon et son ombre*, Karthala, 1988.

Les dirigeants de l'État et de ses institutions ont en général une double appartenance culturelle et passent d'une culture à l'autre (le chapeau de léopard de Mobutu et son bâton de chef). Ils passent de leurs racines villageoises au monde moderne et vice versa (14). En fait, la notion de société traditionnelle et le choc de la modernité avec cette tradition ne débouchent sur rien de bien convaincant. Nous avons affaire non pas à de bons sauvages mais à des sociétés complexes, hétérogènes, dotées d'une histoire, de dynamiques internes et réagissant de longue date aux interventions externes.

Le problème n'est-il pas plutôt, comme le souligne J.-F. Bayart (15), celui de la « colonisation » par les sociétés autochtones, des institutions de type moderne léguées par les anciennes métropoles ou instaurées par les bailleurs de fonds ?

Les sociétés africaines n'ont-elles pas en effet derrière elles une longue histoire de pénétration des institutions « modernes » pour les utiliser à leur profit ? Certes, les apparences de la modernité ont été conservées : les titres des dirigeants, la fonction officielle de l'institution, les conseils d'administration, les appareils administratifs, la robe des magistrats, etc. Mais cette « colonisation » a eu pour principal objectif l'asservissement de ces institutions aux stratégies des groupes dominants autochtones (cf. J.-F. Bayart).

Si l'on accepte cette analyse, le problème n'est donc pas un conflit entre tradition et modernité mais le phénomène de l'appropriation des institutions par les sociétés africaines avec leurs valeurs propres, leur organisation sociale et surtout leurs stratégies. Au-delà des chocs culturels, cette « subversion » des institutions modernes par des sociétés civiles autochtones constitue à mon sens un second niveau explicatif des dérapages actuels.

L'analyse du « bon » ou « mauvais » fonctionnement des institutions en Afrique ne peut donc pas être dissociée de l'analyse historique et socio-politique de la nature du pouvoir économique et politique et des stratégies et objectifs des groupes dominant l'État.

---

(14) Le « service de documentation » (la redoutable police politique du Niger des années 80) était ainsi équipée d'un matériel informatique sophistiqué, tout en étant dirigée par un marabout, quasi analphabète, riche et puissant, qui prétendait pouvoir être simultanément à plusieurs endroits à la fois...

(15) J.-F. Bayart, *L'État en Afrique*, Fayard, 1989.

... à l'analyse de la nature du pouvoir et des stratégies des groupes dominants

L'histoire récente de beaucoup de pays africains montre que la vie politique de ces pays est dominée par la recherche d'un pouvoir hégémonique par un clan (la Guinée de Sékou Touré), ou un groupe plus large à base ethnique, ou une coalition hétérogène voire même hétéroclite (cf. en certains pays, la bureaucratie urbaine et les confréries religieuses rurales). Cette recherche hégémonique est contrariée par des groupes rivaux qui menacent le pouvoir et gênent son renforcement. Les institutions modernes, étatiques ou privées, constituent donc avant tout le moyen, pour le groupe dominant à la recherche de l'hégémonie, de renforcer son pouvoir, sa richesse et de contrarier ses rivaux. Dans ce contexte, la politique institutionnelle malienne des années 60 et 70 par exemple, s'insérait dans le champ de l'appropriation du pouvoir par une petite bureaucratie issue de la période coloniale. Or, ce groupe social se trouvait en conflit avec l'aristocratie terrienne et les grands commerçants : l'analyse des avatars de l'office céréalier — OPVN — ne peut pas être dissociée de cette situation.

Cette recherche hégémonique implique des alliances et des coups bas ; l'histoire de la Banque de développement du Niger (BDRN) s'insère ainsi dans le contexte de la consolidation du pouvoir djerma militaire minoritaire face à l'aristocratie commerciale haoussa. La banque était ici un instrument au service d'un mécanisme de pouvoir. La réhabilitation « technique » de cette institution en faillite était impossible dans ce contexte.

Les objectifs des groupes dominants sont, comme partout, l'accroissement de leurs richesses et de leur pouvoir ; mais les stratégies pour atteindre ces objectifs sont très diverses : ainsi, en Corée, une société soumise à l'hostilité irréductible de son voisin du nord, traumatisée par la conquête qu'elle a autrefois subie de la part du Japon, a développé sa puissance par la création de richesses en imitant son ancien conquérant.

En Afrique francophone, les sociétés dont les groupes dirigeants sont les héritiers de la bureaucratie coloniale apparaissent surtout soucieuses d'interdire toute ambition hégémonique à des rivaux aristocratiques ou commerçants et tendent à se complaire dans l'accaparement des rentes étatiques. Dans ce cas, l'administration, les entreprises parapubliques, les grands services publics, les grandes entreprises privées monopolistiques dont les dirigeants sont désignés par l'État, etc. sont mis au service d'une ambition spécifique : le pillage des rentes ; ceci tant pour éviter que ces rentes n'accroissent le pouvoir des groupes rivaux que pour renforcer le pouvoir du groupe dominant.

Or, dans un système clanique, le renforcement du pouvoir implique une extension et un renforcement du contrôle des hommes par des mécanismes de redistribution. Ce type de mécanisme génère habituellement la corruption. Ces mécanismes sont souvent masqués par une thématique intégrationniste (en Afrique : « l'union des forces de la nation », « la lutte contre le tribalisme ») ou un langage internationaliste (dans les républiques musulmanes de l'ex-URSS) (16). Mais toutes les conditions sont en général réunies pour faire échec à l'efficacité de la gestion des ressources (la « good governance » prônée par la Banque mondiale...). Dans les cas limites (!), à la participation s'oppose le tribalisme, voire le règne de la mafia ; à la transparence s'oppose le souci d'opacité pour cacher le pillage (cf. les fausses statistiques du Kazakhstan à l'époque de Brejnev et les comptes de la Caisse de stabilisation en Côte-d'Ivoire) ; à la responsabilité s'oppose le clientélisme ; au pluralisme institutionnel s'oppose la volonté hégémonique, voire totalitaire qui s'exprime par le monopole institutionnel étatique (*une* éducation nationale, *un* service de santé national, *une* société de transport urbain, *une* banque de développement) ; au règne du droit s'oppose enfin la loi de la corruption.

Du « prélèvement » et de la corruption simple aux stratégies de mise à sac

Alors que, dans certains pays, en particulier en Asie du Sud-Est, une forte corruption n'a pas empêché un prodigieux essor économique, le type d'économie maffieuse qui se développe dans certains pays africains (17) tend à désorganiser la gestion des institutions de type moderne. Sans doute est-il ici utile d'évoquer quelques constats relatifs à la corruption et à son impact en Afrique.

---

(16) Cf. Hélène CARRÈRE D'ENCAUSSE, *La gloire des Nations*, Fayard, 1990.

(17) Tout comme elle s'est développée dans certaines républiques musulmanes soviétiques, en Inde, etc.

Petite et grande corruption

Le problème des « prélèvements » et de la corruption dans les institutions africaines est, pour l'observateur, tout d'abord choquant au plan de l'éthique et irritant au niveau de la vie courante. Se faire arrêter par un policier pour une infraction que l'on n'a pas commise, disparaître mystérieusement du listing passagers lors de l'enregistrement à l'aéroport, font ainsi partie des aventures courantes de tout voyageur en Afrique. Le chef d'entreprise a des soucis plus sérieux : le marché pour lequel il était le moins disant est attribué à un concurrent plus cher ; mois après mois son règlement « n'est pas prêt » et les arriérés s'accumulent. Pour avoir licencié un employé indélicat, en respectant toutes les règles juridiques, il est condamné en justice à de lourds dommages et intérêts. Un redressement fiscal injustifié et sans rapport avec sa surface financière lui est notifié. Sa liasse douanière en règle disparaît et ses marchandises périssables sont bloquées en douane alors que des containers de produits concurrents passent sans contrôle.

Il serait ainsi possible d'établir aujourd'hui un véritable dictionnaire des malversations courantes qui ont toutes un dénominateur commun : elles peuvent facilement se régler. Il suffit d'être « compréhensif ».

L'ampleur du phénomène varie d'un pays à l'autre et selon les époques. Dans certains pays africains, en particulier les plus anciennement démocratiques, la corruption n'est guère plus développée que dans les départements d'outre-mer ou certaines régions françaises et porte moins sur les marchés publics très surveillés que sur des détournements dans le secteur parapublic. Sa généralisation au sein d'un même pays est en outre plus ou moins étendue : ici, elle ne frappe que la tête de l'État, le petit noyau des dirigeants ; là, elle est généralisée et presque « codifiée » : du haut en bas de la pyramide de l'État, tout service est « rémunéré » et des intermédiaires multiples vous communiquent de façon précise, selon la nature des services demandés, les tarifs et la répartition en pourcentage entre les divers bénéficiaires.

Ce phénomène a toutefois, depuis la dernière décennie, pris dans beaucoup de pays une telle ampleur, touchant les régimes qui lui étaient le plus hostile qu'il est aujourd'hui indispensable d'en apprécier les conséquences économiques qui apparaissent extrêmement inquiétantes et préjudiciables. Il est également indispensable de rechercher une explication de son expansion.

L'« économie de la corruption »

Dans une grande partie de l'Afrique subsaharienne, face à un contexte de stagnation économique, l'impact de la corruption apparaît à l'heure actuelle désastreux. Son principal effet n'est pas tant l'ampleur des prélèvements indus, généralement exportés et placés dans des paradis fiscaux, encore que l'importance de ces flux ne doive pas être oubliée. L'effet le plus grave est la substitution d'une logique économique fondée sur les détournements de fonds à la rationalité économique courante et la substitution de règles sociales fondées sur le délit économique aux règles du droit. Cette double substitution plonge la quasi-totalité des pays africains dans un univers économique dont le fonctionnement n'obéit plus aux mêmes règles ni à la même logique qu'en Occident (18) et dont l'efficacité en termes de développement réel est désastreuse.

Au plan de la politique économique globale, l'essor de la corruption a en effet trois principales conséquences :

— Il introduit une logique non économique dans le choix des investissements. L'ampleur de l'enveloppe, et non le taux de profit ou le taux de rentabilité, détermine le choix des investissements. Comment expliquer autrement la multiplication des opérations structurellement non rentables qui, pour les plus importantes, ont mis à genoux l'économie de certains pays (le plan sucrier ivoirien, le chemin de fer transgabonais, etc.) et ont conduit au gonflement d'une dette publique structurellement non remboursable.

— Il renforce le modèle d'organisation étatique de l'économie dans lequel l'irresponsabilité généralisée et l'absence de contrôle facilitent tout les détournements, les grands mais aussi les petits. Il permet ainsi le renforcement au sein des intitutions étatiques, de groupes sociaux puissants qui vivent des rentes prélevées. La recherche de l'efficacité de l'institution économique n'est pas prioritaire. En revanche, les dirigeants désignés selon leur appartenance au groupe dominant sont avant tout un maillon du circuit de prélèvement et de circulation des rentes. A cet égard, le jargon nationaliste et marxisant qui s'oppose aux privatisations imposées par les bailleurs de fonds masque le plus souvent de sordides intérêts.

— Il dissout les règles du droit, paralyse dans ce contexte l'activité productrice au détriment de l'activité commerciale « informelle »,

---

(18) En fait, le même mécanisme est à l'œuvre dans les pays occidentaux mais à une échelle qui, contrairement à ce qui se passe en Afrique, est sans influence déterminante sur les grands paramètres macro-économiques.

c'est-à-dire « délictueuse », qui nourrit et entretient la corruption. Dans les pays les plus atteints, la symbiose entre une monnaie convertible surévaluée, une douane corrompue, une justice vénale et les réseaux d'importation frauduleuse est très poussée.

Cette disparition progressive de l'éthique et du droit, en tant que régulateur de l'activité économique, contribue à la formation d'un environnement économique global très dissuasif pour les investisseurs privés. Le profit est lié à la circulation frauduleuse et non à la production des biens ; l'enrichissement provient, pour l'essentiel, de la possibilité de contrôler et de s'approprier certaines rentes étatiques liées par exemple au commerce des produits primaires et aux prélèvements sur les marchés publics. Nous sommes aux antipodes de l'éthique du capitalisme...

Cet univers économique n'est nullement fondé sur une « mentalité archaïque pré-économique ». Mais son développement est grandement facilité et accéléré par des traits culturels spécifiquement africains, l'organisation sociale et les règles de vie sociale propres à la plupart des sociétés africaines.

Les fondements culturels de la corruption en Afrique

Les devoirs du cadet

Les règles de la vie sociale de la quasi-totalité des sociétés africaines sont extrêmement contraignantes. Les enfants, les cadets n'ont que des devoirs à l'égard des parents et des aînés. L'enfant qui a socialement réussi, qui vit en ville et dispose d'un salaire, constitue la caisse de retraite et d'assurance sociale de tout son groupe familial d'origine. Les contraintes sociales et économiques qui s'exercent sur lui sont telles que son salaire ne peut lui permettre d'y répondre et d'assurer en plus la simple survie de son ménage. La petite corruption répond pour l'essentiel à ces tensions. Elle est une réponse, en général la seule possible en dehors du détournement et du banditisme, aux contraintes sociales et économiques qui s'exercent sur les salariés africains. L'échec des agricultures africaines, les politiques d'ajustement fondées sur la réduction des effectifs employés dans le secteur structuré accentuent la pression des inactifs et renforcent depuis une décennie ces phénomènes. Le laxisme de la hiérarchie qui se sert de son côté, au su et au vu de ce village qu'est toute capitale africaine, ne peut que faciliter les choses.

Les fondements de la compétition sociale

Les sociétés africaines à la fin du XIXe siècle, à la veille de l'imposition de l'ordre colonial, étaient très diverses. Ainsi coexistaient des sociétés acéphales, des clans et tribus structurés et puissants, des systèmes étatiques déjà très développés. Mais à la base de ces sociétés, la structure lignagère était quasi générale. Si l'on accepte les thèses classiques de Balandier (19), le clan dans un contexte lignager est une entreprise politique globale mettant en cause la parenté, les droits sur les femmes, les richesses et les conventions généalogiques. Cette structure lignagère a évolué, perdu partiellement de son influence en milieu urbain ; mais les règles de fonctionnement de ces sociétés lignagères subsistent et même les transcendent. Ainsi, les mécanismes qui régissent les institutions africaines modernes, la principale étant d'ailleurs l'État, s'ordonnent de manière assez comparable au déroulement de la compétition lignagère.

Dans ces conditions, le fondement de la compétition sociale pousse les cadres et responsables africains à une course à l'accumulation et à la redistribution. L'objectif est de soutenir un rang par une consommation ostentatoire et d'asseoir une influence sur un réseau de dépendants, à la fois symbole et source du pouvoir.

Dans les pays où, à la fin de l'ère coloniale, la première base de la richesse était liée au contrôle des rentes prélevées par l'État, les institutions étatiques se sont ainsi rapidement transformées en base de pillage de ces rentes.

Le pillage des rentes

Au lendemain des indépendances, les lettrés qui ont occupé les postes de pouvoir dans l'administration et les diverses institutions étatiques africaines ont eu un double souci. Établir leur « richesse sociale », en particulier pour les lettrés provenant de groupes sociaux voire de castes inférieures (20). Établir leur pouvoir politique qui impliquait une extension de leur richesse sociale. Toute « position » dans l'appareil étatique ou dans les organes des institutions diverses (banque de développement, organisme de dévelop-

---

(19) Balandier, *Anthropologie politique*, PUF, 1969.

(20) Celles qui avaient profité des possibilités de scolarisation et de promotion sociale dans le cadre du système colonial.

pement rural, société immobilière, douane, armée, etc.) devait donc permettre à un détenteur de pouvoir de monnayer ce pouvoir (du coup de tampon pour l'acte d'état civil à la signature d'un important marché) et par là même, de répondre à des obligations sociales fondamentales ou à une ambition sociale légitime qui implique accumulation et redistribution.

Dans les périodes de lutte politique, les clans et les factions souvent regroupés sur une base ethnique, se disputent les institutions étatiques comme autant de sources d'enrichissement et d'élargissement de leur pouvoir politique.

Finalités officielles - finalités occultes des institutions

Toute institution, en tout pays et en tout temps, poursuit en général trois finalités : accomplir sa mission officielle, se maintenir et se développer en tant qu'institution, servir de tremplin aux stratégies de pouvoir des groupes et individus dominant.

Dans le contexte culturel et sociopolitique africain, la troisième finalité tend à occulter les deux premières. Ainsi, la finalité réelle par exemple de nombreuses banques de développement n'était-elle pas devenue totalement étrangère à la logique bancaire, le but essentiel de ces institutions étant de satisfaire une clientèle politique et non de distribuer un crédit « sain » ; on comprend alors que les meilleurs gestionnaires et les plus beaux plans de restructuration échouent.

Nombreuses sont ainsi en Afrique les institutions de type « moderne » dont la fonction essentielle est de faciliter le pillage des rentes au profit de clans ou de factions : services des douanes, services de maintenance routière des travaux publics, caisses de stabilisation ou de péréquation, service des domaines, etc. Au-delà de leur coût excessif, lié aux pratiques salariales des dirigeants et aux recrutements de complaisance de la clientèle politique, le drame de ces institutions est leur grande inefficacité à remplir leur fonction primaire : les douanes n'alimentent plus le Trésor public, les routes ne sont plus entretenues, les caisses de stabilisation sont exsangues lorsque les cours s'effondrent, etc.

L'aboutissement suprême, qui reste heureusement l'exception, de ces détournements institutionnels (la Guinée de Sékou Touré et le Tchad d'Hissène Habré) est lié à l'appropriation de l'État par un clan restreint qui met alors au pillage l'économie par le contrôle total des institutions étatiques.

Un autre cas également limite est offert par le pillage non contrôlé d'une institution par les multiples réseaux de pouvoir qui y coexistent. Il n'y a sans doute pas de meilleur exemple que celui de l'armée de l'air zaïroise, qui fut transformée en société de transport aérien au profit de son personnel naviguant jusqu'à ce que la généralisation des ventes de pièces détachées et d'essence par le personnel au sol provoque la destruction ou l'immobilisation de tous les avions. Sur ce modèle, la remise en ordre de Air Afrique a fait apparaître clairement à l'équipe qui a repris sa gestion l'ampleur des pillages, gros et petits, pratiqués par des réseaux de pouvoir ethniques et/ou catégoriels internes, tolérés ou dissimulés, qui condamnaient l'entreprise à une qualité de service déplorable et à la non-rentabilité.

Pour s'opposer à ces excès et dérapages, surviennent alors des constructions institutionnelles étonnantes et aberrantes, l'aboutissement étant la DCGTX en Côte-d'Ivoire, administration et même, pendant une période, gouvernement parallèle (temporairement) incorruptible, qui dessaisit les institutions normales de leur pouvoir pour permettre la réalisation de grands travaux jugés prioritaires sans que les clans à l'affût puissent en profiter pour accroître leur richesse et leur influence (d'où la désignation d'un expatrié — hors clan — pour diriger l'institution).

Tous ces mécanismes relèvent, à la limite, des principes organisationnels de la maffia. Des réseaux lignagers prélèvent des rentes qui constituent les bases de leur pouvoir social et économique et qui renforcent les hiérarchies lignagères correspondantes. L'habillage moderniste correspond à une adaptation aux contraintes de la vie sociale actuelle. Le président-directeur général de la société nationale peut être le chef du clan ou un simple fondé de pouvoir subalterne à qui le clan a « offert » ce poste et en attend rétribution.

Certes, les donateurs extérieurs, à travers les plans de réhabilitation d'entreprises publiques, tentent de mettre un terme à ce pillage institutionnel en renforçant en particulier les audits internes et le contrôle de gestion. Mais la puissance du mécanisme de prélèvement/redistribution et les intérêts considérables en jeu sont au cœur de l'échec de ces plans de restructuration. Dans un tel contexte, en effet, selon l'expression caractéristique d'un chef d'État africain connu, les « conditionnalités des bailleurs de fonds causent beaucoup de tracasserie ».

Quelques propositions pour guider l'action au cours de cette décennie

En conclusion, on assiste aujourd'hui, en de nombreux pays, à une véritable curée à l'égard du butin postcolonial. Le tissu économique et institutionnel ne crée plus de richesse mais concourt au pillage des richesses existantes ou au détournement des transferts en provenance de l'extérieur.

L'administration, le secteur public et les entreprises privées du secteur monopolistique constituent les bases de ravitaillement et de renforcement des réseaux qui s'entretiennent et se développent sur le mode lignager. C'est la « politique du ventre » dénoncée à juste titre par J.-F. Bayart. « La chèvre broute là où elle est attachée », a déclaré un homme politique. Les tension politiques interethniques sont ainsi souvent liées à un partage inégal du gâteau para-étatique. la répartition inégale affaiblit certains groupes ethniques qui s'en inquiètent.

C'est bien à mon sens cette mécanique de prélèvement/redistribution au profit de groupes ethniques ou de clans qui veulent asseoir leur pouvoir politique en s'appropriant le contrôle des flux financiers qui est fondamentalement à l'origine de l'échec des entreprises et institutions modernes en Afrique subsaharienne.

Dans cette logique, les sociétés africaines ont fait preuve d'une extraordinaire capacité d'appropriation des institutions de type occidental et de détournement de leur objet.

Sur la foi de ce constat, certes pessimiste, faut-il désespérer des perspectives de remise en ordre des institutions modernes en Afrique ? Certes non, mais une telle remise en ordre implique certainement qu'une coalition d'intérêts, l'arrivée de nouvelles générations, la libéralisation de la vie politique, permettent de briser ce système d'économie de prédation dont la pérennité est de toute façon très douteuse. Elle implique aussi qu'au niveau des bailleurs de fonds, la naïveté et la bonne conscience fassent place à une analyse lucide des sociétés africaines actuelles. Cette analyse doit s'accompagner d'une réflexion sur les meilleurs moyens d'appuyer les responsables et les groupes sociaux qui pourront faire évoluer ces sociétés dans un sens qui leur permettra de découvrir l'efficacité économique.

C'est dans ce contexte que doit s'inscrire le recours à la privatisation de la gestion de certaines institutions et/ou l'appel à un partenariat responsabilisé précédemment évoqué en matière de réhabilitation institutionnelle. Les meilleurs gestionnaires africains ont en effet tout à gagner de telles opérations qui, si elles sont bien conçues, leur permettront de se protéger efficacement des contraintes sociopolitiques exorbitantes qui sont aujourd'hui monnaie courante. La survie remarquable en Afrique de certaines filiales de banques étrangères face à l'effondrement de tout le système bancaire étatique n'a pas d'autre explication. Les banquiers africains du secteur privé qui ont survécu n'étaient pas nécessairement plus compétents que leurs collègues du secteur étatique. Mais ils pouvaient s'abriter derrière des procédures, des mécanismes et des règles imposées par un partenaire puissant et agir ainsi en véritables banquiers au lieu de distribuer des faveurs à une clientèle politique, sabordant par là-même leur institution. Sans doute dans un contexte de désorganisation croissante, la même démarche s'impose-t-elle, si l'on veut, au cours de la décennie 90, sauver ou reconstruire les principales institutions de type moderne en Afrique.

Air Afrique
Réussite d'un plan de redressement

par Alain VIZZAVONA

Mi-88, la compagnie Air Afrique paraissait irrémédiablement condamnée à une faillite imminente. Enregistrant de mauvais résultats depuis le début de la décennie, elle assistait impuissante à la progression régulière de son déficit d'exploitation dont le montant cumulé atteignait alors environ 500 millions de FF.

La situation était d'autant plus dramatique que la société se révélait totalement incapable de prendre les mesures indispensables malgré les recommandations de diverses audits et les décisions de principe de ses organes statutaires. La crise n'était pas seulement financière mais elle s'était étendue à tous les domaines : désaffection de la clientèle, ponctualité des avions, service au sol et à bord, politique commerciale, gestion du personnel, billets gratuits, « surcoût » de toutes sortes. La dégradation était générale et la situation quasi désespérée.

Mi-92, Air Afrique annonce qu'elle a réalisé en 1991 son troisième exercice bénéficiaire consécutif et qu'elle prévoit un nouveau résultat positif en 1992. Elle procède activement à la modernisation de sa flotte. Elle vient d'enregistrer l'adhésion d'un nouvel État membre, le Mali. Elle s'apprête à effectuer une très importante augmentation de capital qui permettra l'entrée dans son conseil d'administration de grands groupes industriels et d'institutions financières internationales prestigieuses.

Pourquoi une telle faillite et comment un tel revirement ? C'est l'histoire d'un plan de redressement réussi.

Diagnostic d'une faillite

Devant la situation catastrophique de la société, les chefs d'État des pays membres d'Air Afrique (1) donnaient, lors du sommet

(1) Bénin, Burkina Faso, République centrafricaine, Congo, Côte-d'Ivoire, Mauritanie, Niger, Sénégal, Tchad et Togo possèdent chacun 7,9 % du capital ; la Sodetraf (dont le capital est détenu par Air France, 75 % et la Caisse des Dépôts, 25 %), les 21 % restants.

de Niamey en mars 1987, mandat au président de la Côte-d'Ivoire « de rechercher les solutions propres à assumer son redressement ».

Lors du sommet de Cotonou, en août 1988, ils affirmaient leur volonté de sauver l'entreprise et indiquaient que « la compagnie multinationale Air Afrique serait dirigée par un nouveau président directeur général, choisi en dehors des États membres et entièrement responsable de sa gestion ».

Le président Houphouët-Boigny, dont la mission a été confirmée par ses pairs, se tourne alors vers la France et lui demande de proposer un homme qui aurait les plus larges pouvoirs pour tenter de redresser l'entreprise.

M. Yves Roland-Billecart, le directeur général de la Caisse centrale de coopération économique, se voyait alors, fin août 1988, confier cette mission par le gouvernement français. Il avait officiellement fait admettre que son acceptation définitive serait subordonnée à l'élaboration d'un plan de redressement crédible et approuvé sans réserve par les États actionnaires, un soutien financier de la France pour apurer les déficits du passé, et à la liberté de réunir autour de lui une équipe de collaborateurs de son choix.

Remis au gouvernement français et aux chefs d'État début décembre 1988, le plan de redressement était approuvé officiellement au Sommet de Yamoussoukro, le 2 février 1989 et M. Roland-Billecard était élu PDG d'Air Afrique, le 2 mars 1989. Trois mois ont donc été nécessaires pour procéder à l'état des lieux et élaborer un plan d'action. Le diagnostic était accablant :

— une image de marque fortement dégradée auprès de la clientièle ;

— un fonctionnement totalement déficient des différents organes institutionnels et de gestion ayant abouti à la paralysie de la direction ;

— des États membres n'assumant pas leur rôle d'actionnaire, ne payant pas leurs dettes, bradant leurs droits de trafic ;

— un personnel pléthorique et démobilisé, un encadrement décrédibilisé ;

— une gestion non maîtrisée, dispendieuse, favorisant tous les abus ;

— une crise de trésorerie ayant conduit la société à la cessation de paiement.

L'alternative était alors claire : dépôt de bilan ou mesures draconiennes immédiates impliquant une forte dose de courage et... d'optimisme.

Le plan de redressement

Il fixait cinq objectifs majeurs :

— *Réduire les dépenses.* La principale mesure concernait la diminution des effectifs. Avec l'assistance d'un cabinet d'organisation, la nouvelle direction a procédé à l'élaboration d'un nouvel organigramme et à l'évaluation du personnel. Commencée en Côte-d'Ivoire, le 1er juillet 1989, elle a porté au total sur 30 % du personnel au sol, conduisant au départ de 1 600 personnes. Un plan social d'accompagnement, financé par l'aide de la France, a permis de payer au personnel licencié, non seulement tous ses droits, mais aussi de le faire bénéficier de divers avantages additionnels.

Dès la prise de fonction du nouveau PDG, un contrôle systématique des dépenses a été instauré en centralisant au niveau de la direction financière l'autorisation préalable de tout engagement supérieur à 20 000 FF. Ces mesures ont entraîné une réduction immédiate de l'ensemble des frais généraux. Dans le même temps, il était mis fin aux abus de délivrance de billets gratuits en faveur du personnel et aux frais de mission injustifiés. L'ensemble des marchés de fournitures et prestations de services ont été analysés et renégociés.

— *Rétablir le chiffre d'affaires.* Un des points essentiels du plan de redressement était la reconquête du marché à la fois par un encadrement de la concurrence des compagnies de « 6e Liberté » (c'est-à-dire opérant en dehors de la réglementation en vigueur) et par la relance de l'action commerciale.

Les mesures prises ont permis de limiter la concurrence et de disposer d'un répit avant d'être confrontée à une concurrence plus active, dans un environnement international où la libéralisation est ouvertement proclamée comme un objectif du transport international. Elles ont permis de rétablir un équilibre naturel sur les liaisons France-Afrique réservant un tiers du trafic total à Air Afrique, un tiers aux compagnies françaises et un tiers aux autres compagnies européennes. Air Afrique a annoncé la libération des quotas, le 1er novembre 1992, et leur remplacement par des accords commerciaux avec ses principaux concurrents.

Simultanément, la relance de l'action commerciale s'imposait. Les équipes commerciales d'Air Afrique ont été régulièrement convoquées au siège, au cours de conférences des forces de vente, pour analyser le marché et définir la stratégie. Parallèlement, la publicité interrompue depuis plusieurs années était reprise sous la forme d'une large campagne de communication, lancée en octobre 1989 et poursuivie depuis.

— *Restaurer la qualité du service.* La recherche de la qualité a rapidement fait ressortir la nécessité d'un vaste effort de rénovation et de modernisation de la compagnie. Il a porté notamment sur le changement d'image, la modernisation des équipements au sol, la mise en œuvre d'un vaste programme de traitement informatique, la formation et la motivation du personnel commercial, des escales et naviguant.

— *Réorganiser la gestion.* Le diagnostic de la société avait fait apparaître la nécessité de rendre à Air Afrique son caractère d'entreprise commerciale et de mettre en place des outils de gestion rigoureuse.

Désormais, Air Afrique est dirigée par un président directeur général entièrement responsable de sa gestion, avec un conseil d'administration qui retrouve la plénitude de ses pouvoirs. Ainsi, l'action des organes dirigeants de la compagnie ne sera plus paralysée par la superposition au conseil d'administration du comité des ministres — qui avait empiété sur le pouvoir du conseil mais avait fini par ne plus se réunir — et de la conférence des chefs d'États.

Dans le même souci d'efficacité, l'organisation interne de la compagnie a été restructurée. Elle comprend, dès le mois de mars 1989, une équipe de direction nouvelle, entièrement solidaire, ayant la confiance du président qui l'a choisie sans interférence extérieure. Composée à l'origine de sept expatriés venus pour la plupart de la Caisse centrale de coopération économique (à l'exception du directeur des opérations, détaché d'Air France, et du directeur commercial, détaché de la Direction générale de l'aviation civile française), elle a été renforcée par la nomination, en décembre 1990, de trois directeurs africains.

Dès juin 1989, et parallèlement aux opérations de « compression » du personnel, l'organigramme a été modifié. Il comprend, outre l'équipe de direction qui assiste directement le président, un nombre restreint de départements et de services : 25 départements contre 49 dans l'organisation précédente, 90 services au lieu de 181.

A l'échelon des services locaux, le personnel, dans les États membres et en France, a été regroupé au sein de directions nationales sous l'autorité d'un directeur responsable, avec remplacement de tous les titulaires.

La modernisation des outils de gestion imposait le renouvellement des systèmes d'information et des équipements informatiques. Ce chantier a pu être mené à bien, dans les délais prévus, par la direction financière assistée de consultants extérieurs.

Dans le même temps, la compagnie s'est dotée d'instruments de prévision et de contrôle budgétaire, de suivi de l'exploitation au moyen de tableaux de bord et d'une comptabilité analytique des lignes, par faisceaux, permettant de juger en permanence la rentabilité du programme d'exploitation.

— *Restaurer les équilibres financiers*. Rien n'aurait été possible au départ sans l'aide extérieure.

Sans les 740 millions de FF apportés par la France, via les États membres, il n'eut pas été possible de réduire, puis de supprimer les arriérés qui menaçaient la survie même de la compagnie, les créanciers n'admettant plus d'attendre indéfiniment d'être payés. Or, toutes les projections faites lors du diagnostic du redressement montraient qu'Air Afrique ne pourrait pas résorber ces arriérés sans que les États payent leurs dettes et apportent en plus de l'argent frais, ce qu'ils étaient dans l'impossibilité de faire compte tenu de leurs propres problèmes financiers. L'aide de la France a donc joué un rôle déterminant en permettant d'établir, dès le début, la crédibilité du plan de redressement et de l'équipe chargée de le mettre en œuvre.

Pour compléter le plan de financement qui comptait également un rééchelonnement partiel des emprunts contractés par les Airbus A 300, un prêt d'environ 300 millions de FF a été obtenu de la BAD.

Ainsi a pu être restaurée la solvabilité d'Air Afrique, en même temps que la mise en œuvre de toutes les mesures prévues au plan de redressement produisait ses effets : dès le premier exercice (1989), l'équilibre d'exploitation était rétabli.

Les trois exercices bénéficiaires consécutifs, de 1989 à 1991, ne doivent rien ni à des subventions d'aucune sorte (en espèces ou sous forme d'assistance technique) ni à des écritures comptables liées à des opérations de cession d'actif. Ces résultats ont été, de surcroît, obtenus dans une conjoncture très défavorable (hausse du carburant au second semestre 1990 entraînant un surcoût de 50 millions de FF pour Air Afrique, baisse du trafic en 1991, suite à la guerre du Golfe, enfin crises économiques et politiques de la sous-région). Air Afrique a donc démontré une réelle capacité de réaction et d'adaptation.

Les leçons d'un redressement

Au-delà de son caractère spectaculaire, le cas d'Air Afrique est une bonne illustration à la fois des maux dont souffre l'entreprise africaine et des modalités d'un redressement possible.

Air Afrique constitue incontestablement un symbole pour l'Afrique : instrument de prestige, modèle d'intégration régionale, technicité et modernité. C'est d'ailleurs la raison pour laquelle son sauvetage résulte avant tout d'une volonté politique africaine, soutenue par la France.

L'importance de l'effort financier consenti afin de lui permettre de redémarrer, la personnalité de l'homme choisi pour en être le président, accentuent la nature spécifique de l'entreprise.

Néanmoins, le diagnostic de la faillite a fait apparaître qu'Air Afrique souffrait des mêmes maux que toutes les entreprises africaines en difficulté ; le plan de redressement a été élaboré avec la même méthode — et les mêmes hommes — que celle appliquée dans d'autres opérations de réhabilitation et les raisons de la réussite, enfin, peuvent et doivent servir de référence pour l'avenir.

On peut résumer en quelques mots les conditions de succès.

Un plan de redressement

— exhaustif (couvrant les domaines institutionnels, organisationnels, financiers, commerciaux, techniques, humains, avec une attention particulière pour l'environnement politique, économique, juridique, social de l'entreprise) ;

— négocié (avec les actionnaires, les partenaires, les autorités politiques, les représentants du personnel, les bailleurs de fonds) ;

— contractuel (toutes les parties devant formellement s'engager à tenir leur rôle).

Le respect de quelques principes

— l'introduction d'une équipe nouvelle, légitime, homogène ;

— l'application sans délai des mesures essentielles, en particulier les plus difficiles (licenciements, réorganisation...) ;

— la prise en compte par la direction de l'ensemble des problèmes de l'entreprise sans qu'aucun n'apparaisse subalterne ou délaissé ;

— la transparence de la gestion grâce, en particulier, à une politique de communication interne et externe active ;

— la plus grande détermination enfin, pour que soient respectés tous les engagements (pouvant aller jusqu'au retrait si les conditions du redressement ne sont plus réunies).

Il n'est pas possible de conclure sur Air Afrique sans aborder l'avenir et plus précisément la question : à quoi cela aura-t-il servi si tout devait recommencer comme avant, le jour où le président et son équipe seront partis ?

Première réponse : pourquoi changer une équipe qui gagne ? Le mandat actuel du président ne s'achèvera qu'en 1994. Il est renouvelable pour un second mandat de cinq ans. Son équipe s'est déjà largement renouvelée en ce qui concerne les expatriés et continuera de s'ouvrir progressivement aux cadres les plus performants de la compagnie.

Deuxième réponse : de nombreux acquis sont irréversibles, comme l'arrivée de nouveaux partenaires dans le capital, la mise en place d'organes de concertation avec le personnel, le renouvellement de la flotte.

Troisième réponse : le succès même de l'opération. Il est prouvé qu'Air Afrique bien gérée pouvait être rentable. Qui oserait désormais prendre la responsabilité face à l'opinion publique, au personnel, aux actionnaires étrangers, de compromettre l'avenir de la compagnie multinationale ? Et maintenant que la nécessité d'un partenariat Nord-Sud pour le développement devient de plus en plus évidente, qui laisserait faire ?

4

Crise agraire : à quand la révolution verte ?

On peut considérer l'agriculture africaine comme l'Écossais optimiste qui se réjouit de voir sa bouteille de whisky à moitié pleine et dire qu'elle ne s'est pas si mal adaptée à une croissance démographique forte et à une croissance du nombre de citadins à nourrir qui s'est faite à un rythme encore jamais vu dans l'histoire du monde. On peut se désoler aussi devant la bouteille à moitié vide, constater que les catastrophes n'ont été évitées que grâce à l'aide alimentaire, constater aussi que l'Afrique a fortement reculé sur les marchés mondiaux des produits agricoles au profit de ses concurrents asiatiques, remarquer enfin que ces médiocres résultats n'ont été acquis qu'au prix d'une détérioration de nombreuses terres et donc d'une diminution de son capital foncier qui compromet ainsi l'avenir.

En fait, l'agriculture africaine (en particulier celle de l'Afrique humide) a profité d'un contexte international favorable jusqu'au début des années 1980, contexte qui a masqué la montée des problèmes. Les rentes agricoles étaient abondantes et les États les ponctionnaient largement pour les affecter à d'autres usages, sans investir pour accroître l'efficacité de systèmes de production qui évoluaient peu, quand ils ne restaient pas figés. Les temps ont changé ; les rentes ont considérablement diminué, se sont parfois effondrées entraînant certains pays dans des crises dramatiques. Du fait de la concurrence de pays ayant une meilleure productivité, il y a peu de chances que ces rentes se redressent à terme prévisible.

La sortie de la crise ne relève donc pas de l'incantation à de meilleurs termes de l'échange ; elle ne peut se trouver que dans la recherche d'une meilleure compétitivité.

L'Afrique n'a pas encore amorcé la révolution verte. Elle est condamnée à la faire, ne serait-ce que pour nourrir ses enfants. Elle y est condamnée si elle veut reconquérir ou même seulement conserver ses parts de marchés mondiaux. Faudra-t-il des tragédies pour que l'Afrique se décide à changer enfin des systèmes venant du fond des âges ? Quelles conditions faut-il réunir pour que les millions de paysans africains accroissent leur productivité et ne prélèvent plus sur leur capital foncier ? Quelles politiques agricoles doivent être ainsi élaborées et mises en œuvre pour que de telles conditions soient réunies ? Que peut faire la coopération française pour hâter cette nécessaire remise en ordre des agricultures africaines ?

13

Politiques agricoles, agro-alimentaires et développement rural en Afrique subsaharienne

Un scénario de sortie de crise

par Michel GRIFFON et Isabelle MARTY

Au cœur des préoccupations des politiques agricoles et agro-alimentaires d'Afrique subsaharienne se pose le problème « d'assurer en tout temps et à tous les hommes l'accès matériel et économique aux aliments de base dont ils ont besoin » (FAO, 1983), autrement dit la sécurité alimentaire.

La sécurité alimentaire peut s'obtenir à la fois par la production nationale et par les importations. Compter sur les importations implique que les États puissent maintenir l'équilibre de leur balance commerciale. Toutefois, s'appuyer sur la production nationale pour couvrir une bonne part des besoins est en général plus sûr que de compter sur les approvisionnements extérieurs pour lesquels il faut raisonnablement s'assurer qu'il n'y a pas de grands risques sur leur continuité et sur leur prix.

Les pays à faible revenu d'Afrique subsaharienne ont toujours prétendu vouloir s'appuyer surtout sur la maîtrise de la production intérieure et ne pas dépasser un certain degré de dépendance alimentaire vis-à-vis des pays tiers. Cependant, le courant des importations est entretenu par les commerçants qui trouvent des céréales à bas prix sur les marchés internationaux, par les industriels de l'alimentation à la recherche d'approvisionnements sûrs, et par les États qui prélèvent des taxes sur les produits importés. Mais tout en insistant sur la nécessité de donner la priorité à la production alimentaire, les pays qui n'ont pas les ressources naturelles et économiques nécessaires pour être plus indépendants dans ce domaine cherchent à financer leurs importations alimentaires par leurs recettes d'exportation, ou à bénéficier en permanence d'une aide.

La question de la sécurité alimentaire est ancienne, mais elle se pose d'une manière sans cesse nouvelle. En effet, la croissance de la population — et donc des besoins — est très rapide, alors que les surfaces agricoles disponibles par producteur dans les grandes régions cultivées diminuent, et que la crise économique compromet la modernisation de l'agriculture.

Dans ce contexte, définir des politiques agricoles, agro-alimentaires et de développement rural en Afrique afin d'atteindre des objectifs de sécurité alimentaire, devrait obliger les gouvernements et les organismes d'aides à anticiper les faits à la fois en apportant des solutions aux problèmes actuels et en préparant le futur. Alors que ce continent connaît une importante crise économique, sociale et institutionnelle — sans parler de la situation écologique —, c'est tenter une synthèse audacieuse. Les risques d'erreur sont grands et les propositions, qui sont faites, font souvent l'objet de débats et de controverses. Soyons clairs : personne ne détient ici l'ensemble des solutions. Cela tient au fait qu'en période de crise, les avenirs possibles sont très incertains, et que la qualité de l'information pour analyser les réalités est insuffisante. Cela conduit certains au pessimisme. Aussi convient-il d'abord de montrer qu'il existe des scénarios de sortie. Le texte qui suit est une ébauche de l'un d'entre eux. Il en est sans doute d'autres. Les bons scénarios résulteront non pas comme ici de nos propres expectatives, mais de la volonté commune des Africains.

Résultant des travaux de prospective du CIRAD faits dans le cadre de la préparation de son projet d'entreprise, et des travaux réalisés à l'initiative du ministère de la Coopération, ce texte propose donc des choix en matière de productions agricoles et de développement rural. L'élevage, la foresterie et les industries alimentaires sont peu abordés.

Déficits alimentaires et dégradation des écosystèmes

Famines et pénuries

L'Afrique subsaharienne connaît depuis une trentaine d'années une situation de très grande vulnérabilité alimentaire.

Les fluctuations de production font se succéder des périodes de pénurie et de famine et des périodes d'excédents momentanés. Des situations de famine ou de grave pénurie ont existé en 1968, 1974 et 1984, lors des sécheresses au Sahel. La situation alimentaire est grave en 1992 dans toute l'Afrique australe. A cela s'ajoutent les pénuries et famines dues aux guerres civiles (Éthiopie, Soudan, Liberia, Somalie, Mozambique, Nord Kenya).

Pourtant, le potentiel d'augmentation de la production est important et, de fait, on constate que la production alimentaire d'Afrique subsaharienne croît. Mais le rythme de croissance est insuffisant pour faire face à la montée des besoins, déterminée en grande partie par la croissance démographique (BIRD, 1990) qui, dans les années 90, atteint plus de 3 % par an. La courbe démographique africaine ne devrait atteindre la phase de transition démographique qu'au début du XXIe siècle et une stabilisation seulement dans la deuxième moitié du même siècle (ONU, 1991).

Une analyse sur longue période montre que la courbe de production (selon les statistiques de la FAO) suit la tendance démographique. Cependant, le degré d'erreur sur les données et les fluctuations observées interdisent de savoir par projection si l'écart entre les besoins et la production va s'accroître tendanciellement ou se stabiliser. Les projections de l'IFPRI pour l'an 2000 (IFPRI, 1988) concluent à un accroissement du déficit. On peut aussi penser qu'il pourrait y avoir une stabilisation du déficit, ce qui équivaudrait à un « retard » de la production par rapport aux besoins. On aurait ainsi un déficit permanent, modulé par les fluctuations annuelles de production.

Une autre tendance démographique a eu et pourra avoir une grande influence sur la demande alimentaire : l'explosion de la population urbaine, qui est passée de 19,5 millions en 1950 à 155 millions en 1990. La production nationale commercialisée, souvent instable et dispersée, n'a pas pu dans le passé assurer à elle seule un approvisionnement régulier des villes en pleine expansion. Les importations ont donc pris au cours des dernières décennies de plus en plus d'importance, jusqu'à constituer une dynamique autonome d'approvisionnement des villes parfois au détriment des productions locales.

Il est difficile d'estimer l'évolution de la part des importations par rapport aux productions nationales dans l'alimentation, du fait de l'imprécision des données de productions agricoles et particulièrement alimentaires. L'analyse de l'importance des importations alimentaires par groupes d'aliments est plus aisée.

— L'approvisionnement en céréales dépend pour une bonne part des importations. Les pays d'Afrique subsaharienne sont pratiquement tous dépendants de pays tiers pour leur approvisionnement en céréales.

L'analyse des statistiques officielles ne permet pas de voir les flux souvent clandestins de réexportations des céréales entre pays africains. Des enquêtes menées dans la partie occidentale de l'Afrique de l'Ouest (INRA-IRAM-UNB, 1991) ont pourtant montré que ces réexportations peuvent concerner des volumes importants, comme par exemple en Gambie. Pour l'essentiel, l'augmentation des importations au cours des deux dernières décennies a porté sur le riz asiatique et américain, et sur le blé européen et américain.

— L'approvisionnement en viande (y compris les volailles) est bien différent (Sarniguet, 1989) : l'Afrique subsaharienne produit pratiquement toute la viande qu'elle consomme. Cette autosuffisance globale masque toutefois une nette disparité entre le marché des villes côtières et celui des villes de l'intérieur. Les grandes agglomérations comme Abidjan, Kinshasa, Luanda ou Pretoria sont très importatrices. Elles absorbent la quasi-totalité des viandes importées. En l'absence de moyens de transport, de réfrigération et de stockage adaptés, les zones rurales ne sont pas encore concernées.

Ces viandes importées proviennent pour l'instant essentiellement de la CEE qui, par exemple, a fourni 95 % de la totalité en 1989. Elles sont fortement subventionnées à l'exportation (restitutions). Il s'agit en partie de bas morceaux qui ne trouvent pas de débouchés en Europe. Cela permet d'approvisionner les marchés des villes en viande à des prix très bas, accessibles aux citadins pauvres, mais en concurrençant les productions nationales et régionales, en particulier celles du Sahel qui alimentent traditionnellement les villes du golfe de Guinée.

— Pour l'approvisionnement en lait et œufs, l'Afrique subsaharienne est devenue de plus en plus déficitaire au cours des deux dernières décennies. Son taux d'autosuffisance a déjà chuté de 90 % en 1972 à 79 % en 1982 (CIPEA, 1988). En 1988, les importations de lait ont avoisiné 425 millions de dollars ; 65 % de ces importations sont allées à l'Afrique de l'Ouest et à l'Afrique centrale. Pour les mêmes raisons que pour les viandes, les importations de lait frais et d'œufs touchent surtout les urbains. Les importations de lait en poudre sont prépondérantes, l'aide alimentaire venant encore gonfler (d'environ 30 % en 1985) le volume d'équivalent lait liquide importé.

— En revanche, en ce qui concerne l'approvisionnement en huiles, de nombreux pays d'Afrique de l'Ouest sont des exportateurs nets, contrairement aux autres régions d'Afrique, en particulier le Kenya et l'Afrique du Sud qui, à eux deux, réalisent pratiquement 50 % des importations nettes. Ces exportations se sont effondrées lors des trois dernières décennies : l'Afrique exportait 1 600 000 tonnes d'huile (et dérivés) en 1960, et seulement 500 000 tonnes en 1985. Dans ce domaine, l'Afrique subit de plein fouet la concurrence des pays asiatiques. Pourtant, la demande en huile devrait encore beaucoup augmenter jusqu'en l'an 2000 et les capacités potentielles de production sont encore très importantes en Afrique.

Les habitudes alimentaires des urbains ont évolué (O'Déyé, Bricas, 1985). Parmi les raisons de ces évolutions, citons la rencontre en zone urbaine de différentes cultures tant intra qu'extra-africaines, les contraintes économiques qui amènent à consommer les produits les moins chers, les contraintes de temps qui favorisent l'utilisation d'aliments à préparation rapide et l'émergence de restauration de rue, etc.

La demande alimentaire des consommateurs urbains a entraîné une appréciation de certains aliments comme le riz à la mi-journée et le pain le matin. Le blé et le riz sont importés à bas prix, par rapport aux produits locaux traditionnels (mil, maïs, tubercules), même si ceux-ci sont souvent plus appréciés au plan gustatif.

Tout cela fait que le décalage entre les besoins alimentaires et la production risque de s'aggraver non seulement sur un plan quantitatif mais également qualitatif.

Dégradation de l'écosystème

Le capital écologique risque de se dégrader sous l'effet de la pression démographique. La diversité des situations agraires est très importante. La caractéristique commune des divers systèmes de production vivriers est que la croissance rapide des besoins alimentaires suscite des transformations rapides des systèmes de production, lesquels ne s'adaptent qu'avec un certain retard. Si l'on projette cette évolution à long terme, on constate que toutes les régions devraient connaître à un rythme accéléré des blocages qui, au mieux, seront résolus par des innovations technologiques ou institutionnelles, ou au pire provoqueront des migrations importantes.

En fait, pour de nombreuses raisons dont, sans doute, des surexploitations locales du milieu, les populations africaines ont toujours beaucoup migré ainsi que le montre la composition ethnique de nombreuses régions (1). La pression d'occupation des sols qui résulte aujourd'hui de ces mouvements est très hétérogène. Il est donc fort probable que la croissance démographique à venir soit accompagnée de mouvements de migration amplifiés.

Par ailleurs, la forte croissance des zones urbaines, qui résulte de la croissance endogène et de l'exode rural, mènera à une diminution relative des actifs agricoles par rapport au reste de la population. Un calcul rapide montre qu'il faudrait en Afrique de l'Ouest — où existent des vastes zones à densité élevée — dans les vingt-cinq ans qui viennent, non seulement multiplier en moyenne les rendements par 2,3, mais aussi la productivité du travail par 3,1 (ces moyennes recouvrent de grandes disparités). Cela signifie que, localement, dans les zones où l'adaptation du milieu le permettra, les progrès à faire pourraient être beaucoup plus importants.

La vitesse à laquelle la densification des terroirs va s'opérer permettra-t-elle d'assurer une transition vers des systèmes de production plus productifs sans déséquilibre écologique irréversible ?

Dans les zones sahéliennes, l'instabilité climatique — la succession de sécheresse et de « bonnes » années — a, en partie, limité les efforts d'amélioration des rendements et de productivité. Il est en effet très risqué d'entreprendre des investissements agricoles dans de telles conditions. Par ailleurs, les écosystèmes se dégradent sous l'effet de la pression foncière : diminution de la couverture ligneuse, diminution de la fertilité des sols, érosion et désertification. Bien que des solutions techniques existent et que les villageois tentent d'améliorer, quand cela est possible, les systèmes de production, les accroissements de production que cela permet ne devraient pourtant pas être suffisants à moyen et long terme pour enrayer le mouvement d'exode. L'attirance pour les zones de savane plus humides, moins sensibles aux aléas climatiques, est en effet très forte.

---

(1) Par exemple A. SCHWARTZ de l'ORSTOM a reconstitué la mosaïque ethnique de l'ouest du Burkina Faso et montré qu'elle résultait de migrations permanentes (travaux en cours).

Dans ces zones de savane, les situations sont très contrastées. Des dynamiques de croissance forte des productions agricoles avec intensification de l'utilisation d'intrants (par exemple au sud du Mali), côtoient des zones peu productives où les systèmes sont encore basés sur une exploitation quasi minière du milieu. L'arrivée continue d'immigrants devrait finir par poser de grands problèmes de distribution de la terre et de transformation des systèmes productifs.

Dans les zones tropicales humides densément peuplées, le défrichage de la forêt se poursuit. Il est presque achevé en Afrique de l'Ouest. Les massifs d'Afrique centrale sont attaqués. Les effets et l'impact, aussi bien locaux que régionaux, de ces grands mouvements sont encore peu connus, mais les risques d'irréversibilité sont grands.

Dans les zones sèches, les zones de savane et les zones humides, les systèmes productifs vont donc devoir connaître d'importantes mutations. L'ampleur des transformations nécessaires est du même ordre de grandeur que la révolution verte asiatique, mais la grande diversité des situations agricoles rencontrées, la crise économique et la crise institutionnelle actuelle font que les problèmes à résoudre sont totalement inédits.

L'avenir le plus probable, à partir duquel il faut élaborer des stratégies, devrait donc être caractérisé par la persistance de déficits alimentaires et commerciaux, et de forts risques de dégradation des écosystèmes.

Sécurité alimentaire et compétitivité des filières nationales

Pour assurer la sécurité alimentaire sans accroître les importations, ou même en les réduisant, il faut améliorer la compétitivité des filières nationales. Les espaces productifs d'Afrique subsaharienne ne peuvent rester non compétitifs ; ils seraient alors inéluctablement conquis par les importations. Les déséquilibres des balances des paiements, que bon nombre d'entre eux connaissent actuellement, pourraient s'aggraver. Sauf à devoir se couper des échanges mondiaux, les filières d'approvisionnement alimentaire devraient donc accroître leur compétitivité notamment en ce qui concerne les céréales, dont le riz pluvial, les huiles comme l'huile de palme, les produits de transformations des tubercules, la viande bovine, en particulier sahélienne, et l'aviculture.

L'amélioration de la compétitivité peut être le résultat de deux types d'action : la réduction des coûts, et l'amélioration des productivités physiques, à toutes les étapes de la filière (production, stockage, transformation, transport, commercialisation).

La réduction des coûts peut être obtenue par des mesures de rationalisation (réduction du nombre d'emplois non productifs, meilleure utilisation des équipements...) et par des politiques économiques. Les coûts dépendent en effet des prix locaux des facteurs de production, facteurs domestiques (main-d'œuvre, intrants locaux) et facteurs importés (équipements, produits chimiques...). Les marges pratiquées, les taux d'intérêt et le taux de change jouent là un rôle important.

L'amélioration des productivités physiques est rendue possible par des changements techniques (application de plus fortes doses d'intrants, mécanisation de certaines tâches...) et des changements institutionnels, par exemple la privatisation de secteurs commerciaux ou la négociation entre les opérateurs économiques pour rechercher un consensus dans le fonctionnement des filières.

Ainsi, par exemple, le rendement des céréales sahéliennes — trop longtemps oubliées par la recherche — conditionne de manière importante le développement de l'ensemble de l'économie des pays concernés (Delgado, 1991) : elles représentent l'essentiel du revenu des producteurs et l'essentiel de l'utilisation du revenu des consommateurs ; par ailleurs, il y a, actuellement, peu d'autres opportunités que les céréales fourragères pour accroître le rendement de l'élevage.

Dans le passé, l'essentiel de l'effort de productivité a porté sur les grands périmètres irrigués et la production de riz dans une optique d'autosuffisance alimentaire. Les choix techniques privilégiaient le plus souvent une gestion centralisée de l'irrigation et de la production agricole. Les travaux récents sur les institutions d'irrigation montrent que ces formes d'organisation ne sont pas durables car les usagers n'acceptent généralement pas des règles qui, parce qu'imposés de l'extérieur, ne les satisfont pas ou entrent en contradiction avec leur intérêt. L'échec économique et social des grands périmètres d'irrigation trouve vraisemblablement là ses origines. Il en résulte des coûts de production élevés qui rendent les riz irrigués non compétitifs par rapport aux importations asiatiques. Des améliorations sont possibles lorsque la gestion est assurée par les usagers selon des règles appropriées (Ostrom, 1991).

Dans les zones de savane, l'amélioration de la compétitivité passe par l'accroissement des rendements des cultures pluviales.

L'expérience du maïs produit en Côte-d'Ivoire et alimentant de manière compétitive les industries d'aliment du bétail dans les années 80 (Fusillier, 1991) montre clairement que cet objectif n'est pas dans ce cas hors de portée. La stabilité des débouchés est un facteur clé de la croissance dans cette région.

Rôle des filières d'exportation agricoles

Il convient également de restaurer la compétitivité des filières d'exportation agricoles qui jouent un rôle clé dans la croissance et le développement des pays d'Afrique subsaharienne. Certains États ont tiré une part importante de leurs ressources fiscales des exportations agricoles. De nombreux projets destinés à accroître les exportations et la productivité existent. Un regard rapide sur le passé permet de dire que les projets concernant les filières d'exportation ont connu d'incontestables succès économiques. Ils ont souvent suscité l'adhésion des producteurs et rencontré leurs intérêts : appropriation des terres en y plantant des cultures pérennes — café, cacao, palmier, hévéa — ou contrats de culture cotonnière procurant une certaine sécurité des revenus. Ces succès ont aussi été permis par la relative stabilité des prix aux producteurs, elle-même autorisée par des cours internationaux plutôt favorables dans les décennies 60 et 70. Mais ceci a surtout bénéficié à l'État et stimulé la consommation publique.

Cette situation s'est inversée dans la décennie 80. Les prix ont été orientés durablement à la baisse. Les systèmes de stabilisation sont devenus déficitaires entraînant leur crise financière puis institutionnelle. Pendant cette période, la concurrence internationale sur les marchés agricoles s'est avivée.

Il n'y a pas d'espoir concret de retournement durable de tendance pour les prix des matières premières agricoles. La compétition entre producteurs rend fragile la viabilité d'accords de maîtrise de l'offre. Dans ces conditions, choisir la voie de l'ajustement systématique et progressif des filières d'exportation est le choix le plus réaliste.

Il n'y a pas non plus d'espoir concret quant à la limitation des fluctuations des cours. Les pays doivent donc rendre plus flexibles les filières afin d'absorber les chocs de prix, tout en conservant certaines des formes « de conventions » permettant la permanence et le bon fonctionnement des circuits (approvisionnement, achat des récoltes, écoulement...).

Face à cette situation, certains pensent que la dévaluation de la monnaie constitue un outil efficace de recherche de compétitivité. Il convient d'abord de remarquer qu'une dévaluation ne peut être justifiée du seul point de vue du secteur agricole, car les effets macro-économiques en retour sont certainement encore plus importants que les effets directs.

Du seul point de vue de l'agriculture et de ses intérêts en tant qu'ensemble d'agents, l'expérience montre que, dans l'état actuel du fonctionnement du marché, les pays qui ont recours à l'utilisation systématique du taux de change comme instrument d'ajustement sont aussi ceux qui connaissent une baisse des revenus agricoles (Guillaumont, 1991). En outre, malgré l'aspect convainquant des travaux théoriques sur la dévaluation, son application dans des économies en transition vers l'économie de marché montre que l'on n'obtient que difficilement les effets attendus en matière de modification des prix relatifs et de croissance. Cependant, il est clair que, lorsque le taux de change est largement surévalué, la dévaluation est nécessaire et inévitable, mais cela ne conduit pas pour autant à en faire un instrument permanent d'ajustement.

Il ne faut pas, non plus, omettre l'avantage de la dévaluation lorsqu'il est devenu impossible de comprimer certains coûts domestiques jouant un rôle clé dans la compétitivité, en particulier les salaires dans certaines grandes entreprises.

Le non-recours systématique à la manipulation du taux de change se justifie par ailleurs par deux arguments qui tiennent aux autres objectifs de politique de développement économique et social. D'abord, on peut penser que l'intégration économique progressive serait facilitée par une meilleure stabilité relative des monnaies en particulier en Afrique de l'Ouest ; le franc CFA (ou ce que cette monnaie deviendra dans le cadre de la constitution d'une monnaie commune pour les pays de la CEE) pourrait jouer un rôle stabilisateur. Ensuite, en période de transition vers l'économie de marché et l'adaptation des producteurs à cet environnement, il serait utile de ne pas changer trop fréquemment les prix relatifs, afin de ne pas « brouiller » l'effet de signal de ces prix. Il convient donc, avant d'envisager des dévaluations, de recourir à d'autres voies.

L'amélioration de la compétitivité par des mesures directes de rationalisation de la production et d'accroissement de la productivité des facteurs de production reste donc la seule autre voie possible. Elle requiert une ferme volonté politique des gouvernements et des bailleurs d'aide. L'ajustement des filières cotonnières de la zone franc en 1987-88 montre que cela est possible. Mais l'application de cette stratégie revêt des formes très différentes selon les filières.

Pour certains produits comme l'huile de palme ou les huiles en général, la réforme des filières a un double objectif : restaurer une capacité exportatrice, mais aussi alimenter les marchés nationaux et le marché régional en résistant à la concurrence des importations sur les marchés africains. L'accroissement rapide des besoins des villes africaines et la disponibilité sur les marchés internationaux de produits plus compétitifs pourraient déboucher sur une marginalisation progressive de la production locale. Il faut donc prendre des mesures rapides et radicales de réduction des coûts et d'accroissement de la productivité afin de répondre à la demande nationale et régionale. Une protection de sauvegarde ne serait utile que si l'effort de restauration de compétitivité était réel.

Les progrès de compétitivité devraient avoir un effet à la fois de « protection » des marchés régionaux et de maintien sur les marchés internationaux existants.

Pour les autres grands produits d'exportations — café, cacao, hévéa — le même effort doit être consenti. La présence de l'Afrique sur les marchés internationaux en dépend. Pour les cultures de front pionnier (café, cacao), l'effort sera difficile : les vergers ont beaucoup vieilli, la replantation ne se fait pas en raison des coûts élevés et du déficit de fertilité des sols des plantations, et les filières sont déstructurées (rupture des circuits). Les éléments qui pourraient favoriser une nouvelle dynamique productive ne sont pas actuellement réunis. Cette crise révèle en effet le manque de consensus dans le jeu économique entre les producteurs, les industriels, les commerçants et l'État.

Le principe d'un barème négocié où chacun des agents concernés peut faire valoir ses intérêts, avec des clauses d'adaptation en fonction des cours internationaux en conservant un système de stabilisation limité à des ambitions plus modestes présenterait des avantages intéressants : une certaine prévisibilité pour tous les agents et une meilleure transparence de l'information.

La réduction des coûts industriels constitue un des points clés de la recherche de compétitivité. L'analyse comparée des coûts unitaires africains et asiatiques révèle souvent les faibles performances des industries de transformation en Afrique (Hirsch, 1992) ; selon les cas, les coûts de transport sont trop élevés, les capacités de production sont sous-utilisées, les coûts de l'encadrement sont disproportionnés, il y a des sureffectifs de salariés, les frais financiers sont élevés, les coûts de fret sont importants en l'absence de concurrence, etc.

Au total, miser sur l'ajustement des filières par l'accroissement de la productivité, même si cela est difficile, c'est choisir la voie la plus sûre à long terme, et ceci d'autant plus que, si l'Afrique n'a pas d'avantages comparatifs discriminants, elle n'a pas non plus de désavantages définitifs, et que le financement de sa capacité d'importation à long terme en dépend en grande partie.

Il convient donc de mettre à profit cette phase de crise où sont plongées les filières d'exportation pour élaborer la politique et l'organisation qui pourraient bénéficier d'une éventuelle reprise des cours.

Les conditions socio-économiques nécessaires à la reprise des cours

Il faut que les circuits économiques fonctionnent bien et que les marchés agricoles et alimentaires soient plus efficaces

La spécialisation progressive des métiers et la croissance rapide des villes supposent un bon fonctionnement des échanges marchands. La vitesse de ce processus fait que l'agriculture doit passer en peu de temps d'une situation caractérisée par l'autosubsistance et la commercialisation des excédents, à une situation caractérisée par le marché et la monétarisation de l'essentiel du revenu des producteurs. La vitesse de l'urbanisation et de la diversification des métiers ne laisse pas le choix ; la généralisation de l'économie de marché devrait donc être rapide.

Cette généralisation devrait être favorisée d'abord par l'amélioration des infrastructures de communication, d'une part entre les villes et leur zone d'influence, d'autre part entre zones à vocation d'échange. Ensuite, tout le monde s'accorde à considérer que la création d'institutions financières unifiant les marchés financiers classiques et les marchés financiers informels aura un rôle clé.

L'amélioration du fonctionnement du marché des produits agricoles et alimentaires nécessite un meilleur cadre juridique (souple, adaptatif) pour sécuriser les transactions entre agents ; il faudra pour cela tenir compte des formes institutionnelles d'échange préexistantes lorsqu'elles sont efficaces même si elles apparaissent en première analyse quelque peu éloignées de l'étalon du marché pur et parfait.

Par ailleurs, la diffusion des prix pour rendre publique l'information — ce qui se pratique si peu et provoque tant de réticences des gouvernements — est une condition essentielle du bon fonctionnement des marchés.

Il faut réduire l'incertitude quant à l'avenir car il ne peut y avoir de développement sans une certaine stabilité

Le risque principal face à l'enjeu de la transformation rapide des agriculteurs et des filières d'approvisionnement alimentaires est le risque de désorganisation des circuits économiques par insuffisance des institutions ou non-arbitrage des antagonismes. Il convient donc de réduire l'incertitude par des politiques de contrôle de l'instabilité, et par l'annonce d'objectifs publics crédibles permettant aux agents économiques de réaliser des anticipations.

Contrôler l'instabilité de manière à sécuriser les comportements économiques, ce peut être réduire les effets des fluctuations de prix internationaux et nationaux, notamment les prix agricoles et alimentaires car ils comptent pour beaucoup dans le pouvoir d'achat et les revenus des ménages. Ce peut être aussi assurer une stabilité des débouchés, en particulier en permettant aux populations les plus pauvres d'avoir une couverture alimentaire satisfaisante.

Cela conduit assez naturellement, dans le contexte des pays d'Afrique subsaharienne, à privilégier deux options : la protection des secteurs alimentaires stratégiques et la stabilité de la monnaie.

La protection devrait apparaître comme une mesure ultime après que tout ait été entrepris pour améliorer la compétitivité des filières nationales et régionales. Elle doit être sélective, c'est-à-dire concerner les produits trop fortement concurrencés par des prix mondiaux exagérément bas et pour lesquels une amélioration de la compétitivité est vraisemblable : céréales, viandes bovines et huiles. Elle doit être flexible, évoluer en fonction des prix mondiaux et être conçue comme temporaire, en fonction d'objectifs de compétitivité. Par ailleurs, les recettes procurées par les barrières tarifaires devraient être affectées à l'amélioration de la productivité dans le secteur.

Pour être efficace, la protection doit faire l'objet d'accords entre pays voisins ou traversés par les mêmes courants d'échanges en particulier informels. En ce sens, la protection et la sécurité alimentaire supposent une harmonisation des politiques douanières.

La protection devrait être estimée en fonction de sa capacité de concourir à l'accroissement de productivité, afin de permettre aux pays d'atteindre un niveau de compétitivité satisfaisant, et ainsi répondre à la demande des consommateurs, en particulier urbains.

Il faut faire en sorte que la demande intérieure tire la croissance du secteur agricole

Les politiques d'ajustement structurel fondent toujours la croissance économique sur la production de biens exportables par rapport aux biens domestiques, dans une optique d'intégration à l'économie mondiale. Cela peut être obtenu par une manipulation des prix relatifs, de manière directe ou par dévaluation, ou encore par des incitations publiques.

Pourtant, la croissance des besoins internes, qu'il s'agisse de l'alimentation, du bois de chauffage, du bois d'œuvre et des textiles, devrait à l'avenir mieux « tirer » la croissance économique générale que les exportations. En effet, les hypothèses de croissance des débouchés extérieurs et des prix ne sont pas favorables alors que les perspectives de la demande intérieure sont liées à l'accroissement rapide de la population urbaine et à la solvabilité de celle-ci. L'expérience passée montrerait que la demande urbaine est bien porteuse de croissance car il n'y aurait pas, sur longue période, appauvrissement relatif des catégories sociales urbaines pauvres, à la condition qu'il y ait stabilité du rythme d'absorption des nouveaux arrivants par les activités économiques de la ville (Court, 1992).

Un des principaux problèmes de politique agricole sera donc de favoriser l'agriculture par de meilleurs termes de l'échange par rapport au reste de l'économie, tout en évitant de trop accroître les prix alimentaires afin que la demande urbaine soit soutenue.

Conserver des prix alimentaires bas présente, en retour, des avantages : la possibilité d'éviter des « émeutes de la faim », la possibilité d'intégrer à la ville des arrivants à faible revenu lorsque leur départ des zones agricoles est inéluctable, et enfin la possibilité, à terme, d'utiliser certaines céréales comme aliment du bétail, ce qui est une clé de productivité de l'élevage. Mais, s'il est nécessaire d'accroître les prix alimentaires, cela devrait se faire de manière lente et limité afin d'éviter les réactions sociales.

Rôle de l'intégration régionale

Fonder la croissance du secteur agricole et surtout alimentaire en priorité sur la demande intérieure se fera d'autant mieux dans un contexte d'intégration régionale, favorisant les échanges et les complémentarités entre pays. Des mesures de protection vis-à-vis des productions alimentaires des pays limitrophes n'ont que peu d'intérêt, les systèmes de production vivriers ayant souvent des niveaux de productivité assez peu différents d'un pays à l'autre et ne concurrençant pas fortement les productions locales, qui bénéficient de l'avantage de la proximité. En fait, si politique de protection il y avait (dans les conditions exposées précédemment), ce serait pour limiter la concurrence des pays industrialisés (exportations souvent fortement subventionnées), ou de certains pays asiatiques et latino-américains (dont les compétitivités sont supérieures).

Par ailleurs, les mesures de protection nationales semblent avoir en pratique un impact assez limité, les échanges que l'on peut qualifier de parallèles, d'informels (non officiels pour au moins un des deux partenaires), étant peu touchés par ces mesures. Ainsi par exemple, le Sénégal ne peut avoir de politique de protection rizicole autonome car leur portée est limitée par les importations clandestines venues de Gambie, laquelle se fournit sur le marché international. Les États ne pourraient vraiment contrôler les frontières qu'au prix de très lourdes dépenses de douane qui, sans être totalement efficaces, favoriseraient la corruption. Aucun État n'a les moyens de financer de tels services. Il existe donc de fait une intégration régionale des marchés agricoles par les échanges transfrontaliers, commerces dans lequel les produits importés réexportés comptent pour une large part, constituant peu à peu une zone de libre-échange et rendant inefficace toute politique de protection des productions nationales.

Une protection ne serait effective que si l'ensemble des États d'une même région économique s'entendaient pour la réaliser aux frontières communes de l'ensemble. Or il est probable que tous les États n'aient pas à moyen terme le même intérêt. Pourtant, l'intérêt général à long terme incite à conclure des accords douaniers et à unifier les marchés agricoles, favorisant une certaine spécialisation des activités dans un espace de marché plus vaste. Les limites de cet espace de marché sont déterminés par le peuplement géographique et les moyens de transport.

Outre qu'il s'agit d'une réalité déjà en marche, l'intégration régionale de l'économie agricole se justifie aussi par d'autres arguments. On peut en effet s'attendre à une meilleure sécurité des approvisionnements alimentaires, les excédents d'une région pouvant compenser les déficits d'autres régions. Cela devrait avoir un effet de stabilisation des prix. Par ailleurs, les États seraient amenés à améliorer les voies de communication dans la région et à réduire les coûts des investissements en recherchant des économies d'échelle dans certains grands investissements communs. Enfin, un espace de libre-échange favoriserait une meilleure mobilité des produits, des intrants, de la main-d'œuvre (migrations) et des capitaux, mobilité en théorie bénéfique pour l'efficacité économique globale.

Cette intégration ne peut être que progressive en ce qui concerne les décisions relevant des États, en levant un à un les obstacles par la négociation et le consensus.

La réforme des institutions

Au centre des transformations évoquées ci-dessus, que ce soit pour les filières d'approvisionnement alimentaire ou pour les filières de produits d'exportation, une réforme des institutions devient inévitable. Le bon fonctionnement des filières, dans des pays où le marché connaît beaucoup d'imperfections, dépend largement de la qualité de la coordination entre les agents et du fonctionnement des institutions (2). En ce sens, les pays africains doivent imaginer le propre mode de régulation (3) de leur économie. L'ancien mode était étatique : les organismes d'État intervenaient aux différentes étapes de la production et des échanges et les prix étaient le plus souvent administrés. Les formes institutionnelles qui s'y substitueront ne sont pas encore en place. Elles se constituent peu à peu et font l'objet d'un débat avec la Banque mondiale.

---

(2) Institutions signifie ici ensemble de règles, de conventions, de contrats, d'organisations assuré d'une stabilité dans la société.

(3) Par régulation, on entend la conjonction des mécanismes concourant à la reproduction de régimes de fonctionnement économique et social d'ensemble réguliers, compte tenu des structures économiques et formes sociales en vigueur.

L'amélioration du fonctionnement du marché suppose que le secteur privé (associatif ou individuel) pourra prendre les initiatives nécessaires pour développer les activités para-agricoles : approvisionnement en intrants, entretien et réparation de matériels, conseil technique, transport, transformation des produits agricoles, services financiers, etc. Cela n'est concevable que dans un climat de liberté d'entreprise hors des contraintes habituelles imposées par les États (« accréditation », contrôles fiscaux, contrôles des administrations sociales, corruption) qui aboutissent à refouler les initiatives dans le secteur dit « informel ». Un cadre juridique protégeant la liberté d'entreprendre serait donc nécessaire. Il ne sera obtenu que si, à l'occasion des processus de démocratisation, les entrepreneurs peuvent faire valoir leur intérêt et constituer un contre-pouvoir potentiel.

La privatisation des activités qui n'ont rien à voir avec l'intérêt général et le domaine strictement public est une nécessité. Mais la privatisation doit être conçue de manière à autoriser une grande diversité de formes. Il y a une place pour les organisations collectives (coopératives, mutuelles, groupements divers, associations), à la condition que l'État en soit totalement absent.

L'État ne pourra continuer à gérer l'économie sous une forme centralisée et par décision administrative : les coûts d'organisation des services publics sont très élevés (en particulier l'éducation), les déficits sont permanents, et surtout, les zones rurales sont rarement bien desservies en services publics faute de ressources.

Décentraliser devrait permettre de dépasser ces blocages, les collectivités locales assurant la fourniture des services publics nécessaires, ainsi que la responsabilité de la gestion du domaine public. « Public » doit cesser d'être assimilé à « État ». La décentralisation peut permettre de créer des instances publiques à différentes échelles géographiques, depuis l'espace du village jusqu'à des espaces de solidarité plus vastes, comme les zones d'influence des villes.

L'État, par ailleurs, devrait abandonner une bonne part de ses responsabilités de propriétaire du patrimoine. D'une part, c'est inévitable car, pas plus que pour les entreprises publiques du secteur productif, il n'a pu faire la démonstration de son efficacité et tout laisse à penser qu'il ne pourra disposer facilement à l'avenir des ressources financières nécessaires. Comment pourrait-il gérer et contrôler de manière satisfaisante les sols, les forêts, les eaux et les pâturages en tous lieux ?

Enfin, pour ces biens qui ont le statut de biens communs, des collectivités locales publiques ou même des organisations à caractère associatif peuvent mieux gérer ces biens que l'État lui-même. Ainsi, les villages pourraient hériter de la propriété de la plupart des sols, des forêts, des eaux, des ressources de la pêche et de la chasse. Certains parcours ou grandes forêts pourraient être la propriété d'instances intermédiaires entre les villages et l'État. La gestion d'externalités locales (par exemple les relations à l'intérieur d'un bassin versant) pourrait se faire dans le cadre d'instances spécifiques rassemblant les collectivités villageoises.

L'État devrait donc se réformer. Sous l'angle de l'agriculture et des affaires rurales, la réforme de l'État apparaît comme une des clés principales d'un changement que l'on pourrait définir comme suit :

— Plutôt que diriger, il devrait orienter l'économie et accompagner les initiatives de la société civile.

— Abandonnant des compétences « au-dessus » par l'intégration régionale, et « au-dessous » par la décentralisation, il devrait concentrer ses énergies sur les stratégies à moyen et long terme.

— L'essentiel de la stratégie à long terme passe par les décisions d'aménagement du territoire et d'orientation du peuplement d'une population qui s'accroît rapidement et qui migre. Un cadre de résolution des nombreux conflits fonciers potentiels est indispensable.

— Actuellement désorganisé en raison du manque de ressources, l'État devrait réduire ses effectifs et gagner en crédibilité : les risques de désordres liés aux enjeux d'un développement rapide impliquent que l'État puisse imposer des choix et des arbitrages.

— Comme arbitre, il devrait édicter des règles du jeu permettant aux forces sociales de s'exprimer et de négocier ; c'est la condition de la recherche de consensus économiques et sociaux efficaces (agrégation des préférences). Cette fonction d'arbitre implique l'existence de dispositif de contrôle de la corruption et d'une justice indépendante.

— L'existence de contre-pouvoirs, la représentation des différents intérêts dans leur diversité, et l'organisation de la négociation entre ceux-ci aux différents niveaux d'organisation de la puissance publique devraient faire partie des formes d'organisation politique de la démocratie. A ce titre, il est important que les organisations de producteurs puissent exister librement et faire valoir leurs intérêts.

L'État pourrait ainsi mieux se consacrer à l'orientation du développement économique et social de l'agriculture et du secteur rural. La première des tâches en la matière est sans doute d'élaborer des formes institutionnelles et des modes de régulation sectoriels propres à assurer une meilleure croissance, c'est-à-dire des règles du jeu qui, pour être stables, doivent faire l'objet d'un consensus entre les différentes parties prenantes.

Bibliographie

BIRD, *Rapport sur le développement*, 1991.

COURT J.M., *Performances du secteur agricole et redistribution de la population en Afrique subsaharienne*, Groupe de prospective Coopération et Développement, juin 1992.

DELGADO C., « Enjeux dans le choix des productions agricoles pour l'avenir des pays du Sahel », in *L'avenir de l'agriculture des pays du Sahel*, CIRAD, Montpellier, 1992.

FAO, Comité de la sécurité alimentaire mondiale, le Conseil et la Conférence de la FAO, 1983.

FUSILLIER J.L., *La filière maïs en Côte-d'Ivoire*, CIRAD, 1992.

GRIFFON M., Les grands déterminants de la productivité agricole en Afrique et en Asie, Séminaire Afrique Asie, CERDI, Clermont-Ferrand, 1992. Contribution au Groupe de prospective du ministère de la Coopération, 1992.

GUILLAUMONT P., Politique d'ajustement et développement agricole, IAAE, Congress, Tokyo, 1991.

INRA-IRAM-UNB, *Réseau stratégies alimentaires Solagral, commerce et politiques agricoles en Afrique de l'Ouest*, CILSS, Club du Sahel, OCDE, 1991.

IFPRI, PAULINO L.A., « The evolving food situation », in *Accelerating food production in Subsaharan Africa*, edited by J.W. Mellor, C. Delgado, M.J. Blackie, Washington, 1988.

O'DÉYÉ M., BRICAS N., « A propos de l'évolution des styles alimentaires à Dakar », in *Nourrir les villes en Afrique subsaharienne*, L'Harmattan, 1985.

ONU, Projections démographiques, 1991.

OSTROM E., *Crafting institutions for self-governing irrigation systems*, ICS Press, San Francisco, 1992.

SARNIGUET J., « Effets de la concurrence des viandes extra-africaines sur les filières nationales des viandes en Afrique de l'Ouest et du Centre », *Économie des filières en régions chaudes*, Actes du séminaire d'économie et sociologie, CIRAD, Montpellier, 1989.

14

Pour une meilleure gestion du peuplement et de l'aménagement du territoire en Afrique subsaharienne

par Jean-Marie COUR

La capacité, à long terme, de l'Afrique subsaharienne à retrouver une croissance économique soutenue et « soutenable » dépendra fortement des conditions dans lesquelles la nécessaire redistribution de la population africaine pourra se poursuivre, au rythme imposé par la croissance démographique globale de la région. L'aide publique au développement a, dans ce domaine, un rôle déterminant à jouer dans la longue durée.

En 1930, la population africaine s'élevait à environ 130 millions d'habitants. Elle dépasse aujourd'hui 500 millions d'habitants. Même si des progrès rapides et significatifs sont accomplis en matière de maîtrise de la fécondité, nous savons que, sauf catastrophe, la population africaine franchira le cap du milliard d'habitants d'ici vingt ou vingt-cinq ans et que le chiffre de 1 500 millions sera sans doute atteint aux alentours de 2030. En un siècle, c'est-à-dire en l'espace de quatre ou cinq générations, la population de l'Afrique subsaharienne aura donc plus que décuplé.

Plaçons-nous dans l'hypothèse où tout est mis en œuvre pour que le taux de croissance démographique globale de l'Afrique subsaharienne soit abaissé aussi rapidement que possible, de sorte que le milliard d'habitants ne soit atteint qu'après 2010 (mais sûrement pas après 2020) et que le milliard et demi d'habitants ne soit atteint qu'après 2030 (mais probablement pas plus tard que 2060). Faisons d'autre part l'hypothèse plausible que, à ces horizons somme toute pas très éloignés, l'Afrique subsaharienne ne soit pas un enfer et que les Africains soient encore bien vivants.

Dans le cadre ainsi fixé et en tenant compte des évolutions constatées au cours des trois dernières décennies, essayons d'apporter des éléments de réponse à trois questions simples concernant cette région. La première question qui vient à l'esprit est : *où vivront un milliard d'Africains en l'an 2010 ou 2020 ?* La deuxième question que l'on doit se poser est : quels seront à l'époque les besoins exprimés par les diverses catégories de ménages africains, *d'où proviendront les revenus qui permettront les dépenses des ménages* et autres institutions et quelles activités fourniront les biens et services utilisés par la population ? Enfin, la troisième question qu'on ne peut éluder, a trait à l'accumulation de capital impliquée par le décuplement de la population africaine en moins d'un siècle : *quels investissements auront dû être réalisés pour favoriser et accompagner ce peuplement* et permettre le développement des activités correspondantes et comment ces investissements aurontils été financés ?

Où vivront les Africains en 2020 ?

L'Afrique représente une part croissante de la population mondiale. L'Afrique subsaharienne héberge aujourd'hui 10 % de la population mondiale, contre 7 % en 1950. Cette proportion passera à 13 % en 2010, 17 % en 2030 et devrait atteindre 20 % vers le milieu du prochain siècle. Mais plus intéressante pour les décideurs est l'évolution de la contribution de l'Afrique subsaharienne à la croissance de la population mondiale. De 8 % de la croissance démographique mondiale en 1950, la part de l'Afrique subsaharienne est passée à 18 % en 1990 et atteindra 30 % en 2010, 35 % en 2030 et près de 50 % à plus long terme. Ces ratios permettent d'apprécier l'ampleur des besoins en investissements de peuplement, destinés à permettre l'installation de la population dans le territoire africain. Ils nous aident à comprendre pourquoi des transferts nets de ressources sont et seront pendant longtemps nécessaires pour assurer ce peuplement dans des conditions acceptables.

Les déséquilibres démographiques africains se compensent à l'échelle du continent

Un simple coup d'œil aux cartes des ressources et potentialités de l'Afrique subsaharienne montre que le décuplement de la population implique nécessairement de profonds bouleversements dans la répartition de la population totale dans l'espace africain. Si la population africaine était répartie en 1990 comme en 1930, la situation serait insupportable dans plusieurs régions : pays des Grands Lacs, Sahel... et la région serait, en moyenne, bien plus pauvre et instable qu'elle ne l'est aujourd'hui. Dans cette hypothèse, la Côte-d'Ivoire serait deux fois moins peuplée et le Rwanda près de deux fois plus peuplé qu'ils ne le sont réellement.

Les migrations internationales en Afrique subsaharienne sont mal connues parce qu'elles sont le plus souvent clandestines et que les États préfèrent souvent ne pas les mettre en évidence. Mais, *a posteriori,* on est forcé de constater leur importance. Bien qu'une partie des flux migratoires soit le fait de populations déplacées de force ou fuyant les zones de conflit, ces migrations internationales sont essentiellement d'ordre économique et leur résultante à long terme est logique et prévisible.

La Côte-d'Ivoire est le premier pays d'immigration d'Afrique subsaharienne. Depuis l'indépendance, elle a accueilli plus de 3 millions de migrants en provenance du Sahel. Ce pays est, après l'Australie, le deuxième pays de la planète en nombre d'immigrants par habitant : depuis 1960, il a accueilli 3 fois plus d'immigrants par habitant que les États-Unis et le Canada et 14 fois plus que la France. Une douzaine d'autres pays d'Afrique subsaharienne ont reçu des flux d'immigration nets positifs, bien que très mal connus. Les principaux sont l'Afrique du Sud, le Zaïre, l'Ouganda et le Sénégal. Le Ghana, au contraire, a cessé depuis le début des années 60 de jouer le rôle de pays d'accueil.

Une forte mobilité régionale est la clef d'un rééquilibrage du peuplement

En contradiction flagrante avec les observations de terrain, les projections démographiques des pays et des institutions internationales font systématiquement l'hypothèse de flux migratoires nets nuls ou tendant rapidement vers zéro. C'est l'hypothèse la plus facile à faire : mais c'est aussi, souvent, la plus irréaliste et la moins courageuse politiquement, pour ne pas dire la plus nocive. Elle sous-tend en effet une stratégie de développement qui, si elle était suivie, conduirait à des situations ingérables tant les différences entre pays voisins seraient fortes.

Selon des projections des Nations unies et de la Banque mondiale, le Gabon et le Rwanda se voient respectivement affectés une population à très long terme de 6 millions et 61 millions d'habitants, auxquelles correspondent des densités moyennes de 23 habitants par km² pour le premier et de 2 400 habitants par km² pour le second, soit sept fois la densité actuelle de la Belgique. Or, le Rwanda est un pays de collines essentiellement rural, sans village et où chacun vit sur son exploitation. Ces perspectives nous conduiraient à des fermettes de quelque 600 mètres carrés de superficie cultivées par famille ! Il n'y aura évidemment jamais 61 millions d'habitants au Rwanda, ni 67 millions d'habitants au Niger, d'abord parce que les comportements démographiques des ménages changeront bien avant que de tels sommets ne soient atteints, mais aussi parce que la population africaine se sera entre-temps redéployée dans l'espace régional.

Or cette mobilité a un coût, humain et financier. Quels sont les pays et les régions d'accueil potentiel, quelles stratégies de développement ces migrations internationales impliquent-elles dans les pays d'émigration et dans les pays d'immigration ? Quels investissements doivent être réalisés pour faciliter et permettre cette redistribution de la population et comment ces investissements seront-ils financés ? Que peut-on dire, enfin, des coûts et avantages de ces flux migratoires ? Voilà des questions qu'on ne peut indéfiniment éluder sous prétexte qu'elles sont politiquement sensibles. Car l'expérience montre que, en refusant de se les poser, on risque fort de se tromper de diagnostic, de faire des choix discutables en matière de contenu et de localisation des investissements et, au bout du compte, de se tromper de stratégie de développement.

Reprenons l'exemple de la Côte-d'Ivoire, pays d'immigration par excellence, au moins jusqu'à la crise économique actuelle. Si ce pays a pu exploiter mais aussi valoriser tant de migrants, c'est parce qu'il a, avec une belle constance, suivi un modèle de développement qui favorise la mobilité des populations et l'occupation du territoire et qui apporte aux autochtones (traditionnellement conservateurs) les compensations nécessaires pour accepter l'invasion par les allochtones et les étrangers. Les partenaires extérieurs de la Côte-d'Ivoire ne se sont jamais privés de lui reprocher ses hauts standards d'infrastructures, ses monuments urbains, les privilèges accordés aux autochtones, les prélèvements opérés sur l'agriculture pour payer l'urbanisation, etc. La plupart des manifestations du modèle ivoirien de développement que les partenaires de la Côte-d'Ivoire jugent indésirables, voire intolérables, est la conséquence inévitable de la politique systématique de mobilité interne et d'immigration suivie par ce pays : on n'attire pas les mouches avec du vinaigre et il faut bien lâcher du lest pour que les élites locales acceptent de se laisser envahir. La France du Second Empire et les États-Unis du XIXe siècle ont-ils procédé autrement ?

Ne voit-on pas que la situation économique et sociale et les problèmes d'environnement des pays du Sahel seraient bien pires si tous les pays côtiers d'Afrique de l'Ouest s'étaient, plus ou moins délibérément, fermés à l'immigration comme l'ont fait le Ghana ou la Guinée ? Réfléchissons donc bien au danger qu'il y aurait à inciter les pays d'immigration potentielle, comme la Côte-d'Ivoire, à freiner les migrations internes et externes afin de rétablir plus rapidement leurs propres équilibres macro-économiques.

La croissance démographique rapide impose une profonde redistribution de la population à travers le continent. Le haut niveau de mobilité nécessaire implique l'existence et le maintien sur la longue durée de pôles d'attraction. La redistribution des populations doit être considérée comme une forme d'accumulation de capital à l'échelle continentale et même planétaire. Cette accumulation de capital a un « coût » qu'il faut évaluer et auquel il faut s'efforcer de faire face sur la longue durée, au-delà des vicissitudes de la conjoncture.

Les migrations s'accompagnent d'une recomposition qualitative du peuplement

Les migrations internationales ne sont qu'un aspect des profonds bouleversements qui affectent les pays d'Afrique que l'on peut qualifier de pays en voie de peuplement. La population se déplace de la savane vers la forêt, des hauts plateaux vers les vallées assainies, des zones enclavées vers les côtes et les zones desservies par les infrastructures et, bien entendu, du milieu rural vers les villes. La mobilité interne est très variable d'un pays à l'autre : faible au Ghana, à Madagascar, au Malawi, au Burundi et au Rwanda, forte au Burkina Faso ou au Kenya et très forte en Côte-d'Ivoire. Il est remarquable de constater que les pays qui ont freiné leur mobilité interne ont eu les performances économiques les plus médiocres. Pourquoi ces thèmes sont-ils si rarement évoqués dans les rapports économiques et pourquoi en est-il si peu tenu compte dans la conception des politiques d'ajustement structurel.

L'une des manifestations les plus visibles de la redistribution du peuplement africain est l'urbanisation. Entre 1930 et 1980, la population urbaine totale de l'Afrique subsaharienne a été multipliée par 15, cependant que la population rurale a été multipliée par 2,2 et que le taux moyen d'urbanisation est passé de 6 % à 30 %. Sauf si l'on admet que l'Afrique subsaharienne s'enfonce dans la crise, il faut s'attendre à ce que la population urbaine totale quadruple entre 1980 et 2010 pour franchir le taux de 50 % avant 2010.

L'urbanisation est inévitable ; elle est aussi souhaitable

Une telle explosion urbaine est-elle bien raisonnable ? La réponse à cette question complexe est incontestablement positive, du point de vue de la dynamique de peuplement du continent comme pour les perspectives de croissance économique à long terme de l'Afrique subsaharienne. Dans les deux cas, une croissance soutenue et soutenable n'est pas concevable sans cette urbanisation, car elle en constitue le moteur principal.

L'histoire de la planète nous montre que, dans le processus de migrations internationales et régionales, l'urbanisation joue un rôle fondamental et qu'il ne peut en fait y avoir de migrations intérieures et de migrations internationales substantielles sans un processus soutenu d'urbanisation.

Comme cela a été le cas dans la plupart des pays aujourd'hui peuplés et développés, les migrations entre les régions des pays d'Afrique subsaharienne sont urbano-centrées, même lorsqu'elles conduisent à la colonisation de l'espace rural. Dans l'ancien Congo belge comme au Cameroun et en Côte-d'Ivoire aujourd'hui, le front pionnier et le développement des plantations ont suivi et suivent la mise en place des réseaux urbains et des infrastructures qui servent ces réseaux urbains. La colonisation de l'espace rural fait souvent intervenir des agents urbains, promoteurs ou intermédiaires. Si l'on exclut les déplacements de population résultant des conflits, les migrations internationales se font presque toujours des pays à faible développement urbain vers les pays les plus urbanisés et à taux de croissance urbaine forte.

Contrairement à une idée répandue, le processus d'urbanisation de l'Afrique subsaharienne ne se traduit pas par l'hypertrophie de mégalopoles vidant leurs hinterlands respectifs de toute substance. La croissance urbaine est relativement équilibrée entre les capitales, les grandes villes et les petites villes économiquement viables. Le nombre de centres urbains de plus de 100 000 habitants est passé de 12 en 1930 à 32 en 1950 et 173 en 1980 ; il devrait plus que tripler entre 1980 et 2010. Compte tenu du contexte démographique et géopolitique actuel de l'Afrique subsaharienne, les recommandations souvent formulées visant à freiner la croissance des capitales et à déconcentrer certaines de leurs activités sont, à de rares exceptions près, injustifiées.

De quoi vivront les ménages d'Afrique subsaharienne et dans quel type d'économie en 2020 ?

L'argument, développé précédemment, selon lequel la redistribution spatiale de la population est nécessaire du point de vue de la gestion des ressources et de l'environnement et selon lequel le peuplement et l'occupation du territoire se restructurent à partir des pôles urbains, est important dans une perspective à très long terme. Mais les décideurs des pays concernés et leurs partenaires extérieurs ne peuvent s'en contenter. Il faut encore montrer que cette redistribution de la population, qui semble indispensable à terme, est économiquement efficace et qu'elle est la condition nécessaire d'un développement économique soutenu et soutenable.

Évoquons rapidement quelques grandes catégories d'effets économiques de la redistribution de la population, en considérant surtout le processus d'urbanisation qui en est la principale composante. Ces effets sont relatifs à la division du travail, à l'émergence de l'économie de marché et à la croissance de la productivité et des revenus en milieu rural comme en milieu urbain, à la valorisation des ressources humaines et à la mobilisation des ressources.

Les villes sont une opportunité pour l'agriculture africaine

Par la division du travail qu'elle opère, par la demande finale qu'elle crée en produits alimentaires, combustibles et matériaux de construction, par les nouveaux modèles de consommation qu'elle suscite, l'urbanisation incite les ménages ruraux à vendre davantage pour acheter. Elle rend ainsi possible l'accroissement de la production et de la productivité rurale, tout en accélérant la monétarisation de l'économie et la circulation monétaire et en facilitant la mobilisation des ressources.

En dépit des fuites résultant des importations, la corrélation que l'on constate entre la production alimentaire par paysan et le rapport de la population totale à la population agricole des divers pays montre que, sur la longue durée, la demande de vivriers exprimée par les consommateurs urbains suscite la croissance de la production alimentaire marchande et non l'existence d'un surplus alimentaire qui favorise l'urbanisation. L'approvisionnement des villes en produits d'origine agricole tend à devenir la principale source de revenu monétaire de la population rurale. Par exemple, dans un pays où le taux d'urbanisation est de 30 % et où la population urbaine croît deux fois plus vite que la moyenne nationale, l'agriculteur moyen a, à sa portée, un marché potentiel pour ses produits vivriers dont la taille (par agriculteur) croît au taux de 4 % par an sur la longue durée. Rares sont les pays pour lesquels les cultures d'exportation offrent de telles perspectives !

L'intensification agricole (augmentation des rendements) nécessite une forte croissance de la consommation d'intrants que les paysans ne peuvent acquérir que si leurs revenus monétaires bruts augmentent régulièrement. Dans les pays densément peuplés et à très faible taux d'urbanisation, comme le Rwanda ou le Malawi, les agriculteurs risquent, du fait de l'étroitesse du marché intérieur, d'être de plus en plus incapables de faire face au coût de l'intensification.

Sur la longue durée, le moteur de la croissance de la productivité agricole et des revenus ruraux est, et sera de plus en plus, le marché régional, c'est-à-dire essentiellement le marché urbain. L'agriculture ne peut, à elle seule, être considérée comme le moteur d'une croissance économique durable et soutenable en Afrique subsaharienne. Il serait plus juste de dire que ce moteur est la demande régionale monétarisée (hors autoconsommation) à laquelle les divers secteurs de l'économie, y compris l'agriculture, doivent être mis en condition de répondre.

Pour l'essentiel, les marchés urbains restent à conquérir

Ce modèle de croissance par la demande a plus ou moins fonctionné jusqu'ici, en dépit des aléas climatiques, de l'insuffisance des infrastructures, de la concurrence des importations et de l'aide alimentaire et de nombreuses tentatives de l'entraver par toutes sortes de mesures restrictives : freins à la mobilité de personnes, obstacles aux échanges... Qu'en sera-t-il à l'avenir ? Les politiques d'ajustement structurel ont largement contribué à réduire les distorsions et rétablir un environnement institutionnel plus favorable au fonctionnement du marché. Quant à la capacité technique des agriculteurs à suivre la demande, il est clair que les réserves de productivité (au sens de la production récoltée par agriculteur) dont disposent les agriculteurs africains sont considérables. La capacité physique des sols et autres ressources naturelles du continent africain à supporter une production agricole nette totale plusieurs fois supérieure au niveau actuel, ne fait pas de doute. Mais pour que ces potentialités s'expriment, il faut que la division du travail ville-campagne s'opère convenablement et permette une croissance des revenus agricoles compatible avec les besoins d'investissement de productivité et avec l'adoption progressive de technologies plus performantes.

On peut certes imaginer un développement agricole orienté vers les marchés mondiaux plus que vers les villes ; un tel modèle est par exemple à l'œuvre dans les zones cotonnières des pays sahéliens. Mais contrairement à une différenciation progressive villes-campagnes, une telle spécialisation ne permet pas la nécessaire restructuration de l'espace régional. En laissant les villes servir d'exutoire aux campagnes, on permet une professionnalisation progressive des paysans restés dans ces campagnes. Cette professionnalisation est un facteur clef, à moyen terme, de la compétitivité sur les marchés mondiaux.

Le meilleur service que les pays d'Afrique subsaharienne puissent rendre à leurs agriculteurs est de leur procurer des clients solvables et ces clients sont surtout des citadins. Il leur faut pour cela faciliter la division du travail ville-campagne et la mobilité interne, mais aussi faire en sorte que les villes aient quelque chose d'enviable à offrir en échange de leurs achats alimentaires, car c'est l'accroissement des besoins ressentis (du fait du modèle offert par la ville) et donc de la dépense monétaire des ruraux qui détermine la croissance de leur offre de produits agricoles.

L'urbanisation permet plus généralement le développement de l'économie de marché

L'urbanisation est aussi l'un des moteurs du développement des marchés régionaux et du commerce intra-africain réel (y compris le commerce non enregistré). L'évolution de ce commerce intra-africain réel est très mal connue. Mais il semble raisonnable de tabler sur une croissance en longue période de ces échanges à un taux de l'ordre de 5 à 7 %, à en juger par le rythme d'urbanisation des régions frontalières, en dépit du sous-développement notoire (et dans certains cas délibéré) des infrastructures de ces régions.

Le marché intérieur et les marchés régionaux sont appelés à jouer un rôle croissant en Afrique subsaharienne. Il serait certes illusoire et dangereux de penser que l'Afrique peut retrouver des taux de croissance économique élevés sans reconquérir ses marchés extérieurs ; mais il serait tout aussi dangereux de négliger ces marchés intérieurs, où de les considérer comme une simple résultante de l'expansion des exportations. Le développement des marchés africains doit devenir l'un des grands thèmes des politiques économiques de la décennie. Il est clair que l'émergence de ces marchés dépend étroitement de la gestion du peuplement par les pays de la région.

La croissance urbaine suscite une amélioration de la productivité des citadins

L'urbanisation est le principal moteur de l'accroissement et de la diversification du besoin de dépense privée : la dépense moyenne totale par habitant est en effet de deux à trois fois plus élevée en milieu urbain qu'en milieu rural et la dépense monétarisée y est trois à quatre fois supérieure. Ce besoin accru de dépense est le principal moteur de la croissance de la productivité et des revenus des migrants ; c'est lui qui permet à une multitude de micro-entreprises de se développer. C'est pourquoi, sauf en période de crise, l'arrivée continue de migrants, qui forment le gros du peloton des pauvres urbains, n'appauvrit pas l'économie urbaine, bien au contraire.

Le régime permanent d'urbanisation résultant de taux de migration relativement stables induit, dans certaines conditions, une croissance économique supérieure à celle de la population. Mais cette croissance économique est assortie de déséquilibres et de fortes disparités géographiques et socio-économiques : elle se traduit par des changements structurels profonds. Ainsi, la présence de pauvres en ville n'est pas en elle-même un élément inquiétant, puisque les villes des pays en voie de peuplement sont faites pour attirer les migrants que les statistiques comptent comme des pauvres. Une ville africaine sans pauvres serait une anomalie. Ce qui compte bien davantage que le nombre de pauvres, c'est la vitesse à laquelle ces « nouveaux pauvres » s'insèrent dans l'économie du milieu qu'ils rejoignent et les variations dans le temps de cette vitesse d'insertion. L'accélération brutale des taux de migration accroît les tensions et augmente les coûts d'insertion, cependant que la décélération durable de ces taux de migration est très coûteuse pour l'économie urbaine : comme les bicyclettes, les villes sont plus stables quand elles roulent et ne font pas facilement marche arrière.

Comment l'investissement nécessaire à la mise en place du peuplement pourra-t-il être financé ?

L'installation de la population dans le territoire implique des dépenses d'infrastructures générales, à caractère national ou régional, telles que les barrages-réservoirs et les réseaux de transport primaires et tout un ensemble d'équipements publics et privés nécessaires à l'accueil des populations et des activités productrices de biens et services de proximité : drainage, voirie, marché, école, dispensaire, hôtel de ville, distribution d'eau et d'énergie, communications... Tous ces investissements, qui ne comprennent pas les investissements résidentiels proprement dits, peuvent être qualifiés d'investissements de fonction locale (IFL). Les besoins correspondants à ces IFL sont relativement faciles à prévoir.

D'importants investissements sont nécessaires pour « planter le décor »

Dans le milieu urbain, qui doit accueillir près des deux tiers de la croissance démographique totale de l'Afrique subsaharienne, ces investissements d'accueil doivent, non seulement accompagner la demande, mais aussi, dans certains cas, la susciter (si tant est qu'il est souhaitable d'orienter ou d'accélérer les flux migratoires).

En moyenne, ces IFL représentent une dépense de l'ordre de 500 à 1 000 dollars US par habitant installé en milieu urbain et de 100 à 200 dollars US par habitant installé en milieu rural. Ces IFL sont, pour partie, pris en charge par le secteur privé, auquel incombe l'essentiel de la construction des superstructures des villes et des villages. Mais cet investissement privé ne peut se réaliser et être efficace que si les investissements publics de préparation du terrain et d'accompagnement sont réalisés en temps voulu et convenablement gérés.

Les investissements de fonction locale et les investissements résidentiels nécessaires à la croissance des établissements humains sont, en proportion du PIB de ces établissements humains, d'autant plus importants que le taux de croissance de leur population est plus élevé. Ainsi, une ville dont le taux de croissance est de 10 % doit investir l'équivalent de 30 % de son PIB pour assurer l'accueil des nouveaux citadins et des activités correspondantes. A ces dépenses d'investissement de croissance, s'ajoutent les dépenses de réhabilitation des équipements existants et les dépenses d'entretien et de gestion des établissements humains.

Par leur portée, les IFL dépassent la capacité d'investissement propre des villes et des pays

Un calcul rapide montre que les infrastructures de base et l'investissement de fonction locale à réaliser dans les décennies à venir représente une dépense de l'ordre de 15 % du produit régional brut total. Compte tenu des autres dépenses d'investissement public indispensables, des ressources mobilisables localement et de la capacité d'emprunt des pays d'Afrique subsaharienne, il est clair que, sauf exception, la croissance des villes d'Afrique subsaharienne ne peut être autofinancée en totalité par la seule épargne de ces établissements humains.

Des transferts nets de ressources au profit des pôles de croissance sont donc nécessaires. Une partie (mais une partie seulement) de ces transferts peut provenir du reste du pays (grâce notamment au fameux biais urbain !) ou de la sous-région. Un recours durable à des transferts nets en provenance du reste du monde est donc inévitable.

Le processus d'urbanisation nécessite donc un appui durable de la communauté internationale

On doit s'attendre à ce que ce transfert net représente au moins 30 % de la dépense d'investissement public, mais il sera d'autant plus important que les termes de l'échange seront plus défavorables aux pays en voie de peuplement. On ne peut se résigner à ce que le rythme de réalisation des infrastructures et des investissements de fonction locale, et donc le rythme des migrations internes et entre pays d'Afrique subsaharienne, soient dictés par les fluctuations, en prix et en volume, du marché mondial des produits tropicaux ainsi que par l'évolution de la consommation mondiale de cacao des ménages. Puisque l'Afrique subsaharienne accueille une proportion croissante de la croissance démographique totale de la planète (de 8 % du total mondial en 1960 à 15 % aujourd'hui et 30 % d'ici 20 ans), il est logique que la part de l'Afrique subsaharienne dans le total des investissements de peuplement réalisés sur l'ensemble de la planète aille croissant. Si, comme cela semble devoir être le cas, le prix relatif des produits primaires qui forment le gros des exportations africaines doit continuer à baisser, il ne faut pas s'étonner que la part de l'Afrique subsaharienne dans le total mondial des transferts nets aille croissant, pendant plusieurs décennies encore.

Bien gérés, les IFL soutiennent doublement l'activité économique

De même que la dépense privée est une recette pour d'autres agents, les dépenses publiques d'investissement local et de fonctionnement des équipements correspondants (les fameuses charges récurrentes) constituent des recettes pour d'autres agents, qui sont en partie des opérateurs urbains nationaux. Ainsi, plus du tiers de l'économie urbaine repose sur les deux fonctions : construire la ville (quand le bâtiment va, tout va) et administrer le territoire. Le financement de ces IFL pose certes des problèmes ardus, mais il ne faut pas perdre de vue que ces dépenses et les charges récurrentes peuvent largement contribuer au soutien de l'activité économique. Ainsi, au-delà du problème du financement, il convient évidemment de s'interroger sur la capacité des institutions à prévoir et à programmer ces dépenses, à les mettre effectivement en œuvre et à en assurer un recyclage efficace dans les économies locales, la capacité, enfin, à gérer les équipements ainsi créés et la volonté de mettre sur pied des modes de financement qui optimisent ces effets de recyclage.

Pour une stratégie de développement centrée sur la gestion du peuplement et l'aménagement du territoire

Puisque les besoins d'IFL et les besoins de transferts correspondants sont incontournables et prévisibles et qu'ils constituent l'un des moteurs de l'économie urbaine et, à travers elle, de l'économie des pays de la région, autant les apprécier objectivement et s'efforcer de les organiser sur la longue durée, c'est-à-dire sur plusieurs générations. Le marché mondial d'après demain qui, en définitive, dépend des variables démographiques, ne pourra que bénéficier de cet investissement si celui-ci contribue efficacement au peuplement de la planète.

La mise en place du peuplement et son corollaire, la fabrication des établissements humains et des réseaux urbains, est la grande aventure du moment. Or, la crise que traverse la plupart des pays d'Afrique subsaharienne a considérablement réduit les capacités de financement des États et des entités décentralisées et la part des dépenses d'IFL dans leurs dépenses totales. Si cette tendance n'est pas rapidement renversée, c'est tout la dynamique de peuplement de l'espace africain qui risque d'être compromise.

A situation exceptionnelle, traitement d'exception...

A la différence des autres régions en développement, l'Afrique subsaharienne n'en est aujourd'hui qu'à mi-parcours de sa phase de transition démographique et de transformation structurelle qui, en moins d'un siècle, se sera traduite par le décuplement de la population totale, le centuplement de la population urbaine et des taux de migration internationale de l'ordre de 1 % par an... Même s'il faut s'attendre à ce que l'ampleur des flux migratoires des deux prochaines décennies dépende en partie de l'évolution du contexte macro-économique mondial et régional, l'option zéro migration, que de nombreux experts semblent considérer comme la plus probable, apparaît inacceptable à long terme.

Le processus de redistribution du peuplement sera nécessairement coûteux politiquement, économiquement et socialement. Il le sera d'autant plus et à tous égards qu'il aura été empêché ou freiné, soit du fait des politiques suivies par les pays eux-mêmes, soit du fait des effets indirects de certaines mesures des programmes de stabilisation et d'ajustement imposées par les circonstances.

C'est parce que les pays de la région, qu'ils soient d'immigration ou d'émigration, ont tendance à ignorer ces migrations, voire dans certains cas à les freiner, que les organisations régionales et internationales et les bailleurs de fonds ont une responsabilité particulière en cette matière. Si le terme d'ajustement structurel a un sens dans la longue durée, c'est bien dans le domaine du peuplement et de l'aménagement du territoire à l'échelle régionale. L'aide publique au développement (APD) devrait prendre en compte de façon beaucoup plus radicale les besoins d'investissements de peuplement avec le maximum de régularité sur la longue durée (quelle que soit l'évolution du cours de cacao et du cuivre), en recherchant l'effet maximum sur les économies locales (prévisibilité des plans de charge permettant aux entreprises de s'installer et de s'équiper, effets de la dépense publique sur les revenus et la dépense des ménages et des collectivités locales) et pour faciliter la mise en place d'administrations du territoire efficaces. Les flux de transfert nets au profit du secteur public des pays d'Afrique subsaharienne pourraient alors être programmés de manière à amortir les fluctuations dans le rythme de mise en place de ces investissements structurants, au lieu de les amplifier comme il semble que ce soit le cas aujourd'hui. Autrement dit, la proportion de financement extérieur net dans les programmes d'investissement public devrait pouvoir varier en raison inverse du volume des ressources nationales disponibles.

La réflexion prospective contribue à éclairer les choix stratégiques

Encore faut-il que ce vaste chantier d'aménagement et d'équipement du territoire repose sur une vision cohérente de l'avenir à long terme de la région et que cette vision soit partagée par les divers intervenants, pays concernés et leurs partenaires extérieurs. L'élaboration, par les pays, de perspectives nationales à long terme (NLTPS) fournit une excellente opportunité de renforcer le dialogue sur ce thème de l'aménagement du territoire. Bien que la préparation de ces NLTPS incombe aux pays, les organisations régionales et les bailleurs de fonds ont un rôle à jouer, non seulement au niveau de l'assistance technique (assurée principalement par le PNUD), mais aussi pour inciter les pays à tenir pleinement compte du contexte régional et pour faire en sorte que ces études contribuent effectivement à l'élaboration de stratégies et de programmes d'action mieux ancrés dans les réalités de la géographie régionale.

L'un des moyens consisterait à ce que ces organisations se dotent de leurs propres perspectives régionales à long terme, seule échelle à laquelle peuvent être abordés les thèmes de la redistribution des populations et des activités et de l'aménagement du territoire qui en découlent. C'est dans cette optique que le Secrétariat du Club du Sahel et la cellule Cinergie de la Banque africaine de développement ont engagé, au début de 1992 une réflexion approfondie sur les perspectives à long terme en Afrique de l'Ouest (WALTPS).

Face au regain d'intérêt pour la coopération régionale, cette étude permettra de jauger les mécanismes actuels de coopération à la lumière des enjeux d'avenir. Resituant chaque pays dans un espace plus vaste, elle offrira en outre un cadre de concertation et de coordination des stratégies nationales, sectorielles et générales.

Les agro-industries africaines face à la compétitivité internationale (1)

L'exemple des filières huile de palme et caoutchouc

par Robert HIRSCH

L'érosion de la compétitivité des filières africaines huile de palme et caoutchouc

Profondément engagée dans le financement de projets agro-industriels en Afrique, la Caisse centrale de coopération économique (CCCE) a constaté, vers la fin des années 80, une dégradation de la situation financière des sociétés camerounaises et ivoiriennes et la généralisation des difficultés de tous ordres des agro-industries de la plupart des pays de sa zone d'intervention (Congo, Centrafrique, Gabon).

Pour les deux filières, l'affaiblissement des positions commerciales de l'Afrique paraissait irrémédiable pour l'huile de palme (2), moins net pour le caoutchouc, dont les principaux producteurs du continent (Liberia, Nigeria et Zaïre au début des années 60) ont connu des défaillances partiellement compensées par l'arrivée de nouveaux pays (Côte-d'Ivoire et Cameroun), grâce auxquels l'Afrique a pu maintenir ses positions sur un marché ayant doublé en trente ans (3).

Les seules véritables similitudes entre les deux cultures pro-

(1) Cet article constitue une tentative de synthèse de deux études de la Division des politiques sectorielles de la CCCE :

— *Étude comparative des conditions techniques et économiques de production de l'huile de palme en Afrique et en Asie*, 69 pages + annexes, juin 1989.

— *Étude comparative des coûts de production du caoutchouc dans les grandes plantations en Afrique et en Asie*, 107 pages + annexes, décembre 1990.

Ces études ont fait l'objet d'une version anglaise résumée.

(2) De 1961 à 1990, la part de l'Afrique dans les exportations mondiales est passée de près de 60 % à moins de 2 % alors que les échanges, en volume, étaient multipliés par 12.

(3) 7,8 % des exportations mondiales en 1960, 8 % en 1990.

viennent de leur caractères pérenne, des investissements relativement lourds qu'elles nécessitent, d'exigences agro-climatiques assez proches (sols, ensoleillement, température, besoins hydriques) et d'un système d'exploitation souvent identique en Afrique et en Asie (la grande plantation), mais non dominant. Là s'arrêtent les caractéristiques communes des deux filières, du moins en Afrique où l'huile de palme est destinée prioritairement au marché intérieur (même si la Côte-d'Ivoire et le Cameroun exportent, certaines années, plus de 50 % de leur production), tandis que la quasi-totalité du caoutchouc est exportée, faute d'industries locales de transformation (sauf au Nigeria).

Sortir du cadre de l'Afrique et essayer de situer au double plan technique et financier les sociétés de ce continent par rapport à leurs concurrentes asiatiques, permet d'apprécier l'évolution de leur compétitivité. En d'autres termes, même si la démarche suivie n'a pas été la même pour les deux filières, la question posée relevait d'une problématique analogue : les agro-industries africaines ont-elles connu une détérioration de leur compétitivité et si oui, par rapport à quoi peut-on dire qu'elles ne sont plus compétitives ? Par rapport à des cours mondiaux dont les fluctuations demeurent souvent incompréhensibles (y compris des professionnels) ou par rapport à de nouveaux concurrents bénéficiant de meilleures conditions agro-climatiques, d'une meilleure productivité ou d'un meilleur environnement macro-économique et politique ?

Les deux études de référence peuvent ainsi être comprises, à travers une analyse des politiques suivies, comme un essai d'explication des raisons de l'échec ou de la réussite, sur un créneau donné, de pays dotés d'un potentiel physique pratiquement similaire, ou longtemps considéré comme tel.

Les principales conclusions peuvent être résumées comme suit :

— Pour l'huile de palme, les écarts de rendements et de productivité se sont creusés depuis trente ans entre l'Afrique et l'Asie, même si certaines régions de Côte-d'Ivoire, du Cameroun, du Nigeria et sans doute de Guinée peuvent prétendre à des performances comparables aux moyennes asiatiques. Si les plantations asiatiques obtiennent 4 tonnes d'huile (et souvent plus) par hectare, leurs homologues africains se situent, dans le meilleur des cas, entre 2,5 et 3 tonnes (RCI, Cameroun), mais fréquemment en dessous de 2 tonnes (Gabon, RCA, Congo).

— Pour le caoutchouc, la situation est radicalement différente, puisque certaines des sociétés africaines de l'échantillon ont des performances, toutes choses égales par ailleurs, meilleures que celles des sociétés asiatiques et, en toute hypothèse, largement comparables. Tel est le cas notamment de la SOGB ivoirienne, considérée comme l'une des plantations les plus performantes du monde.

Pour des coûts de production de l'huile de palme, l'étude de référence a montré une dispersion très forte, puisque le rapport entre le coût total de la société indonésienne et celui de la société camerounaise était supérieur à 5 en 1987. Cet écart a d'ailleurs été confirmé lors d'une actualisation partielle effectuée trois ans plus tard. La compétitivité des sociétés africaines vis-à-vis des cours mondiaux s'est donc sensiblement dégradée et elles sont obligées d'exporter à perte leurs surplus (depuis 1984-85). Malgré des prix intérieurs très élevés qui, s'ils compensent partiellement ces pertes, sont sans doute à l'origine d'une stagnation de la demande de corps gras, la situation financière des sociétés africaines de l'échantillon est aujourd'hui très fragile. La protection des marchés africains des corps gras, contrepartie « obligée » de la faible compétitivité, fonctionne de manière inégale suivant les pays. Assurée à peu près correctement en Côte-d'Ivoire (4), la protection se révèle difficile sinon impossible à appliquer au Cameroun (mais également au Congo et en RCA où la concurrence des produits zaïrois est de moins en moins contrôlée).

Pour le caoutchouc, la comparaison des coûts de production est dans l'ensemble moins défavorable aux sociétés africaines, même si les plantations indonésiennes ont des coûts qui sont 2,2 à 4,9 fois inférieurs à ceux du Cameroun. Par contre, entre les plantations malaisiennes et ivoiriennes, les écarts sont minimes et s'ils évoluent à l'avantage des premières, c'est principalement en raison des tendances divergentes des parités monétaires. Malgré leurs rendements souvent très satisfaisants, les sociétés africaines de l'échantillon — appartenant, sauf une, à la zone franc — connaissent actuellement une situation difficile à cause de la médiocrité des cours du caoutchouc et de l'appréciation du F CFA vis-à-vis du dollar (5).

Pourquoi une telle dégradation ?

Les politiques sectorielles conduites par les États tout autant que l'évolution du coût des facteurs expliquent la dégradation actuelle. Si les performances physiques expliquent, en partie, les surcoûts de l'huile de palme africaine, elles n'ont pratiquement pas d'incidence pour le caoutchouc (6), du fait du poids relatif des charges variables. Par contre, l'importance des conditions de financement des investissements et du rythme de plantation, fac-

(4) Malgré l'exemple évoqué page 261.

(5) Ainsi la société Hevecam (Cameroun) a-t-elle vu ses prix moyens de vente (toutes qualités confondues) évoluer comme suit (en position FOB Douala) :

	1984/85	1990/91	Variations
F CFA/kg	355,4	216,3	– 39,1 %
Cents EU/kg	75,4	83,2	+ 10,3 %

(6) Sauf, peut-être, pour les sociétés camerounaises.

teur déterminant le poids des charges fixes, a été mise en évidence, *a posteriori*, par l'étude caoutchouc et s'applique également à l'huile de palme.

D'autres causes expliquant les écarts de coûts doivent être recherchées parmi lesquelles le rôle de l'État à travers les diverses politiques qu'il initie ou qu'il influence et le coût des facteurs.

Le cas de l'huile de palme

Pour cette filière, la présence de l'État est très forte en Afrique. Fixant les prix intérieurs de l'huile et ayant longtemps assuré une stabilisation ou une garantie de ces prix, l'État a ainsi « protégé » les sociétés de plantations des fluctuations des cours mondiaux. Par exemple, en retirant la maîtrise des flux financiers (7) à Palmindustrie, de 1975 à 1983, l'État ivoirien a conforté une gestion de type administratif dans laquelle le coût de revient (8) n'avait qu'une importance toute relative. Particulièrement dans les pays de la zone franc, rares sont les sociétés éléicoles qui sont en mesure de fixer librement leurs prix de vente sur le marché intérieur.

En Asie, et particulièrement en Malaisie où l'État demeure très présent, les prix à tous les stades de la filière huile de palme n'ont jamais fait l'objet de mesures de stabilisation ou de garantie, les seules références admises étant la concurrence des acheteurs (de régimes, pour les huileries, ou d'huile brute, pour les raffineries) et le cours mondial. Même dans les très importants programmes villageois, le profit a joué un rôle moteur et l'amélioration des revenus ruraux a toujours été recherchée par des gains de productivité plutôt que par les prix.

A partir de 1985-86, la forte chute des cours des corps gras a donc été vécue différemment en Afrique et en Asie. Pour cette dernière, la souplesse des mécanismes de prix a corrigé rapidement (9) les effets négatifs de cette chute, tandis que, pour la première, les rigidités nées de la conception administrative de la gestion généraient de lourdes pertes.

De la même façon, la politique des prix intérieurs à la consommation de l'huile est utilisée fréquemment en Afrique pour compenser les coûts de revient excessifs et « corriger les imperfections du marché ». En fait, cette immixtion de l'État se révèle souvent, *a posteriori*, comme un facteur aggravant et ce sont les consommateurs qui, en définitive, paient leur huile à des prix prohibitifs et assument les conséquences de choix hasardeux.

En Asie, il n'y a pas, à proprement parler, de politique des prix. Par contre, dès que la compétitivité externe des sociétés publiques

(7) Ou, si l'on préfère, en assurant lui-même la commercialisation de l'huile de palme.

(8) Remplacé par un barème négocié chaque année avec l'administration.

(9) Par réduction des effectifs et compression sévère des coûts à tous les stades, pour les « estates », et par la baisse des prix d'achat des régimes, pour les petits planteurs.

et privées de la filière est remise en cause, les droits de douane et/ou la fiscalité sont corrigés. La recherche de surplus prélevés par l'État n'est plus considérée comme prioritaire, dès lors que cette compétitivité externe des producteurs risque d'en souffrir.

Les stratégies de développement adoptées sur les deux continents s'opposent également, même si, au départ, les pays asiatiques disposaient d'un acquis certain. Ainsi, la Malaisie, à partir d'une analyse de la situation du marché mondial des corps gras du début des années 60, s'est donnée comme objectif de s'en approprier une part substantielle au détriment de l'huile de soja. Appuyée par une recherche performante et des moyens financiers, nationaux et extérieurs, importants, elle a fait preuve d'une détermination sans faille dans sa volonté d'atteindre l'objectif fixé. Face au protectionnisme des États-Unis et de la CEE, d'une part elle a reconverti une production quasi exclusive d'huile brute en toute une gamme de produits raffinés (18,4 % des exportations en 1975, 83 % en 1980) avant de développer, vers 1984, l'intégration vers l'aval de la filière en créant une industrie oléochimique, d'autre part, elle s'est fortement implantée sur les marchés d'Asie (Inde, Pakistan, Chine) et du Moyen-Orient.

Face à cette remarquable continuité du développement d'une filière qui a littéralement créé son marché (10), l'Afrique, ex-premier exportateur de produits du palmier, n'a opposé que l'incohérence de politiques sans vision stratégique. Certes, la Côte-d'Ivoire a réussi une percée, de 1961 à 1975, en devenant le troisième exportateur mondial, mais le coup d'arrêt donné aux nouvelles plantations, en 1978, a cassé cette dynamique. De plus, en privilégiant non seulement l'élaéiculture villageoise, mais aussi les revenus des planteurs par une politique de prix à la production ignorant le cours mondial, elle a vu sa compétitivité externe se dégrader. Le deuxième plan palmier, initié en 1983, s'est ainsi révélé aussi coûteux que prématuré en accroissant bien inutilement les charges financières de la filière.

Le Cameroun, dans un contexte différent, a attendu plus de dix ans pour créer sa première raffinerie, alors que la demande des consommateurs (comme dans tous les pays d'Afrique centrale) avait profondément évolué, se portait toujours davantage vers les huiles raffinées et ne pouvait être satisfaite que par des importations, au détriment des sociétés productrices, obligées d'exporter à perte leur huile brute. Comme la Côte-d'Ivoire, le Cameroun a pratiquement cessé de planter à partir du début des années 80, ce qui se traduira, à terme, par des difficultés de financement d'une éventuelle relance.

En résumé, on est en présence de secteurs mal gérés, en Afrique, ou gérés suivant des principes ignorant les réalités du marché mondial. La faible compétitivité externe apparaît ainsi comme

(10) Exportations mondiales d'huile de palme : 0,6 million de tonnes en 1958, 8,9 millions en 1991.

l'une des conséquences directes de l'inadaptation des politiques à l'évolution du marché mondial des corps gras. Et c'est en définitive cette interprétation différente du marché mondial qui caractérise sans doute le mieux les pays asiatiques et les pays africains. Les premiers le perçoivent comme un mécanisme de régulation auquel il faut s'adapter en toutes circonstances, tandis que les seconds lui attribuent trop souvent la cause de leurs difficultés, même si ces dernières ne sont que la résultante de leurs propres politiques.

Le cas du caoutchouc

A la différence du palmier à huile, la filière hévéicole a curieusement échappé, pendant longtemps, à tout contrôle des États, du moins au Cameroun et en Côte-d'Ivoire. Initiée par le secteur privé, avant les indépendances, et contrainte d'affronter directement le marché mondial (c'est-à-dire sans interférence des caisses de stabilisation), elle s'est développée modestement jusqu'aux années 70. On peut même dire que, pendant longtemps, il n'y eut pas de stratégie explicite de développement de la part des États africains. De ce passé, jalonné de périodes difficiles, peut-être la filière a-t-elle gardé une plus grande rigueur de gestion ?

Ultérieurement, dans un souci de diversification des exportations, la stratégie des deux pays africains évolua. L'ouverture du sud-ouest ivoirien, le développement du secteur villageois, la création d'Hevecam dans le sud camerounais et le renouvellement des anciennes plantations de la CAMDEV permirent ainsi de tripler les surfaces plantées au Cameroun et de les quadrupler en RCI, de 1970 à 1990. Le secteur privé se retrouvait largement minoritaire à l'issue de cette évolution, face à des sociétés publiques massivement financées par des ressources extérieures et utilisant une assistance technique, sans doute nécessaire, mais coûteuse.

En Asie, l'hévéaculture était également un héritage colonial. Aussi bien en Indonésie qu'en Malaisie, les grandes plantations appartenant à des étrangers ont été progressivement reprises par des intérêts nationaux, tandis qu'une nette priorité en faveur des petites plantations était affirmée, dès l'indépendance, dans les deux pays.

Compte tenu du poids économique de l'hévéaculture en Asie (jusqu'à 16,4 % des exportations malaisiennes en 1980, mais seulement 2,8 % en 1990) et de sa taille, la fiscalité directe (11) a permis de dégager des montants non négligeables qui ont largement contribué au financement du secteur. Comme pour l'huile de palme, les droits de sortie dépendent du niveau des prix FOB et sont ajustés automatiquement (ils sont actuellement suspendus).

En Afrique, où la faible taille du secteur hévéicole a constitué, jusqu'à présent, sa meilleure protection contre les prélèvements

(11) Taxes foncières, de replantation ou de recherche.

abusifs qu'ont pu connaître d'autres filières, on observe une fiscalité directe relativement faible (12), mais une fiscalité indirecte qui peut représenter jusqu'à 25 % des coûts de revient. Appliquée le plus souvent sans nuances, elle est ainsi à l'origine du coût prohibitif des facteurs en Afrique, particulièrement pour l'énergie sous toutes ses formes. La comparaison de l'évolution des coûts de quelques intrants utilisés en hévéaculture dans deux pays asiatiques et deux pays africains, montre ainsi que les sociétés africaines peuvent payer, certaines années, jusqu'à 7 fois plus cher leur gasoil ou 3,8 fois plus cher leur électricité (13). Il s'agit là d'une des causes majeures des écarts observés dans les coûts de revient. Et cette observation s'applique naturellement à l'huile de palme.

Le coût des facteurs en Afrique, et particulièrement dans la zone franc où il n'y a pas de véritable concurrence entre les fournisseurs, est donc trop élevé et met en péril l'équilibre financier des sociétés, quelles que soient par ailleurs leurs performances techniques.

Le coût de la main-d'œuvre non qualifiée, qui représente au moins 80 % des emplois permanents, est également un facteur essentiel de la dégradation de la compétitivité des agro-industriels africaines. Pour les saigneurs, qui constituent la catégorie la plus nombreuse des sociétés hévéicoles (les ouvriers qui saignent les hévéas), la hiérarchie des salaires se présentait comme suit, en 1989 :

Société	Coût journée (14) dollars US	Indice A = 100	Équivalent (15) en kg/cc
SOCFINDO (Indonésie)	2,2	100	2,4
SOGB (Côte-d'Ivoire)	4,0	182	3,9
SAPH (Côte-d'Ivoire)	4,6	209	4,6
HEVECAM (Cameroun)	4,7	214	4,8
SAFACAM (Cameroun)	4,8	218	4,5
Moyenne (Malaisie)	6,3	286	-
SOCFIN (Malaisie)	7,2	327	6,5
HEVEGAB (Gabon)	19,0	864	-

(12) Et même des primes à l'exportation en Côte-d'Ivoire.

(13) Au Cameroun, un coût de l'énergie équivalant à celui de l'Indonésie permettrait de diminuer les coûts directs d'usinage de 21 % environ. Pour la Côte-d'Ivoire, l'alignement des coûts de l'énergie sur ceux de SOCFINDO autoriserait une baisse du coût de revient avant amortissement de 10 %.

(14) Il s'agit du coût complet pour l'entreprise, incorporant le salaire de base, les primes, les charges salariales et certaines dépenses à caractère social liées à la localisation des plantations (logement, eau, soins médicaux, etc.) ou à caractère légal (fourniture de riz en Indonésie, par exemple).

(15) Sur la base du prix moyen de vente 1989, toutes qualités confondues.

Compte tenu du poids des salaires dans les coûts de production (jusqu'à 70 % de la valeur ajoutée brute et 50 % du chiffre d'affaires), on est évidemment en présence de l'un des principaux facteurs explicatifs des différences de coûts entre l'Afrique et l'Asie. Si l'Indonésie offre systématiquement les coûts de production les plus bas, c'est principalement en raison de ses bas coûts salariaux. Les coûts salariaux camerounais et ivoiriens occupent une position médiane et placent les deux pays dans une position favorable vis-à-vis de la Malaisie (16). Cependant, appréciées en termes réels, les rémunérations des salariés africains ne sont pas aussi élevées que ne le laisse supposer leur conversion en monnaie américaine. Si, par exemple, le saigneur malaisien gagne 6,3 dollars US par jour en 1989, soit près de 50 % de plus que son homologue ivoirien, il faut signaler que ce dernier peut payer, pour des produits de base comme le riz, l'huile ou le sucre, respectivement 36, 279 et 75 % plus cher (1989), ce qui amplifie les écarts absolus des salaires réels et infirme l'idée, souvent avancée, selon laquelle les salaires africains sont trop élevés (17).

Même si les prix de vente à l'exportation du caoutchouc africain ne subissent pas de manière clairement perceptible la décote fréquemment évoquée, il n'en demeure pas moins que la plupart des sociétés africaines doivent vendre souvent deux fois plus de caoutchouc que les sociétés indonésiennes pour financer leurs coûts salariaux.

Enfin, pour les deux filières, les études de référence ont souligné l'impact négatif des taux de fret sur la compétitivité des sociétés africaines et surtout l'incohérence de ces taux (18).

Pour conclure sur le coût des facteurs, il apparaît clairement que, sur les deux continents, l'environnement macro-économique des agro-industries, pris dans son sens le plus large, pèse de tout son poids sur les résultats financiers des sociétés. La compétitivité d'une société africaine peut être remise en cause à tout instant par la lenteur des décisions de ses autorités de tutelle ou par la concurrence d'intérêts particuliers. Ainsi, lorsque le directeur général d'une importante agro-industrie ivoirienne attire, début 1991, l'attention du ministre du Commerce sur la présence, sur les marchés, d'huile asiatique, importée sans acquitter de droits d'entrée, il attend toujours, six mois après, une réaction ! Entretemps, les importateurs ont pu

(16) Dont le secteur hévéicole connaît actuellement (1991-92) de sérieuses difficultés tenant principalement au coût de la main-d'œuvre.

(17) Pour les salaires des cadres, évoqués dans l'étude de référence, cette idée paraît beaucoup plus plausible.

(18) Pour la Côte-d'Ivoire, par exemple, on constate, durant l'exercice 1988-89, que le fret Abidjan - Bremen ou Hamburg (7,2 cents/kg) coûtait 64 % plus cher que le fret Abidjan - Royaume-Uni (4,4 cents/kg) et également plus cher que le fret à destination des États-Unis (7,1 cents/kg). En 1989, le fret Malaisie - Royaume-Uni coûtait 5,5 cents US par kg.

profiter d'une marge substantielle et, en 1993 ou en 1994, lorsque les statistiques du commerce extérieur ivoirien 1991 seront enfin publiées, peut-être l'huile asiatique aura-t-elle pu définitivement s'implanter dans l'un des seuls pays africains réellement autosuffisant. S'il ne mettait à terme en péril toute une filière pour laquelle l'État ivoirien s'est lourdement endetté, cet exemple ne relèverait que de l'anecdote. En fait, il conforte la thèse suivant laquelle la gestion macro-économique des filières agro-industrielles africaines n'est pas assurée.

Le sauvetage puis la relance des agro-industries sont possibles

Le redressement de la filière huile de palme exige une refonte globale des politiques sectorielles

Si l'Asie, par la position qu'elle occupe aujourd'hui dans les échanges mondiaux d'huile de palme, est pratiquement obligée de poursuivre dans la voie qu'elle a définie elle-même, il y a plus de vingt-cinq ans, l'Afrique est confrontée à un dilemme : doit-elle réduire ses ambitions à la satisfaction de marchés intérieurs actuellement stagnants, à cause de prix à la consommation trop élevés, et accessoirement, de marchés régionaux (pays limitrophes) sur lesquels elle est déjà fortement concurrencée, ou doit-elle relever le défi asiatique et tenter d'accroître sensiblement sa part sur le marché mondial (19) ?

Dans le premier cas, la réduction des superficies sera sans doute nécessaire tandis que, dans le second, la relocalisation du palmier dans les zones les plus favorables, l'amélioration de la productivité et la maîtrise des coûts de production devraient accompagner une réforme en profondeur de la « philosophie » actuelle de développement.

L'exemple asiatique est, à cet égard, instructif dans la mesure où il montre, d'une part, qu'un secteur exportateur ne peut être performant qu'à condition d'évoluer dans un environnement économique porteur et, d'autre part, que des prélèvements excessifs, même sous une forme indirecte, sont, en longue période, incompatibles avec le maintien de la compétitivité sur le marché mondial.

Il montre aussi que, si l'État décide de s'immiscer dans les activités de production, cela ne le dispense pas de se soumettre aux contraintes du marché, dès que l'accès au marché mondial est soit inévitable, soit recherché. Par contre, l'organisation et, sous certaines conditions, la protection du marché intérieur, qui n'ont pas reçu, en Afrique, la même attention qu'en Asie (20), doivent demeurer sous la responsabilité des États, même si ceux-ci se réclament du libéralisme. Si de telles bases sont clairement affir-

(19) Actuellement inférieure à 2 % des exportations mondiales.

(20) Cf. l'exemple de la page 261.

mées, l'élaéiculture, sans prétendre retrouver les positions qu'elle occupait au début des années 80, peut parfaitement améliorer ses résultats techniques, financiers et commerciaux. Techniquement, en privilégiant les zones bénéficiant des conditions physiques les plus favorables et le mode de développement le plus performant (21), c'est-à-dire la grande plantation. Financièrement, en encourageant la maîtrise des coûts de production par une politique fiscale et parafiscale moins rigide (particulièrement sur les facteurs de production importés). Commercialement, enfin, en offrant des produits finis adaptés au goût et au pouvoir d'achat des consommateurs, non seulement sur le marché intérieur, mais également sur les marchés des pays limitrophes.

Si, dans cette triple voie, des efforts substantiels peuvent redonner au secteur palmier une place plus conforme aux potentialités africaines, la Côte-d'Ivoire est confrontée à une difficulté supplémentaire tenant à l'importance de son secteur villageois. Même si la petite plantation a longtemps été considérée comme le pilier du « miracle ivoirien » (22) et même si elle constitue une réussite sociale et sans doute économique pour les planteurs, elle représente aujourd'hui un fardeau pour Palmindustrie et pour l'économie ivoirienne. Considéré dans son ensemble, ce secteur villageois n'a jamais obtenu les résultats agricoles escomptés et les replantations massives, entreprises depuis 1983, risquent de ne pas améliorer sensiblement ces résultats. Découlant d'un choix politique réaffirmé en permanence, protégées par un système de prix artificiel qui n'encourage que très mal l'accroissement de la productivité, les plantations villageoises constituent actuellement un problème insoluble. Plus le temps passe, plus celui-ci ne pourra être résolu qu'au prix de décisions aussi difficiles à prendre que celle que nécessitait, en 1989-90, le secteur cacao. Même s'il est un peu tard pour poser une telle question, l'équilibre entre plantations industrielles (même « relocalisées » et rendues encore plus autonomes qu'elles ne le sont aujourd'hui) et secteur villageois apparaît comme étant un facteur décisif pour l'avenir du secteur palmier ivoirien.

Si la privatisation de la gestion des plantations industrielles publiques constitue également une voie à explorer en Côte-d'Ivoire (mais aussi au Cameroun), leurs relations avec le secteur villageois, c'est-à-dire le niveau et la garantie du prix d'achat des régimes, ne seront pas réglées pour autant ; sauf à imaginer soit une voie industrielle distincte (mini-huileries ?) pour les plantations villageoises regroupées, soit un traitement des régimes villageois par les huileries des pays industrialisés sur une base forfaitaire et la prise en charge des surcoûts par le budget national. De telles formules paraissent très compliquées à mettre en œuvre et ramènent, tout naturellement, à l'exemple asiati-

(21) Dans le contexte local.

(22) Principalement pour le café et le cacao.

que, c'est-à-dire à la référence plus ou moins pondérée et atténuée au cours mondial de l'huile de palme. Mais cela est-il politiquement possible en Afrique (23) ?

Au-delà des performances respectives des pays asiatiques et africains, l'étude comparative aura montré que ce ne sont pas les avantages édapho-climatiques qui fournissent la meilleure explication des différences constatées sur les deux continents, mais bien la conception du développement, l'organisation, la gestion et le suivi de la filière huile de palme.

Une telle constatation interpelle les gouvernements, mais aussi les bailleurs de fonds extérieurs qui ont financé une partie non négligeable des investissements en Afrique. Le redressement du secteur palmier africain est certes possible, même si les perspectives des cours mondiaux des huiles végétales sont plutôt médiocres. Mais ce redressement implique que tous les problèmes évoqués tout au long de l'étude soient analysés soigneusement par les partenaires concernés et que les solutions, même politiquement délicates, soient effectivement mises en œuvre. Il y va de l'avenir du secteur palmier en Afrique.

(23) Si l'on se réfère au mécanisme de fixation du prix du caoutchouc des plantations villageoises, mis en place en 1983 en Côte-d'Ivoire — mécanisme géré par la profession et reposant sur un prix garanti fixé à un niveau relativement modeste et assorti d'une prime variable indexée sur le prix de vente à l'exportation —, on peut être raisonnablement optimiste quant à la réponse à une telle question. Encore faut-il que les fluctuations des cours ne soient pas à sens unique !

Mais le plus mauvais choix serait certainement le repli des filières huile de palme africaines sur leurs marchés intérieurs et le renforcement de leur protection. En rejetant une nouvelle fois la référence au cours mondial, un tel choix conforterait les conditions artificielles de production qui ont longtemps prévalu dans les deux pays analysés (et dans beaucoup d'autres) et il est à craindre qu'à long terme aucun des agents économiques concernés, qu'il s'agisse de l'État, des producteurs ou des consommateurs, n'en tire le moindre avantage.

La relance de la filière caoutchouc exige également la mise en œuvre de politiques sectorielles cohérentes et ambitieuses

Au terme d'une comparaison, certes incomplète, mais abordant de multiples aspects de l'hévéaculture de plantation, que peut-on retenir ?

Tout d'abord, qu'il existe une compétitivité certaine des plantations africaines de l'échantillon, du moins en termes physiques. Ensuite, qu'il y a des handicaps structurels et/ou conjoncturels relevant principalement des parités des monnaies, des coûts des facteurs (y compris ceux de la main-d'œuvre) et de la faible autonomie technique et surtout financière de ces plantations vis-à-vis de l'extérieur.

Mais la compétitivité est un concept ambigu et la possibilité de pouvoir vendre leur caoutchouc dans de bonnes conditions ne doit pas faire oublier que les coûts totaux de production de la plupart des sociétés africaines sont supérieurs aux prix de vente (depuis 1986, pour certaines, et depuis plus longtemps, pour d'autres). En d'autres termes, malgré d'excellentes performances techniques d'ensemble, la capacité du système de plantation à se renouveler est actuellement handicapée en Afrique par les cours (qui ne sont pourtant pas fondamentalement mauvais, exprimés en dollars), par les taux de change et, dans certains cas, par les hausses continues des coûts de production.

On imagine mal que les sociétés africaines puissent continuer très longtemps à vendre leur caoutchouc à perte. La mise en parallèle des coûts de production totaux et des prix de vente moyens (toutes qualités confondues) montre que la différence entre ces deux indicateurs est le plus souvent négative en Afrique, alors qu'elle est largement positive en Asie tout au long de la période analysée. Même en 1988, année de cours élevés, cette différence demeure négative pour les deux sociétés camerounaises et très légèrement positive pour les deux sociétés ivoiriennes, alors que les marges des sociétés asiatiques atteignent des niveaux très élevés.

Cette observation pourrait suggérer que la maîtrise des coûts et, en particulier, celle des salaires est encore insuffisante en Afrique. Mais, comme on l'a vu, les salaires de base africains appréciés en termes réels sont loin d'être aussi élevés que ne le laisse supposer leur conversion en monnaie américaine.

Il y a également les dépenses à caractère social qui sont généralement plus élevées en Afrique, mais dont la réduction risquerait d'accroître encore la volatilité de la main-d'œuvre entraînant, inévitablement, des répercussions sur les coûts de formation et sur la qualité de la saignée.

Il y a enfin toutes les tâches confiées à certaines sociétés africaines, publiques ou mixtes, en matière de développement régional qui n'ont qu'un rapport souvent lointain avec leur métier de base. Ces tâches, qui traduisent surtout les carences des services publics de santé, d'éducation, d'entretien routier, voire de sécurité, peuvent, même lorsqu'elles sont rémunérées, créer ou exiger des emplois supplémentaires.

Mais les facteurs qui pénalisent sans doute le plus les sociétés de plantation africaines relèvent du contexte macro-économique dans lequel elles évoluent et sur lequel elles n'ont pratiquement aucune prise. Qu'il s'agisse des parités monétaires, longuement évoquées tout au long de l'étude, des politiques douanières et fiscales ou des lacunes de l'environnement industriel et commercial, tous ces facteurs concourent directement ou indirectement au gonflement des coûts. Comme pour la filière huile de palme, ce diagnostic interpelle les autorités de tutelle de l'hévéaculture africaine. Il ne fait aussi que refléter la grande fragilité du système de plantation qui, confronté en permanence à une concurrence sévère sur des marchés où aucune position ne peut être considérée comme acquise sans investissements continus (replantation, modernisation des usines) et sans une maîtrise permanente des coûts. L'évolution qualitative de la demande des grands manufacturiers de pneumatiques, qui semble désormais se porter de manière irréversible sur les caoutchoucs dits de qualité secondaire (QS), par opposition aux caoutchoucs de latex (ou off-latex), constitue un nouveau défi pour les grandes plantations africaines et asiatiques dont 70 à 80 % des productions étaient constitués de caoutchoucs de latex. Certaines d'entre elles ont déjà entrepris une profonde réorganisation de leurs méthodes de saignée, de collecte et d'usinage pour s'adapter à cette situation nouvelle, mais il est encore trop tôt pour en apprécier l'impact sur les coûts.

L'importance croissante prise par les plantations villageoises, qui se situent dans une logique économique différente, indique peut-être ce que sera l'hévéaculture des prochaines décennies. D'ici là, quelle que soit la durée de cette phase de transition, la grande plantation devra en permanence apporter la preuve qu'elle est toujours le système de production performant qu'elle a pu être dans le passé. Il convient de rappeler aussi que les grandes plantations, seules ou en association avec les instituts de recherche, sont à l'origine des gains de productivité considérables enregistrés depuis plus de cinquante ans et qu'à ce titre, elles demeurent irremplaçables.

En Afrique, plutôt que d'opposer deux systèmes de production qui sont en fait complémentaires — le volume pour l'un, la qualité pour l'autre —, le développement de l'hévéaculture devrait s'appuyer davantage sur ces complémentarités en s'inspirant de ce que font aussi bien l'Indonésie que la Malaisie. Mais cela suppose que les grandes plantations puissent survivre aux très sérieuses difficultés qu'elles connaissent actuellement. Il ne s'agit pas, bien entendu, de suggérer une aide financière directe des États, qui sont eux-mêmes souvent dans une situation délicate, mais bien d'essayer de placer ces sociétés dans des conditions de concurrence équitable dont elles semblaient très éloignées, en 1990.

Les stratégies de sauvetage puis de relance

Elles doivent être définies au cas par cas. Cependant, quelques principes généraux se dégagent. Ces études ont mis en évidence que c'est seulement à partir de l'engagement de la CCCE dans l'appui à la conception de politiques sectorielles et macro-économiques, vers le milieu des années 80, que les conditionnalités de ses concours ont permis d'infléchir certaines politiques jugées inadéquates. Elles ont également mis en évidence que, lors de la conception des projets les plus anciens, la prise en compte insuffisante de la réalité des marchés (ou la prise en compte exclusive du marché national et de prix intérieurs anormalement élevés) et la référence trop systématique aux prévisions de cours de la Banque mondiale (24) ont pu conduire soit à surdimensionner certains projets, soit, pour d'autres, à maximiser les risques.

Le fait que ces concours s'appliquent à des cultures pérennes à cycle long (25) avec des phases de création (plantation) et d'entretien étalées sur dix à quinze ans, a constitué un facteur de rigidité rendant difficile un désengagement. A la différence de la Banque mondiale, qui n'a pas hésité à abandonner brutalement ses concours aux filières agro-industrielles africaines (particulièrement dans la zone franc), la Caisse centrale a essayé de parachever ou de poursuivre les opérations qu'elle avait initiées. Souvent, il faut le reconnaître, au prix d'une multiplication des projets de « réhabilitation » ou de restructuration financière. Peut-on lui reprocher ce souci d'essayer de maintenir en Afrique des activités productrices dans une conjoncture difficile, plutôt que de mobiliser l'essentiel de ses moyens à combler les déficits des finances publiques par des prêts d'ajustement structurel ? Il faudra attendre quelques années avant de pouvoir apporter une réponse argumentée à cette interrogation, réponse qui dépendra de l'évolution des cours et de la volonté des États d'appliquer les réformes proposées.

Mais dès à présent, une évolution de l'appui aux filières agro-industrielles africaines se dessine. Des désengagements sont intervenus et une place plus importante est désormais accordée au retrait de l'État d'activités auxquelles il est mal préparé, aux problèmes de marché (notamment dans un cadre sous-régional), au suivi permanent des coûts de production et donc à la compétitivité de ces filières. Mais cette évolution ne peut être que très lente pour les sociétés les plus anciennes, confrontées à de multiples contraintes que, très souvent, elles ne maîtrisent pas.

Et à en juger par l'échantillon particulièrement large de situations particulières qu'offrent les agro-industries africaines, il est clair que leur redressement ne passe pas par l'application de quelques « recettes » à la mode, mais d'une part par une analyse approfondie de leurs forces et de leurs faiblesses et, d'autre part, par une séparation plus rigoureuse des rôles respectifs de l'État et des organes de direction des sociétés elles-mêmes et par leur responsabilisation.

Telle était en fait l'ambition affichée par les deux études de référence qui, loin de constituer un aboutissement, devront être actualisées en permanence, améliorées, élargies à d'autres pays africains (notamment hors zone franc) afin de servir d'aide à la décision.

---

(24) Particulièrement celles de 1980-82 qui se révèlent, en 1990, trop optimistes.

(25) Le régime de croisière n'étant généralement atteint qu'après une quinzaine d'années.

Le sauvetage des filières cotonnières africaines

par Jean-Bernard VÉRON

Vitale pour la région soudano-sahélienne, la culture du coton y a connu une réussite remarquable, largement accompagnée par la coopération française. Pour les campagnes soudano-sahéliennes, de l'Atlantique au Soudan, la culture du coton est aujourd'hui, avec 1,6 milliard de francs distribués, la première source de revenus monétaires agricoles pour plus d'un million d'exploitations. C'est, à ce titre, une activité sans alternative à terme raisonnable pour améliorer le niveau de vie de quelque quinze millions de ruraux.

En outre, cette culture est un outil irremplaçable de modernisation économique, social et politique.

Les gains qu'en retirent les paysans permettent et justifient l'emploi d'intrants modernes, gage d'une augmentation des rendements non seulement pour le coton mais également pour les cultures associées (1).

Le coton « paie » pour la santé, les pistes, l'hydraulique villageoise, l'alphabétisation fonctionnelle et permet, au moins partiellement, de pallier l'impécuniosité de l'État ainsi que le délabrement des services publics.

Enfin, le monde rural trouve dans les associations de producteurs de coton l'ébauche d'une structuration professionnelle, porte-parole des campagnes auprès du pouvoir politique.

Pour ces pays, qui ne disposent généralement pas de ressources minières, non plus que les spéculations agricoles à forte valeur ajoutée de l'Afrique humide (cacao et café), le coton est le seul gisement notable de devises : il peut en effet représenter jusqu'aux trois quarts de la valeur de leurs exportations.

Dans une moindre mesure et sous réserve que les cours mon-

(1) Contrairement à une idée reçue, le coton, loin d'avoir pris la place des cultures vivrières et donc d'avoir creusé le déficit alimentaire des pays sahéliens, a favorisé la croissance de la production de céréales, notamment grâce à l'effet des fumures mises sur cette culture.

diaux soient favorables, il génère également des recettes budgétaires.

L'importance économique du coton tient aussi au fait qu'il fournit la matière première d'une fraction non négligeable du petit secteur industriel des pays sahéliens (filature et tissage, huilerie, fabrication d'aliments pour le bétail).

Coton et développement

Le développement de ces pays repose donc, dans une bonne mesure, sur les performances de leurs filières cotonnières.

La diffusion du coton à une échelle significative en Afrique francophone est un phénomène récent datant, selon les pays, du début des années 60 ou 70.

Depuis, cette culture a connu une croissance continue, à un rythme rapide :

— la récolte aux champs est en effet passé de 130 000 tonnes en 1960 à plus de 1,3 million de tonnes trente ans après ;

— la production de coton fibre a beaucoup augmenté en raison des progrès de l'égrenage : elle approche aujourd'hui les 600 000 tonnes, soit 15 fois la production de 1960.

Plus important encore : ces gains ont été très largement obtenus par l'amélioration de la productivité. Le rendement agricole moyen a, en gros, doublé : de moins de 500 kilos à l'hectare à la fin des années 60 à plus de 1 000 au début des années 90.

Dans le même temps, l'introduction de nouvelles variétés a permis de faire passer le taux d'égrenage de 37 à 42 % (2).

Au bout du compte, le coton est une des rares cultures d'exportation pour laquelle l'Afrique est restée indiscutablement compétitive sur le marché mondial, ainsi qu'en témoigne l'élargissement des parts qu'elle y détient.

Cette activité est, en outre, hors période d'effondrement des cours, financièrement rentable pour toutes les catégories d'opérateurs économiques qui y participent et, du fait de l'importance du facteur travail, contribue dans une forte proportion relative à la création de valeur ajoutée nationale.

La France est bien souvent à l'origine de la culture du coton dans les pays relevant de son ancien domaine colonial et, après leur indépendance, sa coopération a continûment accompagné la montée en puissance de cette activité.

Cet appui multiforme englobe la recherche (IRCT), l'assistance technique (CFDT) et commerciale (COPACO), le financement (ministère de la Coopération et Caisse centrale).

Il a contribué à la mise en place de structures de production novatrices, les filières, qui intègrent, sous le pilotage d'un opérateur unique en collaboration plus ou moins étroite avec l'admi-

(2) Certains pays cotonniers d'Afrique de l'Ouest, avec des rendements à l'égrenage très proches de 44 %, détiennent de ce point de vue le record mondial de l'efficience.

nistration agricole, l'ensemble des actions depuis l'approvisionnement en intrants jusqu'à la commercialisation de la fibre.

Selon les nécessités du moment, les interventions de la coopération française ont pris des formes diversifiées :

— projets de développement rural intégré centrés sur la culture du coton avec, dans la période récente, un accent spécifique sur la restauration de la fertilité des sols et, plus généralement, la problématique de l'environnement ;

— opérations industrielles de renforcement et de modernisation des outils travaillant à l'aval de la production agricole (usines d'égrenage, huileries, manufactures textiles) ;

— programmes d'ajustement, dans la seconde moitié des années 80, afin de réduire les coûts et dysfonctionnements des filières, mises à mal par l'effondrement des cours mondiaux du coton.

La crise de l'économie cotonnière

Les crises cycliques qui affectent périodiquement l'économie cotonnière posent de redoutables défis aux pays africains.

Depuis l'automne 1991 et comme en 1986, l'économie cotonnière mondiale subit une forte baisse du cours mondial de la fibre.

De telles crises, qui ont leur origine dans un désajustement de l'offre et de la demande, sont inévitables du fait des forces distinctes qui gouvernent l'évolution de ces deux grandeurs.

La demande est en effet tirée par la consommation de produits textiles, elle-même fonction de ces facteurs lourds que sont le croît démographique et l'augmentation des revenus ainsi que, à un moindre degré, d'un facteur plus conjoncturel, la concurrence des fibres synthétiques.

L'offre, quant à elle, est potentiellement instable du fait d'abord de l'impact des aléas climatiques sur le volume des récoltes et ensuite des politiques agricoles et du commerce extérieur d'un certain nombre de pays producteurs dominants (États-Unis, ex-URSS, Chine).

En outre, l'effet direct de ces désajustements physiques est parfois aggravé par les interventions d'opérateurs financiers qui spéculent sur les matières premières agricoles, dont le coton. De ce point de vue, la dérégulation généralisée des échanges et mouvements de capitaux crée un environnement très instable et multiplie les risques de crises.

Cependant, le coton étant une culture annuelle, les ajustements de l'offre à la demande peuvent être rapides, si bien que les crises sont rarement durables. Toutefois, ses cours, comme ceux de toutes les matières premières, sont gouvernés par une tendance baissière en termes constants, du fait des progrès généralisés de productivité.

Le défi qu'ont aujourd'hui à relever les filières africaines est donc double :

— elles doivent être assez flexibles dans la détermination de leurs paramètres de coût et suffisamment robustes sur le plan financier pour traverser ces périodes de mauvaise fortune sans s'effondrer ;

— il leur faut engranger des améliorations continues de productivité pour faire évoluer leurs prix de revient, conformément à la tendance qui guide sur la longue période le cours mondial.

Le rôle de la coopération française

Les interventions de la coopération française, mises en place dans le cadre de programmes de redressement intégrés, ont pour objet d'aider les filières coton africaines à relever ces défis. Responsabilisant les différents opérateurs des filières, ces programmes à composantes multiples ont connu un certain succès que toutefois la crise actuelle pourrait remettre en cause. L'effondrement des cours mondiaux en 1986 a été l'occasion de mettre en œuvre des interventions d'un type assez novateur, et ce, pour la quasi-totalité des filières coton des pays de la zone franc.

La crise a en effet permis de réaliser quelques percées de principe, qui exigèrent de la part des autorités locales des décisions parfois difficiles à prendre :

— diminution des considérations sociopolitiques dans la fixation du prix d'achat du coton graine aux producteurs et acceptation de son indexation partielle sur le niveau des cours ;

— desserrement de l'emprise de l'État en matière de régulation des paramètres de coût, de stabilisation des prix et de gestion des sociétés cotonnières ;

— amorce de différenciation entre des activités à caractère industriel et commercial, ayant vocation à s'équilibrer elles-mêmes, et des missions de développement qui appellent des financements publics.

L'originalité des programmes de redressement bâtis sur ces principes est de traiter de façon simultanée l'ensemble des maillons de chaque filière ainsi que la totalité des dysfonctionnements responsables de prix de revient trop élevés et/ou de prix de vente insuffisants.

En conséquence, la réduction des prix de revient a été recherchée auprès des différentes catégories d'opérateurs.

Les paysans ont vu le prix d'achat du coton graine diminuer, tout comme les subventions sur intrants que supportait l'État ou les sociétés cotonnières.

Ces dernières ont été contraintes, non sans de vives résistances, à rationaliser leur outil industriel et leur parc de transport et à réduire leurs effectifs, voire la rémunération de leurs employés.

L'État, enfin, a dû renoncer, au moins temporairement, à la perception de certaines taxes.

Dans le même temps, on a procédé à la restructuration financière de ces sociétés, de façon à alléger le poids des agios bancaires, en reconstituant leurs fonds de roulement et en apurant les impayés de l'État et des systèmes de stabilisation.

Enfin, les mécanismes de régulation et de soutien ont été plus ou moins remaniés dans le double but de les assouplir, afin que les filières puissent s'adapter moins difficilement aux retournements du marché, et de les rendre plus autonomes par rapport aux pouvoirs publics.

C'est ainsi que, dans certains cas, les garanties offertes par les systèmes de stabilisation ont été limitées d'une part à une fraction du prix d'achat du coton graine aux producteurs, dit prix plancher, et d'autre part, à une norme contraignante en ce qui concerne les coûts des sociétés cotonnières.

Ces mécanismes de régulations incluent généralement des dispositifs permettant, en cas de cours élevés, un partage équitable des gains entre les paysans (ristournes, majoration du prix de la campagne suivante), les sociétés (rémunérations indexées sur les performances financières et plus seulement techniques) et l'État (taxes et prélèvements exceptionnels).

Le tout est garanti par la constitution de réserves de stabilisation, destinées non pas à soutenir les prix sur la longue période, mais à atténuer l'impact des fluctuations de cours, ces réserves étant gérées par les opérateurs de la filière.

Dans les faits, toutefois, ce sont bien souvent les paysans qui ont supporté le gros de ces sacrifices au risque de dissuader les plus marginaux de poursuivre la culture du coton et le plus grand nombre d'« extensifier » leurs pratiques culturales.

A quelques exceptions près, ces programmes d'ajustement ont enregistré des résultats encourageants et permis aux filières de retrouver progressivement le chemin de l'équilibre.

Ce rééquilibrage a certes été facilité par le raffermissement des cours mondiaux, mais il résulte également de la réduction drastique des prix de revient qui, en moyenne, sont passés de 650 F CFA par kilo de fibre en 1985 à 470 en 1991.

Il a fourni la preuve que ces filières étaient capables de s'équilibrer, sur la base des cours mondiaux raisonnables, sans recourir ni aux subventions publiques (cas des États-Unis et de la CEE) ni aux changements de parité monétaire (cas des pays d'Asie du Sud).

En outre, ces programmes n'ont pas interrompu l'essor de la production non plus que, jusqu'à une période toute récente, l'amélioration de la productivité.

La nouvelle crise à laquelle sont confrontées les filières coton d'Afrique subsaharienne risque d'être aussi sévère que celle du milieu des années 80. Certes, l'expérience passée incline à penser qu'elles sauront, avec l'aide de leurs bailleurs de fonds extérieurs, y faire face puisque les remèdes existent et ont déjà fait leurs preuves.

Néanmoins, la potion risque d'être plus difficile à administrer car le contexte sociopolitique des pays africains est aujourd'hui plus tendu, et plus fragiles leurs économies débilitées par la crise et les ajustements.

5

L'école en ruine : l'éducation pour tous est-elle possible ?

On peut dire de l'école en Afrique qu'elle a fait en trois décennies des progrès gigantesques : l'école primaire tend à se généraliser, les collèges et les lycées se multiplient. Il y a plus de professeurs dans les universités que d'étudiants en 1960. Dans les pays francophones, la France, par les moyens humains et matériels qu'elle a affectés à la coopération dans ce domaine, a largement participé à ce progrès.

Mais on peut dire aussi de l'école qu'elle est en ruine : des élèves dans des classes surchargées apprennent peu de choses et ne se serviront jamais de ce qu'ils ont appris ; des étudiants mal formés iront grossir les rangs des chômeurs ou des mal-employés urbains, amers d'avoir vu s'approcher la société de consommation et de n'avoir pu l'atteindre ; des États exsangues n'ont pas les moyens de faire fonctionner convenablement le système actuel et encore moins de l'étendre.

Paradoxalement, l'Afrique apparaît aujourd'hui comme sous-scolarisée (comparée aux autres continents) et sur-scolarisée (compte tenu de ses moyens et des possibilités d'emploi). Elle est de plus mal scolarisée : ses systèmes d'éducation sont coûteux bien que ses établissements soient sous-équipés, parfois dramatiquement, et que leurs performances se révèlent d'une médiocrité inquiétante.

La coopération française a longtemps inspiré et soutenu le modèle éducatif mis en œuvre en Afrique francophone. Devant la montée des difficultés et les bilans critiques faits au cours de ces dernières années, elle milite pour un ajustement des systèmes éducatifs.

Faut-il à l'avenir se cantonner à des ajustements limités ? Faut-il étayer un édifice qui s'écroule faute d'entretien et dont on peut se demander s'il est bien apte à rendre les services qu'on lui demandait hier et que l'Afrique de demain exigera de lui ? Ou bien faut-il tirer parti de la crise actuelle pour revoir le système de fond en comble et rebâtir autre chose ? Notamment pour désétatiser une école que l'État ne peut plus faire vivre ? Pour la confier aux collectivités locales ? Pour repenser ce qu'elle enseigne ?

La coopération française ne peut rester indifférente devant la crise d'un système qu'elle a contribué à mettre en place et qui est la clé de l'avenir. Que peut-elle faire pour aider à lever les nombreux blocages (l'école est facilement parée de toutes les vertus, de puissants groupes de pression s'opposent au changement) qui empêchent toute vraie réforme dans ce domaine ? Que peut-elle faire pour aider à la naissance d'une école nouvelle ?

15

L'éducation, la formation et l'emploi en Afrique

par Philippe HUGON

Je voudrais, pour planter le décor des liens entre éducation, formation et emploi dans un contexte de croissance démographique rapide en Afrique, rappeler quelques chiffres significatifs (1).

On estime que la population scolarisable d'Afrique subsaharienne passera de 125 millions à 170 millions entre 1990 et l'an 2000. Face à cette explosion démographique, les coûts de la formation sont relativement élevés. Ils représentent en moyenne un tiers du revenu par tête dans le primaire, 1,3 fois dans le secondaire et 10 fois dans le supérieur. Le coût de formation pour un emploi dans le secteur moderne privé est estimé en moyenne à plus d'une vie de salaires. Or, le contexte de l'Afrique, nous le savons, est à un niveau global celui de la stagnation de la productivité, de la crise, de la stabilisation financière et de l'ajustement.

Les prévisions laissent ainsi entendre que le taux de scolarisation diminuera et, selon le BIT, l'on risque d'avoir plus de 280 millions de chômeurs ou de sous-employés en l'an 2000.

Le contexte de croissance démographique rapide conditionne largement les relations entre éducation et emploi.

---

(1) Je remercie S. QUIERS-VALETTE et A. VINOKUR pour leurs remarques. Je reste responsable des erreurs que ce texte contiendrait.

L'indépendance apparente de l'enseignement et de l'emploi

Dans les sociétés industrielles, une des fonctions essentielles de l'enseignement est de former des agents pour le marché du travail ; les ajustements se font principalement par le jeu du marché. Au contraire, dans les économies africaines en crise, désarticulées, marginalisées et aux marchés rudimentaires, l'emploi et l'enseignement répondent à des dynamiques propres ; le marché du travail, susceptible d'assurer l'ajustement des deux variables, joue un rôle secondaire. On observe ainsi une distorsion croissante entre le système de production et le système éducatif.

Du point de vue technique, celui des planificateurs et des gestionnaires, le désajustement entre l'enseignement et l'emploi en Afrique, apparaît croissant tant sur le plan quantitatif que qualitatif. La croissance démographique et la scolarisation ont conduit, jusqu'à une période récente, à une « explosion scolaire » alors que l'emploi salarié résultait principalement du secteur public et croissait à dose infinitésimale. D'où une inadaptation du système éducatif dont les symptômes sont le chômage des diplômés, l'exode des compétences, la déqualification ou l'« analphabétisme de retour ».

Développement rapide des systèmes scolaires

La forte demande scolaire émanant des familles, d'une part, la volonté des autorités de réduire les disparités régionales et de rattraper les retards historiques, de développer le capital scolaire national et d'africaniser les emplois, de l'autre, le poids de la contrainte démographique, enfin, sont autant de facteurs explicatifs de l'« explosion scolaire ».

La machine scolaire s'est développée rapidement selon sa propre logique, indépendamment des conditions socio-économiques. Il en résulte une situation paradoxale.

— D'un côté, l'Afrique demeure sous-scolarisée, eu égard à l'importance de sa population et comparée aux pays d'Asie à même revenu. Un tiers des pays ont un taux brut de scolarisation primaire inférieur à 50 %. Les femmes sont particulièrement touchées par l'exclusion scolaire et la tendance, depuis la décennie 80, est à la relative déscolarisation (le taux brut d'inscriptions primaires, de 83 % en 1980, est tombé à 75 % dix ans plus tard).

A l'autre bout de la chaîne scolaire, la recherche scientifique et technique africaine représente seulement 0,4 % des ressources humaines mondiales ; elle produit 0,3 % de la production scientifique de haut niveau (plus de la moitié au Nigeria et au Kenya).

— Mais de l'autre, l'Afrique est sur-scolarisée, eu égard aux capacités de financement et aux structures de l'emploi. Les dépenses d'éducation sont supérieures à 4 % du PIB dans deux tiers des pays et elles représentent plus d'un quart des dépenses courantes budgétaires. Après une forte expansion durant les vingt premières années de l'indépendance, les pays africains connaissent, depuis le début de la décennie 80, un ralentissement des dépenses publiques d'éducation. Mais, malgré cette tendance, les pays d'Afrique dépensent, comparés aux pays d'Asie à même revenu, 50 % de plus (par rapport au PIB) pour un taux de scolarisation inférieur.

A même taux de scolarisation, l'effort financier relatif (par rapport au PIB) est près de dix fois supérieur en Afrique qu'en Europe.

— L'Afrique est également mal scolarisée. De nombreuses écoles sont plus des garderies que des lieux de formation. Les écarts s'accroissent entre les lieux de formation des élites ou des milieux favorisés et les écoles de masse. Il y a développement des formations générales aux dépens des formations techniques et professionnelles et un manque de niveaux intermédiaires.

Le marché du travail et les limites de la création d'emplois

Face au nombre de sortants des systèmes scolaires, les possibilités de création d'emplois salariés privés, très variables selon les pays, sont globalement limitées. Même dans les pays ayant connu une certaine croissance économique, celle-ci a résulté souvent davantage du progrès de la productivité du travail que de l'accroissement du volume de travail employé.

Le décalage entre les offres et les demandes d'emploi a été croissant. Durant la décennie 70, le secteur public et parapublic a été le principal régulateur de l'emploi ; dans le secteur moderne privé à haute intensité capitalistique, l'emploi salarié est resté à peu près constant. Au cours de la décennie 80, à la suite de mesures d'assainissement financier et de déflation, on observe une régression de l'emploi public et parapublic (compression, mise à la retraite anticipée), sans qu'il y ait relais apparent du secteur privé. Il y a certes réembauche par concours à des niveaux supérieurs d'instruction mais à faible dose. Ainsi au Togo sur 10 000 « déflatés » entre 1982 et 1990, il y a eu 3 700 nouveaux recrutements (cf. l'Institut d'études sociales de Genève).

Plusieurs traits permettent de caractériser la structure actuelle de l'emploi africain :

— la part des expatriés demeure importante, avec de fortes différenciations des revenus et souvent des reprises des postes de commandement « tutélaires » ;

— la mobilité du travail est élevée et interdit la constitution d'un collectif de travail et les effets d'apprentissage ;

— il existe un pourcentage important de la population sans contrat de travail ;

— on observe une forte discrimination par sexe. Les femmes ont un faible poids dans le salariat, alors que leur travail est essentiel dans les activités domestiques, « informelles », urbaines et rurales. On estime que plus de 50 millions de femmes, soit un tiers de la population active, sont engagées dans une activité économique, agricole, commerciale ou de service.

La dynamique globale de l'emploi est déterminé par le taux de croissance de la production et par l'évolution de la productivité qui est fonction des conditions techniques. Or, on note un déclin du taux de croissance du PIB par tête en Afrique subsaharienne ; il avait augmenté de 3,4 % (1965-73) et de 0,5 % (1973-80) ; il a connu une chute de l'ordre de 2 % durant la décennie 80.

Face à la stagnation de l'emploi salarié, on constate une prolifération des petites activités urbaines marchandes et de l'emploi dit informel qui concerne notamment les activités féminines.

Désajustements entre dynamiques éducatives et dynamiques de l'emploi

On peut parler de stagflation scolaire (2). Face aux faibles capacités d'absorption des sortants par le système productif, l'explosion scolaire conduit à une dévalorisation des diplômes. L'investissement éducatif s'est réalisé aux dépens de (ou du moins en rupture avec) l'investissement productif qui n'a pu en assurer la rentabilité.

Durant les années postérieures aux indépendances, la pénurie de compétences et de qualification s'était traduite par un appel important à l'assistance technique étrangère et par des salaires élevés de cadres qualifiés traduisant un excès de la demande du tra-

---

(2) Jacques HALLAK, *A qui profite l'école*, PUF, 1974.

vail sur l'offre. Or, on observe aujourd'hui un « excédent » relatif de qualifications et de compétences se traduisant par le chômage, par l'émigration des diplômés ou par la déqualification et la dévalorisation des diplômes. Selon les statistiques disponibles, le chômage frappe l'ensemble des disciplines, y compris les spécialités techniques et scientifiques.

Dynamiques éducatives et emploi dans une économie de rente

Les relations qui se nouent entre les systèmes éducatifs et les systèmes productifs sont plus complexes que ne le laisse supposer la présentation précédente.

Si l'on utilise des lunettes moins grossissantes, on constate des Afriques contrastées et une diversité des trajectoires notamment éducatives. Il faut mettre en relation les variables démographiques, éducatives et économiques avec les structures sociales et les systèmes de valeur et prendre en compte les diverses temporalités et les inerties.

D'une part, l'enseignement est multifonctionnel

Les fonctions d'un système éducatif sont sociales, culturelles, politiques tout autant qu'économiques. L'appareil éducatif est un tamis ou un filtre des intelligences et des reproductions sociales mais également un moule qui développe des aptitudes.

Sur le plan économique, il exerce généralement des effets positifs sur la productivité et les revenus. Historiquement, rappelons que les pays d'Asie ont assis leur révolution technique sur la base d'une formation généralisée (cf. le Japon de l'ère des Meiji ou la Corée du Sud d'après guerre). En Afrique subsaharienne, les rares pays ayant des réussites industrielles et économiques durables, tels Maurice ou le Zimbabwe, ont un enseignement de base généralisé et un taux de scolarisation du secondaire supérieur à 50 %.

L'enseignement apparaît ainsi comme un investissement et pas seulement comme un bien de consommation. Son impact dépasse largement celui de la formation pour le travail productif, salarié et non. Il valorise le patrimoine culturel et construit l'identité nationale et régionale.

Mais ces différents effets dépendent du contenu de la formation, des structures sociales et du système productif. L'école est un support et non un contenu. Elle ne dispense que les informations qui lui ont été confiées. Or, dans de nombreux pays africains, elle a été plus un appareil idéologique que formateur, plus une garderie qu'un lieu où l'on apprenait à apprendre ; elle a plus valorisé les savoirs mémorisés que les savoir-faire.

Le système éducatif est par ailleurs l'enjeu de conflits culturels. Il est en particulier au cœur du conflit entre la demande sociale exprimée par les familles et la demande économique exprimée par le milieu professionnel.

L'enseignement est aussi l'enjeu d'une compétition sociale d'où des stratégies de différenciation des filières. On observe, pour les groupes de statut supérieur, des stratégies de formation à l'étranger et de réorientation des anciennes filières prestigieuses (médecine, droit, sciences humaines) vers les filières porteuses (informatique, gestion, sciences de l'ingénieur). Les groupes sociaux de statut inférieur s'orientent vers les formations générales traditionnelles de masse. Les groupes les plus pauvres sont exclus des systèmes scolaires. L'école africaine avait été, au lendemain de la Seconde Guerre mondiale, un facteur important de changement de la stratification sociale ; elle est devenue aujourd'hui une institution de reproduction des hiérarchies sociales par des filières différenciées. La reproduction des élites se fait largement à l'extérieur des sociétés africaines.

De l'autre, le système d'emploi est fortement segmenté notamment au niveau des filières de formation

L'emploi est lui-même multiforme. A la limite, le salariat n'existe que pour l'administration et certains effectifs du secteur moderne. L'essentiel se joue dans les secteurs rural et « informel » urbain. Les petites activités marchandes sont des formes d'emploi, inconnues des statistiques et/ou absentes des grilles usuelles d'analyse. Elles constituent le principal régulateur face à l'excédent structurel de la force de travail. Mais leur logique s'imbrique avec les activités « formelles » et les unités domestiques. Il en résulte un système d'emploi hétérogène au niveau des statuts, des sélections, des natures et types de travail ou de rémunération ainsi que des trajectoires complexes au niveau des agents.

A côté du système scolaire, fortement différencié, il existe un ensemble de formations moins institutionnalisées : l'éducation dans le milieu familial, les formations sur le tas ou internes aux entreprises, les apprentissages, les « écoles de la rue ».

Les logiques éducatives et d'emploi apparaissent comme le reflet des contradictions des économies de rente

Il faut bien entendu différencier les sociétés africaines selon leur héritage colonial. A un niveau très général, on peut considérer que des logiques redistributives l'emportent sur les logiques accumulatives et que la valorisation du nombre d'hommes et la reproduction des agents l'emportent sur la valorisation des biens et la production des biens et services.

La crise de l'éducation et de l'emploi est le « reflet » de la profonde crise économique et sociale que connaît l'Afrique. La course aux diplômes (lutte pour les places) se fait dans un contexte de tarissement des rentes. L'enseignement est un moyen d'accéder à des postes de pouvoir et de captation, mais également de redistribution communautaire de la rente. Il se développe en rupture avec la productivité interne, mais aussi dans un contexte d'ouverture extérieure où les écarts de revenus s'élargissent. D'où une contradiction entre un système de masse devant évoluer en liaison avec la productivité moyenne et l'ouverture extérieure créant une logique d'attraction par des hauts salaires.

La réponse des agents est celle d'une combinaison de logiques individuelles de captation de rentes par les relations savoir/pouvoir et de logiques redistributives dans des réseaux communautaires.

A la différence des hypothèses, postulées pour des sociétés productivistes, par les théories du capital humain ou du salaire d'efficience, il y a, notamment dans le secteur public et parapublic, peu de liaison entre la formation, la productivité et le revenu ou entre la formation, la qualification et le poste de travail. Les revenus sont plus liés à des positions dans les réseaux de pouvoirs qu'à la contribution à la création de richesses. Les compétences sont mal utilisées ; la décapitalisation des ressources humaines est forte eu égard au taux de rotation des travailleurs. Le diplôme est certes un passeport pour l'emploi, mais davantage en fonction du réseau social qu'il implique que des aptitudes qu'il sanctionne.

Il y a ainsi relative interdépendance entre les dynamiques éducatives et l'emploi.

D'une part, la structure et le niveau de l'emploi rétro-agissent sur la demande d'école. Les taux de chômage par niveau scolaire sont en moyenne d'autant plus faibles que ces niveaux sont élevés. La probabilité d'emplois et surtout de parcours diversifiés augmente avec les niveaux de formation. En situation de crise, on peut constater souvent une demande scolaire accrue au niveau supérieur, celle de l'« école de la dernière chance ». On constate également un déplacement de la demande vers des formations plus valorisées. Le désajustement, souvent souligné entre demande sociale des familles et demande économique des milieux professionnels, est ainsi peut-être plus apparent que réel. Même si elles sont relativement myopes et mal informées (et différemment selon leur milieu social), les familles intériorisent dans leur demande scolaire les espérances d'insertion sur le marché du travail. Il en résulte plus un sur-investissement global éducatif (par rapport aux potentialités économiques) que des désajustements sectoriels et qualitatifs. Ainsi, les diplômés des collèges ou des lycées techniques connaissent un taux de chômage souvent supérieur à celui des sortants de l'enseignement général.

Il continue d'y avoir une certaine rationalité, même si elle se réduit, à envoyer ses enfants à l'école en terme d'espérance mathématique. Même si la probabilité d'avoir un certificat d'étude est de 1/10 et si celle d'avoir un emploi de niveau cadre D avec le certicat est de 1/5, les agents ruraux ou les pauvres urbains ont un intérêt privé à parier dans l'école. La formation est un investissement intergénérationnel permettant aux parents de se projeter sur leurs enfants et de les obliger à réaliser plus tard des transferts.

Inversement, l'enseignement peut agir positivement sur l'emploi (ou du moins négativement sur le chômage). Bien entendu, il retarde et réduit le flux d'actifs se présentant sur le marché du travail. Il est lui-même le secteur le plus créateur d'emplois.

Il peut surtout favoriser l'esprit d'initiative, dispenser les formations permettant l'auto-emploi, développer les aptitudes et les qualifications polyvalentes permettant de s'adapter aux évolutions de l'emploi.

Les enquêtes concernant les difficultés des entreprises publiques et de l'administration montrent que le taux de réinsertion est fonction du niveau de formation et du réseau de relations sociales qui vont généralement de pair. Le niveau d'instruction et le type de formation sont des déterminants importants de l'accès aux structures d'emploi mais également aux mobilités professionnelles durant le cycle de vie active. Le problème à ce niveau est davantage dans le contenu de la formation, dans le type de savoir dispensé et dans les liens qu'entretient l'école avec le milieu socioprofessionnel.

Les politiques mises en œuvre et les perspectives

Si la planification volontariste a largement échoué, les programmes d'ajustement structurel, visant à une régulation par le marché, conduisent à privilégier le court terme.

L'échec de la planification volontariste des ressources humaines

La planification des ressources humaines, en raisonnant en termes réels, a été déconnectée des contraintes économiques et financières. En faisant abstraction des variables de répartition, des segmentations du marché du travail et des différents modes d'allocation de la force de travail, elle n'a pu prendre en compte l'ensemble des dynamiques qui se jouaient entre les sortants des systèmes scolaires et les intégrations des agents dans les systèmes productifs (circuits informels, polyactivités...).

Plusieurs facteurs sont intervenus pour expliquer ces dysfonctionnements ; notons plus spécialement les insuffisances des systèmes d'information, les instabilités et les contraintes extérieures, les dynamiques des économies non officielles mais également l'inadéquation des concepts et des méthodes utilisées. Les prévisions d'emploi sont des techniques utiles pour guider la formation professionnelle et technique mais elles sont insuffisantes pour guider une politique d'éducation et réguler un système dynamique.

L'ajustement et la régulation par le marché

La généralisation des programmes d'ajustement structurel (PAS) globaux et éducatifs, depuis le début de la décennie 80, a conduit à une tentative de régulation par le marché. Les PAS ont exercé d'importants effets sur les relations éducation-emploi. Ils influent sur les revenus des familles et donc la demande scolaire (on constate ainsi dans plusieurs pays, faute de demande solvable, une réduction de la demande). Ils agissent sur les revenus touchés à la sortie de l'école et donc sur les taux de rentabilité de l'école. Ils modifient les structures et les niveaux de financement et conduisent le plus souvent à un ajustement à la baisse des dépenses publiques d'éducation. Ils agissent sur le marché du travail et sur la capacité d'absorption des élèves notamment en déflatant les effectifs de la fonction publique et des entreprises publiques et parapubliques, en déréglementant et en agissant sur le salaire réel et en réorientant les ressources des secteurs abrités vers les secteurs concurrencés.

L'ajustement sectoriel éducatif vise à limiter l'expansion de l'enseignement aux niveaux supérieurs, à faire jouer les mécanismes de sélection, à optimiser et à réorienter les ressources des niveaux supérieurs vers les niveaux inférieurs, à favoriser de nouvelles sources de financement et de réduction des coûts (exemple : double vacation).

Dans l'ensemble, la mise en œuvre des PAS risque de réduire la scolarisation et de peser négativement sur les investissements humains et surtout les groupes vulnérables exclus de l'école, d'où la prise en compte plus récemment de la dimension sociale de l'ajustement qui conduit à allonger les horizons des politiques économiques et à traduire les effets de ces politiques en conséquences sociales rendant nécessaires des mesures de compensation. En effet, si les investissements humains ont des coûts immédiats, ils ont des effets positifs à moyen et long terme. Il ne peut y avoir, à terme, réduction des déséquilibres financiers sans un développement des investissements humains, condition nécessaire à la croissance économique. La gestion des rythmes de croissance démographique et urbains apparaît comme une contrainte majeure et devrait conduire à un noyau dur de dépenses éducatives, quelle que soit la conjoncture.

Il n'est pas question de discuter des effets complexes de l'ajustement. Notons deux principales contradictions au niveau des objectifs et des moyens :

— il y a parfois conflit entre la volonté de déflater la fonction publique et de réduire les dépenses publiques (PAS globaux) et la volonté de maintenir les taux de scolarisation (PAS éducatifs) (exemples du Niger et des Comores) ;

— l'ouverture et la compétitivité supposent la mise en contact des cadres nationaux et étrangers et des salaires réels tirés vers le haut alors qu'est préconisée une baisse globale des salaires rapprochant ceux-ci de la productivité moyenne interne.

Vers une meilleure intégration des variables éducatives et d'emploi ?

Il est tentant et dangereux de faire preuve de volontarisme et de croire que l'on peut maîtriser et gérer un système éducatif. Or, celui-ci est un ensemble de pratiques et d'institutions qui reflètent les autres institutions sociales (selon la théorie de Durckheim). Les inerties sont grandes et les temps très longs. De même, le système d'emplois est inséré dans des structures institutionnelles différenciées et ne peut être transformé qu'à la marge. Une des variables stratégiques sur laquelle il est possible de jouer est la structure des revenus, reflet de la stratification sociale.

Les choix en matière d'éducation et d'emploi sont évidemment politiques. Les objectifs doivent être hiérarchisés, échelonnés dans le temps et être en conformité avec les moyens disponibles.

On peut seulement rappeler quelques grands principes et quelques pistes de réflexion.

Il y a accord sur les objectifs d'une plus grande professionnalisation, d'une meilleure sélection des flux, d'une baisse des coûts ou d'une diversification des financements. La question est celle du comment s'y prendre et du comment gérer la transition. Il importe également de repérer les conflits : la baisse des salaires a aussi des effets désincitatifs, la décentralisation accroît les inégalités régionales et sociales, la privatisation crée des exclusions, la professionnalisation a des coûts élevés et elle suppose un milieu professionnel et technique... Dès lors, il faut prioritairement disposer d'un système d'informations fiable, apporter un appui à l'analyse et à la décision et développer des capacités internes de pilotage de systèmes complexes.

— *Créer des emplois*

La question de la création d'emplois est la plus fondamentale et la plus complexe.

Les réponses qu'il est possible d'apporter au désajustement entre l'éducation et l'emploi se situent fondamentalement au niveau du système productif, et à terme, à celui de la maîtrise des variables démographiques. L'Afrique reste une économie de rente qui n'a pu enclencher un processus durable d'accumulation et de progrès de productivité. Celle-ci demeure une condition nécessaire pour permettre une gestion de la croissance démographique, tout en conduisant à terme à sa réduction, d'une part, et pour assurer le financement des investissements humains et matériels, d'autre part. Il faut, bien entendu, privilégier les PME/PMI et les investissements générateurs d'emplois.

Les travaux publics à haute intensité de main-d'œuvre, en milieu rural et urbain, sont des palliatifs utiles mais sans effet multiplicateur s'ils ne permettent pas d'accroître à terme la productivité.

A un niveau très général, la création d'emplois implique des investissements productifs, des pôles multiplicateurs d'emplois et une diffusion interne des progrès de productivité. L'essentiel de l'absorption des travailleurs sera réalisé par l'informel urbain. Il importe de l'appuyer par des politiques incitatrices et sans en casser la dynamique, et de l'articuler progressivement au secteur moderne : soustraitance, interfaces (cf. l'exemple de l'Asie).

— Les appuis spécifiques à l'enseignement

Des axes de politiques spécifiques d'appui peuvent être proposés vis-à-vis de l'école africaine.

Il s'agit de hiérarchiser les objectifs éducatifs, de prendre en compte les contraintes et de voir celles qui peuvent être desserrées et d'optimiser les moyens.

Faut-il réaliser un enseignement de masse ou d'élite, privilégier la formation de base ou supérieure, chercher à réduire les inégalités sociales ou spatiales ou renforcer les dynamiques existantes ? La réponse à ces questions est politique et est l'enjeu de luttes de places et de classes sociales. Si l'on veut lutter contre la pauvreté, il semble prioritaire d'agir sur les services éducatifs ayant un impact immédiat sur la pauvreté : éducation de base ou primaire, apprentissage et enseignement alterné technique et professionnel, alphabétisation des adultes, amélioration de la formation en cours d'emploi dans l'informel, scolarisation des femmes, formation alternée dans le secondaire.

Mais l'Afrique doit être également au diapason de l'évolution scientifique et technique en cours à l'échelle mondiale. L'ouverture de son économie et une spécialisation internationale progressive supposent la formation de cadres scientifiques et techniques de haut niveau formés dans les universités et les centres de recherche régionaux et internationaux.

Le niveau et la structure des dépenses publiques et privées constituent des contraintes essentielles. Celles-ci peuvent être en partie desserrées notamment par mobilisation des ressources privées, et en réallouant une partie des ressources du supérieur vers les niveaux inférieurs. Les contraintes en ressources humaines sont également importantes. Ainsi, la formation, la qualification et la motivation des enseignants sont la pierre angulaire de la qualité de l'enseignement.

L'optimisation des moyens doit être assurée par la réduction des coûts et les choix des moyens les plus efficaces. La variable essentielle reste la rémunération des enseignants qui doit être fixée en prenant en compte la productivité moyenne.

— *Avoir une vision intégrée*

Un des principes généraux que l'on peut définir est la meilleure intégration entre les systèmes de formation scolaire et le milieu professionnel et la plus grande flexibilité.

• Pour le secteur informel, il s'agit de réduire l'écart existant entre l'univers scolaire et la formation sur le tas par des aides à la formation des petits producteurs ou des appuis favorisant l'insertion des sortants des systèmes scolaires.

• Pour le secteur moderne, il est souhaitable de développer, au niveau du secondaire professionnel et technique et du supérieur, des systèmes alternés et de lier les entreprises au système de formation.

• Il s'agit enfin de mobiliser les acteurs concernés par les liens formation/emploi, les pouvoirs publics, les entrepreneurs, les travailleurs, les enseignants, les ONG...

L'investissement éducatif est vraisemblablement une condition nécessaire mais sûrement pas suffisante du développement économique. Il peut accroître la productivité, diffuser l'innovation et l'information et les valeurs motrices du développement. Mais c'est un support qui ne véhicule que les informations qui lui ont été confiées. Son rôle dynamique doit se réaliser en relation avec le milieu social, culturel et économique, sinon l'élève risque d'acquérir des connaissances livresques sans lien avec le réel. A défaut de formation du capital, la scolarité conduit à une évasion des connaissances et à un analphabétisme de retour ou à un exode des compétences. La solution à l'« inadaptation » de l'école se trouve ainsi largement hors de l'école.

Les systèmes scolaires et les universités sont des caisses de résonance de la crise africaine. Les pouvoirs politiques privilégient, devant les menaces d'explosion, la quantité à la qualité et pratiquent la fuite en avant. L'explosion démographique conduit à une implosion du système par manque de moyens et par désincitations des enseignants mais elle ne fait que retarder les échéances.

16

Contribution à l'analyse de la crise des systèmes éducatifs africains

Recherche de propositions et de solutions

par Charles DELORME

Aujourd'hui, la crise des systèmes éducatifs africains devient préoccupante, à des degrés divers, suivant les pays et les niveaux du système. C'est parce que, sans doute, des seuils ont été franchis dans la dégradation des conditions d'apprentissage des élèves, des conditions de travail des enseignants, dans l'explosion démographique et leur incapacité, non seulement à accueillir tous les enfants et les jeunes, mais aussi à leur assurer des acquisitions significatives et utiles. Le questionnement permanent, à propos de l'inadaptation de la formation scolaire aux besoins de l'emploi ou plus généralement du développement, a atteint un seuil critique. Bref, il est urgent d'établir des diagnostics avec le maximum d'objectivité et de volonté de lucidité. La responsabilité des adultes, qu'ils soient décideurs politiques ou pédagogiques, évaluateurs ou pédagogues, doit aujourd'hui s'exercer de façon nouvelle, non seulement parce que les jeunes scolarisés et les étudiants exercent des pressions de plus en plus fortes, mais aussi parce qu'il en va de l'équilibre sociopolitique de certains pays ou régions du globe. Comment assurer aujourd'hui, dans ces nouvelles conditions démographiques et ces incertitudes du développement, les fonctions d'éducation et de formation de la jeunesse d'un pays, mais aussi de ses adultes ?

En souscrivant à différentes analyses globales et socio-économiques mentionnant à la fois que l'Afrique est sous-scolarisée et mal scolarisée, qu'il se produit une distorsion croissante entre les systèmes éducatifs et les systèmes de production, le moment est venu de se demander s'il est encore possible, compte tenu des surdéterminismes économiques et politiques, des contraintes humaines et culturelles, d'envisager une transformation de ces systèmes éducatifs, ou encore, à quelles conditions est-il encore raisonnable de miser sur l'évolution positive des systèmes éducatifs. D'une certaine façon, nous faisons encore l'hypothèse qu'il est possible de concevoir une mutation des systèmes éducatifs, dans la mesure où leur relation avec l'environnement serait radicalement changée et qu'ils pourraient s'inscrire dans une perspective de développement. Ce sera donc la position que nous présenterons.

Immobilisme ou risques de dérives

Notre intention n'est pas de refaire une analyse complète de la situation des systèmes éducatifs africains. Nous choisissons de repérer, à partir de notre champ habituel d'observation, quelques éléments qui nous apparaissent particulièrement révélateurs et explicatifs des blocages actuels, mais aussi particulièrement préoccupants lorsqu'il s'agit d'un système éducatif chargé de la formation et de la socialisation de la jeunesse d'un pays.

Le système éducatif : lieu de production de compétences ou de malentendus ?

Par essence, un système éducatif se doit de développer les intelligences, favoriser l'apprentissage de savoirs fondamentaux, former à des compétences. Généralement, il contribue à lutter contre l'ignorance, bref, à permettre aux scolarisés une meilleure compréhension du monde, en accédant à une dimension universelle mais aussi une meilleure connaissance de leur environnement, en vue d'une meilleure intégration dans la vie active. On peut, dans les systèmes éducatifs occidentaux, regretter que l'échec scolaire soit encore trop important, que les taux de réussite soient trop bas, que beaucoup de « sortants » de l'école deviennent chômeurs. Or, il nous semble qu'actuellement en Afrique, le problème n'est plus de cet ordre, et que nous assistons à des dérives dangereuses de plus en plus prononcées.

En effet, étant donné la formation insuffisante des enseignants, les effectifs pléthoriques, l'absence de moyens matériels, de manuels, l'école elle-même risque de devenir un lieu de reproduction de malentendus et d'entretenir l'illusion du savoir. Ce sont certes des tendances et, fort heureusement, il est toujours possible d'avancer des contre-exemples en fonction des niveaux ou des pays. Pourtant, ces risques se confirment ces dernières années ; particulièrement, l'enseignement primaire devient ritualisé, vidé de sa signification ; il s'y développe progressivement une sorte d'accoutumance à la perte de sens ou à la répétition de quelques rituels d'enseignement. Comment faire autrement dans des classes aux effectifs fréquents de plus de 100 élèves (parfois 150, 200...), sans autres moyens didactiques que miser sur la répétition, la mémorisation et assurer seulement du gardiennage social ?

Des essais pourtant intéressants, de classes à double flux, à double vacation, de pédagogie de grands groupes, parviennent rarement à réguler ces problèmes. La diffusion de malentendus, la démultiplication d'informations erronées par l'école n'est pas seulement « un comble » mais constitue un danger culturel et politique quant au devenir des jeunesses africaines. Il est donc urgent de vérifier si cette dérive est fréquente et d'examiner la possibilité de l'enrayer rapidement.

Entre le fatalisme, le doute et l'espoir

Les difficultés majeures, habituellement identifiées (effectifs pléthoriques, manque de moyens matériels et de locaux, salaires irrégulièrement perçus, formation professionnelle insuffisante), entraînent une « forte usure » de la motivation chez les acteurs du système. S'il y a lieu de mentionner l'engagement et la conscience professionnelle de nombreux enseignants, il faut bien aussi, hélas, reconnaître que beaucoup, après avoir tenté des améliorations à leur niveau, finissent par douter de l'impact de leurs efforts. On comprend ceux qui en viennent à s'installer dans une sorte de résignation quant au devenir de leur profession, et à rechercher d'autres activités complémentaires plus lucratives, ou alors se limitent à « assurer le minimum » sans engager véritablement leurs énergies dans leur travail : les changements ne sont plus du ressort de leur responsabilité pédagogique.

D'ailleurs, la fréquence des réformes, les changements soudains de responsables, la tendance parfois à expérimenter sans suivi, risquent de transformer les systèmes éducatifs africains en des chantiers permanents d'innovations sans mémoire et sans capitalisation des acquis. Ceci explique en partie le fait que l'on recommence souvent les mêmes travaux, et que trop souvent, les coopérants et les différents acteurs africains s'installent dans un pessimisme diffus souvent implicite où il s'agit plus de « tenir son rôle » que d'exercer véritablement une fonction et d'assumer les responsabilités conséquentes. D'ailleurs, certaines formes de « fonctionnarisation » mal adaptée renforcent cela. Le problème parfois est de pouvoir reconnaître et soutenir ceux qui, malgré tout, innovent et réussissent telle ou telle initiative dans leur classe et dans leur milieu de vie.

Il est vrai que le système éducatif, comme tout système, a de grandes capacités pour « récupérer », « assimiler » dans son fonctionnement bureaucratique, toutes les innovations parfois pertinentes et prometteuses. Cette force d'inertie du système, accentuée par les nombreuses difficultés de communication et de régulation, devient une résistance majeure à toute nouvelle proposition.

Ceci nous amène à nous demander quelles peuvent être maintenant les propositions nouvelles qui permettraient de déclencher la motivation des acteurs, comme si un certain nombre de déclencheurs et d'arguments étaient « usés ». D'une certaine façon, cela pose aussi de nouvelles exigences pour les décideurs politiques et économiques chargés d'assurer ces nécessaires redressements.

La transmission de contenus inadaptés et non finalisés

La question de l'adaptation, de la pertinence et de la finalité des contenus scolaires est permanente dans tout système éducatif.

Pourtant remaniés, revus, les programmes de l'école primaire, par exemple, souvent surchargés, restent généralement inspirés des anciens programmes, eux-mêmes reproduits de ceux de France. Il nous semble aujourd'hui que ce n'est plus seulement une amélioration, une adaptation des programmes qu'il faut envisager, mais une transformation radicale de leur conception et organisation en redéfinissant leur finalité socioculturelle, en prenant en considération l'environnement économique.

Ainsi, que signifie aujourd'hui la notion de taux de scolarisation ou la proposition de scolarisation pour tous en l'an 2000 si l'on ne précise pas, dans le même temps, ce que l'on assure comme apprentissage ? Plus que jamais, on ne peut confondre formation et scolarisation : en effet, tant le développement de la scolarisation n'entraîne pas nécessairement le développement de la formation des personnes. Or, cela constitue le cœur de nombreux malentendus chez les décideurs.

Nous pourrions reprendre les mêmes interrogations sur les contenus aux différents niveaux du système éducatif : école primaire, collège, lycée professionnel, lycée, université. Le fait que près de 80 % d'enfants scolarisés sortent de l'école primaire sans aucune perspective de poursuivre une formation, scolaire ou autre, nous amènera à requestionner la fonction de la scolarité pour cette population très importante et la finalité d'une école de base.

Redéfinir une véritable logique de formation

Avec le développement exceptionnel de la scolarisation, face à des évolutions démographiques ingérables, les systèmes éducatifs ne peuvent assurer les fonctions d'enseignement, encore moins de formation, des personnes. Il devient donc prioritaire de se demander en quoi un système éducatif peut garantir la « formation » des élèves, c'est-à-dire des acquisitions cognitives, des capacités opérationnelles, mais aussi des compétences réutilisables dans des situations de vie et s'intégrant dans un développement culturel.

La question fondamentale aujourd'hui n'est pas de savoir combien d'élèves ont été scolarisés, combien ont « suivi » des enseignements magistraux scolaires, combien cela a coûté au pays..., mais plutôt de savoir combien d'élèves, sortant du système, ont acquis de compétences opérationnelles ? Quelles compétences ? Combien de compétences ? Ou encore, combien les investissements financiers dans l'éducation ont-ils « produit » de compétences chez combien d'élèves ? En posant ces questions, nous avons bien conscience de privilégier une lecture économique de la réalité éducative. Dans des contextes de pénurie, de dénuement parfois extrême, alors que, dans les prochaines années, il est peu probable que les États africains puissent augmenter leur budget pour l'Éducation nationale, il nous apparaît sain d'examiner ainsi la productivité de cette façon.

Ainsi, nous pourrions résumer notre pensée en disant qu'évaluer la productivité d'un système éducatif, c'est évaluer sur un mode quantitatif et qualitatif les compétences assurées aux élèves sortant du système quel que soit le niveau : primaire, secondaire, pro-

Proposition de modélisation

MIEUX ARTICULER LES LIEUX DE FORMATION SCOLAIRE ET L'ENVIRONNEMENT

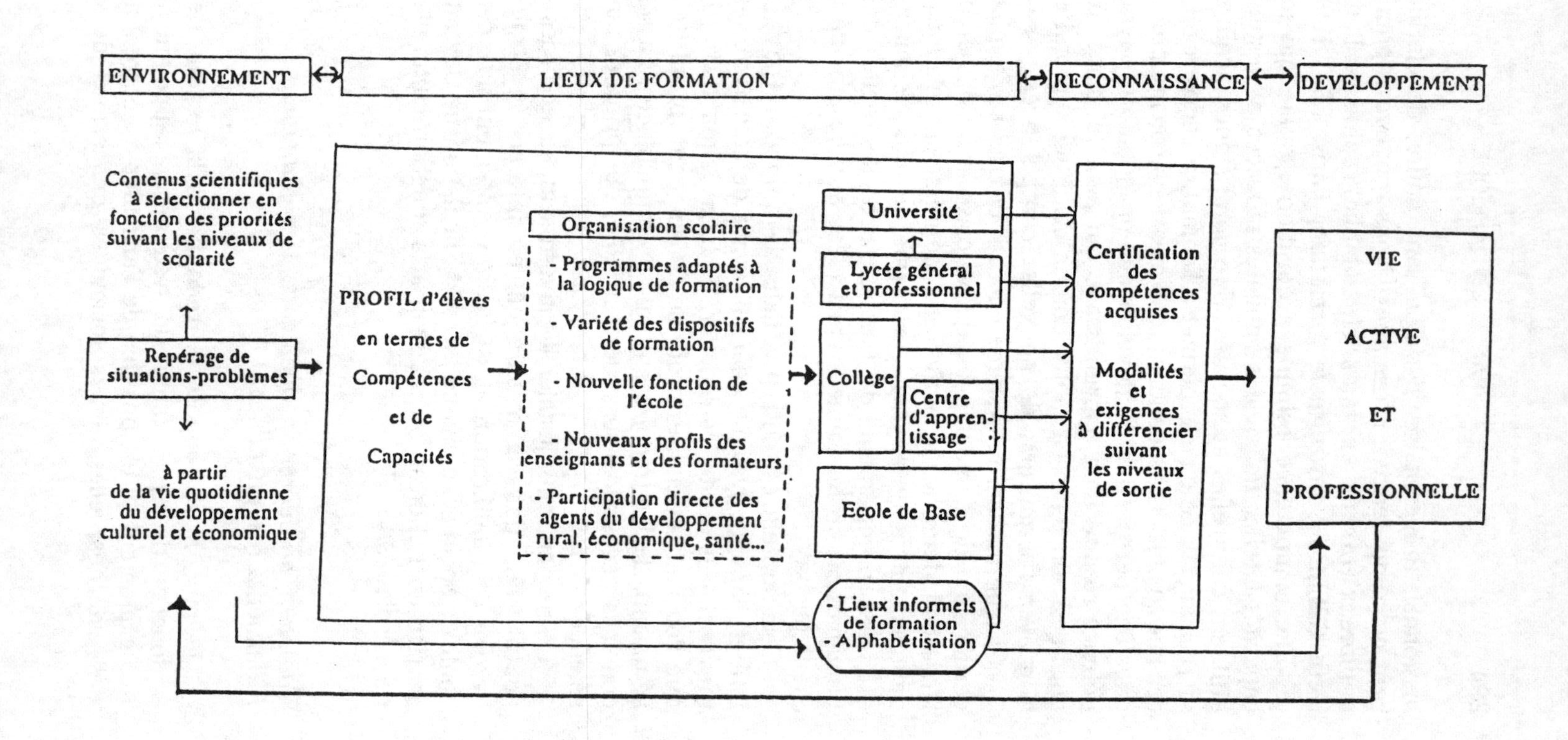

fessionnel, universitaire. Il s'agit, sans doute, de clarifier le concept de compétence en formation. Nous renvoyons pour cela à de nombreux travaux existants (cf. la bibliographie de l'ouvrage collectif CEPEC : *Construire la formation*, Paris, ESF, 1992, 157 p.).

Une compétence est une acquisition globale qui intègre des capacités intellectuelles, des habiletés motrices et gestuelles et des attitudes culturelles et sociales. Une compétence acquise à l'école se reconnaît à ce qu'elle permet à l'enfant, à l'adolescent, de résoudre une ou plusieurs situations-problèmes de vie ou pré-professionnelles dans une perspective de développement global du pays. Une compétence résulte d'un apprentissage qui peut lui servir à lui-même ainsi qu'à son pays. La motivation de celui qui apprend est en relation avec l'acquisition de nouvelles compétences personnelles.

Chaque niveau du système éducatif devrait se terminer par une certification de compétences, qui valorise la fin des études, facilite l'insertion dans la vie active et redéfinisse la relation formation-développement du pays. Le problème de tous les autres diplômes est aussi, précisément, de bien mesurer de réelles compétences humaines ou professionnelles articulées aux besoins de développement du pays.

Comme cela est entrepris dans de nombreux pays, il y a tout intérêt, dans un système éducatif, avant de construire les programmes scolaires ou de les rénover, de bien définir d'abord les profils que l'on veut atteindre (profil de l'enseignant, profil de l'élève, de l'étudiant), de les traduire ensuite en compétences. La sélection des contenus nécessaires sera alors facilitée, des priorités pourront être retenues.

On ne peut ainsi justifier les investissements accordés au système éducatif que dans la mesure où, en interaction étroite avec les besoins de qualification, il s'articule étroitement aux demandes du contexte socio-économique ; (cette articulation ne devrait constituer en rien un handicap ou un frein à la fonction culturelle et sociale de l'école !...).

Comment améliorer la qualité de l'enseignement ? (Commentaires du tableau)

Le modèle se propose de redonner à la logique de formation sa fonction de structuration du système en rappelant que, méthodologiquement, il est possible de l'articuler à l'entrée, aux demandes externes, elles-mêmes formulées en termes de « situations-problèmes » et, à la sortie, aux besoins de qualifications socio-professionnelles référées aux certificats de compétences. Il est vrai qu'il peut y avoir dans cette articulation environnement-définition de compétences, le risque de rendre les lieux de formation scolaire trop dépendants des demandes externes. On pourrait craindre alors que l'école n'assure plus suffisamment sa fonction globale d'éducation, d'ouverture culturelle sur d'autres préoccupations que celles émanant directement du milieu immédiat. Pour cette raison, il est important de maintenir des apports de connaissances qui ne soient pas retenus pour les seuls critères d'utilisation directe, mais aussi dans des visées de formation plus globale de la jeunesse d'un pays. Reste cependant posée la question des priorités ; la tendance à toujours rajouter des contenus nouveaux sans contrepartie d'allègement, est toujours présente chez les formateurs... Par ailleurs, le fait de garantir des compétences opérationnelles à des enfants, des adolescents, leur permettant de résoudre des problèmes de leur vie immédiate et de leur avenir d'adulte, n'est en rien péjoratif ; au contraire, c'est la condition d'un apprentissage de qualité intégré et durable. Certains systèmes éducatifs (celui de France n'échappe pas à cette dérive) ont trop privilégié des conceptions intellectualistes de l'apprentissage humain, beaucoup trop déconnecté des réalités vécues par l'apprenant et des problèmes auxquels il est naturellement confronté.

Notre proposition de formation intègre aussi le développement chez l'apprenant, de capacités générales transférables, et qui, par nature, nc sont pas limitées à une seule situation-problème et qui permettent ainsi à l'individu de s'adapter à des situations nouvelles. Or, l'un des enjeux de toute éducation scolaire est bien de garantir au mieux cette formation humaine de base, constitutive de la personnalité de l'individu, et cette adaptabilité aux évolutions du monde du travail.

Une logique de formation, définie à partir de compétences et de capacités, n'est en rien réductrice : elle assure d'abord sa fonction d'instruction scolaire, et correspond aux nouveaux enjeux du système éducatif, qu'il soit occidental ou africain, en redéfinissant ses fonctions sociales et ses services culturels dans la société.

Enfin, nous estimons que les débats actuels sur la *qualité* de l'enseignement en Afrique, pourraient être traités précisément à partir de cette orientation : assurer aux enfants des compétences significatives et pertinentes, et modifier ainsi leur propre relation à leur formation scolaire et à leur avenir. Ce serait une façon de dépasser les oppositions stériles entre approche quantitative et qualitative.

Ce modèle ne peut constituer qu'une base de référence à partir de laquelle il reste beaucoup à faire pour affiner et approfondir différents « passages » de cette chaîne logique. C'est dans cet espace que peuvent aussi se travailler des formes nouvelles de collaboration entre partenaires de la coopération (responsables nationaux et bailleurs de fonds). L'essentiel, à partir de cette modélisation, est d'assurer un accord fondamental sur la définition des profils de sortie des élèves traduits en termes de compétences ; le choix pertinent de celles-ci étant garanti par la confrontation et l'analyse de situations-problèmes entre les acteurs du système éducatif et leurs partenaires extérieurs (APE, artisanat, techniciens chargés du développement rural, industriel, de la santé, ONG...). Ceux-ci ne sont pas tous concernés au même titre suivant le niveau envisagé de sortie du système.

Cette proposition de construction de « référentiel » n'est pas nouvelle en termes de méthodologie. En effet, la confection de nouveaux programmes en France pour l'enseignement professionnel se réalise à partir d'orientations semblables, de même que la mise en place de formations en alternance. Reste à examiner, à partir d'essais déjà engagés et partiellement réussis en Afrique, comment développer une méthodologie adaptée et créer les conditions de « déscolarisation » des programmes.

Principes d'orientations

Pour un nouveau partage des responsabilités de l'éducation des élèves (ou comment « déscolariser » la formation)

Nous recommandons un nouveau partage des responsabilités, voire une certaine « déscolarisation » de la formation, car les enjeux de l'éducation sont bien « l'affaire de tous » (parents d'élèves, futurs employeurs, acteurs du développement) ; c'est aussi pour remettre en cause l'exclusivité de la formation par les seuls acteurs actuels des systèmes éducatifs. Les problèmes de la formation des jeunes en Afrique (mais aussi en Europe) ne peuvent plus être résolus par les seuls agents des ministères de l'Éducation nationale, quelles que soient leurs motivations et responsabilités spécifiques. D'une part, les systèmes éducatifs fermés sur eux-mêmes ont souvent pour préoccupation essentielle d'assurer leur propre maintien. D'autre part, les systèmes éducatifs provoquent davantage chez les scolarisés des effets de rupture avec leur milieu (parfois de rejets) que d'insertion et de volonté d'engagement, et ceci produit déjà des effets désastreux dans les villes et campagnes africaines. En effet, les systèmes éducatifs créent un discours marqué par des approches essentiellement « pédagogiques » et intellectualistes, trop souvent incapables d'appréhender les réalités existentielles du présent et de l'avenir des élèves. Il est salutaire qu'à tous les niveaux de responsabilité de la formation soient « associés » systématiquement des partenaires extérieurs concernés par le développement du pays, en tout cas en prise directe avec les réalités extérieures. La garantie de la réussite de la participation des partenaires extérieurs est précisément de ne pas la limiter à un seul niveau du système où elle reste marginale et finalement rejetée. C'est ce que nous avons constaté dans des essais d'écoles rurales ou de promotion collective. De la même façon, il ne semble plus possible que les équipes de coopérants intervenant dans les systèmes éducatifs ne soient composées que d'enseignants ou de pédagogues. Là encore, nous retrouvons le risque de la « répétition scolarisante ».

Les lieux de formation des enseignants (ENI, ENS), les organismes de conception de programmes et de manuels (INRAP, IPN) devraient aussi connaître cette transformation. La formation des enseignants et la conception des programmes ne peuvent plus être garantis dans cette nouvelle orientation par des formateurs qui ne sont souvent formés qu'en pédagogie générale, psychopédagogie... et qui n'ont aucune connaissance ni compréhension du monde du travail au village, en ville, qui ne possèdent généralement pas de compétences sur les problèmes de développement et qui ne peuvent percevoir les nouvelles perspectives technologiques et scientifiques de l'environnement. En insistant sur cette nouvelle relation de la formation scolaire et du monde du travail, nous ne faisons que rappeler et mettre en évidence de nombreuses réalisations qui, dans des dispositifs et des pays différents, ont déjà réussies ou sont en cours de développement (formation en alternance et participation des entreprises à la formation, à la construction de référentiel et à la validation des compétences en Europe, formation scolaire et alphabétisation intégrée au processus de développement rural et économique en Afrique... bref, toutes les conceptions de la formation à partir du terrain, telles que les maisons familiales rurales).

Nous savons bien, aussi, que ces transformations se sont souvent réalisées en marge ou à la périphérie des systèmes éducatifs et que nombreuses sont les résistances du système et de ses acteurs à de telles évolutions. Si nous maintenons cependant cette orientation, c'est qu'elle nous apparaît comme l'une des dernières alternatives. Elle entraîne une transformation du métier d'enseignant. Si celui-ci ne peut pas tout savoir et tout « savoir faire », il devra cependant être davantage un organisateur de la formation sachant associer différents partenaires extérieurs. Dans certains pays, l'enseignant est considéré comme l'un des « agents du développement ».

Clarification des politiques éducatives et démarches stratégiques

Les initiatives, prises pour améliorer des systèmes éducatifs, sont généralement menées de façon ponctuelle, dans des conditions difficiles ou défavorables. Ainsi, avec beaucoup d'énergies, des innovations pourtant positives échouent par leur isolement et leur manque de suivi. Sans en analyser ici les causes multiples (instabilité politique, économique, institutionnelle, contradictions des bailleurs de fonds...), il devient urgent de gérer « autrement » les moyens, et d'engager plus systématiquement des actions mieux coordonnées.

Cela suppose une concertation entre bailleurs de fonds (ce qui semble se réaliser aujourd'hui dans différents pays...), une vision systémique des opérations engagées et des choix privilégiant les actions aux effets démultiplicateurs plutôt que des activités marginales n'ayant aucun impact sur le système. Naturellement, ces choix reposent sur des clarifications de politiques éducatives, et donc sur des redéfinitions de la fonction du système éducatif dans la société.

Dans cette démarche stratégique et pour créer les conditions de motivation chez les acteurs, il nous semble important de favoriser des îlots ou espaces d'expérimentation qui constituent des occasions de faire la preuve que des changements peuvent s'opérer et réussir dans des situations ordinaires, à partir de nouvelles conceptions et méthodologies. Ces réalisations à échelle microsociale (dont la dimension serait à définir : institutionnelle, locale, régionale...) doivent être situées dans un plan d'ensemble pour ne pas dériver dans des formes protégées et singulières. Par ailleurs, un plan général devrait favoriser la mise en réseau de ces espaces d'expérimentation, permettant des appuis mutuels, des circulations d'informations, des régulations. La question serait de savoir comment choisir ces « espaces d'expérimentation », à quel niveau du système et comment organiser les réseaux interactifs, soit sur un axe vertical pour observer plus particulièrement les cohortes d'élèves tout au long de la scolarité, soit sur un axe horizontal en relation avec d'autres classes ou établissements de même niveau. L'important dans cette perspective, est de redonner confiance aux acteurs de terrain, aux décideurs institutionnels, en leur permettant d'exercer un « certain pouvoir » sur leur milieu immédiat, et ainsi redécouvrir la maîtrise d'un espace minimal sans laquelle il ne peut y avoir que sentiment de fatalisme et de résignation (cf. le diagnostic précédent).

Les notions de réseau, de « maillage » favorisent les mises en synergie de différentes potentialités (développement rural, ONG, qui, souvent, s'ignorent ou se neutralisent) et peuvent permettre de parvenir à des seuils de masse critique assurant une meilleure intégration, consolidation et durée des réussites. Ces perspectives ne sont envisageables que s'il y a possibilité effective d'installer des communications nouvelles sur un mode plus direct et horizontal. Ceci n'est pas sans poser les habituelles questions des pouvoirs administratifs des différents services et des fonctionnements hiérarchiques. Le développement d'échanges professionnels sur des critères de compétences, dans des démarches de projets, est de nature, sans doute, à favoriser des fonctionnements plus démocratiques, même si l'on peut aussi dire que ceux-ci sont aussi la condition à ces nouvelles formes d'expérimentation...

Enfin, sans pouvoir le développer ici, nous pensons qu'il faut, pour mener à bien ces projets d'innovation, utiliser davantage les apports d'une pensée systémique, apprendre à penser les différents problèmes et leurs résolutions de façon interactive : l'insuffisante prise en compte des interdépendances entre les processus de développement eux-mêmes et de la scolarisation, conduit à des approches ponctuelles, fragmentées qui, jamais, ne permettent de traiter l'inévitable complexité des enjeux.

Mise en place de recherches-actions

L'un des problèmes majeurs des systèmes éducatifs africains est ce clivage entre la théorie et la pratique, mais aussi entre formation intellectuelle et qualification professionnelle réelle.

Nous entendons par « recherche-action » la mise en place d'une innovation, dans des situations ordinaires où l'on engage une démarche de recherche, ayant pour finalité non seulement d'obtenir des résultats dans l'action elle-même, mais aussi des informations théorisées communicables à d'autres acteurs ou décideurs.

Il s'agirait de réaliser des expérimentations rigoureuses, communicables, apportant déjà des résultats auprès des élèves, mais permettant d'envisager une stratégie plus générale sur les questions de formation et d'alphabétisation. Bien entendu, la mise en place de recherches-actions aurait de l'intérêt pour les autres niveaux de formation (écoles professionnelles, université). L'une des fonctions serait de constituer un ensemble d'études et de publications permettant de capitaliser les acquis, et ainsi de consolider les innovations significatives et réussies.

L'évaluation : nouveaux enjeux, nouvelles attitudes

Il faut souligner la nécessité de mettre en place des dispositifs d'évaluation pour améliorer la connaissance et la compréhension des systèmes, augmenter ainsi la lucidité des acteurs et décideurs, mais aussi favoriser, dans une perspective de changement et de régulation, les prises de décision. Pour nous, l'évaluation se définit comme une prise d'informations sur les actions et les projets, et le fonctionnement du système, et constitue un appui déterminant pour conduire ces nécessaires évolutions.

En intégrant davantage à l'action des instruments d'évaluation, il devient possible de promouvoir de nouvelles attitudes plus objectives et rationnelles.

Pour terminer, nous proposons quelques pistes de travail :

— Valoriser les expériences réussies, les faire connaître et en retirer les enseignements. Pourquoi ne pas créer « une banque » de données à partir « d'innovations réussies » alors que, trop souvent, les résultats d'évaluation de systèmes éducatifs ne font que renforcer le doute et le pessimisme... Cette fonction de « renforcement » des actions positives mérite d'être développée : sans elle, beaucoup d'innovateurs ignorent l'intérêt de ce qu'ils font et ne peuvent contribuer à la dynamique du changement.

— Favoriser les comparaisons de systèmes éducatifs en Afrique (francophone, anglophone...), non seulement à partir de tests de compétences des élèves, mais aussi à partir de leur fonctionnement, leur relation au développement. Une meilleure circulation de travaux concernant les modes d'organisation, de formation, d'utilisation des manuels, d'ouverture sur le milieu pourrait aussi fournir des informations utiles et favoriser des évolutions en créant une nouvelle culture de l'évaluation.

Conclusion

Dans ces quelques pages, dans une volonté de dialogue, nous avons pris quelques risques, risque d'un diagnostic parfois rapide, risque de réorientation des systèmes éducatifs vers une nouvelle logique de formation en plus forte interaction avec le milieu et le développement. Ainsi, d'une certaine façon, nous pensons que le modèle d'école occidentale, s'il a atteint dans les périodes coloniales et post-coloniales un certain nombre d'objectifs, d'instruction et de formation de cadres, devient aujourd'hui inadapté face à l'explosion démographique, à la pénurie économique inquiétante et aux besoins nouveaux d'éducation de la jeunesse.

Il s'agit bien, alors, de réaliser — autrement — les fonctions du système éducatif. Ce n'est pas tant l'école en tant qu'elle représente un lieu d'éducation, d'ouverture à l'universel, qui est mise en cause, mais davantage son mode d'organisation, de gestion et ses objectifs. Plus que jamais, le développement intellectuel et professionnel de la jeunesse d'un pays est en étroite interdépendance avec le développement économique et culturel. A l'époque où il est question de nouvelles organisations sociales, davantage marquées par des valeurs démocratiques, il devient essentiel que les responsables africains continuent à travailler au repositionnement des systèmes éducatifs dans leur société en pleine mutation. La prochaine période peut alors devenir l'occasion de nouvelles recherches et expérimentations sans doute plus radicales, plus adaptées et la manifestation d'une créativité culturellement mieux intégrée.

Souhaitons que les responsables africains puissent ainsi engager, de façon originale, les nécessaires transformations pour que la jeunesse, mieux formée, devienne davantage un atout et une ressource pour le développement plutôt qu'une source de troubles et de désordre sociaux.

17

Pour un soutien réfléchi à la formation scolaire initiale

par Bernard HUSSON

La transmission aux jeunes des savoirs (1) et savoir-faire est la base de la reproduction d'une société. Cette transmission passe par deux canaux essentiels : l'éducation sociofamiliale assurée par la famille, le groupe social et plus généralement l'environnement humain et confortée par l'expérience personnelle de l'enfant d'une part, la formation, espace d'apprentissage institutionnel géré par la collectivité, d'autre part.

Ce qui est fondamental dans le système de formation, ce n'est donc pas la formation elle-même, mais son articulation avec les valeurs portées par le contexte sociofamilial et avec la situation socio-économique. Pour une société, concevoir un système de formation, c'est être en mesure de se projeter dans le futur et de modifier, en conséquence, son présent.

Or, au cours des dernières décennies, les États africains ont placé l'école au cœur du dispositif de production sociale et de préparation des jeunes à s'insérer dans une société telle qu'ils la définissaient unilatéralement, sans négociations avec les populations. L'articulation avec l'espace économique qui procure les emplois n'a pas été suffisante.

---

(1) Savoir est à prendre ici non seulement dans le sens de connaissances, mais aussi dans les dimensions d'explication du monde et de mode de production de connaissances.

L'école primaire et la fonction de reproduction sociale

Les causes habituellement avancées de l'inadaptation de l'école primaire dénoncent pêle-mêle le contenu des programmes, la langue de formation, le faible niveau des enseignants et leur isolement lorsqu'ils exercent dans le milieu rural, la surcharge des classes en ville, les mauvaises installations, l'absence d'outils pédagogiques, l'absentéisme... toutes causes qui sont incontestables. Mais à analyser de plus près la situation, ce ne sont là que causes « visualisables ».

En effet, réduire la formation à des problèmes de connaissances, de programmes, de méthodes pédagogiques, c'est en réalité occulter l'essentiel. Les sociétés portent en elles un certain nombre de valeurs fondamentales dans lesquelles le système de formation doit projeter les enfants.

Cette exigence concerne très directement l'école primaire plus encore que les niveaux supérieurs. Elle est le premier degré institutionnel d'intériorisation des modèles sociaux et des valeurs. Or, avec leur entrée à l'école, les enfants ont à gérer, sans pouvoir la réduire, la rupture entre le discours de leur milieu et celui de l'institution scolaire.

L'école primaire donne une ouverture aux enfants sur le monde extérieur mais contribue à l'exclusion des parents

Par la formation dispensée, l'école primaire est le lieu d'acquisition de compétences intellectuelles qui visent à permettre à l'enfant de se mouvoir dans la complexité de la société, notamment dans son évolution. Elle a pour objet également d'apporter les connaissances de base permettant l'acquisition ultérieure de compétences techniques et/ou professionnelles indispensables pour accéder à la production.

L'école primaire doit donc contribuer à la reproduction dans l'ordre économique et social nouveau et n'est plus un système de formation maîtrisé par les communautés dont sont issus les élèves. Elle est un élément étranger au milieu.

L'introduction de cette étape de formation conduit à isoler le groupe des 6/14 ans (2) qui, auparavant, n'était pas socialement

(2) De très nombreux enfants ne terminent pas le cycle primaire avant l'âge de 14 ans.

reconnu. Elle a un effet déstructurant sur les sociétés africaines parce qu'elle transforme les processus d'intégration sociale antérieurs par toute une série de manifestations : survalorisation des savoirs théoriques et abstraits au détriment du savoir expérimental, méthode pédagogique fondée sur la logique intellectuelle plus que sur la pratique, formation fondée sur un raisonnement hypothético-déductif et abandon des approches inductives plus familières aux sociétés paysannes et artisanales, utilisation du livre, du cours..., objectif d'accès à l'emploi de type « moderne » au détriment des systèmes d'insertion fondés sur les relations familiales, religieuses, de castes, exclusion de toutes les participations des adultes au système de formation.

Ainsi, au cours des années d'école primaire, les enfants acquièrent des connaissances nouvelles, des mécanismes intellectuels originaux, une ouverture certaine sur le monde et un attrait pour des valeurs et des modèles nouveaux, en rupture avec les valeurs issues de l'histoire de leur groupe social. En allant plus au fond des références qui fondent l'éducation sociofamiliale africaine et la formation scolaire et en auscultant les symboliques qui les soutiennent, on peut dresser le constat d'écarts béants entre elles. Par exemple, la formation moderne, celle de l'école, introduit une distinction, une barrière même, entre le visible et l'invisible qui n'existe pas dans l'éducation sociofamiliale africaine. Au contraire, dans cette dernière comme dans la formation par l'initiation, l'osmose entre ces « mondes » est une constante. Autre exemple, la distinction entre travail et « loisir », véhiculée par l'école et le mode d'organisation occidental n'est pas faite par les sociétés africaines.

Ainsi, contrôlée par l'État, la formation institutionnelle ne reflète pas les aspirations et les valeurs des populations, mais représente celles qui sont jugées indispensables au fonctionnement d'une société moderne et rationnelle. L'ambition affichée de l'école primaire est d'offrir à tous une égalité d'accès à la formation générale de base et aux niveaux de formation qui lui succèdent (3) par un enseignement qui se veut neutre à l'égard des faits sociaux.

L'éducation sociofamiliale et la formation par l'initiation sont fondées sur des principes radicalement différents. Le savoir qu'elle dispense est référencé à des groupes sociaux, certains pouvant être historiquement seuls détenteurs de certaines connaissances.

---

(3) Mais, davantage encore dans les sociétés déstructurées, l'école unique, officiellement accessible à tous, n'est pas un facteur d'égalité. Au contraire, elle reproduit les inégalités socio-économiques dont savent parfaitement jouer les élites.

Pour rénover l'école, il faut en repenser l'organisation en liaison avec le milieu sociofamilial

Faute de reconnaître la logique différente des deux systèmes de formation, traditionnel et moderne, il n'est pas possible de construire une articulation entre eux ; et faute d'une articulation entre eux, l'enfant a peu de chance de « réussir », et a, au contraire, toutes raisons de connaître l'insuccès dans sa vie scolaire puis professionnelle.

Ces deux approches ne s'additionnent pas et se contredisent souvent. L'une retient une logique considérée comme l'expression de la raison et, par corollaire, du progrès et du développement ; elle s'affirme comme supérieure. L'autre repose sur l'utilité de la formation, elle est considérée comme passéiste et dévalorisante (4). Ce double discours ne fracture pas la société en deux camps inconciliables mais existe au sein de chaque groupe, de chaque famille, de chaque personne même.

Faute de perspectives d'avenir clairement déterminées, les familles partagent les risques. « Si j'ai trois garçons, j'en mets un à l'école coranique, un dans un atelier, un à l'école du quartier », disent fréquemment les pères, légitimant ainsi des lieux de formation non institutionnels et montrant, s'il en était besoin, que, pour les populations, l'efficience des formations n'est pas réductible à leur statut, fût-il arrêté par l'État. Celles qui émergent en leur sein donnent même souvent corps à des dispositifs plus légitimes à leurs yeux que celui mis en place par l'État.

Il ne s'agit cependant pas de refuser le rôle de l'État et de renoncer à quelques principes généraux, modalités et méthodes pour la formation. En effet, l'une des fonctions de l'État est d'affirmer des références communes. Ce qui est à remettre en cause, c'est l'exclusivité de son autorité sur la formation élémentaire. Il revient aux pouvoirs publics de débattre avec les groupes humains locaux concernés d'un projet social pour dégager une articulation et une cohérence entre l'école, les valeurs sociales et la situation économique.

Est-il en effet nécessaire, naturel ou évident que l'école primaire soit unique ? Pour sa bonne adaptation locale et éventuellement sa prise en charge par la population locale, il convient que soient reconnues comme légitimes des réponses particulières et que soit

---

(4) Il ne s'agit pas de regretter ici un passé révolu : nostalgie et dynamisme sont antinomiques.

laissée une large initiative aux régions et aux centres de formation eux-mêmes.

La dichotomie entre l'école et le milieu socio-économique

L'inadaptation des relations entre la formation, les débouchés et les structures économiques constitue un autre dysfonctionnement dans lequel l'école est enfermée (et non seulement sa composante primaire).

Les formateurs et les agents de développement s'ignorent réciproquement

Déconnectée de la réalité économique, l'institution scolaire a poursuivi une stricte finalité de formation. L'impératif du diplôme l'a emporté sur toute autre considération. Le diplôme a permis dans le passé d'accéder au marché de l'emploi caractérisé par un déficit momentané de main-d'œuvre qualifiée. Mais il n'a que très rarement matérialisé une connaissance répondant aux besoins du marché.

De fait, la rupture entre formateurs et responsables de développement est consommée depuis longtemps et, malgré de multiples appels à la raison, elle n'a pas été comblée. Les premiers affirment que l'école n'est pas la cause des difficultés économiques et « se dédouanent » dès lors de toutes responsabilités concernant la finalité de la formation et l'insertion économique des jeunes.

Symétriquement, les responsables de développement, institutionnels, financiers, politiques... et aussi agents de terrain, n'ont émis aucun avis sur l'organisation de l'école et le contenu des enseignements et ne l'ont pas sollicitée pour une adaptation de la formation à l'environnement économique.

Le divorce est tel qu'un nombre de plus en plus important de jeunes constitue un « capital humain » dispersé, mal employé, qui ne se voit aucun avenir et dont le coût de la formation avortée pèse sur les ressources publiques. Exclus d'une formation adaptée, ils sont aussi exclus d'une insertion économique alors que le cadre économique familial ne répond plus à leur aspiration.

Il existe cependant des expériences de complémentarité mais qui ont souvent échoué

La question du rapport formation/insertion n'est pas nouvelle. Dès 1973, le gouvernement sénégalais, par exemple, s'interrogeait sur cette articulation et créait l'« enseignement moyen pratique » en lui assignant comme objectif de « résoudre de façon prioritaire, le problème de l'insertion posée par des jeunes issus du cycle primaire ». Au cours du même conseil interministériel, il était recommandé de développer « la liaison formation des adultes et éducation des jeunes », condition du succès de la seconde, et il était souligné l'importance « d'une planification harmonisée entre système de formation et système de planification pour mordre sur le réel ».

L'« enseignement moyen pratique » accueillait des jeunes en vue de consolider leurs bases de « culture générale », acquises dans le cycle primaire et de leur apporter une formation pratique. Cette dernière était construite autour de techniques leur permettant de s'insérer dans des activités économiques préalablement discutées et mises en place avec leur milieu d'origine.

Vingt ans après, peu de choses sont à reprendre dans ce dessein. Mais, venu trop tôt et objet de divergences entre les différents bailleurs de fonds, le programme dériva vers la fin des années 70.

Le Sénégal n'a pas été le seul pays à afficher ces intentions. Il n'a pas été non plus le seul à ne pas les réaliser. La relation formation/développement n'a en réalité jamais joué sauf à énoncer quelques considérations générales dans les plans de développement économiques et sociaux successifs.

De nombreuses autres tentatives ont été menées pour résoudre le problème de l'insertion des jeunes. Formation professionnelle rurale, chantiers-écoles, classes à vocation rurale... y compris jusqu'à des initiatives plus éloignées des systèmes de formation classiques comme les paysans pilotes, les centres de promotion sociale... ; toutes ont avortées. L'objet n'est pas de faire ici l'analyse détaillée de ces échecs, mais quelques constantes éclairantes peuvent en être dégagées.

L'insertion économique étant leur objectif, ces expériences n'ont pas suffisamment tenu compte des contraintes sociales. Certes, les formations se déroulaient « dans le milieu », faisant parfois appel aux compétences dont il disposait pour l'encadrement des actions et éventuellement, leur suivi. En revanche, pour la conception des formations le milieu n'a pas été associé, rendant ainsi impossible leur appropriation par les populations.

A l'exception des Maisons familiales rurales et de l'alphabétisation fonctionnelle, toutes ces formations ont été d'un coût prohibitif, d'autant que le nombre de personnes concernées était faible face au nombre d'enfants en âge d'être scolarisés.

L'échec de ces « alternatives » tient à une conception trop hâtive, trop peu réfléchie de leurs objectifs et de leurs modalités de fonctionnement et à une mise en place hors de projets économiques viables. Le repositionnement de l'école ne peut occulter le traitement de ces questions.

L'appui aux actions de formation scolaire

Au vu de trente ans d'expérience et des constats dressés précédemment, un cadre peut être proposé pour appuyer les actions de formation scolaire. Il convient toutefois de considérer d'entrée qu'une réflexion portant sur la formation dispensée à l'école primaire ne peut être dissociée d'une réflexion plus générale sur l'ensemble de la formation.

Le soutien à la mise en place d'un cycle fondamental est essentiel

Il est urgent d'intégrer la formation générale et les formations pratiques afin de donner à l'école la fonction qui aurait dû lui être assignée depuis longtemps, à savoir former le plus grand nombre en fonction de débouchés réalistes. La fusion, déjà engagée dans quelques pays — au moins au niveau des intentions — des cycles primaire et secondaire, au sein d'un « cycle fondamental » va dans ce sens.

En effet, pour beaucoup d'enfants, le cycle primaire est également le cycle terminal — et tous n'atteignent pas son terme. Pour pallier cette limitation du temps affecté à la formation, le domaine d'intervention de l'école primaire doit être élargi : maintien de la formation générale de base certes, mais aussi prise en compte des mécanismes d'acquisition de connaissances en relation avec le milieu proche et intégration d'une formation pratique.

Un tel dispositif qui allonge l'étape du cycle initial assure une meilleure articulation avec les références sociofamiliales.

On peut rassembler en trois espaces les contenus de formation du cycle fondamental. Ils doivent tout d'abord inclure les notions de base indispensables pour former un citoyen : langues, protection de la nature, éducation civique... Pour ce qui est de la formation pratique ensuite, l'objectif n'est pas d'acquérir toutes les compétences permettant d'accéder à des emplois de haute qualification, que très peu d'enfants atteindront en tout état de cause, mais de les préparer à occuper une fonction à partir de laquelle ils peuvent envisager une insertion puis une progression de leur statut économique. Enfin, un troisième espace pourrait concerner des formations permettant aux enfants de disposer de compétences dans des domaines indirectement liés à la production : hygiène, comptabilité élémentaire, innovation technologique...

Plus que de favoriser l'extension de l'école primaire dans ses formes actuelles, un vigoureux soutien est à proposer pour la mise en place de ces « cycles fondamentaux ».

L'adaptation de l'école aux conditions locales doit accompagner l'inévitable désengagement financier de l'État

La plupart des États africains ne disposent plus des ressources nécessaires pour financer l'extension des services publics, encore moins leur amélioration. La formation élémentaire fait partie des secteurs touchés par l'appauvrissement de l'État et cette situation ne fera que s'amplifier dans les années à venir. Réduisant ses financements et donc son pouvoir d'organisation, l'État sera au mieux un arbitre entre les différentes dynamiques de formation.

Cet affaiblissement de l'État peut être saisi comme une opportunité pour adapter la formation aux conditions locales. Une attention particulière doit être apportée aux collectivités territoriales et aux associations qui prennent en charge, notamment financièrement, un dispositif de formation avec comme objectif l'insertion des jeunes dans la région.

La « décentralisation » de la formation est une condition absolue pour réinsérer l'école dans le milieu, recouvrer une relation entre l'adulte et l'école et ouvrir cette dernière à la formation pratique.

Dans cette perspective, il convient d'agir entre deux objectifs contradictoires : adapter la formation aux contextes locaux mais aussi développer des cohérences entre toutes les régions géographiques et sociologiques du pays. La formation de base a, de ce point de vue, un rôle essentiel à jouer.

Sans préjuger de la cohérence spécifique à chaque situation, il est possible de distinguer ce qui, dans les dispositifs de formation de base, pourrait relever de décisions nationales et ce qui pourrait être laissé à l'initiative locale. A titre d'exemple, pourraient relever du niveau central, l'établissement de programmes qui conforteraient les références nationales (apprentissage du français, de l'histoire...) et les « principes » portant sur la méthode de formation telle que l'intégration des disciplines (par exemple lier l'apprentissage du calcul et l'enseignement agricole). Pour le reste, la formation pourrait rester proche des contextes et modes d'organisation locaux.

La détermination des besoins de formation est une étape indispensable

Les besoins de formation des populations sont particulièrement difficiles à apprécier. Leur détermination ne relève ni d'enquêtes statistiques ni d'un débat sur les disciplines à enseigner. C'est à partir d'une perspective, d'un projet de société à long terme que les besoins peuvent être identifiés.

Soutenir la rénovation du système scolaire est inefficace si un appui n'est pas conjointement apporté à des actions de sensibilisation et d'implication des populations à un projet de développement qui soit la base de la formation et de l'insertion future des jeunes. Le soutien à la formation des adultes est également à inclure dans le soutien aux dispositifs de formation des jeunes. En effet, les réformes qui portent sur la formation des enfants, ne peuvent à elles seules transformer l'attitude des scolarisés, modifier la relation école/milieu et assurer une légitimité à l'école... qui sont autant d'éléments qui relèvent des adultes.

En terme d'appui, la conséquence de cette proposition est de suggérer la mise en place, ou le renforcement, d'une relation entre agents de développement et personnels de formation non seulement pour une coordination de leurs actions, mais aussi pour traiter communément tant de l'élaboration concertée du programme d'insertion que des actions à entreprendre en direction des adultes.

L'identification des besoins de formation avec les populations, pour importante qu'elle soit, ne suffira cependant pas à asseoir localement le dispositif. Il conviendra encore de débattre avec elles de leur participation à la conception de la pédagogie, à l'émergence du savoir initial des jeunes et à leur contribution directe à la formation générale et pratique.

En conclusion, la crise financière des pays africains ne doit pas masquer la profonde crise du système de formation. Dans un premier temps, l'école a été considérée comme un instrument majeur permettant de passer d'une société traditionnelle à une société moderne. Cette fonction a largement bénéficié du discours des élites qui en ont tiré elles-mêmes profit, encouragées en cela par les organismes publics ou privés d'appui au développement. Bien que l'école ait mobilisé des budgets importants, elle a échoué dans cette mission.

Aujourd'hui, faute de pouvoir préparer les jeunes à un emploi, il est demandé à l'école d'être un lieu qui les préparent à assumer une transformation du milieu. Dans cette perspective, il faut organiser un enseignement moins « contemplatif » et plus dynamique par l'intégration de formations pratiques et de formateurs issus de la population et négocier avec les populations les secteurs d'insertion des jeunes en vue de les y préparer.

Un exemple d'alphabétisation réussie

par Catherine MICHAILOF

La pérennité du programme d'alphabétisation fonctionnelle de la Sodefitex, mis en place depuis 1979 par cet organisme de promotion du coton, dans la région de Tambacounda au Sénégal, permet déjà d'en analyser l'impact.

L'envergure du projet (399 centres ouverts de 1984 à 1991, soit un tiers des villages touchés dans la zone concernée), la rigueur de sa mise en œuvre, la qualité des résultats obtenus et, surtout, l'originalité de sa démarche justifient l'examen de ce projet exemplaire à plus d'un titre.

Le contenu de la formation donnée tient étroitement compte des réalités économiques de la région. La révélation d'une demande en alphabétisation croissante et pressante des villageois qui ne sont pas encore alphabétisés, et la création de centres d'alphabétisation villageois autogérés, où la Sodefitex n'intervient plus que sous forme d'une aide technique, attestent de la capacité d'entraînement de la Sodefitex qui peut d'ailleurs, à la demande d'ONG ou de collectivités, transposer son expérience.

Une formation adaptée à l'environnement économique

La politique de la Sodefitex est basée sur la création d'associations de base de producteurs (ABP) autogérées. Après la mise en place, de 1979 à 1982, de 85 associations gérées par des lettrés en français, la Direction générale constata un essoufflement dans la création d'ABP.

L'alphabétisation d'une élite villageoise capable d'assumer la gestion et le contrôle des associations parut à la Direction générale le plus sûr moyen de motiver les cultivateurs en les responsabilisant. A terme, ils pourraient assumer les différentes fonctions liées à la production et à la commercialisation des recoltes.

Les villageois étant essentiellement pulaarophones dans cette zone, l'alphabétisation fut d'abord organisée en pulaar. Depuis 1989, l'enseignement est aussi prodigué en mandingue dans les villages à dominante mandingue. Le choix de ces langues parlées par tous mit fin à la suspicion dont étaient l'objet les villageois lettrés en français qui profitaient souvent de leur fonction pour gérer les associations à leur avantage, voire détourner des fonds et permit, grâce aux documents bilingues (français-pulaar, français-mandingue), à chacun de prendre en main la gestion de ses affaires.

La grande originalité du programme d'alphabétisation mis sur pied réside dans l'utilisation d'agents de la Sodefitex, les conseillers des ABP comme instructeurs. Ce choix s'avère judicieux pour plusieurs raisons : les agents alphabétisent les villageois à la morte-saison, sans supplément de salaire pour la Sodefitex dont ils sont les salariés, les conseillers sont parfaitement intégrés dans ce milieu rural. Enfin, ils possèdent une connaissance professionnelle des techniques qui constituent le support pédagogique de la méthode d'alphabétisation fonctionnelle. Tout en apprenant à lire, à écrire, à se familiariser avec le monde des chiffres et de la gestion dans leur propre langue, les villageois s'initient aux techniques vulgarisées sur la zone Sodefitex.

Les villageois choisis pour être alphabétisés — il y a plus de volontaires que de places disponibles — sont désignés par le conseil villageois en raison de leur probité, de leur aptitude morale et intellectuelle à gérer, à l'issue de leur apprentissage, des postes de responsabilités au niveau des ABP.

La perspective d'être employés à un poste identifié avant la session d'alphabétisation est un puissant stimulant pour les candidats car le poste n'est attribué qu'en fonction de résultats satisfaisants obtenus aux épreuves qui clôturent les quatre mois d'apprentissage.

L'alphabétisation fonctionnelle telle qu'elle a été conduite par la Sodefitex a conduit les cultivateurs villageois à assumer des tâches auparavant assurées par les agents d'encadrement.

Avoir la chance d'être alphabétisé permet, dans ce contexte, de devenir un acteur économique informé et immédiatement performant.

Les villageois contribuent à leur formation

L'intérêt que portent les villageois à l'alphabétisation peut être apprécié par leur accord pour prendre en charge certains investissements.

Dans cette opération, les villageois assurent la construction de la salle de classe, la fabrication des tables et des bancs ainsi que l'achat des fournitures et des manuels scolaires (2 500 F CFA en 1992).

En contrepartie, la Sodefitex affecte un alphabétiseur, formé à ses frais, fournit un tableau noir et le matériel pédagogique élaboré par son équipe pédagogique.

Depuis 1987, la Sodefitex a favorisé la création de centres d'alphabétisation villageois entièrement pris en charge financièrement par les auditeurs. L'enseignement est dispensé par d'anciens auditeurs formés dans des centres d'alphabétisation Sodefitex.

Ces centres villageois sont autofinancés et la Sodefitex n'intervient plus que dans la formation des formateurs, le suivi et l'assistance.

L'alphabétisation fonctionnelle Sodefitex est complétée par une post-alphabétisation qui débouche actuellement sur une formation technique assurant en particulier aux bénéficiaires une parfaite maîtrise de la maintenance du matériel agricole utilisé dans la région et une connaissance approfondie des techniques aratoires propres à leurs besoins immédiats. Des documents de travail illustrés et rédigés en pulaar, du matériel pédagogique adapté soutiennent cet enseignement particulièrement efficace.

Une formation de formateurs est également assurée qui permet la démultiplication spontanée des centres d'alphabétisation villageois.

Cette post-alphabétisation permet la création de nouvelles activités rémunératrices de services ou d'artisanat dans les villages ainsi que la publication, la distribution et la vente d'un journal semestriel *(Kabaaru)* en pulaar (incluant une double page en mandingue).

En raison de leurs qualités, les manuels de lecture et de calcul (pulaar et mandingue) confectionnés par la Sodefitex sont utilisés par plusieurs promoteurs d'actions d'alphabétisation.

La Sodefitex est également en mesure de contribuer à l'élaboration de projets d'alphabétisation ayant des objectifs spécifiques différents du sien et peut assurer la formation et le recyclage de formateurs, le contrôle de suivi, la confection et la vente de documents pédagogiques adaptés à la demande...

Le coût de revient annuel de la scolarisation d'un élève du cycle de l'enseignement primaire au Sénégal (année scolaire 1988-89) s'élève à plus de 38 000 F CFA (1) alors que le montant de la participation à une session d'alphabétisation dans un centre villageois autogéré pour un adulte est de 10 500 F CFA (2).

Ces quelques chiffres sont éloquents. La qualité d'un enseignement n'est pas tant liée à son coût qu'à son adaptation à l'environnement économique et à sa capacité de susciter le désir de se prendre en charge.

Là où la lourdeur des systèmes d'éducation étatiques a échoué malgré ses moyens considérables, la promotion de ce type de projets modestes mais parfaitement ciblés peut accélérer le recul de l'analphabétisme et l'ouverture de populations jusqu'ici exclues à de nouvelles opportunités.

---

(1) Rapport DURUFLÉ, 1992.

(2) 10 500 F CFA = fournitures (2 500 F CFA) + participation au salaire de l'alphabétiseur (2 000 F CFA par mois × 4 = 8 000 F CFA) sur une base de 20 participants.

6

Face à la misère, l'aide n'oublie-t-elle pas les pauvres ?

La misère est partout présente en Afrique. En brousse, des éleveurs et des paysans sont laissés à eux-mêmes, à la limite de la survie. On voit naître et grandir ailleurs un prolétariat rural. Dans les quartiers périphériques des grandes villes, nombreux sont ceux qui vivent dans des conditions très précaires. En dehors des régions en état de guerre, la misère n'atteint peut-être pas sur le continent les dimensions que l'on peut constater en d'autres points du globe. Mais n'en prend-elle pas le chemin ? Ne va-t-on pas vers ces énormes agglomérations humaines que l'on voit en Asie et en Amérique latine ? Dans un continent en état de faillite, les conditions de vie n'y seront-elles pas encore plus rudes ?

Les dernières années ont vu en particulier une dégradation de la situation sanitaire. Certes, des succès ont été enregistrés et certaines maladies ont reculé grâce aux actions préventives entreprises. Mais, on a assisté à l'extension du sida, à la recrudescence du paludisme, à la réapparition du choléra en même temps que les systèmes de soin devenaient, faute de moyens, moins efficaces ou parfois même s'effondraient.

Que fait l'aide et en particulier l'aide française pour améliorer les conditions de vie de la grande masse des Africains ? Les conditions de vie des plus pauvres ? Ne va-t-elle pas d'abord aux puissants ? A tous ceux qui ont les moyens d'en divertir une partie à leur usage ? Quelle proportion de l'aide parvient aux plus pauvres ?

Que peut-on faire demain pour améliorer les conditions de vie dans les grandes métropoles ? Pour aider à définir et mettre en œuvre des politiques de santé tirant le meilleur parti de moyens limités ? Pour qu'une plus grande part de la population ait accès à une eau saine ? Pour aider un secteur informel, qui emploie la majeure part de la population urbaine, à devenir plus performant ?

Enfin, problème plus général mais particulièrement difficile, que faire pour qu'une plus grande part de l'aide touche directement avec moins de déperditions ce qu'il est convenu d'appeler la société civile ?

18

Miser — enfin ! — sur le développement humain...

par Sylvie BRUNEL

L'Afrique « indéveloppable »

Beaucoup opposent aujourd'hui une Asie qui serait « culturellement » apte au développement à une Afrique quasi considérée comme congénitalement incapable de sortir de modes de fonctionnement traditionnels prétendûment incompatibles avec une société technicienne. On oppose ainsi un « vitalisme » africain, fondé sur l'instant, l'utilisation immédiate des ressources, la vie collective, à un « matérialisme » occidental, fondé sur l'épargne, l'investissement travail et capital, l'aptitude à anticiper l'avenir.

C'est oublier qu'il y a trente ans, les Sud-Coréens étaient aussi considérés comme « indéveloppables », qu'au début du siècle, c'étaient les Japonais dont la culture paraissait faire obstacle à l'entrée dans la civilisation industrielle. Qui imaginait, en 1960, que Maurice connaîtrait le développement que l'on sait, quand Madagascar, aujourd'hui bien mal en point, attirait alors la confiance, la main-d'œuvre (y compris mauricienne) et les investisseurs ?

En réalité, si l'Afrique paraît aujourd'hui si mal partie, c'est qu'elle paie les conséquences de trois décennies d'une politique aberrante, menée tant du fait des gouvernements issus de l'indépendance qu'en raison du laxisme ou des intérêts à court terme de ceux qui les conseillaient, guidaient le choix des priorités et des investissements par leur politique de crédit et de coopération.

Des ressources humaines sacrifiées par des politiques aberrantes

Comment, effectivement, un continent entier pourrait-il entrer sur la voie d'un développement durable, alors que les campagnes y ont été livrées à elles-mêmes pendant trente ans, scandaleusement exploitées, oubliées des politiques d'aménagement national les plus élémentaires ? Est-ce uniquement la faute des États africains — qui, c'est vrai, redoutaient les conséquences politiques de campagnes organisées et fortes — si les fermes d'État et les grands périmètres irrigués ont été abusivement privilégiés alors que 90 % des récoltes proviennent toujours de la petite paysannerie ? Tout le monde sait désormais que, pour développer un pays, il faut protéger la production agricole intérieure de la concurrence désastreuse d'importations extérieures massives et à bas prix, soutenir le revenu rural, garantir des débouchés aux productions nationales. C'est tout le contraire qui s'est produit en Afrique. Et, comble de l'absurde, c'est dans les pays riches que les agriculteurs sont choyés, soutenus, encouragés... et dans les pays qui ne se développent pas qu'ils connaissent les situations les plus difficiles, alors que 70 % de la population vit et travaille toujours à la campagne.

Ne parlons pas des dispensaires ruraux inexistants ou, quand ils existent, sans médicaments, sans moyens, sans médecins, alors que l'aide finance le plus souvent de luxueux hôpitaux dans les capitales, destinés à une minorité et inaccessibles aux plus défavorisés parce qu'ils sont l'objet de trafics honteux (médicaments, soins, interventions... tout est « privatisé » par le corps médical au bénéfice des plus riches)... Comment un pays peut-il entrer sur la voie d'un développement durable quand 80 % de la population, dans les campagnes, n'a accès qu'épisodiquement, voire pas du tout, à l'enseignement primaire, aux soins de santé de base, à la formation technique, l'encadrement et la vulgarisation agricoles ? Quand on sait quelle corrélation existe entre le niveau d'éducation des femmes et le nombre d'enfants qu'elles mettent au monde, le pourcentage de survie de ces enfants et leur état sanitaire général, comment s'étonner que l'Afrique connaisse tant de difficultés, une si forte mortalité infantile et juvénile, un taux de natalité qui ne décroît pas, alors que 80 % des femmes adultes sont toujours analphabètes dans la quasi-totalité des pays au sud du Sahara ?

L'aide co-responsable du non-développement africain

Les États africains sont largement responsables de leur non-développement, de la façon dont ils ont gaspillé leur capital humain, laisser perdre un temps précieux dans l'aptitude d'une société à capitaliser les expériences, former les jeunes à entrer sur le marché du travail, permettre aux entrepreneurs d'innover et d'investir à leur guise dans un contexte stable. Ils ont voulu tout faire, tout contrôler et ont échoué. Ils ont oublié qu'on ne développe pas un pays avec une minorité qui s'en met plein les poches, quitte à en rétrocéder une partie au village ou à la famille — c'est d'ailleurs cet alibi, celui de la redistribution, qui continue à donner bonne conscience aux plus riches —, tandis que le reste du pays part à vau l'eau, victime de l'indifférence généralisée. La préoccupation de développement ne serait-elle que l'apanage des riches ? Le mépris dans lequel sont tenus les ruraux et les groupes sociaux minoritaires, l'absence totale de conscience de ce qu'est le bien public, le service public, l'intérêt public nuisent bien plus à l'Afrique aujourd'hui qu'un prétendu manque de capitaux.

Malheureusement, tout cela, l'aide n'a cessé de l'encourager. Elle a permis le maintien de pratiques désastreuses, en termes de choix industriels, agricoles ou d'infrastructures — qu'on pense au Transgabonais... —, elle a alimenté la corruption, cautionné d'obscurs despotes, sous prétexte qu'ils étaient les amis de la France, permis à des gouvernements incompétents de se maintenir au pouvoir en leur donnant les moyens de continuer à distribuer la manne qui leur tenait lieu de légitimité politique.

Cesser de gaspiller l'aide publique

Nous en payons aujourd'hui les conséquences : quand 60 % de l'aide française sert à financer l'aide dite « hors-projet », c'est-à-dire purement et simplement, le soutien financier et budgétaire qui permet à des États non viables de maintenir la tête hors de l'eau, comment ne pas s'interroger sur ce qu'a été l'utilité réelle des milliards dépensés au titre de l'aide projet, engloutis dans des programmes sans lendemain, alimentant la dette au lieu de l'alléger. Au titre de la coopération aussi : à quoi ont servi ces légions de coopérants envoyés par bataillons serrés dans tous les pays pour, disait-on, permettre la relève par des compétences nationales ? Puisque nous avons échoué, il nous faut repartir à zéro. La coopération française a raison lorsqu'elle tente, par une approche régionale, de court-circuiter le poids étouffant des intérêts privés nationaux, de construire à la fois un droit des affaires et un droit de la prévoyance sociale qui puissent enfin permettre de jeter les bases d'États de droit sans lesquels rien ne sera jamais possible en Afrique.

Mais il lui faut aller plus loin. Accepter de poser ses conditions et de subordonner la délivrance effective de l'aide au respect de ces conditions. Certes, les États africains sont souverains. Ils ne perdent pas une occasion de nous le rappeler. Mais nous sommes souverains quant à l'utilisation que nous faisons de notre aide. Et puisqu'ils ne cessent de nous reprocher de ne pas faire assez d'efforts en leur faveur, conditionnant le décollage de l'Afrique à un apport massif de ressources — alors que les ressources existantes sont massivement détournées ou gaspillées —, acceptons d'avoir le courage de nos opinions.

Or ce que dit l'opinion publique, c'est qu'elle en a assez de voir l'aide alimenter une politique clentéliste à courte vue, qui compromet le développement au lieu d'en jeter les bases. L'aide doit donc revenir à ce à quoi elle aurait dû toujours être destinée : lutter contre la pauvreté. Elle ne doit plus représenter un filet de sécurité pour des gouvernements incompétents, mais, au contraire, jeter les bases des conditions préalables à tout décollage, financer en priorité les domaines dont on sait que, par nature, ils ne peuvent être rentables ni à court terme, ni même à moyen terme, parce que leur rentabilité, extrêmement élevé pourtant, se mesure à l'échelle d'une génération.

Revenir aux fondements mêmes du développement, les ressources humaines

Ces domaines, ce sont ce qu'on appelait dans les années 70 les besoins essentiels. C'est-à-dire l'éducation de base, les soins de santé primaires, le soutien au revenu du petit paysan, les infrastructures au niveau local, l'accès à l'eau potable. Intervenir dans chacun de ces secteurs aurait un effet multiplicateur considérable parce qu'ils conditionnent l'aptitude d'une société à entrer sur la voie d'un développement durable. Pour l'instant, ils sont totalement négligés en Afrique, sauf par les organisations humanitaires dont — et ce n'est pas un hasard — ils constituent le secteur d'intervention privilégié, car au contact direct des populations et des besoins qu'elles expriment. Mais même si le travail des ONG est souvent remarquable, leurs moyens d'action sont dérisoires et leur rayon d'intervention ne dépasse pas celui du micro-projet. En aucun cas, l'action d'une ONG ne peut être étendue à l'ensemble du territoire national... sauf à se voir relayer par les programmes des grandes institutions d'aide multilatérale et, pourquoi pas, par ceux des bailleurs de fonds bilatéraux.

La France est le premier bailleur de fonds en Afrique. Qu'on imagine quelles répercussions auraient, non seulement sur les sociétés africaines, mais sur les programmes d'aide des autres grands donateurs, une décision française de réorienter, ne serait-ce que 20 % de son aide actuelle, vers la satisfaction des besoins essentiels des populations africaines ! Quel exemple donné au monde que celui d'une France enfin réellement préoccupée de ce développement africain qu'elle appelle de ses vœux (pieux) depuis tant d'années, une France enfin réellement généreuse et désintéressée, donnant l'exemple d'une aide efficace, destinée réellement aux défavorisés, une aide digne de ce nom. Une véritable coopération mobiliserait autour de ses objectifs non seulement une opinion publique de nouveau intéressée par l'Afrique parce qu'on lui parlerait de choses concrètes, mesurables et « qui marchent », mais aussi les ONG, heureuses de voir leur action relayée par un grand dessein français en Afrique, enfin les nouveaux chefs d'État africains, portés au pouvoir par la démocratisation, et qui se heurtent à des États « dont toutes les bases sont à revoir parce qu'ils sont gangrénés de l'intérieur » (Alpha Konaré, Mali).

Notre aide doit désormais être conditionnée à la réalisation de ces objectifs, dans les domaines de l'éducation, de la santé, de l'accès à l'eau potable, etc. Dans ces domaines, mesurer les résultats obtenus est aisé : tant d'enfants vaccinés en tant de mois sur telle portion du territoire, tant d'enfants scolarisés dans x nouvelles écoles, tant de villages équipés en puits, en citernes, en systèmes d'adduction d'eau, tant d'instructeurs dans les domaines de l'hygiène et de l'eau formés *et rémunérés*... En quelques années, la face de l'Afrique s'en trouverait changée, et les comportements des Africains bouleversés du tout au tout. Les dirigeants africains ne pourraient plus se réfugier derrière la misère de leurs peuples pour mobiliser une aide détournée aussi vite à leur seul profit et à celui de leur clientèle. Car ils se trouveraient confrontés à leurs engagements.

De véritables contrats-programmes

L'aide doit en effet passer désormais par la conclusion de véritables contrats-programmes entre la France et les États africains. Les États s'engagent à affecter l'aide aux secteurs prioritaires et à réaliser des objectifs chiffrés, quantifiés à l'avance et échelonnés dans le temps. L'aide n'est débloquée par la France, par tranches, qu'au fur et à mesure de la réalisation de ces objectifs : vaccination, équipement en eau potable, scolarisation... évalués en pourcentage de la population et du territoire national. Il faut en finir avec la conditionnalité molle actuelle, qui n'est une conditionnalité que sur le papier et ne préjuge que rarement de l'attribution des volumes d'aide. Si tout le monde, au Nord comme au Sud, est persuadé du bien-fondé d'une aide affectée à la lutte contre la pauvreté et à la mise en place des conditions préalables au développement, personne ne contestera que la France soit exigeante et pratique l'ingérence quant à l'utilisation de l'argent qu'elle octroie à l'Afrique. Pourquoi, d'ailleurs, ne pas conditionner les nouvelles remises de dette à la conclusion de tels contrats-programmes ? Tout le monde y trouverait son intérêt... et, pour une fois, la morale serait sauve, tant il est vrai que les annulations de dettes actuelles sont d'abord une prime à la mauvaise gestion.

A ces conditions alors, et à ces conditions seulement, l'Afrique pourrait demander à la communauté internationale un effort supplémentaire. Elle serait en droit de le faire, ayant démontré qu'elle employait utilement l'aide reçue et que cette aide concourait réellement à son développement. Alors un « Plan Marshall pour l'Afrique », que la communauté africaine appelle de ses vœux depuis tant d'années, pourrait se mettre en place et engager durablement l'Afrique sur la voie d'un développement réel, global, et partagé par tous, que ses ressources et son potentiel humain lui permettent d'envisager sans verser dans l'utopie.

Mais, pour que de tels contrats-programmes puissent voir le jour, la réorientation de l'aide vers les domaines prioritaires du développement humain doit devenir une réalité effective dès maintenant. Tout le monde s'accorde sur la nécessité d'une réforme de la coopération. Un tel livre le montre : aujourd'hui, si la France, au plus haut niveau, veut, elle peut.

19

Pour le développement local urbain

par Claude BAEHREL

Tous les rapports qui abordent les pays en développement et la coopération internationale reconnaissent l'importance de la question démographique, mais peu prennent en compte sa conséquence qui est la mutation des sociétés africaines en société urbaine.

Dès lors, toute question, qu'elle soit économique, sociale ou culturelle est traitée sectoriellement sans tenir compte du contexte urbain ou rural dans lequel elle s'inscrit. L'urbanisme est ainsi considéré comme un secteur d'action et réduit à sa fonction de réglementation de l'usage de l'espace, et à son organisation.

Nous voudrions avoir ici une vision plus large et aborder le fait urbain et les politiques, aux multiples facettes, qui modèlent ou simplement accompagnent l'évolution des villes africaines.

Le défi urbain africain

La population urbaine des pays d'Afrique au sud du Sahara a augmenté, ces vingt dernières années, à un taux moyen de 5,6 % par an. Ainsi, avec un taux d'urbanisation de 30 % en 1990, l'Afrique est certes la région du monde la moins urbanisée, mais c'est aussi le continent où l'urbanisation évolue le plus rapidement. Depuis les années 60, la population de Kinshasa a été multipliée par 10, celle d'Abidjan par 8, celle de Dakar par 5. A ce rythme, dès l'an 2020, un habitant sur deux vivra en ville.

C'est donc à une véritable « explosion urbaine » que l'on assiste, notamment aux périphéries des grandes villes où « des cités de la démesure ne cessent de croître et de se déployer sans que l'on sache avec précision où se situe leurs confins » (1). L'image des quartiers périphériques sans fin, occupés sans ordonnancement par des constructions souvent précaires, est l'image commune qui frappe le visiteur (2) même s'il ne fait qu'emprunter l'autoroute l'amenant de l'aéroport au centre ville.

Ces banlieues sont la cause et le résultat de la croissance économique des grandes villes qui concentrent l'essentiel du potentiel de production. La Banque mondiale estime que 60 % du produit intérieur brut (PIB) de la plupart des pays en développement est le fruit de l'activité économique urbaine.

La ville crée des richesses et constitue un espace d'échange et de commerce qui draine toutes les productions de base. Les clients de la production rurale sont en ville : ce sont les pauvres des villes ; et il est maintenant absurde d'opposer développement rural et urbain comme on a bien voulu le laisser croire au cours de ces dernières décennies. Ils sont intimement solidaires.

Mais l'urbanisation galopante s'est faite dans un contexte d'inégal développement : la croissance n'a pas profité à tous ; et dans ces grandes villes des pays en développement, un habitant sur quatre vit en dessous du seuil de pauvreté. Faute de logements bon marché, les zones d'habitat précaire ensèrent les grandes villes. L'eau potable est rare et chère et le taux de branchement individuel est inférieur à 30 % de la population urbaine. Les réseaux d'assainissement et de drainage des eaux sont pratiquement inexistants, ce qui entraîne inondations et insalubrité. L'insuffisance des infrastructures de transport et le mauvais entretien des rares voies circulables rendent ces quartiers difficilement accessibles. L'absence ou le sous-dimensionnement des équipements marchands entraînent la prolifération des zones commerciales spontanées et sans le moindre équipement. Toutes ces carences contribuent à isoler ces quartiers du système urbain général.

---

(1) Les données démographiques citées sont extraites de « Données sociodémographiques de base » préparées par Marie-Paule Thiriat du Centre français sur la population et le développement pour le colloque « Jeunes Villes Emploi », octobre 1992.

(2) Ignacio Ramonet, « Manière de voir », *Le Monde Diplomatique*, n° 13.

Cependant, signe d'une indéniable capacité d'adaptation et de réponse aux situations les plus critiques, les citadins survivent. Sans statut légal d'occupation du sol, ils s'organisent pour construire un habitat que l'on ne peut qu'exceptionnellement qualifier de « bidonville » au sens strict du terme (3).

C'est pourquoi, en référence à la situation foncière, ces quartiers périphériques ont souvent été qualifiés « d'irréguliers ». L'habitat « non planifié » qui les caractérise, en opposition avec les programmes d'habitat social et le mode de production de logement « d'autoconstruction », signifie que chaque ménage est, en quelque sorte, le promoteur de sa construction.

Ainsi cohabitent et s'interpénètrent deux formes d'urbanisation : l'une planifiée, équipée et administrée, l'autre plus diffuse, organisée par les citadins eux-mêmes avec la connivence des autorités traditionnelles, avec peu ou pas d'équipement, qualifiée d'anarchique par les Africains eux-mêmes. Cette ville renvoie à la ville administrée, son incapacité à maîtriser le phénomène urbain.

En définitif, « la spécificité des formes prises par l'urbanisation dans le Tiers monde tient largement à l'impuissance des pouvoirs publics et des acteurs économiques à endiguer, sinon à contrôler le déferlement humain qui la caractérise. Cette absence de maîtrise d'un processus majeur d'évolution des sociétés fait elle-même partie de la définition de l'état de sous-développement » (4).

Insuffisance des politiques urbaines

En effet, pendant plusieurs décennies, les politiques urbaines se sont concentrées, pour tenter d'encadrer la poussée démographique, sur la mise en place de documents et de procédures de planification spatiale. Schéma directeur d'agglomération, plans locaux d'urbanisme sont certes utiles, voire indispensables pour guider l'évolution spatiale et optimiser l'occupation des sites urbains, mais force est de constater qu'ils n'ont eu qu'un impact limité sur le développement urbain, les infrastructures et équipements devant

(3) P. Canel, Ph. Delis, Ch. Girard, in *Construire la ville africaine*, Karthala, 1990.

(4) Michel Coquéry, in La coopération face aux problèmes posés par l'urbanisation dans le Tiers monde, Rapport au ministre de la Coopération, 1983.

les traduire sur le site urbain n'ayant pu être que rarement réalisés au rythme de l'évolution spatiale. « La philosophie sous-jacente à ces politiques repose de près ou de loin, sur une conception encore très fonctionnaliste et techniciste de la ville : créer les conditions d'un développement harmonieux ; planifier (le zoning) et équiper (routes, voies, réseaux, équipements structurants...) » (5).

Les politiques de logements sociaux n'ont pu se poursuivre sur la lancée de celle mise en place par la Caisse centrale de coopération économique qui, entre 1966 et 1969, a financé la construction de 27 700 unités de logements. Ces programmes ont cessé en 1976 en raison d'un changement de la politique française d'investissement qui ne prenait plus en compte le secteur de l'habitat.

Aussi, la promotion publique de logements sociaux, qui s'est poursuivie depuis au bénéfice des classes moyennes, n'a pu apporter une réponse pour l'habitat du plus grand nombre, comme on l'espérait dans les années 60.

Les programmes d'équipement en service urbain, notamment dans les domaines de l'eau potable, de l'électricité et des transports, ont eu un rayonnement plus important. Gérés comme des services marchands, ils ont pu trouver des ressources auprès des usagers, mais leur extension s'est trouvée limitée par la faible capacité d'investissements publics dans les grandes infrastructures. Enfin, la volonté des États de fournir ces services à des prix modiques, pour les transports par exemple, voire gratuitement lorsqu'il s'agit de la fourniture d'eau aux bornes-fontaines, ont généré des systèmes de subventionnement que la collectivité ne pouvait assumer. Les sociétés de service, qui en assurent la gestion, se trouvant dès lors dans l'incertitude financière, ont eu tendance à replier leurs activités sur une clientèle directement solvable.

Les opérations de « site et services », développées dans les années 70 sous l'impulsion de la Banque mondiale, sont plus significatives d'une volonté d'accueillir les nouvelles populations urbaines et d'organiser les périphéries des villes.

Le programme des parcelles assainies de Cambérène, aux portes de Dakar, qui fut un des premiers et des plus importants, mérite que l'on s'y arrête quelques instants. Entre 1972 et 1982, 400 hectares, soit 12 000 parcelles seront aménagées et livrées à la construction. L'accès aux unités de voisinage est assuré par des voies bitumées, celui des quartiers par les voies en monocouche et celui

(5) Développement local urbain, plaquette du ministère de la Coopération et du Développement, 1992.

des îlots par des voies latéritées. Le niveau d'équipement en réseau est également modeste et progressif. Pour l'électricité, 70 % des parcelles peuvent être raccordées au réseau. Un quart des parcelles bénéficient d'un branchement individuel d'eau potable ; les autres sont desservies par des bornes-fontaines à raison d'une borne pour cent parcelles.

Les parcelles ainsi équipées ont été vendues avec la possibilité d'achat au comptant ou à tempérament. Chaque bénéficiaire de parcelle était responsable de sa construction. Des plans types ont été diffusés et une cellule technique pouvait apporter conseils et appui pour la construction. Les candidats à l'accession ont souvent été groupés en associations d'acquéreurs, chargées de récupérer les remboursements du prêt à l'acquisition et qui, fonctionnant comme des coopératives de construction, organisent en commun les travaux de construction.

Le résultat de cette opération et des autres programmes de « sites et services » est positif, bien que n'étant pas, malgré tout, à l'échelle des problèmes. La faible surface des parcelles, comparée à celles qui sont occupées illégalement, ont pu faire penser à des « îlots de salubrité, dans un océan d'insalubrité et de sous-équipement ». La production de ces parcelles a été largement subventionnée par les États qui prennent en charge le coût des infrastructures primaires d'accès au site et souvent du secondaire à l'intérieur du site d'opération. On a ainsi abouti au paradoxe que ces parcelles, qui présentent toute sécurité au plan du droit foncier et sont bien équipées, étaient vendues à des prix comparables aux parcelles sommairement équipées et sans statut foncier du marché libre des terrains. Il n'est donc pas étonnant que ces parcelles aient été accaparées par les populations plus aisées que celles initialement visées (6).

Malgré ces critiques justifiées, ces opérations ont produit de véritables villes nouvelles comme Cambérène qui abrite maintenant plus de 130 000 habitants. De plus, ces programmes ont réellement démontrer la capacité des habitants à s'organiser collectivement et à prendre en charge la réalisation de leur propre logement, libérant des capacités d'autofinancement insoupçonnées. Il est regrettable que les financements publics n'aient pu suivre le développement et la généralisation de tels programmes.

Ces programmes, comme les autres politiques urbaines évoquées précédemment, s'appuyaient sur une volonté de l'État de supporter les investissements d'infrastructure et d'équipement et de lar-

(6) *Construire la ville africaine, op. cit.*

gement subventionner le logement et les services publics. Mais la faible capacité d'investissement du secteur public impose d'elle-même une limite à cette stratégie volontariste, limite d'autant plus stricte que la crise de ressources financières, qui a frappé l'Afrique à partir des années 80, a soumis les États et les bailleurs de fonds à une réduction très importante des investissements urbains. Cette réduction des ressources a, par ailleurs, provoqué la généralisation du principe de « récupération des coûts dans les opérations d'aménagement et transféré au secteur marchand la gestion des services publics urbains.

Décentralisation et développement local

Est-ce ce constat d'insuffisance qui justifie également le transfert de compétences vers les collectivités locales pour la gestion urbaine auquel on assiste depuis quelques années ? Ou est-ce l'effet des politiques de décentralisation administrative et financière dans lesquelles se sont engagés presque tous les pays africains ?

Est-ce le constat d'incapacité de maîtriser la ville qui fait substituer à une politique de « déguerpissement » des bidonvilles une stratégie de restructuration et de régularisation des quartiers spontanés ? Ou est-ce le mouvement de démocratisation traversant aujourd'hui l'Afrique qui a donné aux banlieusards le droit à la ville ?

Nous ne saurions trancher, mais on constate que « décentralisation et démocratisation » ont fortement marqué l'évolution des politiques urbaines des pays et fondent les stratégies des bailleurs de fonds dans ce secteur au cours des dernières années.

« Depuis les années 80, la crise économique, conjuguée avec l'accroissement rapide du nombre de villes, a incité la plupart des États à s'engager dans une politique de décentralisation de la gestion urbaine avec le soutien des principaux bailleurs de fonds. C'est ainsi que, dans plusieurs pays, le nombre des communes s'est multiplié et que des municipalités directement élues par leurs administrés ont été mises en place. Une nouvelle législation a été instituée, confiant aux communes tout ou partie de la responsabilité technique et financière de la gestion urbaine et définissant, avec plus ou moins de précision suivant les pays, les ressources transférées par l'État à cet effet. (...) Politiquement, la décentralisation répond à une demande grandissante en faveur de la démocratie locale à travers laquelle des populations, de plus en plus éduquées et informées, veulent prendre part aux décisions concernant leur vie quotidienne. (...) Économiquement, la décentralisation devrait être un facteur d'efficacité en permettant de mieux ajuster le niveau des services publics urbains aux préférences de leurs bénéficiaires et en liant plus étroitement les coûts de ces services aux avantages qu'ils procurent. (...) Enfin, en liant les taxes et impôts locaux à des services bien identifiés par les administrés, la décentralisation est un bon moyen d'accroître le prélèvement sur l'économie locale des ressources nécessaires à la mise en place du cadre de cette économie » (7).

Sur ces bases, les agences de coopération bi et multilatérales ont redéfini leurs politiques d'intervention dans le secteur urbain en donnant une place importante au « développement local ». C'est ainsi que les projets urbains de la Banque mondiale prennent en charge des programmes de « développement municipal » et que la coopération française définit les priorités « Mieux équiper les villes pour accroître la compétitivité des activités industrielles, immobilières, artisanales et commerciales qui y naissent. Renforcer les capacités financières, administratives et techniques des collectivités qui les gèrent. Non seulement parce que c'est la voie de la rationalité mais aussi parce que le bon fonctionnement de la cité a toujours été la meilleure école de la démocratie. Le pire c'est l'exclusion, l'exclusion prolongée des services essentiels : l'eau, l'hygiène, l'électricité, les transports, l'assainissement. L'exclusion du marché du travail et, par voie de conséquence, l'impossibilité d'occuper un habitat décent. Ces problèmes constituent l'environnement quotidien des citadins défavorisés. S'y attaquer avec quelque chance de réussite implique la participation pleine et entière des populations concernées » (8).

Renforcement des collectivités locales, lutte contre l'exclusion et la marginalisation des banlieues, création d'activités et d'emplois, participation des habitants, projets de quartiers, telles sont donc les formes de ces nouvelles politiques de développement local.

---

(7) (8) Coopération pour le développement urbain, ministère de la Coopération et du Développement, Caisse centrale de coopération économique, 1990.

Le renforcement des collectivités locales

L'appui à la décentralisation et à la gestion des municipalités est devenu une des priorités des bailleurs de fonds. Ces collectivités locales peuvent avoir, suivant les pays, des statuts et des compétences diverses, mais toutes exercent des responsabilités plus ou moins étendues vis-à-vis du développement local et des services urbains, et toutes ont des difficultés en matière de gestion financière, administrative et technique. Les programmes d'appui peuvent différer d'un pays à l'autre, d'une agence d'aide à l'autre. « Mais tous ont les mêmes objectifs : renforcer les structures administratives et techniques des collectivités locales africaines, favoriser la mobilisation de leurs ressources notamment d'origine fiscale, et améliorer leur capacité de gestion financière dans le but de les mettre en situation d'être de plus en plus responsables de l'amélioration du cadre de vie des habitants et du développement des infrastructures et des équipements nécessaires à l'accroissement de la productivité économique du secteur urbain » (9).

C'est ainsi que dans le cadre du processus de décentralisation entrepris par le Sénégal, la Banque mondiale et l'aide française ont entrepris d'appuyer les efforts menés pour reconnaître aux municipalités un rôle plus important dans la gestion urbaine et accroître leur rôle dans la satisfaction des besoins des populations.

Pertinence de la « coopération décentralisée »

L'appui aux collectivités locales est certainement un terrain de prédilection de la « coopération décentralisée ». Les collectivités françaises ont en effet des compétences et des savoir-faire directement opérationnels pour leurs partenaires africains. Elles peuvent également mobiliser d'autres acteurs de la vie locale publique, associatifs ou privés pour ces actions de coopération.

De nombreuses communes françaises interviennent ainsi dans le cadre de « jumelages coopération ». La Fédération mondiale des

---

(9) J.-L. VÉNARD, Questions à propos des projets de développement local, Caisse française de développement, août 92.

cités unies a créé une agence technique, « Cités unies développement », pour soutenir leurs projets.

Pour rester dans des exemples pris au Sénégal, nous citerons le projet Pader (10) à Bignona, ville d'environ 30 000 habitants en Casamance, qui entre dans le cadre de la coopération décentralisée avec Chambéry et le département de la Savoie.

Son originalité consiste à avoir créé une structure d'animation locale constituée par des représentants de la municipalité et des comités de quartier afin d'améliorer la gestion de l'environnement urbain et promouvoir le développement économique, social et culturel.

Ce projet a suscité la création de groupements d'intérêt économique (GIE) pour la gestion des services urbains (ordures ménagères, frigorifique municipal...). Cette voie de gestion intermédiaire est intéressante à soutenir plutôt que le renforcement tous azimuts des services municipaux pour la prise en charge, en régie directe, de l'ensemble des services urbains.

Ces projets de coopération décentralisée ont un impact plus grand lorsqu'ils s'articulent avec des aides bi ou multilatérales. Ainsi en est-il par exemple de la coopération entre la région Alsace et la communauté urbaine de Douala au Cameroun qui s'articule avec le « Projet de développement municipal », financé par le FAC, et le « Plan de développement urbain », financé par la Banque mondiale. Tel est également le cas de la coopération entre la ville d'Agen et la ville de Bangui en République centrafricaine qui s'intègre au projet de « restauration des services municipaux et amélioration de l'environnement de Bangui. »

La régularisation foncière, moteur des projets de restructuration

Une préoccupation essentielle demeure, c'est le devenir des quartiers dits « irréguliers » qui ont poussé, ces vingt dernières années, à la périphérie des agglomérations. Déjà, la Banque mondiale a inscrit, dans les années 80, des projets de restructuration

(10) Projet d'animation et de développement de Bignona ayant l'appui de « Savoie Solidarité ».

et de viabilisation de ces quartiers. Le plus important est certainement le quartier Nylon à Douala, au Cameroun.

Le gouvernement du Sénégal, ainsi que d'autres gouvernements africains, s'engage aujourd'hui, avec l'appui des bailleurs de fonds, dans des opérations de viabilisation, en même temps que sont opérées la restructuration du parcellaire et, orientation plus nouvelle, la régularisation du statut foncier des parcelles.

« Nous voulons mettre en œuvre un vaste programme de restructuration et de réorganisation des quartiers spontanés qui a l'avantage certain de donner un habitat sain et équilibré, culturellement accepté et économiquement accessible, aux populations auxquelles il est destiné. De plus, il permet de mettre en œuvre toutes les potentialités humaines par un engagement collectif et individuel sans lequel il serait illusoire de vouloir résoudre les problèmes d'habitat qui nous interpellent.

Cette évolution est d'autant plus souhaitable qu'elle évite les souffrances et les traumatismes inhérents à toute opération de « déguerpissement », en même temps qu'elle encourage les populations qui, lorsqu'elles sont sécurisées dans leurs biens par des mesures foncières appropriées, manifestent une grande disponibilité à l'épargne et à l'auto-construction » (11).

Ces programmes de restructuration consistent, en effet, plus précisément à viabiliser ces zones, en apportant infrastructures et équipements de base ; à régulariser la situation foncière des habitants, en les aidant au « rachat » de leur parcelle ; et à inciter les occupants à investir pour améliorer leur logement.

Le cadre méthodologique de ces opérations de restructuration est guidé par trois principes :

— l'organisation des populations, par une démarche participative qui les associe, à travers leurs représentants et leurs associations (groupes de jeunes, associations de femmes, groupements de commerçants, etc.), à toutes les étapes du projet, aux décisions et à la gestion des actions entreprises ;

— la régularisation foncière qui permettra d'accorder aux populations présentes un droit d'occupation ou droit de superficie ;

— la récupération des coûts fonciers et des coûts d'aménagement par le biais du FORREF (Fonds pour la restructuration et la régularisation foncière), relayé par un système complémentaire d'épargne et de crédit géré au niveau des quartiers par les popu-

---

(11) Amath DANSOKHO, ministre de l'Urbanisme et de l'Habitat, séminaire « La maîtrise des projets d'aménagement urbain », Dakar, mai 91.

lations. Préalablement constitué par les apports extérieurs, ce fonds est reconstitué par le paiement des parcelles par les populations. Il constitue en fait un fonds de roulement qui permet de développer de nouvelles opérations sur d'autres quartiers.

Un projet pilote a été mené avec l'appui de la coopération technique allemande (GTZ) sur Dalifort, un quartier de Pikine de 7 000 habitants. Des quartiers plus importants de la périphérie de Dakar font actuellement l'objet d'opérations montées sur les mêmes principes. Citons, par exemple le quartier de Médina, ou celui de Fass M'Bao pour une opération couvrant une superficie de 40 ha et concernant environ 1 600 parcelles, dont le financement est assuré par la Caisse française de développement, et dont la mise en œuvre a été confiée à l'Association des volontaires du progrès par le ministère de l'Urbanisme et de l'Habitat du Sénégal.

L'intérêt de cette politique réside aussi bien dans son caractère participatif (la population est un partenaire à part entière) que dans son mode de financement où l'objectif est d'assurer le recouvrement des coûts grâce à la participation financière de la population. Et son originalité tient « en ce qu'il consiste à faire essentiellement dépendre l'amélioration des quartiers dits "spontanés" de la mise en œuvre de la régularisation foncière (...), c'est-à-dire faire prioritairement découler le processus d'amélioration des quartiers à la transformation des conditions juridiques de l'occupation des sols, de manière à ce que les occupants sans titre se voient reconnaître certains droits fonciers... Il y a des décennies que l'on parle de l'attribution de titres de propriétés aux occupants de terrains. L'originalité de l'entreprise ne réside donc pas dans cette circonstance, mais dans la volonté des pouvoirs publics de lier de manière étroite cet aboutissement à une participation effective des habitants de tout un quartier à la conception, au financement et à la réalisation des opérations d'amélioration du site » (12).

Installer la grande trame urbaine

Ces projets, basés sur la récupération des coûts d'aménagement, ont une limite de taille et ne peuvent à eux seuls résoudre la re-

(12) Michel Prouzet, « Régularisation participative pour résorber l'habitat insalubre », in revue *Études foncières*, septembre 92.

structuration d'ensemble de l'espace urbain. Il est illusoire et il serait injuste de faire payer aux habitants des quartiers pauvres la grande voirie et les réseaux principaux d'eau et d'électricité nécessaires à la desserte urbaine.

Aussi faut-il que les pouvoirs publics prennent en charge la réalisation de la « grande trame urbaine ». Les collectivités locales sont incontestablement les maîtres d'ouvrages tout désignés pour la prise en charge de cette grande trame. « Mais les charges qu'elles doivent assumer pour la maintenance des infrastructures existantes et leur faible capacité d'investissement, font que la participation des budgets nationaux, et donc des fonds extérieurs, reste pour cela durablement indispensable » (13).

La mise en place de cette trame viaire de base n'est pas seulement nécessaire pour l'accessibilité aux quartiers existants. Il s'avère indispensable de l'étendre à la périphérie pour prévenir les installations anarchiques futures. « En effet, "en matière d'aménagement péri-urbain, l'intervention la plus efficace se situe à l'amont. La ville doit d'abord s'étendre de façon cohérente et fonctionnelle, en ménageant sur le terrain les emprises d'une desserte future" » (14).

La grande trame de Balbala tente ainsi de canaliser et d'anticiper l'urbanisation de Djibouti. Dans les années 1966-67, les nombreux réfugiés et immigrés ont été cantonnés à l'extérieur de la ville de Djibouti, sur une colline. En 1988, cette ville, champignon compte près de 60 000 habitants sur plus de 320 hectares. Au cours d'un décasement, rendu nécessaire par la réalisation de nouvelles infrastructures de desserte du quartier, trois habitants de Balbala trouvent la mort lors d'affrontements violents. Au lendemain de ces événements, le ministère français de la Coopération propose la mise en place d'une grande trame d'infrastructures.

Le projet consiste à réaliser sur un site vierge, en prolongement du quartier existant, un grand maillage de voies principales distantes en moyennes de 500 mètres. Ces voies desservent des carrés de 25 hectares à l'intérieur desquels des voies tertiaires seront tracées ultérieurement. On a réalisé, dans un premier temps, le décapage du terrain au bulldozer et le terrassement des voies pour adapter le tracé au terrain. Les voies des premiers îlots appelés à être occupés reçoivent une couche de roulement.

C'est une trame analogue que les services de l'urbanisme sénégalais implantent à la périphérie de Dakar, sur un vaste terrain

---

(13) Coopération pour le développement urbain, *op. cit.*
(14) Coopération pour le développement urbain, *op. cit.*

libre de 500 hectares, entre Dakar et Rufisque. Cette opération de grande trame, mise en œuvre par une procédure de ZAC (zone d'aménagement concertée), est destinée essentiellement à accueillir les opérations de constructions groupées, mises en œuvre par les coopératives d'habitat. L'opération consiste à équiper la zone en réseaux secondaires de voirie, de drainage, de distribution d'eau potable et d'électricité, préalablement à leur cession en grands lots (1 à 5 ha) à des opérateurs immobiliers. Ces opérateurs, payant une redevance d'équipement des terrains, réaliseront ensuite les réseaux tertiaires desservant les parcelles et la construction des logements.

Dans ces programmes d'aménagement, en laissant à l'initiative des individus et des groupes la construction des logements, mais en créant les conditions nécessaires, notamment par la maîtrise de l'espace et par la réalisation des infrastructures générales, à l'occupation ordonnée des sites urbains, les pouvoirs publics jouent le rôle d'encadrement du secteur de l'habitat qui doit être le leur.

Réduire et replacer le rôle de l'État, dynamiser les acteurs locaux, soit à travers les collectivités locales, soit par une participation des habitants à la gestion et à la transformation de leur environnement, ces bases de nouvelles politiques urbaines s'expriment tout particulièrement dans les projets de quartiers qui prennent aujourd'hui une place importante.

Le développement participatif et les projets de quartiers

Il est en effet devenu habituel que les actions de développement dans le milieu urbain fassent directement appel à la participation des habitants et se situent au niveau du quartier.

Ces projets ont comme perspective le développement social des quartiers. L'amélioration des équipements communautaires et des services urbains est un des éléments d'une démarche plus globale de prise en charge par les habitants de leurs problèmes immédiats.

Certains projets couvrent un champ territorial, la commune, le quartier, associant l'ensemble des catégories des populations. D'autres sont plus ciblés sur les femmes, les jeunes de la rue, les enfants des écoles, etc. Concrètement, ils portent souvent sur la création ou l'amélioration d'équipements communautaires, sur l'environnement : collecte des ordures ménagères, amélioration des installations sanitaires individuelles.

Mais, ils ne peuvent être aujourd'hui dissociés d'une préoccupation d'emploi et cherchent des formules originales d'organisation et de développement de l'emploi local. Les projets sont nombreux dans ce secteur car un grand nombre d'ONG de développement en font la promotion depuis des années, et reçoivent depuis peu l'appui des bailleurs de fonds publics.

Au Sénégal, le projet Chodak est mené depuis une dizaine d'années par l'ENDA, sur le quartier de Grand-Yoff à Dakar. Ce projet comporte de multiples aspects de l'animation sociale. Comme interventions directes sur l'environnement urbain, on retiendra :

— l'opération puisards qui consiste à créer dans les parcelles des puisards pour l'assainissement. Plus de mille puisards ont été construits par les habitants eux-mêmes ;

— l'opération égout qui consiste à faire du curage et de l'aménagement de collecteurs d'assainissement.

Il faut noter également comme exemplaire d'un accrochage des actions de quartiers aux problèmes économiques :

— la mise en place d'une coopérative de menuisiers ;

— la formation d'un groupement de production en couture, tricot, broderie ;

— la création d'un groupement d'intérêt économique composé de soixante forgerons.

Et surtout, plus récemment, la mise sur pied d'une caisse d'épargne et de crédit des femmes de Grand-Yoff.

Ce qui valorise ces projets et bien d'autres projets de quartier, c'est la démarche de participation. A partir de la vie du quartier, de ses relations à la ville se définissent progressivement, par un travail itératif entre une équipe d'animation, des habitants et un pouvoir local, les thèmes d'intervention au regard des projets et des motivations de chacun. « Face à l'enjeu qu'induit le projet, la population développe une stratégie propre et poursuit des objectifs, dans bien des cas, différents des intervenants extérieurs. Ce sont ces stratégies qu'il faut percevoir au-delà des apparences et accepter comme objectif de développement communautaire » (15).

Cette prise en compte des objectifs de la population entraîne implicitement à comprendre le projet de développement de quartier comme un projet social global allant au-delà des questions d'aménagement et d'urbanisme : il faut répondre aux problèmes sociaux et économique des groupes.

---

(15) E.S. Ndione, in *Le Don et le recours*, Éd. Enda, Dakar, septembre 92.

Notamment, le problème de l'emploi des jeunes mobilise actuellement beaucoup d'initiatives, comme l'a montré la richesse de l'échange d'expérience au colloque Jeune Ville Emploi, organisé récemment à Paris par le ministère de la Coopération et du Développement.

Problèmes économiques et emploi des jeunes

L'action urbaine ne peut négliger la masse de jeunes urbains, garçons et filles, contraints d'assurer eux-mêmes leur subsistance, voire même celle de leur famille, non insérés dans des formations scolaires ou professionnelles ou non engagés dans des activités génératrices de ressources régulières. Leur préoccupation générale est la recherche d'un revenu.

L'opération « Jeunes, bâtissons la cité », à Lomé, apporte une réponse au souci d'un bailleur de fonds d'accompagner la transition démocratique en mobilisant les jeunes chômeurs en difficulté des quartiers populaires par des travaux d'intérêt général : enlèvement des ordures, assainissement, réfection de voirie et d'équipements collectifs. Six ONG travaillant localement ont assuré la maîtrise d'œuvre de ces chantiers.

Le projet de développement urbain, Sokoura, à Aboisso (Côte-d'Ivoire), qui vise à réorganiser le réseau de voirie et le parcellaire d'un quartier à restructurer, a aussi cherché à mettre en valeur la main-d'œuvre locale et notamment les jeunes regroupés en association pour les travaux d'intérêt collectif.

Répondant au chômage par des chantiers collectifs ponctuels, ces projets « offrent une rémunération mais ne créent pas d'emploi ». La critique est justifiée, bien que ces activités puissent se péréniser dans des structures locales « emploi de proximité ». Aussi, les ONG qui mènent ces actions ont-elles le souci de les prolonger. La capitalisation d'un « pécule » permet aux jeunes, une fois la période active de chantier terminée, de prendre des initiatives en matière d'emploi et de créer leur propre activité. Certains chantiers se poursuivent même par une gestion d'équipements, comme la réhabilitation de latrines publiques dont la gestion est confiée aux jeunes, comme la construction d'abris dans les marchés pour les jeunes filles organisées en coopératives.

Ces projets illustrent l'intérêt renouvelé dans le secteur urbain, comme ce le fut en son temps pour le développement rural, des politiques plus global que les interventions thématiques qui focalisent sur l'un ou l'autre des aspects techniques de l'urbanisme. Partant de la perception d'un espace d'intervention déterminé, ici le quartier, s'élabore une stratégie de réponse aux besoins de tous en s'efforçant de reconnaître « les plus pauvres » comme des acteurs de la gestion participative de l'urbain.

Ces nouvelles politiques urbaines ont ainsi pour vocation d'accompagner le changement social et de réduire les distorsions sociopolitiques qui subsistent dans le champ urbain.

20

La coopération française et les politiques de santé en Afrique

Le temps des incertitudes

par Didier FASSIN

La dernière décennie du XXe siècle s'est engagée sous des auspices inquiétants pour l'Afrique subsaharienne, et les tendances observées dans le domaine sanitaire ne sont guère moins préoccupantes que l'évolution des indicateurs économiques, donnant une résonance quelque peu déplacée au slogan lancé par l'Organisation mondiale de la santé à la fin des années 70 : la santé pour tous en l'an 2000. Les conflits armés, avec les déplacements massifs et les déstructurations des systèmes sanitaires qu'ils occasionnent, la crise économique et les plans d'ajustement structurel, avec leur cortège de mesures de désubventionnement des produits de première nécessité et de restriction des dépenses publiques portant notamment sur le budget de la santé, la prolongation de la sécheresse et l'extension de la désertification sont autant d'éléments qui rendent précaires les conditions de vie des milieux populaires, et même des classes moyennes, et participent à la dégradation de l'état nutritionnel et sanitaire des populations, à commencer par celui des enfants. A ces facteurs politiques, économiques et écologiques, s'ajoutent des changements épidémiologiques, tels que l'apparition de pathologies nouvelles, au premier rang desquelles le sida, la recrudescence de certaines affections parasitaires, en particulier le paludisme, et le passage à l'endémicité de maladies épidémiques, comme le choléra revenu sur le continent africain en 1970.

Ce tableau sombre de la situation sanitaire de l'Afrique subsaharienne doit cependant être nuancé par une série de faits. Tout d'abord, la réussite de certaines actions préventives telles que le programme élargi de vaccination qui a entraîné le recul de plusieurs maladies infantiles mortelles, comme la rougeole et la coqueluche, ou invalidantes, comme la poliomyélite. Ensuite, l'amélioration de l'accès à des soins curatifs qui, même s'ils sont souvent d'efficacité discutable, représentent un réel progrès par rapport à l'état antérieur. Enfin, le développement d'un milieu professionnel dans le domaine de la santé, avec des médecins, des infirmiers, des sages-femmes et des agents villageois, qui peut constituer la base d'une restructuration du système sanitaire.

Il faut d'ailleurs se garder de toute généralisation de ces tendances à l'ensemble du continent, quand les différences sont si grandes entre la situation de guerre civile et de famine chronique du Soudan et la relative stabilité politique et économique du Bénin, entre le dénuement des dispositifs de santé des pays du Sahel et les moyens alloués aux services de soins au Cameroun — dont le budget public par habitant consacré à la santé est vingt fois supérieur à celui du Mali.

La traduction de cette réalité complexe sur les indicateurs de santé n'est pas univoque. D'un côté, en effet, les taux de mortalité infanto-juvénile, c'est-à-dire avant l'âge de cinq ans, diminuent régulièrement, et les espérances de vie à la naissance ne cessent d'augmenter dans les annuaires de la Banque mondiale que chacun cite et utilise, mais il s'agit d'estimations sur la base des statistiques de la Division de la population des Nations unies, et non de résultats d'études empiriques ; elles n'intègrent donc pas les répercussions de faits nouveaux comme la crise économique ou l'épidémie de sida (1), puisqu'elles se fondent sur des projections correspondant à une période antérieure à ces événements. D'un autre côté, les enquêtes sur l'état nutritionnel et sanitaire des enfants, menées dans plusieurs parties de l'Afrique, laissent entrevoir une aggravation des différents indices au cours de la période récente ; même des pays jusque-là en position relativement favo-

---

(1) Bien qu'il soit difficile de chiffrer les conséquences démographiques du sida en Afrique, comme le montre Roy M. ANDERSON dans « Some aspects of sexual behaviour and the potential demographic impact of AIDS in developing countries », *Social Science and Medicine*, 1992, 34 (3) : 271-280, on peut rappeler que les estimations actuelles font état d'environ 10 millions de séropositifs en Afrique subsaharienne, ce qui correspond à des taux d'infection supérieurs à 10 % de la population de certaines villes, et que le sida arrive déjà au premier rang des causes de décès parmi les adultes jeunes dans plusieurs pays, provoquant une augmentation importante du nombre d'orphelins. Si des projections pour la prochaine décennie indiquent un excès de mortalité dû à cette maladie pouvant atteindre plusieurs millions en Afrique, elles ne prévoient pas une inversion, mais seulement un net ralentissement de la croissance démographique de ce continent.

rable, comme le Ghana ou le Botswana, sont confrontés à une augmentation de la malnutrition et de la mortalité infantile ; *a fortiori*, des régions déjà en difficulté, comme le Mozambique ou l'Éthiopie, assistent-elles à une dégradation encore plus préoccupante de leur situation. S'il est par conséquent difficile de dresser un bilan de santé de l'Afrique subsaharienne, compte tenu des écarts ou même des contradictions existant entre les diverses sources, il est probable que la décennie 80 restera, pour nombre de pays, celle de l'inversion des tendances à l'amélioration (2) qui avaient été observées depuis le milieu du XXe siècle.

Mais elle aura également été une période de profonde remise en cause des modèles de développement sanitaire. Les soins de santé primaires, qui proposaient une solution universelle à l'échec des systèmes hospitalo-centrés, sont critiqués, et même abandonnés par certains bailleurs de fonds. Le principe de la gratuité, qui s'était imposé comme la seule solution permettant l'accès aux soins des catégories les plus pauvres, est remplacé par la notion de recouvrement des coûts, à son tour rapidement contestée. Le rôle de l'État, qui, en période de croissance, pouvait encore avoir pour référence les pays occidentaux (État providence) ou les régimes socialistes (État au service du peuple), se trouve à la fois réduit et modifié par les réformes engagées dans le cadre de l'ajustement structurel. La première partie de ce texte évoquera donc les principales interrogations actuelles autour des politiques de santé.

Cette remise en cause n'affecte d'ailleurs pas seulement les modèles de développement, elle concerne aussi les pratiques de coopération sanitaire. Les bouleversements géopolitiques au niveau mondial, avec la perte d'influence de l'Union soviétique (celle de la Russie est aujourd'hui négligeable) et de Cuba, le pouvoir croissant des institutions de financement (Fonds monétaire international et Banque mondiale) et, à travers elles, des États-Unis, recomposent les figures de l'aide en Afrique. Le repli de la France sur les pays du champ, alors qu'une ouverture vers les pays hors champ commençait à se mettre en place au début des années 80, sa réticence à s'engager aux côtés des autres intervenants extérieurs, la

---

(2) La démonstration que fait Brian ABEL-SMITH, dans « The world economic crisis. Part 1 : Repercussions on health », *Health Policy and Planning*, 1986, 1 (3) : 202-213, contredit formellement l'optimisme de Milton et Ruth ROEMER qui, dans « Global health, national development and the role of government », *American Journal of Public Health*, 1990, 80 (10) : 1188-1192, mettent en relation l'amélioration des indicateurs de santé et les progrès survenus dans les domaines social, économique et politique : leur thèse est probablement valide jusqu'au début des années 80, mais elle ne l'est plus ensuite, à cause précisément de la dégradation de ces mêmes facteurs.

mise en scène de ses actions humanitaires sont à interpréter dans ce contexte d'un ordre international où elle parvient difficilement à s'affirmer à travers un projet original. La seconde partie du texte traitera de la façon dont la coopération française affronte cette nouvelle réalité.

Les politiques de santé, du principe d'équité aux logiques d'efficacité

Au moment des indépendances, les États africains disposaient d'un double référent dans le domaine de la santé ; d'une part, les services de lutte contre les grandes endémies qui, dans le cadre d'organismes comme l'OCCGE en Afrique de l'Ouest et l'OCEAC en Afrique centrale, et sous la direction de médecins militaires, avaient permis de faire reculer certaines maladies parasitaires ; d'autre part, le dispositif hospitalier, essentiellement localisé dans quelques grandes villes, et qui correspondait au type de formation qu'avaient reçue la plupart des médecins coopérants et africains. Dans les années 70, cependant, devant l'évidence de plus en plus grande de l'incapacité de ces deux types de médecine à répondre aux besoins et aux demandes de soins de la majorité des habitants, notamment dans les zones rurales, diverses expériences visant à mettre en place des structures de premier niveau étaient menées : c'est du bilan de ces programmes de « santé de base » qu'est née, en 1978, la déclaration d'Alma Ata.

La proposition centrale consiste en la mise en œuvre d'une politique mondiale de « soins de santé primaires » ; ceux-ci correspondent au premier niveau de contact entre les personnes et le système national de santé. Ils sont régis par quelques principes simples à énoncer : la réalisation simultanée d'actions d'éducation, de prévention, de planification familiale et de soins curatifs élémentaires ; l'intégration de la santé et des autres domaines du développement, comme l'agriculture ou le logement, dans des programmes intersectoriels ; la responsabilisation des individus et des collectivités, et leur participation à la décision et à la gestion ; la mobilisation de l'ensemble des acteurs de santé, y compris les thérapeutes traditionnels. On peut certes trouver ce manifeste aussi général qu'il est généreux. Il marque cependant une intention de rupture avec les modèles antérieurs, et cette intention se traduit très vite en actes, dans la mesure où il devient une sorte de mot de passe auprès de la plupart des bailleurs de fonds internationaux.

L'inscription des soins de santé primaires dans les agendas politiques des ministères de la Santé et des agences de développement du monde entier a entraîné la généralisation d'un référentiel vague laissant la fausse impression que l'on parlait de la même chose lorsque l'on disait « intégration des activités », « participation des populations » ou « agents de santé communautaires », alors que, dans chaque contexte, une histoire et une organisation particulières du système de santé donnaient lieu à des interprétations spécifiques : la formule du médecin aux pieds nus chinois n'est pas nécessairement transposable en Guinée ou au Rwanda, et les formations d'accoucheuses traditionnelles, dont on dit qu'elles ont eu de bons résultats aux Philippines, ne sont évidemment pas assurées du même succès en Mauritanie ou en Angola. En outre, les déclarations des gouvernements africains en faveur des soins de santé primaires, faites sous la pression des organismes internationaux, ne reflétaient pas toujours une réelle volonté politique de la part des décideurs et ne correspondaient pas forcément à la vision qu'avaient les médecins de leur rôle dans la société : ainsi l'adhésion de principe au nouveau credo n'a-t-elle pas empêché la construction d'hôpitaux coûteux, d'ailleurs financés par des aides extérieures — au premier rang desquelles la coopération chinoise, curieusement oublieuse de son propre modèle.

Les critiques, dans ces conditions, n'ont pas manqué. Pour une part, les détracteurs des soins de santé primaires trouvaient dans les échecs ou les erreurs des programmes qui les mettaient en œuvre, la confirmation du préjugé défavorable qui leur avait d'emblée fait rejeter l'idée même d'une « démédicalisation de la santé » (3) : le reproche d'avoir délaissé les échelons secondaire (hôpitaux régionaux) et tertiaire (centres de référence) et l'accusation d'inefficacité globalement portée contre les agents de santé communautaires, même s'ils ne sont pas sans fondement, sont révélateurs de cet état d'esprit. Mais pour une autre part, les défenseurs des soins de santé primaires eux-mêmes prenaient peu à peu conscience des insuffisances de leur paradigme (4) : à quel niveau

(3) Le réquisitoire le plus sévère, mais non le moins dénué d'arrière-pensées, est celui qui est dressé dans l'ouvrage dirigé par Alain DESTEXHE, *Santé, médicament et développement. Les soins de santé primaires à l'épreuve des faits*, Fondation Libertés sans frontières, Paris, 1987.

(4) Cette critique positive est représentée notamment par le livre coordonné par Jarl CHABOT et Pieter STREEFLAND, *Les soins de santé primaires. Expériences depuis Alma Ata*, Institut royal des Tropiques, Amsterdam, 1990.

du système de santé l'intervention est-elle la plus efficace ? Dans quelle mesure peut-on envisager une participation des populations ? Comment assurer la viabilité des systèmes publics de soins, compte tenu des réalités économiques des États africains ? Telles sont quelques-unes des interrogations auxquelles il a été nécessaire de répondre.

La recherche d'un centre de gravité pour les systèmes de santé, c'est-à-dire du niveau adéquat pour la gestion de la santé collective, a été un processus long et délicat. Au centralisme hérité de la période coloniale et jugé contre-productif, les soins de santé primaires avaient substitué une périphérisation dont il est rapidement apparu qu'elle se prêtait mal à la supervision des actions menées. Au cours des années 80, c'est le « district sanitaire » qui s'est imposé comme l'échelon le plus pertinent pour prendre en compte à la fois l'impératif de proximité par rapport aux populations et à leurs demandes, et l'exigence de compétence dans la prise de décision et l'administration des services (5) : regroupant un ensemble de dispensaires et de personnels autour d'un hôpital de sous-préfecture (ou d'une structure équivalente), il est le lieu stratégique où s'articulent les niveaux local et national. Cette unité de responsabilité représente donc un véritable changement dans l'ordre géopolitique de la santé publique — du moins sur le plan conceptuel, car la réalisation pratique de l'organisation des districts sanitaires n'en est qu'à ses débuts.

La participation communautaire constitue un autre enjeu décisif des politiques de soins de santé primaires (6). Le discours idéaliste sur la communauté et la pratique volontariste de la participation ont particulièrement bien fonctionné dans le monde du développement dans la mesure où ils rencontraient les schémas archétypaux sur l'Afrique, au mépris de toutes les analyses anthropologiques sur les stratifications sociales et les relations de pouvoir dans les sociétés africaines. Il en est résulté un décalage croissant entre les faits (la reproduction, dans les comités de santé et autres struc-

(5) Une discussion autour du district sanitaire est menée par A. MILLS, J.P. VAUGHAN, D.L. SMITH et I. TABIBZADEH, dans *La décentralisation des systèmes de santé. Concepts, problèmes et expériences de quelques pays*, OMS, Genève, 1991.

(6) La participation et la communauté comme mythes font l'objet d'une analyse critique dans le texte de Jean-Pierre OLIVIER DE SARDAN, « Sociétés et développement », in *Sociétés, developpement et santé*, D. FASSIN et Y. JAFFRÉ éds., Ellipses/AUPELF, Paris, 1990, 28-37 ; en tant que pratiques concrètes dans le cadre des soins de santé primaires ; elles ont été étudiées dans l'article que j'ai fait avec E. JEANNÉE, G. SALEM et M. RÉVEILLON : « Les enjeux sociaux de la participation communautaire. Les comités de santé à Pikine (Sénégal) », *Sciences Sociales et Santé*, 1986, 4 (3-4) : 205-221.

tures dites représentatives, des rapports de forces à l'œuvre dans le tissu social, et par conséquent, la marginalisation des groupes les plus faibles, phénomène d'ailleurs bien connu dans le développement agricole) et l'image que s'en construisaient les développeurs (un corps social harmonieux où chacun pouvait s'exprimer et où tous décidaient ensemble). Cet écart n'était cependant pas toujours à mettre sur le compte de l'ingénuité des intervenants extérieurs, car il est clair qu'ils avaient tout intérêt à faire passer pour procédure démocratique ce qui n'était qu'imposition autoritaire de la volonté de quelques notables, puisque c'est sur cette illusion de représentation que se fondait la légitimité de leur présence et de leurs actions. La démystification de la participation communautaire participe ainsi d'un effort pour tendre vers plus de réalisme dans les actions entreprises dans le Tiers monde. Elle n'a toutefois pas pour but de faire renoncer à l'idée d'un travail avec les populations, pour autant que l'on ne soit pas dupe et surtout que l'on ne trompe pas les autres sur la réalité de cette collaboration.

L'élément qui s'est avéré crucial pour les soins de santé primaires est la question du financement des soins. La gratuité, qui avait longtemps été considérée comme la garantie du principe d'équité, s'est en effet trouvée remise en cause par la situation préoccupante des services publics que l'argent de l'État ne permettait pas d'approvisionner en un minimum de moyens : médicaments, pansements, seringues, vaccins. Plusieurs expériences menées dans divers pays d'Afrique, notamment au Sénégal, ayant démontré la possibilité d'un autofinancement des soins par les populations, la proposition d'un système de recouvrement des coûts a été avancée plus officiellement, et c'est l'initiative de Bamako, lancée par l'UNICEF en 1988, qui en a assuré la promotion. Ce nouveau modèle à son tour a fait la preuve de ses limites : dans de nombreuses régions d'Afrique, surtout en zones rurales, les malades n'avaient pas les moyens de payer et le prix de la consultation étaient devenu un obstacle à l'accès aux soins ; de plus, la gestion des ressources ainsi obtenues posait d'importants problèmes, tant pour le rachat de produits que pour la tenue de la comptabilité. Aujourd'hui, sur ce problème délicat, des formules plus complexes, mais aussi plus équitables, sont proposées : maintien de la gratuité pour certaines populations particulièrement défavorisées ou certaines pathologies coûteuses pour lesquelles la solidarité nationale pourrait jouer, et recouvrement des coûts en ville et pour les affections les plus courantes (7). Ce type d'interrogation n'est d'ailleurs pas éloigné des questions auxquelles sont confrontées les sociétés occidentales.

Si l'on considère ces trois points en débat — le niveau d'intervention, les formes de participation et les modalités de financement —, on constate que ce sont finalement moins l'esprit et la démarche des soins primaires qui ont été mis à mal, au cours de la décennie 80, que le dogme qui les avait rigidifiés et le volontarisme naïf qui prétendait les imposer (8). Et ce sera probablement l'un des principaux acquis de cette période que ce début de rétablissement, dans les politiques de santé, d'un principe de réalité, qui n'est d'ailleurs pas en contradiction avec les objectifs de justice sociale.

La question reste cependant posée : que doit-il en être à l'avenir de ces soins de santé primaires ? Et plus précisément : quelle efficacité peut-on en attendre, compte tenu, d'une part, des restrictions financières qui, en raison de la part importante qu'occupent les salaires des personnels dans les budgets des ministères de la Santé, touchent avant tout les structures périphériques, mais d'autre part aussi, les difficultés à faire affecter des professionnels de santé de qualité dans les zones rurales ? Quelle place leur accorder par rapport aux autres secteurs de la santé, notamment par rapport au système hospitalier et aux programmes verticaux ? Les réponses à ces interrogations ne sont évidemment pas simples.

Il faut d'abord rappeler que l'idée de services de santé de base n'est nulle part abandonnée et que la nécessité pour les pouvoirs publics d'assurer aux populations les plus défavorisées et les plus isolées un accès minimal à des soins curatifs et préventifs élémentaires n'est remise en cause par aucun gouvernement ni aucune institution internationale. Le problème est en fait de savoir comment le faire, où concentrer les efforts, avec quels moyens maté-

---

(7) C'est par exemple la position de Joseph BRUNET-JAILLY dans sa communication au colloque « Technologie, santé, développement », Paris, décembre 1992. Dans le même esprit, Osita OGBU et Mark GALLAGHER suggèrent, dans « Public expenditures and health care in Africa », *Social Science and Medicine*, 1992, 34 (6) : 615-624, que les dépenses publiques soient affectées aux services de santé à contretemps par rapport aux cycles économiques, c'est-à-dire prioritairement en périodes de récession.

(8) L'optimisme forcené des débuts n'a toutefois pas disparu des textes canoniques, comme on s'en convaincra en lisant *La santé pour tous d'ici l'an 2000. A mi-chemin, le point de la situation dans divers pays*, présenté par E. TARIMO et A. CREESE, OMS, Genève, 1991. Les titres des quinze chapitres ont le charme discret des slogans politiques surannés : « Chine : l'objectif est à notre portée », « Éthiopie : la voie est tracée », « Hongrie : en marche vers la santé pour tous », « Papouasie - Nouvelle-Guinée : obstacles rencontrés et surmontés », « Sri Lanka : des soins de santé primaires profondément enracinés ».

riels et humains agir. Des éléments de réponse ont déjà été apportés ici.

L'échelon intermédiaire proposé avec le district paraît correspondre au niveau de responsabilité et d'intervention le plus adéquat, étant moins sujet aux pesanteurs bureaucratiques que le centre et plus opérationnel que la périphérie. Le lien organique qu'il suppose entre l'hôpital local et les dispensaires qui en dépendent, doit ainsi favoriser l'amélioration de la qualité des services, si souvent défectueuse dans les petites structures mal supervisées. Toutefois, pour que le district puisse remplir cette fonction, il est nécessaire que soit opérée une certaine décentralisation, tant sur le plan des compétences qu'en ce qui concerne les budgets ; faute de quoi l'appropriation par la capitale de la quasi-totalité des prérogatives, des personnels et des ressources continuera d'interdire toute action au niveau des provinces ou des préfectures. Même dans ces conditions, le financement des soins de santé primaires demeure problématique. La sollicitation économique des malades, qui paient à l'acte ou sur la base d'un forfait maladie incluant la délivrance de médicaments, est souvent difficile en raison de la faiblesse de leurs revenus monétaires, et de plus, elle assure rarement un réel équilibre budgétaire, en particulier dans les régions rurales dont les densités basses de peuplement ne garantissent pas un nombre suffisant de consultations. Dès lors, plutôt que d'attendre d'illusoires mesures de redistribution qui seraient prises par les États africains en faveur des zones les plus défavorisées (9), il importe de développer l'appui technique et financier des coopérations étrangères dans le cadre de cette décentralisation.

Une telle conception des politiques de santé est moins irréaliste qu'il n'y paraît, même s'il ne faut pas sous-estimer le poids des administrations, les logiques sociales des professionnels de santé peu disposés à quitter les grandes villes, les jeux politiques qui tendent généralement à favoriser la capitale. La décentralisation se met d'ailleurs en place, de manière très progressive, dans certains pays, y compris parmi les plus en difficulté, comme le Tchad dont le plan de restructuration du système de soins a trouvé un début de concrétisation dans plusieurs préfectures grâce notamment à des aides extérieures. Mais, en la mettant en œuvre, on doit se gar-

---

(9) C'est justement pour se désengager de ces zones que les gouvernements africains ont accepté la politique de soins de santé primaires et son principe de participation financière des populations, ainsi que je l'ai montré avec Éric FASSIN dans « La santé publique sans l'État ? Participation communautaire et comités de santé au Sénégal », *Revue Tiers Monde*, 1989, 30 : 881-891.

der d'affaiblir encore plus, notamment en le disqualifiant, le niveau central du pouvoir : un renforcement et un assainissement des structures étatiques doivent en effet avoir un impact positif sur la périphérie, ne serait-ce que par l'amélioration de la gestion financière que l'on peut en espérer, et l'on commettrait une grave erreur en négligeant l'effort qui doit être fait pour soutenir la réorganisation des dispositifs centraux.

Les longs développements qui viennent d'être consacrés aux soins de santé primaires et aux interrogations qu'ils suscitent, tiennent, d'une part, à l'importance que cette politique a eue au cours de la dernière décennie en tant que modèle et pratique, et d'autre part, à l'enjeu qu'elle va représenter dans les années à venir, à la fois en termes d'équité et d'efficacité. Pour autant, il ne s'agit pas de réduire l'analyse de la santé publique à ce seul aspect. Au moins deux autres dimensions doivent être examinées, car elles constituent aujourd'hui des problèmes cruciaux : les structures hospitalières et les programmes spécifiques.

Dans l'organisation actuelle des systèmes de santé en Afrique, les hôpitaux sont idéalement conçus comme des lieux de référence, autrement dit, comme deuxième (pour l'hôpital régional) ou troisième (pour le grand centre hospitalier qui est souvent celui de la capitale) contact pour les malades dont les cas dépassent les compétences et les moyens des services de base : il y a donc théoriquement complémentarité avec les soins de santé primaires. En réalité, l'expérience souvent désastreuse que les gens ont des dispensaires les conduit logiquement vers l'hôpital comme premier recours lorsqu'ils estiment qu'il s'agit d'un cas grave ou même tout simplement lorsqu'ils n'en sont pas trop éloignés. Le fonctionnement des services hospitaliers est pourtant lui-même bien peu satisfaisant (10) : attentes à la consultation, délais d'hospitalisation qui s'avèrent parfois fatals, entassement dans des salles communes où ne sont pas respectées les règles élémentaires d'hygiène, absence de médicaments, de matériel d'injection, de gants de chirurgie, tous éléments que les patients doivent acheter. La seule chose qui leur soit en principe garantie est l'accès à des professionnels de santé, desquels ils ne reçoivent cependant que très inconstamment un accueil digne et des soins efficaces.

Cette situation préoccupante des hôpitaux tient certes à un manque réel de moyens — dont on ne voit toutefois pas comment y

---

(10) Un tableau particulièrement sévère en est dressé par Bernard HOURS dans *L'État sorcier. Santé publique et société au Cameroun*, L'Harmattan, Paris, 1985, p. 61-89.

remédier dans le contexte actuel de rigueur —, mais elle est aussi la conséquence d'une supervision insuffisante qui s'accommode de l'absentéisme et de l'incompétence des personnels, et d'une gestion défectueuse des ressources qui favorise les détournements de matériel et de médicaments. Ce constat, souvent fait en Afrique, a déjà conduit certains pays à envisager une certaine autonomie financière des hôpitaux, ou tout au moins de leur pharmacie, et à mettre en place des structures évaluatives, qui ont entre autres pour objectif d'établir et de promouvoir des standards de qualité.

Quant aux programmes spécifiques, souvent appelés aussi verticaux par opposition aux actions horizontales des services de santé de base, ils relèvent d'une approche par maladie ou par problème plutôt que d'une démarche globale : ce sont les programmes de vaccination, de lutte contre les grandes endémies, mais aussi, dans une certaine mesure, de protection materno-infantile et de planification familiale. Si leur nécessité au niveau central s'impose pour décider de normes et de schémas généraux (les modalités de prise en charge de ces maladie ou de ces problèmes), en revanche toute la difficulté se situe dans leur application concrète, et notamment dans leur intégration aux autres activités des professionnels de santé qui voient d'un mauvais œil la multiplication des tâches qui leur incombent. Cette intégration est d'autant plus délicate que, bien souvent, ces actions verticales sont décidées et financées par des intervenants extérieurs, organismes internationaux ou coopérations bilatérales, qui se soucient plus de reproduire un modèle éprouvé ailleurs que de s'adapter à des structures locales.

Les programmes de lutte contre le sida, progressivement mis en place dans tous les pays à partir de 1984, illustrent ces difficultés. En effet, après une période pendant laquelle la plupart des États africains étaient restés enfermés dans une attitude systématique de dénégation (11), des plans nationaux ont fini par être acceptés sous la pression de l'Organisation mondiale de la santé. Leur formulation, mise au point en étroite collaboration avec des experts étrangers, a suivi le cadre rigide d'une stratégie préétablie qui ne trouvait pas nécessairement sa place dans le système existant. De plus, mieux doté financièrement par l'aide internationale que les autres programmes sanitaires, la lutte contre le sida a pu bénéficier de

(11) Les explications de cette attitude sont discutées dans un article de J.C. CALWELL, I.O. ORUBULOYE et P. CALDWELL : « Underreaction to Aids in sub-saharan Africa », *Social Science and Medicine*, 1992, 34 (11) : 1169-1182, et dans le texte que j'ai écrit avec Jean-Pierre DOZON : « Raison épidémiologique et raisons d'État. Les enjeux sociopolitiques du sida en Afrique », *Sciences sociales et santé*, 1989, 7 (1) : 21-36.

moyens humains et matériels supérieurs à ceux alloués à ces derniers, provoquant des déséquilibres et des tensions. C'est donc souvent au prix d'une relative déstructuration du dispositif global de santé publique que ce sont développés ces programmes, quelles que soient par ailleurs les réalisations.

S'il est assurément hasardeux de tenter de tirer des conclusions de cette rapide analyse des politiques de santé en Afrique, on peut toutefois avancer que les années récentes auront été celles d'une remise en cause de la plupart des modèles de développement sanitaire et que la période à venir s'annonce comme celle de toutes les incertitudes. Mais ces enjeux ont-ils été effectivement perçus par la coopération française ?

La coopération française, entre l'aide humanitaire et le développement sanitaire

Une coopération est toujours le fruit d'une histoire. Plus peut-être que toute autre, celle de la France dans le domaine de la santé est marquée par son héritage (12) : dans le traitement de faveur accordé à ses anciennes colonies et les relations de dépendance économique et politique qu'elle a su y garder (avec, corrélativement, la marginalisation des pays africains hors champ) ; dans le maintien de structures d'origine coloniale, comme les services des grandes endémies (à Bobo-Dioulasso, notamment) ou les hôpitaux militaires (par exemple, à Dakar) ; dans la conception verticale des programmes de santé et la représentation hiérarchisée des systèmes de soins ; dans le rôle de substitution de nombre de coopérants qui sont affectés à des postes périphériques que les médecins locaux n'occupent pas.

Mais une coopération est aussi une image de soi que l'on veut donner au monde. En l'occurrence, celle de la grandeur de la

(12) On trouvera quelques aperçus sur l'histoire de la coopération médicale française dans les textes de Elikia M'BOKOLO, « Histoire des maladies, histoire et maladie : l'Afrique », in *Le sens du mal. Anthropologie, histoire, sociologie de la maladie*, M. AUGÉ et C. HERZLICH éds., Éditions des Archives Contemporaines, Paris, 1984, pp. 155-186 ; Jean-Pierre DOZON, « Quand les Pastoriens traquaient la maladie du sommeil », *Sciences sociales et santé*, 1985, 3 (3/4) : 27-56 ; une recherche plus complète pourra être réalisée à partir de la bibliographie établie par René COLLIGNON et Charles BECKER, *Santé et population en Sénégambie, des origines à 1960*, INED, Paris, 1989, références 2480 à 2574.

France, de la spécificité de sa culture scientifique, de son indépendance par rapport à l'influence grandissante nord-américaine. D'où la préférence donnée à la recherche fondamentale en entomologie ou en parasitologie plutôt que dans des domaines appliqués comme la santé publique, à la construction ou à l'équipement d'hôpitaux modernes plutôt qu'à la mise en place de services de santé de base. D'où également une pratique qui tend à se démarquer de celle des autres intervenants, à prendre des distances par rapport aux bailleurs de fonds internationaux, à développer des actions de prestige dans le cadre de réseaux de francophonie, à affirmer des positions tiers mondistes comme à Cancún ou en faveur des droits de l'homme comme à La Baule — quand bien même la mise en œuvre des politiques relève ensuite d'un classique pragmatisme.

L'histoire n'est cependant pas immobile, et la représentation de soi que l'on construit pour les autres peut évoluer. Ainsi a-t-on vu, au cours des dernières années, se mettre en place des écoles et des programmes de formation en santé publique à Bamako, Brazzaville et Dakar, se moderniser des structures héritées de la médecine et de la recherche coloniales au Burkina Faso et en Côte-d'Ivoire, se réaliser des projets de recherche ou de développement s'appuyant sur une connaissance approfondie du milieu, dans les domaines de l'économie de la santé au Mali ou de l'éducation sanitaire au Niger. De même, la coopération française s'est-elle départie à diverses reprises de son attitude de cavalier seul, en s'associant, sur des actions ponctuelles, à d'autres intervenants extérieurs ou en participant activement à des tables rondes de bailleurs de fonds, dans le but de décider d'orientations communes pour l'aide internationale. Ces changements demeurent cependant limités, lorsqu'on les resitue par rapport à l'ensemble de la coopération sanitaire française.

Ce qui domine sur le long terme est en effet plutôt une continuité. Celle d'une conception résolument médicale de la santé publique, qui correspond d'ailleurs à la vision commune parmi les médecins français : priorité accordée aux soins curatifs sur les mesures préventives et préférence donnée aux solutions techniques lorsqu'il s'agit de prévention. La forte présence des professionnels de santé français dans les hôpitaux africains en est un signe patent, qui correspond d'ailleurs à un savoir-faire clinique généralement reconnu. De même, la prise en charge des grands fléaux s'oriente-t-elle volontiers vers des réponses techniques, comme la vaccination (y compris dans le domaine de la parasitologie où elle s'avère pourtant particulièrement délicate) ou la construction de maternités (pour ce qui est de la réduction de la mortalité maternelle), sans qu'aient été suffisamment analysés les problèmes de fond concernant les ressources humaines ou l'organisation des soins. D'une manière générale, c'est plutôt dans une perspective de lutte contre les maladies que la coopération sanitaire française se place, sans parvenir à agir de manière plus globale — et probablement plus durable — sur les systèmes de santé.

Certaines transformations structurelles, qui s'opèrent actuellement au sein de cette coopération, laissent toutefois entrevoir une lente évolution vers une meilleure prise en compte de la situation de la santé publique en Afrique. Tout d'abord, la réduction des personnels d'assistance technique se poursuit de manière sensible : de 788 en 1991 à 724 en 1992 pour le secteur « travail et santé », soit 8 % de moins en un an, la diminution portant en totalité sur les pays de la zone d'intervention du Fonds d'aide et de coopération ; ce retrait confirme la tendance à un recul de la substitution devenu d'autant plus nécessaire qu'une proportion croissante de jeunes médecins africains sont au chômage. Ensuite, l'effort en matière de formation, tant à travers des écoles de santé publique que dans le cadre de formules courtes type ateliers, se développe, tout en demeurant loin de celui fourni par d'autres coopérations européennes. Enfin, la recherche, dans des disciplines qui vont de la biologie et de la nutrition aux sciences sociales, s'oriente progressivement vers des préoccupations plus en rapport avec les problèmes et les demandes des pays.

Mais l'État n'est évidemment pas le seul acteur de la coopération française dans le domaine de la santé. Le secteur non étatique y joue un rôle important, toutefois plus appréciable à son dynamisme et à sa diversité qu'à son volume financier : si l'on considère l'ensemble des secteurs d'intervention, l'aide privée représente 0,013 % du produit national brut, alors que l'aide publique s'élève à 0,55 %. Outre les organisations non gouvernementales (ONG) dont on estime le nombre, toutes activités et tous pays confondus, à environ trois mille, il s'agit des hôpitaux, universités, instituts de recherche, centre de formation, et des collectivités locales, villes, départements, régions. La dispersion et l'hétérogénéité de ces initiatives multiples constituent certes des facteurs limitant leur cohérence et surtout leur efficacité. Néanmoins, par leur indépendance, leur souplesse et leur attention aux demandes locales, elles représentent une contribution spécifique au développement sanitaire.

La coopération non étatique dans le domaine de la santé a connu d'importants changements au cours des années 80. Parmi les ONG, l'élément le plus remarquable est la consolidation de la position des spécialistes de l'urgence (13) — Médecins sans frontières, Médecins du monde, Aide médicale internationale, etc. — aux dépens des intervenants plus traditionnels du long terme — Medicus mundi, Frères des hommes, Comité catholique contre la faim et pour le développement, etc. — dont certains se sont trouvés confrontés à des réductions budgétaires ; mais au-delà de cette conjoncture défavorable pour les ONG dites de développement, ces difficultés révèlent une remise en cause plus profonde de ces interventions longues lorsqu'elles sont mises en œuvre par des organismes disposant de budgets limités et incertains, de personnels motivés mais peu formés et souvent renouvelés ; toute généralisation doit cependant être évitée dans la mesure où les ONG constituent une catégorie très diversifiée. Parallèlement, l'aide hospitalière, qui se réalisait jusqu'alors dans le cadre d'accords restreints entre services de médecine français et africains sans aucune cohérence, commence à se structurer en se dotant d'une cellule internationale aux Hospices civils de Lyon et d'une direction des affaires internationales à l'Assistance publique de Paris, tandis que les universités, les facultés de médecine et les institutions de recherche multiplient les initiatives de coopération avec des partenaires africains. Enfin, favorisée par la loi sur la décentralisation, avec l'accroissement des compétences et des moyens qu'elle a entraîné, le rôle des collectivités locales se développe rapidement, et elles interviennent désormais dans ce champ sous forme d'actions caritatives, mais aussi d'opérations de développement en partenariat.

Les relations entre l'État et le secteur non étatique se sont également modifiées au cours de la période récente. La France se singularise sur ce plan par une contribution modeste des pouvoirs publics à l'action non gouvernementale : selon les données de 1988 publiées par l'OCDE, les fonds publics ne représentent que 14 % des ressources des ONG, alors qu'ils y entrent pour 32 % aux États-

(13) Cette distinction classique est reprise dans le rapport réalisé sous la direction de Thierry MOULONGUET, « La coopération hors l'État », in *Problèmes de développement*, École nationale d'administration/Ministère de la Coopération et du Développement, tome 1, 49 pages. Les auteurs la critiquent cependant en faisant remarquer à juste titre qu'une partie non négligeable de l'activité des ONG dites d'urgence consiste en actions de relais inscrites dans une certaine durée. On peut d'ailleurs ajouter qu'à l'inverse, parmi les ONG dites de développement, notamment parmi celles de petite taille, une proportion significative est engagée dans les opérations tout à fait ponctuelles. La distinction est donc un repère facile et généralement admis, mais elle est simplificatrice.

Unis, 33 % en Allemagne, 37 % au Japon et même 82 % en Italie ; cette situation ne semble d'ailleurs pas devoir évoluer favorablement, puisque le budget pour 1992 du ministère de la Coopération et du Développement était en réduction de 7,4 % par rapport à celui de 1991 (c'était même, après les bourses pour étudiants étrangers, la rubrique marquée par la plus forte baisse).

Un changement très significatif sur le plan des relations entre les ONG et l'État est probablement la récupération par ce dernier, sous la forme d'un secrétariat d'État à l'Action humanitaire, secondairement élevé au rang de ministère et associé à la santé, d'un territoire qui semblait une chasse gardée des ONG dites d'urgence. C'est d'ailleurs moins par les sommes effectivement consacrées à ces interventions que par la mise en spectacle à laquelle elles donnent lieu que cette évolution est importante. Il s'agit en effet avant tout de donner à voir, de promouvoir une nouvelle image de la présence française, qui a le double avantage d'être généralement bien admise par l'opinion publique nationale et politiquement peu risquée au plan international. Bien entendu, ce type d'action ne se substitue en aucune manière à la coopération classique dans le domaine de la santé, elle ne fait que s'y ajouter, mais la manière dont elle occupe l'espace public tend à lui conférer une place plus grande que cette dernière dans les représentations sociales de l'aide médicale au Tiers monde.

Dresser un bilan de la coopération sanitaire française est une tâche complexe (14). Elle est en effet multiple, hétérogène, peu systématisée et rarement évaluée. Plutôt qu'une politique de santé publique cohérente, il faut y chercher le sens d'interventions diverses, éventuellement contradictoires. Les logiques sous-jacentes aux décisions prises et aux choix faits relèvent plus de tactiques ponctuelles que d'une stratégie d'ensemble (15). En l'absence de lignes directrices claires en santé publique, la coopération française est certes sans dogme, mais aussi sans religion.

---

(14) De manière significative, la bibliographie de l'ouvrage écrit par l'ancien responsable du Bureau des évaluations au ministère de la Coopération, Claude FREUD, *Quelle coopération ? Un bilan de l'aide au développement*, Karthala, Paris, 1988, ne comprend, parmi les quarante-trois projets évalués, que deux portant sur la santé (au Mali et au Sénégal).

(15) On pourrait reprendre ici, en l'appliquant au secteur de la santé, le commentaire perplexe d'Alain VIVIEN : « La coopération française : désordre et dispersion, quelle efficacité ? » dans son texte : *La rénovation de la coopération française, Rapport au Premier ministre*, La Documentation française, Paris, juin 1990, p. 21. L'auteur plaide pour une « évaluation *a posteriori* » des opérations de coopération, d'autant plus nécessaire, selon lui, que les décisions sont prises le plus souvent sur la base de « la confiance faite aux services instructeurs des ambassades, des ministères ou des agences » sans « contrôle *a priori* ».

A cet état de fait, on peut trouver deux ordres d'explication. D'une part, c'est la coopération dans son ensemble qui manque d'une politique du développement : à la place, on trouve des conceptions partielles et des pratiques diversifiées qui sont mises en œuvre dans chaque mission en fonction d'opportunités particulières ou de sollicitations locales. D'autre part, la situation de la coopération sanitaire en Afrique reflète celle de la santé publique en France : une discipline peu organisée institutionnellement, sans véritable enseignement de haut niveau et sans spécialistes des questions internationales, à la différence de ce qui existe en Belgique, Allemagne ou Grande-Bretagne, pour se limiter à l'Europe.

Ce constat n'implique en aucune manière que les actions menées dans le domaine de la santé par la coopération française ne soient localement pas pertinentes, ou pas efficaces. Si l'absence d'unité et d'objectifs rend délicate toute appréciation générale, il est en revanche certain que l'on trouve en Afrique des médecins et des experts français ayant une longue expérience et une compétence avérée, ainsi que des projets et des programmes de qualité menés en collaboration avec des institutions africaines.

Mais il manque à la coopération française à la fois une politique africaine cohérente en santé publique et une structure indépendante pour l'évaluation de ses actions — deux éléments qui existent déjà dans plusieurs pays européens. Cohérence politique ne signifie pas plus alignement sur les mots d'ordre des institutions internationales qu'une évaluation indépendante n'implique une perte de contrôle sur les opérations menées. Bien au contraire, cette double exigence peut constituer la base d'une aide au développement qui soit à la fois plus efficace et plus libérée de ses contraintes clientélistes.

Un esprit de renouveau, qui semble souffler depuis quelque temps dans les milieux de la coopération, à Paris comme en Afrique, est peut-être l'heureux présage de ce changement, devenu aujourd'hui nécessaire et urgent. On ne peut cependant oublier que les politiques de coopération, celle de la France en particulier, s'inscrivent dans le cadre d'objectifs géostratégiques dans lesquels le bien-être et la bonne santé des populations africaines pèsent bien peu face aux intérêts économiques et politiques en jeu.

Un exemple de financement adapté pour les micro-entreprises du secteur informel

J.M. GRAVELLINI

L'Agence pour le crédit aux entreprises privées (ACEP) est un projet financé au Sénégal par l'USAID, avec l'intermédiation d'une ONG américaine. Il a été progressivement étendu, depuis le premier réseau créé en 1986 à Kaolack, à d'autres régions pour couvrir, fin 1992, une grande partie du Sénégal.

Pour l'exercice 1992, près de 1 500 prêts d'un montant total d'un milliard de FCFA ont été octroyés. Le montant des prêts est en moyenne de 750 000 FCFA. Les taux de remboursement sont de 98 %.

Il semble bien qu'une des clés du succès de l'ACEP réside dans le choix astucieux et basé sur l'expérience de l'emprunteur dont le profil type est le suivant : il est de préférence illettré (l'ACEP refuse de financer des diplômés), il n'est ni ancien fonctionnaire (refus de financer des « déflatés ») ni soutenu par un homme politique ou un marabout (tout ceci n'est évidemment pas écrit). L'ACEP ne finance que des individus et jamais des groupements d'individus (GIE).

L'ACEP attache plus d'importance à la qualité de l'emprunteur qu'à celle de son dossier. Cette option implique que le chef de bureau et le responsable régional visitent obligatoirement le postulant dans son milieu familial. C'est l'occasion de se rendre compte du mode de vie de l'emprunteur potentiel (nombre de femmes, d'enfants, etc.) et de se faire une idée précise de sa personnalité.

Sauf cas exceptionnels (intérêt particulier du projet), l'ACEP préfère ne pas financer de créations d'entreprises. Elle finance des extensions, ce qui lui permet d'avoir des garanties sur l'activité ou les biens existants (voiture, par exemple). Les garanties sont classiques : nantissement des marchés, des véhicules. Par ailleurs, le choix des emprunteurs décrits plus haut vise aussi à retenir des clients qui ne savent pas que les garanties sont difficiles à exécuter (1) et qui sont impressionnés par les documents juridiques que l'ACEP leur fait signer. En réalité, l'ACEP se contente de promesses de garanties sans exiger les inscriptions.

Le chef de bureau, installé dans les quartiers, gère en moyenne 100 à 200 dossiers actifs. Il est directement intéressé au résultat net de son bureau puisqu'il touche en fin d'année 5 % de celui-ci. Enfin, l'ACEP est dirigée par un cadre expatrié.

En 1992, le projet a atteint un rythme de croisière : l'ensemble des coûts de fonctionnement est couvert par le projet (y compris le coût du directeur général expatrié) et le projet a généré des bénéfices. L'ACEP doit se transformer en 1993 en caisse d'épargne et de crédit et être agréée en tant que telle par le ministère des Finances.

De façon peut-être amorale, c'est-à-dire sans verser dans les bons sentiments qui sont généralement le propre des ONG, mais aussi des bailleurs de fonds, ce projet s'est progressivement fait une place dans le financement de la petite entreprise.

L'expérience de ces cinq dernières années, analysée lucidement, a permis de définir le mode opératoire du projet.

Les crédits aux micro-entreprises consentis par l'ACEP font l'objet d'excellents taux de remboursement sans être liés à une épargne préalable endogène au milieu. L'ACEP dispose en effet de ressources « froides », fournies par l'USAID, mais elle les « réchauffe » grâce à l'élément de proximité qu'elle développe avec le débiteur. De même, le contrôle strict de la gestion par l'Agence centrale accentue la pression sur le dispositif et en définitive sur l'emprunteur. A cet égard, le dirigeant expatrié tire de son caractère extérieur au corps social la possibilité d'imposer des règles que celui-ci ne s'est pas encore construit. Enfin, pour sélectionner sa clientèle, l'ACEP a adopté une démarche drastique qui exclut tout accommodement et n'écarte pas le risque d'arbitraire en refusant certaines catégories d'emprunteurs classés à haut risque moral.

Ces principes courageux, souvent difficiles à faire admettre aux partenaires africains, mais pourtant frappés du bon sens, ont conduit la Caisse centrale à inclure dans le projet d'appui aux micro-entreprises du quartier Médina à Dakar (2) un volet crédit qui sera mis en œuvre par l'ACEP. Cette intervention, confrontée aux financements bancaires classiques (la BIAO-S a accepté de s'intéresser à ce créneau) et à la promotion de crédits mutualisés, devrait permettre à la Caisse centrale de tirer des enseignements opérationnels de cette expérimentation afin peut-être de généraliser ensuite la démarche.

(1) En 1991, l'ACEP a eu recours sept fois à des huissiers, mais se trouve en procès avec cinq d'entre eux qui n'ont pas restitué les biens saisis !

(2) Décidé par le Conseil de surveillance du mois d'avril 1992.

Intérêt et difficulté d'un financement direct de la société civile par l'aide française

Jean-François VAVASSEUR

L'aide française a engagé depuis plusieurs décennies des efforts importants en faveur du développement des pays africains. Or, les concepteurs des programmes d'aide sont toujours à la recherche de la démarche idéale garantissant l'efficacité optimale aux aides octroyées.

Responsabiliser à la base

Au cours des dernières décennies, la pratique du développement a été caractérisée par l'oscillation entre la volonté centralisatrice des administrations publiques, soucieuses de préserver leurs prérogatives, et la nécessité de responsabiliser les populations directement concernées.

On est ainsi passé du développement communautaire des années 50, visant à encourager les initiatives locales, à une démarche bureaucratique et fortement centralisée, mise en œuvre dans les années 60 par les jeunes États désireux d'affirmer leur pouvoir.

Début 70, devant les expériences décevantes du centralisme bureaucratique, on redécouvre les vertus de la participation. Dans le secteur rural, les projets intégrés de développement rural se multiplient, en créant bien souvent, à côté des services traditionnels de l'administration, des systèmes autonomes de gestion à grand renfort d'assistance technique extérieure pour suppléer les carences des structures étatiques locales. Ce type d'intervention a vite montré ses limites : objectifs trop ambitieux, durée de vie des opérations limitée à la disponibilité des financements extérieurs, blocages d'ordre structurel.

Dans le courant des années 80, marquées par les programmes d'ajustement structurel, on est revenu à des projets plus simples et mieux ciblés en accordant une attention particulière à l'environnement macro-économique et aux politiques sectorielles.

Aujourd'hui, face aux multiples défis auxquels sont confrontées les sociétés africaines, les stratégies de sortie de crise reposent sur un changement profond des comportements de façon à réduire l'interventionnisme de l'État et à sortir la société civile de son attentisme. On ne pourra obtenir de résultats durables si les acteurs économiques locaux ne sont pas directement impliqués dans l'élaboration et la gestion de leurs programmes de développement.

Ce changement de comportement devient urgent pour inverser les tendances très inquiétantes pour l'avenir des pays africains.

Pour aider l'Afrique à relever ce défi, l'un des objectifs de l'aide française devrait être le renforcement des organisations représentatives de la société civile (organisations professionnelles, associations de quartier, de villages, groupements d'intérêt économique, fédérations, unions...) dotées de ressources financières et de mandats leur permettant, en relation avec l'administration, d'être pleinement responsables de leurs actions de développement.

Les obstacles à l'établissement de circuits de financement directs

L'administration publique

Jusqu'à présent, l'aide projet a été presque exclusivement mise en œuvre à travers les administrations publiques et leurs démembrements. Or, on constate aujourd'hui que le cadre administratif n'est pas compatible avec les exigences d'un développement centré sur la responsabilisation à la base et l'émergence des initiatives locales.

En effet, les difficultés pour constituer des équipes compétentes et motivées au sein des projets sous tutelle de l'administration sont nombreuses : affectations de cadres souvent irraisonnées, dépendance des cadres du fait de leur rattachement hiérarchique, capacité d'initiative individuelle limitée, inadaptation aux tâches innovantes, manque d'intérêt pour le travail à la base, condescendance envers les acteurs du développement à la base, faible capacité d'écoute des populations.

Une gestion rigoureuse et économe, indispensable dans un contexte de crise, n'est malheureusement pas l'apanage des administrations africaines, très souvent caractérisées par la rigidité et la lourdeur des procédures d'engagement des dépenses et de contrôle, ainsi que par des surcoûts du fait des prélèvements qu'elles opèrent sur les projets, s'efforçant ainsi de contourner les rigueurs de l'ajustement budgétaire.

Différentes expériences ont été tentées pour limiter les effets dispendieux et prédateurs d'une gestion publique des aides : création de projets autonomes, mise en place de comités de pilotage et de suivi, missions extérieures d'audit, affectation d'assistants techniques expatriés aux postes de gestion...

Ces différentes mesures ont permis de limiter les dérives importantes mais s'avèrent coûteuses et contraignantes. Par ailleurs, leur efficacité est limitée par la nécessité de composer en permanence avec la capacité de blocage des organismes de tutelle.

Fortes de ces multiples expériences, les orientations actuelles de la coopération institutionnelle portent sur l'établissement de circuits courts de financement, devant permettre d'atteindre directement les populations cibles et de supprimer ainsi « les pertes en ligne ».

Mais ces nouveaux circuits ne sont pas faciles à mettre en place. Les projets constituent, en effet, pour les administrations, un moyen de contourner les rigueurs budgétaires de l'ajustement, que ce soit au niveau du maintien de certains postes de « déflatés » de la fonction publique, ou du transfert de charges de fonctionnement que le budget national n'est plus en mesure de supporter. C'est aussi, pour les fonctionnaires, la possibilité d'améliorer leurs revenus, soit directement par les indemnités spéciales et autres primes versées par les projets, soit indirectement (le bon d'essence est devenu dans certains projets une véritable monnaie parallèle qu'il est nécessaire de distribuer à tous les niveaux pour « faciliter » le fonctionnement courant).

Dans ces conditions, les fonctionnaires interlocuteurs de la coopération française montrent peu d'intérêt pour mettre en œuvre des opérations dont le financement leur échapperait.

L'obligation d'obtenir une requête officielle pour octroyer l'aide et donc la contrainte, ainsi posée, de négocier ses points d'application avec des administrations désargentées (ayant pris par ailleurs l'habitude de vivre sur le dos des projets), freine la possibilité de mettre en place des circuits de financement direct.

Pour autant, la non-implication des services de l'État dans l'affectation des aides publiques extérieures a ses limites. Il ne serait pas concevable que l'aide publique française soit distribuée sans être cadrée par une politique globale en fonction d'orientations prioritaires de développement et d'options d'aménagement du territoire. L'État doit pouvoir orienter l'affectation régionale et sectorielle des concours extérieurs, mais ceci n'implique nullement que les circuits de financement passent entre les mains de son administration.

La méfiance des pouvoirs politiques envers l'autonomie des mouvements associatifs

Les agents de l'administration ne sont pas les seuls à opposer une certaine réserve à l'établissement de circuits directs de financement. Les responsables politiques sont aussi très méfiants à l'égard des mesures renforçant l'autonomie des mouvements associatifs de nature à déstabiliser les pouvoirs en place et à remettre en cause les rentes de situation.

Les mouvements coopératifs, encadrés par l'administration et les appareils politiques, étaient des moyens efficaces de combattre les velléités d'initiatives des masses rurales. En dehors de ces coopératives, les producteurs ne pouvaient bénéficier d'intrants, ni accéder au crédit, ni écouler leurs produits. Cette structuration descendante du monde rural, fortement hiérarchisée, laissait une large place aux instances coutumières et religieuses au niveau des organes de décision, et constituait une base politique confortable pour les pouvoirs en place.

La liberté d'association, renforcée par la possibilité de bénéficier de financements sans passer par les pouvoirs en place, affaiblissent considérablement les pouvoirs politiques traditionnels.

Le renforcement de ces associations, la création d'unions et de fédérations représentées par des responsables motivés et bien informés, constituent de véritables forces de défense d'intérêt avec lesquelles les autorités locales mais aussi le pouvoir central devront compter.

Plutôt que de bloquer cette évolution qui apparaît inexorable dans le processus de démocratisation actuelle, les responsables politiques auraient pourtant intérêt à accompagner ce mouvement qui doit déboucher à terme sur une amélioration du cadre de vie, objectif naturellement visé par tout homme politique.

Des structures relais représentatives de la société civile

L'organisation coutumière ou religieuse est, en Afrique, souvent peu compatible avec les exigences de gestion des actions de développement, conçues sur des bases participatives et démocratiques. En outre, la famille a de plus en plus de difficulté à remplir sa fonction de cohésion des générations autour des valeurs essentielles ; l'école, confrontée à une forte croissance des effectifs scolarisables, s'avère incapable de remplir son rôle d'insertion des jeunes dans la vie productive.

Les tentatives de structuration de la société civile ont donc jusqu'à présent été inspirées de l'extérieur pour les besoins d'un projet, pour diffuser un thème technique, développer une spéculation, distribuer des intrants ou des équipements, assurer la collecte et la commercialisation de produits... La nécessité de diffuser le crédit sur une grande échelle a, par exemple, contribué à l'émergence de groupements dits solidaires mais dont la motivation essentielle est l'accès au crédit. Vu les facilités accordées pour la constitution de ces groupements, liées à la politique de désengagement de l'État, ils se sont multipliés de façon anarchique au détriment d'un mouvement coopératif spontané et avec des coûts de fonctionnement beaucoup trop lourds, sans pour autant que l'esprit de solidarité ne se soit véritablement développé.

Ces différents mouvements sont encore très fragiles. Un certain recul sera nécessaire pour clarifier ce nouveau paysage associatif et arbitrer les rivalités entre leaders. Dans ce contexte, il devrait être cependant possible à terme de trouver des structures relais représentatives de la société pour mettre en place des financements directs.

Ce nouveau mode d'intervention est d'ailleurs attendu avec impatience par les responsables de ces associations qui souhaitent préserver leur autonomie vis-à-vis de l'administration et bénéficier d'appuis techniques que cette dernière ne leur fournit pas toujours. Une action prioritaire devrait consister à appuyer les responsables de ces associations dans leurs tâches d'organisation et de gestion.

Un choix limité d'opérateurs privés

Cependant, le niveau d'organisation des associations représentatives de la société civile est encore trop fragile pour permettre une intervention directe des bailleurs de fonds.

La solution alternative serait de recourir aux services d'opérateurs privés. Il faut toutefois reconnaître que ceux-ci sont encore peu nombreux ou insuffisamment expérimentés.

Quelques ONG ont certes déjà acquis une bonne expérience sur le terrain et jouissent d'une solide notoriété. Mais d'une façon générale, leurs moyens sont souvent limités et leur efficacité très dépendante des ressources humaines qu'elles sont en mesure de mobiliser ainsi que de leur faculté à capitaliser les expériences.

Dans ce domaine, il ne suffit pas d'être animé d'intentions généreuses ; le bénévolat candide ou le volontariat pour cause humanitaire (qu'il soit d'obédience laïque ou confessionnelle) trouve très vite ses limites et un minimum de professionnalisme s'avère nécessaire.

Certaines de ces ONG se sont aussi marginalisées du fait de leur refus d'intégration dans des structures contrôlées par les tutelles étatiques. Ne voulant pas avoir de compte à rendre, elles ont tendance à évoluer avec la préoccupation majeure de préserver leur autonomie sans se soucier de l'harmonisation de leurs actions ni avec les orientations de la politique nationale ni avec les interventions d'autres ONG.

A côté des ONG émergent également de petites sociétés de service privées (bureau d'étude, cabinet de consultants, société d'ingénierie, agence de conseil...), créées par des « déflatés » de la fonction publique, des diplômés de l'enseignement supérieur ou des experts ayant travaillé pour le compte de bureaux d'étude étrangers. Leur clientèle est constituée des agences d'aide extérieures ainsi que des promoteurs privés (particuliers, GIE, coopératives, unions et fédérations de groupements...) qui ont besoin d'appui pour réaliser des études préalables ou établir des dossiers de demande de financement.

Plusieurs bureaux d'étude créés par des cadres nationaux servent déjà de relais à des cabinets étrangers à qui ils permettent de limiter leurs coûts et de bénéficier d'une bonne connaissance du terrain.

Mais, d'une façon générale, le volume d'activité offert aujourd'hui à ces sociétés prestataires de service est encore trop irrégulier et la concurrence trop forte pour leur permettre de se structurer et de constituer des équipes pluridisciplinaires expérimentées.

Cette situation pourrait toutefois très vite évoluer si la demande de prestation de service solvable augmentait durablement.

Recommandations pour la création de circuits de financement direct vers la société civile

Le constat qui vient d'être fait des principaux obstacles rencontrés « sur le terrain » pour établir des circuits de financement direct peut paraître relativement sombre. Sans tomber dans un optimisme irresponsable, ces obstacles, si on les analyse bien, n'apparaissent pas insurmontables.

Un certain nombre de recommandations peuvent être formulées :

— *Première recommandation* :

Elle concerne l'aide française prise au sens large (État français, collectivités locales, associations...) ;

Une coopération de société civile française à société civile africaine qui rencontre un certain engouement aujourd'hui, dans le cadre de la coopération décentralisée, peut donner des résultats intéressants si elle s'appuie sur une expertise sérieuse pour sa mise en œuvre et si le professionnalisme se substitue à l'improvisation et au bénévolat candide.

— *Deuxième recommandation :*

Il n'est pas concevable que l'aide publique française soit mise en place sans implication des États africains. Il ne s'agit pas seulement d'une question de non-ingérence et de souveraineté à préserver, mais aussi de consolidation de l'autorité des États à quelque niveau que l'on se situe.

Au plan national, il est souhaitable que l'aide intervienne dans le cadre d'une politique d'aménagement du territoire. Au plan local, il serait malsain que les autorités ne soient pas associées aux opérations intéressant leur circonscription.

La mise en œuvre de circuits de financement direct doit donc pouvoir se négocier dans le cadre d'accords de coopération d'État à État, les aides décentralisées s'inscrivant dans un programme global comprenant à côté des aides projets, des appuis institutionnels classiques.

Ce qu'il convient avant tout de préserver, c'est la maîtrise des circuits financiers, pour minimiser les risques de blocage et de détournement au profit d'administrations désargentées ayant du mal à lutter contre la prévarication. Sur ce point, il conviendrait d'être particulièrement intransigeant.

Par contre, il serait souhaitable d'associer, dès la conception des opérations, les autorités de tutelle, tant au plan national que local, et de les impliquer lors de la phase de réalisation dans le suivi, à travers des comités locaux regroupant les représentants de l'administration locale, des populations bénéficiaires, des opérateurs et des sources de financement.

Au niveau du fonctionnement de ces comités de suivi, deux éléments apparaissent déterminants :

- leur caractère local ; les comités doivent se tenir le plus près possible du lieu de l'opération et non dans un ministère, de façon à pouvoir associer très étroitement les populations bénéficiaires ;
- la participation du représentant du bailleur de fonds qui s'avère sécurisante pour l'opérateur privé dans la mesure où elle permet de faire respecter le cadre contractuel de ses interventions en dissuadant l'administration locale de mettre sous tutelle l'opération ou d'imposer des conditions de mise en œuvre non compatibles avec les objectifs retenus.

— *Troisième recommandation :*

Il ne peut y avoir de développement de la coopération décentralisée sans un effort d'explication et de formation en direction des responsables des communautés et associations locales.

Les nouvelles responsabilités auxquelles ces acteurs se trouvent confrontés, que ce soit dans le cadre du transfert de compétences (décentralisation administrative) ou de sollicitations extérieures (coopération décentralisée), exigent qu'ils se dotent d'instances de gestion compétentes et qu'ils puissent bénéficier d'appuis pour mettre en place et maîtriser les outils méthodologiques nécessaires.

— *Quatrième recommandation :*

Il conviendrait dorénavant de faciliter l'émergence d'opérateurs privés compétents en associant, dans un premier temps, de jeunes cadres nationaux à des cabinets extérieurs dans l'esprit d'un partenariat permettant de développer une expertise locale. Pour ce faire, les services de l'administration devront accepter de se désengager face à la pression des cadres nationaux qui ne trouvent plus à s'employer dans la fonction publique.

La création de circuits de financement directs vers la société civile s'intègre dans le processus actuel de démocratisation en Afrique qui suscite des aspirations nouvelles à plus de décentralisation et à une plus grande responsabilisation à la base. L'aide française doit pouvoir répondre à ces nouveaux enjeux en mettant en place les modalités de financement adaptées.

7

L'ajustement nécessaire : des faux-semblants aux vraies réformes

Que les économies africaines doivent être « ajustées », personne n'en disconviendra. Il n'est pas possible que, grâce à l'aide étrangère, des États vivent de façon permanente au-dessus de leurs moyens. Il n'est pas possible qu'une fraction croissante de l'aide soit consacrée à faire vivre les États, et à travers eux, une partie des sociétés africaines. Il n'est pas possible que l'Afrique continue à exporter des matières premières qui bénéficient de rentes de plus en plus faibles tout en important des biens manufacturés dont une part croissante est payée par l'aide...

Pendant longtemps, l'appui de la France aux finances publiques des pays africains est resté modeste. Les années 80, en asséchant les rentes dont bénéficiaient les États, ont créé des déséquilibres de grande ampleur qui ont contraint la plupart d'entre eux à faire appel aux prêts et aux programmes dits d'ajustement structurel mis en œuvre par le FMI et la Banque mondiale.

Ces programmes avaient en principe deux objectifs. D'abord rétablir les grands équilibres économiques et financiers. Ils n'y sont que très partiellement parvenus. En revanche, ils ont, directement ou indirectement, contribué à la contestation des pouvoirs en place qui s'est généralisée en Afrique.

Leur second objectif était de rétablir (ou d'établir) un contexte favorable à la croissance. Qu'ils aient échoué à le faire devient de plus en plus évident. On peut même se demander si ces programmes n'ont pas eu des effets pervers et s'ils n'ont pas contribué à retarder l'apparition de ce contexte favorable.

Participant en un premier temps à ces ajustements structurels pour en atténuer la rigueur, la France aide maintenant en fait les pays africains à rembourser les prêts qui leur ont été consentis par les organisations internationales dans le cadre de programmes qui n'ont pas engendré la croissance. Comme la croissance n'a pas eu le bon goût de répondre aux incantations, les États n'ont évidemment pas les moyens de rembourser et nous le faisons à leur place. On peut rêver à une meilleure utilisation de notre aide...

L'État post-colonial n'était manifestement pas viable sous la forme qu'il avait prise. L'État sera nécessaire à la croissance de demain : on n'a encore jamais vu de croissance sans participation active de l'État. Que peuvent faire les aides étrangères ? Que peut faire l'aide française ? Et pour quel État africain ? Difficiles questions...

21

Illusions, erreurs et effets pervers en matière d'aide à l'ajustement

par Elliot BERG

On affirme souvent, en France et ailleurs, que les programmes d'ajustement orientés vers le marché et adoptés par de nombreux pays africains dans les années 80, ont échoué et n'auraient ni amélioré la capacité à diriger la politique économique, ni engendré de croissance économique ; ils auraient, en revanche, favorisé le désordre institutionnel.

De nombreux arguments de caractère externe, structurel ou historique sont avancés pour expliquer les mauvais résultats des années 80 :

— des prix internationaux faibles pour les produits d'exportation de la région ;

— le poids considérable du service de la dette ;

— les difficultés inhérentes aux mutations institutionnelles ;

— la réticence des États « prédateurs » ;

— enfin, l'égoïsme des classes urbaines éduquées qui désirent sauvegarder leurs rentes et leurs privilèges.

Mais une autre série de facteurs a été aussi soulignée par les critiques des politiques d'ajustement :

— des erreurs dans les choix politiques des réformateurs économiques. Beaucoup d'« erreurs » de ce genre sont mentionnées dans la littérature, en particulier une importance excessive accordée à l'augmentation des prix agricoles alors que trop peu d'attention était portée aux obstacles structurels au développement rural ;

— une libéralisation peu réfléchie des politiques commerciales et industrielles (élimination trop rapide et mal étudiée de la protection de l'industrie locale, sous-estimation systématique des besoins de protection, manque de mesures positives d'aide à l'ajustement industriel, etc.) ;

— une tendance à vouloir diminuer trop vite le rôle économique de l'État.

Nombre d'observateurs avisés, en France et ailleurs, estiment que cette dernière conception est à la base de la plupart des erreurs dans les stratégies des réformes des années 80. Ils contestaient ainsi l'idée, largement admise par les institutions de Bretton Woods impliquées dans les réformes en Afrique, selon laquelle le rôle de l'État peut et doit être substantiellement réduit dans les pays en développement, les agents privés pouvant combler le vide qui en résulte. Ces observateurs sont persuadés que cette conception a conduit à un rétrécissement excessif du rôle de l'État et à un abandon ou à un délabrement important des services publics vitaux, notamment dans l'agriculture.

On se posera deux questions. La première concerne le rôle de l'État : est-il vrai que les prêts d'ajustement structurel (PAS), en Afrique subsaharienne, ont conduit à un démantèlement de l'État et peut-on envisager, pour les institutions du secteur public, un rôle plus efficace ?

La deuxième, considérant que l'ajustement a échoué, porte sur les changements qu'il faut envisager dans la politique de l'aide.

Le démantèlement de l'État en Afrique a-t-il été trop important et trop rapide ?

Le PAS type en Afrique visait à réduire les interventions économiques de l'État : dépenses publiques, production directe des biens et services via les entreprises publiques, système de régulation. A quel degré ces objectifs ont-ils été atteints dans la réalité ?

Des données fiables, notamment pour ces dernières années, sont rares. Mais selon celles qui sont disponibles, il apparaît d'après de nombreux critères que la place de l'État dans les économies africaines n'a pas beaucoup évolué de 1981 à 1993.

La modification la plus importante concerne le cadre réglementaire. Une libéralisation significative s'est produite, la commercialisation interne des biens alimentaires et la distribution des intrants agricoles sont beaucoup moins soumises aux contrôles gouvernementaux qu'il y a dix ans même si de nombreux secteurs restent contrôlés. Le contrôle des prix est bien moins étendu.

Contrairement aux idées reçues, l'État reste omniprésent en Afrique

Ces changements sont significatifs mais ne doivent pas être exagérés. Le contrôle des exportations reste pesant sur une grande partie du continent ; les réglementations sur les importations, le contrôle des changes sont encore lourds. Dans un pays comme le Sénégal qui est « sous ajustement » depuis plus de dix ans, les principaux produits d'exportation et d'importation, l'arachide et le riz, restent fortement contrôlés.

L'évolution des subventions est aussi à nuancer. Les subventions aux intrants agricoles ont été supprimées ou réduites dans la plupart des pays africains. La situation à l'égard des subventions budgétaires aux secteurs parapublics est beaucoup moins claire, des subventions ouvertes sont souvent remplacées par des subventions indirectes (1).

Dans les autres domaines cités précédemment, les modifications ont été moins marquées. Le ratio des dépenses publiques au PNB — élément déterminant pour juger de la place de l'État dans l'économie — a augmenté dans dix-sept pays africains entre 1980 et 1987, et n'a diminué que dans quinze pays (voir D. Sahn, *Fiscal and Exchange Rate Reforms in Africa,* 1990). La réduction du nombre de fonctionnaires a été peu significative dans la plupart des pays ; en 1990, douze pays africains avaient engagé des programmes de réduction de personnel de la fonction publique. Seuls quatre de ces pays ont obtenu des réductions significatives : le Cameroun, 11 000, le Ghana, 49 000, la Guinée, 39 000 et l'Ouganda, 20 000.

Si l'on prend comme indicateur du rôle de l'État la part de la production nationale générée dans le secteur public et parapublic, depuis 1980, on ne remarquera qu'un changement mineur dans la plupart des États. La privatisation des entreprises publiques a progressé lentement en Afrique. Les experts de la Banque mondiale ont pu identifier, il y a quelques années, 200 cas de privati-

(1) Le Sénégal est un cas classique ; au titre de la conditionnalité du PAS, les subventions directes du budget aux entreprises publiques non financières furent réduites de 6,2 milliards de francs CFA, en 1985-1986, à 4,1 milliards de francs CFA, en 1988-1989. Mais durant cette période, les découverts des entreprises publiques dans les comptes spéciaux du Trésor ont augmenté de 9 milliards de francs CFA à plus de 16 milliards de francs CFA. Les subventions indirectes croisées des entreprises saines vers celles en déficit furent trois fois plus importantes que la réduction des subventions directes.

sation dans le sens de ventes partielles ou totales d'entreprises d'État.

La majorité de ces ventes concernait de petites entreprises dont beaucoup n'étaient plus en activité. Le « régime amaigrissant » ne s'est pas poursuivi très loin.

L'expérience sénégalaise dans le secteur agricole est, à ce titre, instructive. Dans le programme de réformes du secteur parapublic, entamé par le gouvernement sénégalais en 1985, il a été demandé aux agences de développement rural de réduire fortement leurs effectifs et leurs missions. Quelques coupes sombres ont été réalisées. Néanmoins, il n'est guère possible de parler d'un retrait de l'État de ces sociétés à la suite de la politique de privatisation engagée en 1985 ; les réductions de personnels dans les agences de développement rural ont été moins importantes en 1985-1989 qu'en 1979-1984. Par ailleurs, les organisations parapubliques, qui étaient supposées disparaître, ont, en fait, trouvé des sources de financement auprès de donateurs et une partie de celles-ci sont restées en activité.

De ce fait, les sociétés d'État du secteur rural ont été privées de fonds, rendant toute activité extrêmement difficile. Mais ceci était déjà vrai au début des années 70 et a donc peu de lien avec l'ajustement. Avant l'ajustement, ces sociétés « affamées » n'ont pas pu bénéficier de ressources nationales ni de soutien budgétaire adéquat et régulier pour mener à bien leurs activités. Elles sont devenues, dans les années 80, plus que jamais dépendantes de l'aide étrangère.

Il est vrai que les programmes de privatisation en Afrique sont, pour certains, critiquables, par suite d'erreurs de conception et d'excès d'optimisme. C'était ainsi une erreur de mettre l'accent sur la privatisation par la vente des biens de l'État au lieu de chercher plus systématiquement des voies indirectes de privatisation (contrats de gestion, bail, sous-contrats). C'était également une erreur, pour les institutions de Bretton Woods de mettre l'accent sur un calendrier d'exécution trop rigide et de fixer des objectifs trop ambitieux.

C'était une gageure d'attendre un résultat rapide et adapté du secteur privé dans des activités telles que la commercialisation des engrais. Le retrait du secteur public de cette activité est un des éléments les plus critiqués des programmes de réformes. La modeste part de marché dans ce secteur, ainsi que d'autres obstacles (prix bas dû à la persistance des ventes subventionnées, problème de régulation...), ont, dans bien des cas, découragé un mouvement important du secteur privé vers la distribution des engrais. Ces résultats étaient, en fait, prévisibles.

On peut en conclure que l'État occupe toujours un rôle prépondérant dans la plupart des économies africaines. Les données disponibles sur le poids des secteurs publics dans la dépense nationale ou des secteurs parapublics dans l'emploi, l'investissement et la production, ne traduisent pas de diminution sensible. L'argument selon lequel les institutions de Bretton Woods ont encouragé une réduction des activités du secteur public semble avoir été exagéré.

La critique d'un retrait trop rapide de l'État conduirait explicitement ou implicitement à l'idée que la présence de l'État devrait être soutenue, réhabilitée ou renforcée. Ceci plus particulièrement dans l'offre d'intrants agricoles, dans la commercialisation ainsi que dans l'organisation du monde rural. Mais cette proposition n'est pas viable. Dans la grande majorité des pays africains, les secteurs publics sont en grand désarroi, principalement par suite des contraintes budgétaires, des politiques salariale et d'emploi qui ont favorisé l'emploi. Une réduction réelle et généralisée des salaires a découragé les initiatives dans de nombreux pays ; le résultat en est la démoralisation des fonctionnaires, l'inefficacité accrue et la corruption généralisée.

Il est peu probable qu'un secteur public efficace puisse être mis en place en moins d'une génération. Une transformation profonde est nécessaire : revalorisation des salaires, meilleures conditions de travail, budget de fonctionnement approprié, gestion de personnel fondée sur le mérite.

Il ne semble pas possible que les gouvernements africains entreprennent les changements nécessaires pour transformer, dans les dix ou vingt prochaines années, les services publics en instruments performants de développement. Une raison fondamentale : il faudrait modifier trente années de politique sociale et d'idéologie, licencier un bon nombre d'employés, particulièrement les moins qualifiés et augmenter les salaires des cadres plus vite que ceux du personnel d'exécution.

Et cela ne serait que le début des réformes. Une réduction drastique du népotisme, une meilleure délégation de l'autorité, une formation professionnelle accrue, de meilleures opportunités de carrière seraient nécessaires pour rendre réellement efficace le fonctionnement du secteur public. Chacun devrait commencer à le bâtir dès aujourd'hui. Mais cela prendra du temps. Il serait utopique de baser une stratégie de développement à moyen terme sur son existence.

Les politiques actuelles n'ont-elles pas des effets pervers ?

Une critique économique persistante et le sentiment que l'aide extérieure a été sans effet en Afrique, ont provoqué un regain d'intérêt pour les thèses cartiéristes en France comme ailleurs. Mais les fondements même des politiques d'aide n'ont pas été trop attaqués. Au contraire, on peut noter que, dans les analyses des problèmes du Tiers monde, il est demandé plus d'aide, notamment, d'aide conditionnelle. Comme l'État « prédateur » et les élites dirigeantes égoïstes n'ont pas adopté de politiques correctes, les bailleurs de fonds proposent des conditionnalités plus rigides. Ainsi surgissent des demandes d'aide liées aux politiques de réduction de la pauvreté (comme l'indique le rapport sur le développement dans le monde, 1990, de la Banque mondiale). Et de nombreuses voix s'élèvent pour demander une aide conditionnée au développement des droits de l'homme, à la liberté politique et à une amélioration générale de la façon de gouverner.

Chaque observateur peut tirer des leçons différentes de l'expérience des dix années passées. Dans mes remarques, je mets l'accent sur quelques résultats inattendus des flux d'aide dans les pays fortement aidés et sur la question liée de la conditionnalité. Je soutiens qu'il y a trop d'aide dans beaucoup de pays africains et qu'une trop grande partie de celle-ci est soumise à conditionnalité. Moins d'aide et une moindre ingérence des donateurs dans les affaires économiques et politiques sont dorénavant nécessaires.

Dans les années récentes, les flux d'aide vers l'Afrique subsaharienne représentaient, pour moitié de ces pays, 10 % du PIB et, pour une douzaine d'entre eux, plus de 15 %. Il n'est pas rare que les ressources issues de l'aide représentent la moitié du total des gains en devises, la quasi-totalité de l'investissement public et plus du tiers des dépenses publiques totales. Historiquement, il n'existe pas de cas semblable de dépendance vis-à-vis de l'aide publique en Afrique ou dans d'autres zones en développement. Les conséquences négatives d'une lourde dépendance sur l'aide externe sont devenues évidentes dans les années 80. Les propositions d'augmentation du volume de l'aide et visant à accroître la portée de la conditionnalité ont toutes chances d'accentuer les effets négatifs.

L'aide réduit la volonté politique d'entreprendre des réformes

Le niveau de l'aide atteint en Afrique, combinée à la réticence des bailleurs de fonds pour appliquer des sanctions pour absence de résultats (des réductions d'aides), créent une situation de contrainte budgétaire atténuée (« soft budget constraint ») ; cette situation réduit le besoin et la volonté politique d'entreprendre et d'exécuter des réformes politiques.

Les diagnostics qui circulent dans les cercles des donateurs tendent à expliquer la lenteur des réformes et les échecs économiques en Afrique subsaharienne surtout par un manque de volonté politique. Mais c'est un argument ambigu ; il peut être repris contre tout gouvernement qui sacrifie des objectifs d'efficacité à d'autres buts. Aussi, faut-il se demander quels sont les choix déterminants de cette politique. Une simple analyse coût-bénéfice est à ce titre éclairante.

Une raison majeure du refus d'adopter des réformes est que les bénéfices attendus sont trop faibles, ou trop incertains pour dépasser les coûts anticipés. Soit les bénéfices sont moins séduisants quand les détails et leurs implications deviennent plus clairs, soit, au fur et à mesure qu'un programme se développe, les résultats de l'analyse coût-bénéfice changent : les coûts de mise en œuvre d'une réforme peuvent en effet croître alors que le programme se poursuit et les coûts de sa non-réalisation (c'est-à-dire le sacrifice des bénéfices liés à l'impact du projet et aux apports monétaires) peuvent décroître.

Les années 80 ont connu une forte augmentation des flux d'aide, notamment sous forme de prêts basés sur les réformes de politique économique. Mais, en même temps, s'est manifestée, parmi la communauté des donateurs, une forte réticence pour appliquer des sanctions pour absence de résultats. Ainsi, plus de trente pays ont reçu des prêts d'ajustement depuis 1980. Mais alors même que de nombreux remboursements sont retardés, les ruptures d'apports sont extrêmement rares : le Sénégal (temporairement et partiellement en 1983), le Zaïre et la Zambie semblent être les seuls exemples en Afrique et ceci malgré de nombreux manquements au plan des performances. Il est clair que, pour de nombreux pays, la mauvaise performance à l'égard de la conditionnalité entraîne rarement une sanction des donateurs.

Un environnement sans sanctions (coexistant avec une contrainte budgétaire atténuée) conduit assurément les autorités africaines à un calcul coût-bénéfice en faveur d'une application lente et imparfaite des programmes de réformes dans beaucoup de pays (au Sénégal par exemple). Ce dilemme devient plus préoccupant dans les années 90, alors que les environnements politiques se fragilisent et que l'exemple Libéria-Somalie rend l'idée de supprimer les dons fortement inacceptables pour les donateurs.

L'aide empêche de responsabiliser les politiques

L'aide est un obstacle à la responsabilisation politique car elle réduit la nécessité de faire des choix vitaux. Dans beaucoup de domaines, les autorités africaines résolvent le problème de la rareté des ressources en demandant de l'argent aux donateurs au lieu de faire face aux sacrifices nécessaires. Ceci est difficilement répréhensible. Tout responsable gouvernemental ferait de même s'il avait un tel choix. Les conséquences des prises de décisions, avec comme seule contrainte l'aide, sont nombreuses et bien connues. Pourquoi un organisme parapublic se soucierait-il de choisir des projets de développement avec un taux de rendement maximal quand il est possible de trouver une aide étrangère désirant financer des projets ? Pourquoi s'inquiéter de l'implication des coûts récurrents des programmes d'investissement d'aujourd'hui quand les donateurs de demain sont prêts à payer pour les coûts existants ? Les Cassandres d'hier s'inquiétaient car elles croyaient que Manantali et Diama créeraient des problèmes d'insolvabilité au niveau du service de la dette. Une grande partie de cette dette est déjà oubliée.

D'autres exemples existent à l'heure actuelle. La réduction du personnel de la Sodeva, agence de développement rural sénégalais, a été retardée de quatre années par le gouvernement : il ne trouvait pas de ressources pour financer les licenciements. De même, en 1989, le gouvernement sénégalais, en dépit des chutes drastiques des recettes, augmenta les salaires des services publics et le SMIG au détriment de l'amélioration de la compétitivité et de l'ajustement du taux de change.

L'aide contribue au manque de clarté du dialogue politique

La présence de nombreux bailleurs de fonds complique fortement le choix d'une définition claire du cadre de politique économique. Les donateurs sont en désaccord sur de nombreux points : la dévaluation du taux de change, le retrait des services parapublics dans l'agriculture, la nature et la vitesse des formes en matière de libéralisation commerciale et du secteur industriel, le niveau approprié de protection pour les céréales, la bonne approche sur l'organisation du monde rural. Cette situation crée un dialogue figé ; elle permet aux autorités responsables qui ont des doutes sur telle ou telle politique de trouver des alliés parmi les donateurs et rend toute discussion sérieuse difficile.

L'aide favorise le désordre institutionnel

La présence si pressante des donateurs dans de nombreux pays africains crée un désordre institutionnel généralisé. Ceux-ci ont trop d'influence :

— ils décident qui est bien payé et qui ne l'est pas (par des paiements de salaires supplémentaires sur des fonds réservés aux projets ou en embauchant du personnel local) créant tous les ressentiments prévisibles quand des structures de salaires duales sont établies ;

— ils deviennent les arbitres du maintien de tel ou tel organisme local : ceux qui bénéficient de l'appui des donateurs à travers l'aide directe ou des fonds de contrepartie se développent, d'autres stagnent ou disparaissent ;

— ils parrainent, financent ou coordonnent des unités de projet et ainsi affaiblissent les ministères concernés en réduisant la cohésion dans la prise de décision politique ;

— la présence de fonds de contrepartie relativement importants, générés par l'aide hors projet et souvent contrôlés par les donateurs, sape la discipline budgétaire et renverse les priorités établies. Les donateurs, qui orientent l'investissement public et l'assistance technique, rendent la gestion gouvernementale extrêmement difficile.

Que doivent faire les donateurs ?

Presque tout le monde s'accorde sur le fait que l'assistance économique en Afrique subsaharienne n'a pas eu les résultats attendus et que les politiques d'aide ne sont guère satisfaisantes dans leurs formes actuelles. Il y a pourtant peu de consensus sur la nature des changements souhaités.

La recommandation visant à augmenter le volume d'aide en termes réels, sans changer sa composition, semble peu désirable ; une augmentation des flux d'aide ne fera qu'accentuer les aspects négatifs mentionnés précédemment. La proposition visant à intensifier la conditionnalité pour la rendre plus efficace n'est réaliste que s'il y a une volonté plus forte des donateurs pour imposer des sanctions pour absence de performances, ce qui semble peu probable dans l'environnement politique actuel.

Pour les pays africains déjà fortement aidés, une partie de la solution réside en la réduction de la dépendance vis-à-vis de l'assistance externe. Ces pays devraient envisager dans leurs projections et plans à moyen terme une réduction graduelle du volume de l'aide. D'ici la fin de la décennie, aucun pays africain ne devrait recevoir plus de 10 % de son PIB sous forme d'aide extérieure. Aucune réduction nominale n'est nécessaire : il suffit de maintenir des montants constants qui permettraient de respecter les objectifs en période de faible inflation.

La forme et le contenu de l'aide devraient être modifiés de façon à accroître son efficacité et à réduire les aléas cités précédemment. Quant aux prêts et crédits associés aux réformes de politiques économiques, ils devraient être progressivement supprimés. Sans conditionnalité beaucoup plus rigoureuse, ces prêts détruisent la volonté politique d'exécuter les réformes. Mais la capacité des donateurs à soutenir une politique rigoureuse dans ce domaine est limitée. En outre, même si la communauté des donateurs réussit à appliquer rigoureusement la conditionnalité, les désavantages en seraient probablement plus pesants que les avantages. La conditionnalité dominerait encore plus que maintenant le soi-disant « dialogue », entravant les échanges productifs d'idées et la résolution des problèmes à leur base. Aussi, l'insistance étendue sur la conditionnalité apparaît nettement incompatible avec l'« internationalisation » et une gestion locale des réformes.

Les prêts basés sur la réforme des politiques économiques devraient être graduellement remplacés par un système d'aide moins contraignant et mieux adapté tels que des prêts destinés à des projets, soit dans des formes traditionnelles, dans le cadre des programmes sectoriels ou liés à une conditionnalité spécifique et relativement légère. Des ressources externes plus abondantes devraient, en revanche, être mises à la disposition des acteurs privés. Plus de dépenses pourraient se réaliser hors du pays receveur (par exemple, aide à des institutions régionales de recherche, accroissement des bourses et de la formation dans le pays donateur ou dans un pays tiers).

La conditionnalité explicite devrait disparaître mais la conditionnalité implicite devrait subsister en toile de fond : les deux parties doivent s'accorder sur le fait que le volume de l'aide sur la période sera fonction de l'efficacité de la politique menée et sera liée à la performance réalisée. Nous y sommes déjà à un certain degré. De toutes façons, l'assistance en capital pour l'infrastructure, l'aide pour le développement des ressources humaines, les réformes pour renforcer la capacité locale de gestion peuvent continuer, même si les performances dans le domaine des réformes économiques laissent à désirer. Une atmosphère allégée du fardeau de la conditionnalité permettait à un vrai dialogue de se poursuivre dans tous les cas.

Ceci constitue, je l'admets, un menu de propositions assez mince, loin d'être suffisant, comme substitut aux approches actuelles. Mais le but principal de cette note est de mettre en évidence quelques problèmes et contradictions dans les stratégies d'aide à l'Afrique plutôt que d'offrir des alternatives bien développées.

Une meilleure prise de conscience du fait que nous sommes sur une mauvaise voie est peut-être une condition préalable à une recherche plus cohérente de nouvelles orientations.

22

Quelles perspectives pour l'ajustement structurel ?

par Jean HANOI

Depuis le début des années 80, nombre d'économies africaines du sud du Sahara, ont été soumises, sous la pression des bailleurs de fonds, à un processus d'ajustement structurel destiné à rétablir leurs grands équilibres macro-économiques et à préparer le retour d'un développement fondé sur des bases saines.

Conduit pour l'essentiel par les institutions de Bretton Woods qui se partagent, selon les situations, le leadership ou la simple coordination, l'ajustement structurel n'a pas apporté de réponses convaincantes en Afrique et on cite à l'envie, comme pour en souligner le caractère exceptionnel, les rares cas de bons élèves qui ont surmonté l'épreuve et franchi les premiers pas d'un rétablissement progressif de leur maladie de langueur économique.

La carte économique de l'Afrique subsaharienne offre, à l'aube de ces années 1990, une mosaïque d'échecs plus ou moins avérés, et la zone franc porte le triste privilège de compter parmi ses membres des exemples nombreux de régression économique relative. Cette situation s'accompagne quelquefois, élément important, d'un constat aux aspects paradoxaux, d'évolutions satisfaisantes au regard des indicateurs retenus dans la poursuite des programmes de redressement financier. Les déficits budgétaires se réduisent, les charges de l'État se stabilisent, voire se compriment, les prix sont tenus.

Mais la croissance économique reste absente et ces succès sur le front des finances publiques s'apparentent à des victoires à la Pyrrhus. Elles engendrent des phénomènes de fuite devant les contraintes de l'impôt, l'extension de l'économie informelle, des baisses de rendement de recettes douanières car l'économie réelle fuit les conséquences des potions d'austérité financière et fiscale prescrites par les bailleurs de fonds.

Et l'on en vient à s'interroger sur les vertus du dispositif d'aide lui-même, ses caractéristiques, ses points d'application, sa « conditionnalité », car la pratique quotidienne montre toutes les difficultés d'un dialogue dans lequel les bailleurs de fonds, forts des recettes éprouvées dans d'autres continents et conscients des armes dont ils disposent, mais aussi attentifs à la faiblesse institutionnelle des économies africaines et soucieux de ne pas paraître empiéter sur la responsabilité politique des États, tentent de bâtir des programmes d'ajustement crédibles pour leurs propres structures et acceptables par les partenaires.

La situation est celle d'un double piège :

— pour les États bénéficiaires, incapables de s'affranchir d'une relation financière de dépendance qui les conduit à l'irresponsabilité politique et une véritable tentative de substitution des bailleurs de fonds dans les politiques à mener ;

— pour les bailleurs qui connaissent une dépendance symétrique car ils perdent, avec un niveau d'aide trop élevé, la capacité de la remettre en cause de façon crédible.

Le constat

Il s'agit d'un ajustement trop étroitement tourné vers le rétablissement des finances publiques qui souffre d'une absence de véritable stratégie de développement économique.

Face à la crise économique les politiques de redressement soutenues par les bailleurs de fonds ont mis l'accent sur le rétablissement des soldes des finances publiques, pesant accessoirement sur les structures des recettes et des dépenses.

La trop grande concentration sur ces éléments, considérés comme les points centraux de l'action de politique économique, a laissé de côté l'ensemble du cadrage macro-économique et laisse un manque de perspective certain pour la sortie de crise.

Le redressement des finances publiques s'inscrit rarement dans une stratégie d'ensemble. La réduction du déficit budgétaire ne peut pas être considérée comme une fin en soi mais doit se combiner avec une stratégie de croissance de la production, d'amélioration des services publics, de développement des investissements... Le niveau d'analyse doit donc dépasser celui des seules finances publiques.

C'est ainsi que les incidences des mesures prises dans le cadre du renforcement de l'appareil fiscal ou douanier peut obérer le fonctionnement de pans entiers de l'économie. L'équilibre de grandes filières agricoles, essentielles pour l'avenir du développement économique africain, comme la compétitivité d'industries encore précaires et à la base limitée, peuvent se trouver fragilisées encore et à court terme si l'objectif de redressement ne prend pas en compte leur situation particulière.

La mise en œuvre même du redressement se heurte à une faiblesse latente des appareils administratifs sur qui repose la responsabilité de le conduire et qui sont de surcroît, dans la plupart des pays, déstabilisés et démotivés par les compressions d'effectifs ou de salaires auxquels ils doivent se soumettre.

Une conditionnalité mal adaptée

La conditionnalité est au cœur du dialogue entre les bailleurs de fonds et les États africains et est particulièrement sensible dans des aides générales dont la finalité est, au-delà de l'apport de fonds immédiats pour combler des déficits de paiements internes ou externes, d'inciter aux réformes de structures.

Or la conditionnalité est difficile à ajuster. Il faut la coordonner entre bailleurs, la négocier avec les États et en surveiller l'application.

La critique est connue :

— trop forte et multiple dans les textes, la conditionnalité est mal vécue par les États, non reprise à leur compte et proprement contournée dans la plupart des cas ;

— devant l'échec, il y a soit remise en cause dans l'application, soit abandon de pans entiers des objectifs, soit acceptation de réalisation partielle de cibles trop ambitieuses.

Tout ceci conduit à un détournement des procédures et à une véritable administration de la conditionnalité consistant pour les bailleurs à faire croire que l'État est meilleur élève que le révélerait la réalité et à l'État de faire semblant d'appliquer à la lettre plus que dans l'esprit les critères de réalisation.

Si l'on rappelle en outre les pressions politiques pour éviter la mise à l'écart de tel mauvais élève de la communauté internationale, on mesure les miracles de diplomatie et d'imagination que doivent développer les technostructures des institutions de coopération pour aboutir aux résultats de réussite apparents souhaités.

Une interférence fréquente de la dimension politique

Cette dimension politique de l'aide prend un relief particulier dans le cadre de l'Afrique subsaharienne des anciennes colonies françaises avec lesquelles nous entretenons des liens historiques étroits.

De ce point de vue, les pays ont des degrés de perméabilité divers aux discours d'austérité et variable selon les apports extérieurs. Paradoxalement, un niveau élevé d'aide paralyse ensuite les bailleurs incapables de la remettre en cause de façon crédible.

De même, divers États ont pris l'habitude d'aides dites « budgétaires » de caractère répétitif et sans aucun rapport avec l'effort de redressement souhaitable mais maintenue pour des raisons stratégiques.

On peut trouver diverses raisons de ce couplage entre l'aide économique et les motifs politiques.

— Le premier est celui, le plus souvent affiché, de la volonté d'aide au développement dans une logique de politique d'assistance du Nord au Sud. Cette logique, qui est celle des bailleurs multilatéraux, est aussi celle qui autorise le plus facilement le discours sur l'ajustement.

— La seconde réside dans une stratégie de caractère « géopolitique » qui vise à garantir la stabilité de relations diplomatiques.

— La troisième, plus récente, et couplée avec le discours de La Baule, est liée à l'encouragement au processus démocratique sans lien avec les performances économiques.

L'aide à l'ajustement, du côté français, est aujourd'hui au carrefour de toutes ces considérations et on comprend les difficultés d'une conditionnalité destinée à répondre seulement au premier de ces objectifs.

Un discours discordant des bailleurs de fonds

Moins courantes qu'on ne le dit quelquefois, les discordances entre bailleurs de fonds sont néanmoins fréquentes et le front désuni, ou simplement mal coordonné, prête évidemment le flanc aux manœuvres dilatoires des administrations économiques africaines en difficulté devant les exigences de redressement.

On assiste alors au jeu, pour lequel certaines administrations africaines excellent tout particulièrement, de bascule entre bailleurs de fonds destiné à faire jouer systématiquement l'aide à son bénéfice et déjouer en permanence la contrainte.

Des inadaptations propres à la coopération française (essai de typologie)

La coopération française a, de plus, des caractéristiques particulières. Fortement implantée, elle a été à l'origine de multiples initiatives (annulation de dette, passage en subvention pour l'aide aux PMA, appel à la régionalisation...) dont elle n'a pas complètement tiré les conséquences de son côté dans l'organisation de son action. De plus, elle a, par l'existence de la zone franc, des responsabilités monétaires particulières.

Depuis les décisions de La Baule, la typologie des États dans lesquels nous intervenons est par ordre d'implication décroissante :

— les pays à fort endettement de la zone franc, soit les pays à revenu intermédiaire. L'importance des échéances de notre dette nous place en permanence en situation d'avoir à aider notre débiteur à honorer ses échéances sauf à risquer de rompre nos relations financières ;

— les pays de la zone franc classés dans la catégorie des PMA et pour lesquels l'annulation de notre dette nous a redonné d'évidentes marges de manœuvre ;

— enfin, hors de la zone franc où nous pouvons participer au processus d'ajustement sans porter ni le poids de la responsabilité monétaire, ni celui de nos propres créances.

Cette typologie devrait nous aider à ajuster notre dispositif car nos instruments s'usent dans leur crédibilité à tenter de couvrir tous les domaines de l'aide. La prise de responsabilité dans l'ajustement devrait peut-être nous conduire à concentrer nos actions là où elle est crédible et nous désengager progressivement là où notre marge de manœuvre est trop faible et l'aide inefficace pour le redressement économique.

Que faire ?

1. Il faut avant tout disposer d'une **évaluation sérieuse** des procédures d'aide à l'ajustement et de leur efficacité. Cette évaluation est nécessaire pour crédibiliser la critique et préciser les corrections à y apporter.

L'élaboration d'une grille d'évaluation reposant sur des critères et des indicateurs qualitatifs est à mener sur un échantillon de pays couvrant les diverses catégories évoquées ci-dessus (par exemple Sénégal, Côte-d'Ivoire, Cameroun, Madagascar et Burundi).

2. Le **traitement de la dette** non rééchelonnable sur le pays à revenu intermédiaire est essentiel pour permettre d'assurer l'effet de levier maximum à l'intervention de l'aide.

3. L'amélioration de **l'efficacité des mécanismes** mêmes de financement de l'ajustement revêt un double aspect :

— d'une part, on ne peut espérer améliorer les éléments techniques d'intervention (conditionnalités, points d'application) qu'en distendant les caractéristiques de l'intervention de l'appréciation politique des relations avec le pays bénéficiaire.

Bien entendu, le volume de l'aide doit globalement correspondre au degré d'implication politique mais la procédure devrait conduire à la faire valider après expertise et examen technique plutôt que de la prédéterminer politiquement et d'être contraint d'en improviser les points d'application ;

— cette amélioration du partage entre le politique et le technique peut d'ailleurs conduire à recommander la reconstitution de dotations budgétaires destinées à des interventions d'accompagnement politique pur et simple, dont la détermination et l'affectation reposeraient sur une conditionnalité de même nature (processus démocratique, respect des droits de l'homme...).

Une participation à l'ajustement pourrait, en revanche, justifier une instruction plus classique, qui faciliterait la coordination avec les autres bailleurs de fonds, l'élaboration de points d'application et de conditionnalités mieux ciblées et une meilleure cohérence dans la durée.

La simplification des conditionnalités, une meilleure organisation des bailleurs ne sont possibles que dans un cadre d'intervention qui se banalise.

A cet égard, l'intervention nouvelle de la Commission des communautés européennes dans le financement de l'ajustement peut nous décharger partiellement de notre fardeau pour les pays signataires de la convention de Lomé, mais constitue un argument supplémentaire pour renforcer la coordination.

Cette approche serait encore renforcée par **une meilleure maîtrise** de nos interventions dans la durée.

Nous devons retrouver un niveau d'aide qui rende sa remise en cause potentiellement possible et donc sa conditionnalité crédible.

La conjonction de ces éléments pousse à rechercher une stratégie **de dégagement progressif de notre intervention**, à programmer et à annoncer, ce qui permettrait de restituer notre intervention dans un processus pluri-annuel, et la sortir de l'exercice de bouclage budgétaire.

4. S'agissant des outils proprement dits, le resserrement du dispositif ne pourrait être que facilité par la création d'une distinction nette entre ajustement sectoriel et ajustement global.

Plus directement associé au processus de développement, l'ajustement sectoriel permet :

— une conditionnalité plus technique ;

— un raccordement cohérent avec les projets.

Le dialogue des bailleurs de fonds avec le seul État est également singulièrement réducteur. Il conduit à focaliser l'ajustement sur l'aspect des finances publiques et, par souci d'efficacité, pousse les bailleurs de fonds à se substituer à l'État dans le choix des politiques de redressement.

On peut aussi tenter d'élargir le champ des relais de l'aide et trouver dans les autres collectivités ou organisations des appuis plus diversifiés et moins sujets à la captation.

Il faut, en revanche, rendre à l'État les moyens d'assurer sa propre gestion et de devenir un partenaire crédible et responsable. Nous pouvons y contribuer pour un renforcement de **l'appui institutionnel**, que ce soit par l'appui à la formation ou, à défaut, l'assistance technique directe.

23

La dimension politique de l'ajustement

par A. Bonessian

Les événements qui agitent les pays africains, depuis le milieu de l'année 1989 (le Bénin en a été le point de départ), étaient prévisibles pour la plupart des observateurs attentifs de l'évolution économique et sociale de nos partenaires, d'autant plus qu'un certain nombre d'évolutions avaient servi de signaux : Sénégal, Madagascar... ; ces signaux avaient également permis de comprendre quelques-unes des articulations principales entre ajustement économique et financier, d'une part, et équilibre social, d'autre part.

D'une certaine manière, les appels à la prudence en ce qui concerne les conséquences sociales de l'ajustement et la mise en œuvre de programmes prenant en compte la « dimension sociale de l'ajustement », avec la Banque mondiale, étaient des anticipations pertinentes de quelques-unes des difficultés rencontrées aujourd'hui.

Néanmoins, l'ampleur de la crise politique surprend parfois ; elle remet en cause les habituelles appréciations sur la passivité politique des populations et l'efficacité des systèmes de contrôle social traditionnels ou encore des mécanismes classiques de redistribution.

Ces pages tentent de présenter quelques pistes sur l'articulation actuelle entre programmes d'ajustement et situation politique ; elles s'efforcent de replacer le facteur ethnique, souvent présenté comme le fondement principal de la dynamique de l'explosion sociale, dans une perspective plus globale et, sans en nier la force, de le relativiser.

Un tel examen implique d'évoquer succinctement les régimes africains postcoloniaux et leur politique économique, avant d'indiquer les lignes de fracture dues ou non aux programmes d'ajustement structurel et d'imaginer des scénarios pour le futur.

Les régimes économiques et politiques postcoloniaux

Depuis l'indépendance se sont mis en place des régimes aux idéologies officielles fort diverses et aux caractéristiques sociales disparates. Néanmoins, ces régimes, aujourd'hui radicalement contestés par des fractions majoritaires de leur population, présentent aux yeux de l'économiste plusieurs caractères communs, au-delà d'une diversité nationale qui devra conduire à relativiser pour certains pays les remarques suivantes.

Les continuateurs de l'économie coloniale

L'économie coloniale, dans les années 50, est le produit, progressivement assoupli, du « pacte colonial » : les colonies exportent des matières premières minérales et végétales, des boissons tropicales, à des prix et des quantités garanties ; en contrepartie, elles achètent des biens de consommation occidentaux (dont de plus en plus d'aliments) et des biens d'équipement. Cette situation fait la fortune des grands comptoirs coloniaux et des équipements français, les seuls investisseurs réels en Afrique, avec les opérateurs miniers. Deux éléments nouveaux perfectionnent cette économie dans les deux décennies suivantes :

— *l'augmentation des cours des matières premières, à la fin des années 60*, permet une croissance rapide et donne une capacité d'emprunt extérieur aboutissant à deux résultats : d'une part, à un taux d'équipement important en infrastructures (totalement déconnecté des capacités futures d'entretien et souvent de la simple rentabilité économique ou financière) et, d'autre part, à une consommation privée élevée accentuant les phénomènes de mimétisme dans les modes culturels ;

— *les apports de capitaux extérieurs sont élevés*, notamment sous forme de prêts d'aide publique au développement, la part des dons chutant très rapidement. Les capitaux privés demeurent à des niveaux modestes, sauf dans quelques pays côtiers (Côte-d'Ivoire...) et sont faiblement orientés vers la diversification sectorielle.

Les fabricants d'un nouveau système social rigide

En effet, l'économie coloniale se perfectionne d'une manière qui voue ce système à sa perte dans un univers concurrentiel.

— *La diversification et la production économique sont rendues très difficiles.* D'une part, en effet, la rentabilité relativement élevée des secteurs de traite durant les années 70 interdit la diversification. Mais, de plus, des mécanismes qui piègent le développement économique se mettent en place :

• Les régimes en place captent le développement industriel : en effet, les nouveaux régimes s'appuient sur des ethnies proches des colonisateurs, et de ce fait, surtout orientées vers l'administration ; par ailleurs, les besoins de la construction de l'État et de l'unité nationale exigent une mainmise sur l'économie. Souvent accentués par des conflits internes personnels ou intergroupes, ces deux facteurs aboutissent à l'appropriation du pouvoir par un seul groupe tribal. On retrouve donc, dans nombre de pays (Cameroun, Côte-d'Ivoire, Niger, Bénin, Togo...), une opposition entre des ethnies orientées vers le commerce et l'industrie, éloignées du pouvoir et mises sous haute surveillance, et celles qui le détiennent. L'obsession de ces dernières est de créer une économie contrôlée par elles, génératrice de revenus fondés sur des méthodes de prédation (commissions sur marchés, attributions de postes de commandement des entreprises publiques, fondement de banques de développement publiques chargées d'attribuer des concours aux puissants du régime qui ne seront jamais remboursés...).

L'idéologie marxiste, et les courants planificateurs de l'époque, colportés par la coopération française, sont saisis comme prétextes pour une manœuvre de pouvoir dont la conséquence est de tuer les possibilités d'émergence du secteur privé africain formel, tenu en profonde suspicion. Seules les activités des étrangers, français ou autres, sont tolérées quand elles ne remettent pas en cause ces équilibres politiques internes, dans des conditions toutefois toujours difficiles.

Tout ceci explique le développement de législations d'exception dans le domaine économique (« Tout est interdit sauf ce qui est explicitement permis, et toute interdiction comporte des exceptions dont la mise en œuvre est achetable ») ; la règle inapplicable et paralysante n'est contournée que par le versement de prébendes aux pouvoirs en place, qui finissent par former un mode normal de rémunération de la classe dirigeante et permettent une forme d'accumulation dans les mains des groupes au pouvoir.

Cette accumulation n'aboutit guère à un réinvestissement sur place des fonds collectés : le caractère public du système économique interdit souvent de fait la création d'activités privées pour les nationaux. Par ailleurs, la rentabilité élevée des activités purement commerciales, et la possibilité grâce à elles de placer systématiquement ses gains à l'étranger, orientent les rares investisseurs africains appartenant aux nomenklaturas vers ce secteur privilégié. Dans de rares pays, ce système finit par être érodé (Côte-d'Ivoire, Cameroun...) et quelques investissements productifs nationaux, en alliance avec des intérêts étrangers, se créent.

Si, enfin, le secteur informel africain se développe quand même, c'est que les ethnies écartées et autres groupes productifs nouent des compromis avec les pouvoirs en place, leur permettant, contre le versement d'une fiscalité occulte, la poursuite de leurs activités traditionnelles, selon la pratique bien africaine de « l'arrangement » ; ce phénomène est également vrai pour certains groupes religieux (confréries sénégalaises...). Ainsi se crée progressivement une dichotomie entre un secteur informel actif, mais dont la croissance ne peut se faire que par sciciparité et hors du secteur secondaire, pour rester peu visible (interdisant de ce fait des gains de productivité substantiels), et un secteur formel englué dans des contraintes de législation civile, fiscale et sociale handicapantes, très surveillé par des centrales syndicales aux mains du pouvoir, et réduit à acheter toute marge de manœuvre tant auprès de ces dernières que de l'État.

Ajoutons enfin, pour l'intérêt ethnologique, que la notion d'ethnie, considérée de plus en plus par les ethnologues, sociologues et historiens comme une construction substantiellement renforcée par la période coloniale, par rapport à la complexité des temps anciens, est fortement confortée par le mécanisme qui vient d'être évoqué : si elle n'avait pas existé, n'aurait-il pas fallu la créer, cette notion d'ethnie, si commode pour créer un mode d'accès restreint à la fortune gérée par l'État ? N'est-elle pas au fond parfaitement compatible avec cet État africain si particulier ?

• L'épargne intérieure — et l'investissement correspondant sur le sol national — est systématiquement découragée, non seulement en raison de facteurs culturels, mais aussi pour des raisons économiques dues à l'absence de rentabilité relative en dehors des filières de rente et des contraintes mises à l'activité productive. C'est une différence fondamentale avec le développement asiatique.

Seuls les membres des régimes en place, grâce aux capitaux accumulés dans l'exercice de leurs fonctions administratives et politiques, investissent, dans le commerce essentiellement, créant un système malsain où il n'est guère possible de produire sans une intimité totale avec l'appareil d'État ; ainsi se constitue une classe sociale compradore, une sorte d'économie mixte à l'africaine, où la richesse et l'initiative économique dépendent d'un jeu ethnique et politique fondé sur la prévarication. L'épargne glanée grâce aux capitaux extérieurs et aux prêts, considérable, est en fait pour l'essentiel placée à l'extérieur du pays, dans des emplois à rendement certain (immobilier...). D'édifiantes statistiques de la BRI existent sur ce phénomène, confortées par des études récentes de la Banque de France, indiquant que les fuites de capitaux sont en moyenne supérieures à 60 % du montant total des capitaux étrangers rentrés dans le pays.

— *Le calme social est acheté.* Si l'histoire moderne de l'Afrique est agitée de soubresauts politiques, on est frappé par le faible nombre de convulsions qui ont secoué la plupart de ces régimes placés dans des situations difficiles et, finalement, par la relativement calme gestion politique des trente dernières années, par rapport à l'Amérique latine, l'Asie... En pratique, plusieurs mécanismes expliquent cette stabilité, tout en confortant l'immobilisme social et le handicap économique, le tout dans un esprit de négociation des pouvoirs et d'achat des populations turbulentes par ces derniers.

• Tout d'abord, de puissants mécanismes de redistribution sont mis en place. En effet, les caisses de stabilisation ponctionnent à grande ampleur les revenus paysans, et prélèvent les taxes qui, d'une part, alimentent les classes dirigeantes et, d'autre part, financent les investissements. Cette prédation est atténuée par deux éléments : une politique de clientélisme et le maintien de liens forts entre les familles, à la ville et à la campagne, passant par la masse salariale (cf. *infra*) ou par les donations libérales des puissants du régime. D'autre part, les États pratiquent une embauche massive dans la fonction publique, très vite pléthorique, fournissant aux fils des ruraux des débouchés après leurs études.

• En second lieu, des automaticités sécurisantes sont créées pour éviter toute contestation dans la jeunesse : les liens familiaux servent à discipliner cette classe d'âge, tandis que l'automaticité des débouchés de l'école et de l'université dans l'administration ôte tout pouvoir de contestation fondamentale aux étudiants appelés à se situer objectivement du côté du pouvoir. Ceci n'empêche pas des affrontements locaux, ponctuels, entre jeunesse et pouvoir, mais ceux-ci sont essentiellement centrés sur les privilèges de la première : bourses, conditions de travail, nature des débouchés.

Une telle mécanique rend l'orientation des étudiants vers le secteur productif très problématique et leur donne une position de nantis. Cette orientation est d'autant plus suicidaire économiquement sur le long terme que l'ensemble du système éducatif, à la fois copié du système français et détourné des finalités qui le régissent dans notre pays, s'oriente vers la production de juristes, de littéraires et plus marginalement d'économistes, sans produire les ingénieurs, gestionnaires ou autres techniciens capables d'animer une économie en développement. La nature même des savoirs acquis crée une barrière pour l'orientation productive de la jeunesse instruite.

Toutefois, ces puissantes mécaniques sociales n'ont pas suffi : dans la majorité des cas, une répression sanglante a été nécessaire pour maintenir l'ordre et la paix intérieure. Certains régimes bien connus — comme le Togo, paradoxalement libéral sur le plan économique — sont allés chercher jusqu'en Corée du Nord des mécanismes sévères d'encadrement des populations. D'autres, comme le Cameroun, se sont illustrés par le maintien d'états d'exception qui ont duré le temps d'une génération entière. Mais il est vraisemblable que cette répression n'aurait pas suffi à maintenir la tranquillité dans la rue si les mécanismes sociaux évoqués n'avaient pas parallèlement existé et si les gouvernements n'avaient pas pratiqué à de nombreuses reprises des opérations « d'achat » de leurs opposants.

Si cette mécanique a permis trente années de relative stabilité politique à nos partenaires, elle a rendu très difficile la réaction face à des événements imprévus : cette structure sociale est en effet, dans son essence, conservatrice, clientéliste et antilibérale. Elle n'est sociale que dans la mesure où elle permet à une partie de la société d'être surprotégée par rapport aux masses paysannes et aux déracinés urbains, de plus en plus rejetés dans la misère. Elle ne permet pas en fait aux politiques sociales (éducation et santé) de progresser, car la première est vouée à la reproduction du système et la seconde est de plus en plus délaissée au profit des soins à l'étranger que peut se payer l'élite, intéressée le cas échéant surtout par la construction d'hôpitaux et par les soins de maladies qui la concernent, fort éloignées des besoins de la majorité de la population.

Il est clair que la France a joué un rôle important dans la mise en place et le maintien de ce système, encore aujourd'hui largement opérationnel.

L'ère de l'ajustement : remise en cause du système postcolonial

A l'orée des années 80, plusieurs faits se produisent qui mettent en cause les mécanismes fondamentaux des régimes économiques postcoloniaux. Leurs effets sont très progressifs :

La crise des matières premières déstabilise les mécanismes de répartition des régimes

La baisse des revenus d'exportation a des effets directs sur le système : les flux d'investissement baissent, provoquant la chute des commissions sur les marchés grâce auxquelles se rémunérait une partie importante de la classe dirigeante ; celle-ci voit baisser ses revenus et, en conséquence, a davantage de mal à faire face au mécanisme de redistribution familial et clientéliste évoqué ci-dessus. De ce fait, dans un premier temps, elle accroît ses comportements prédateurs sur le train de vie de l'État et, dans un second temps, paralysée par les politiques d'ajustement, tente de réduire sa participation à la redistribution ; elle est incitée également à accroître ses sorties de capitaux devant la montée de la crise et les risques physiques et financiers qui y sont liés.

L'évolution sociale fragilise la construction postcoloniale

Deux phénomènes majeurs changent la donne dans les années 1980 :

— la population urbaine devient de plus en plus importante, fruit de l'incapacité des régimes à conforter les revenus paysans autrement que par les redistributions clientélistes ; elle dépassera la population rurale à la fin du siècle : or elle échappe de plus en plus aux liens ethniques traditionnels, perd dans la grande ville ses structures, ses métiers et sa culture ;

— la jeunesse est désormais dominante dans la structure d'âge de nos partenaires : elle représente une force de contestation. De plus en plus déconnectée des systèmes familiaux classiques, un peu plus instruite que la génération précédente, elle écoute également la radio et regarde des télévisions qui déversent, via les réseaux internationaux de plus en plus nombreux, des programmes présentant des réalités fort différentes de celles qu'elle vit quotidiennement. Envie de consommation et goût de la contestation ne peuvent que croître en même temps que les « anciens » sont intellectuellement et matériellement de moins en moins en mesure de garantir à cette classe d'âge une insertion satisfaisante dans une société traditionnelle en dislocation progressive.

Les politiques d'ajustement déstabilisent les régimes

Fondamentalement, les politiques d'ajustement touchent les régimes au cœur.

— *Elles exigent dans un premier temps d'accroître la rémunération relative du paysan, limitant le pouvoir de captation des caisses de stabilisation*, par ailleurs incapables de stabiliser quoi que ce soit. Leur compétence et leur utilité techniques étant mises en cause, les régimes perdent leur caisse principale et leur outil de gestion des flux occultes ; on notera que la baisse des rémunérations paysannes, devenue nécessaire dans un second temps, n'entraînera pas de troubles sociaux, tandis qu'au contraire les gains de productivité à accomplir dans l'aval des filières, chez les intermédiaires, suscitent de nombreuses difficultés politiques ; en outre, les caisses de stabilisation de tous ordres ne sont pas les seules « caisses noires » à être touchées par les « ajusteurs » : caisses autonomes d'amortissement, sociétés et organismes publics d'exportation de matières premières figurent parmi les cibles des financiers.

— *Elles exigent une plus grande maîtrise des dépenses*, interdisant de ce fait aux classes prédatrices de compenser leurs pertes de revenus sur les marchés publics et les activités d'importation ; toutefois, au vu des efforts souvent importants réalisés par les États pour maîtriser les dépenses, la question des moyens de fonctionnement des administrations est moins sensible que, d'une part, la maîtrise des flux des caisses d'amortissement et de stabilisation et, d'autre part, la question de la rémunération des fonctionnaires, dont la baisse est un facteur d'instabilité majeur, bien plus grand que les départs volontaires (qui touche peu de monde) ou encore la diminution globale des effectifs, effectuée au fil de l'eau.

En effet, la solde de la fonction politique n'est pas seulement le mode de rémunération d'un travail particulier, celui du fonctionnaire, mais un des modes majeurs de répartition de la rente captée par l'État, chaque fonctionnaire faisant vivre de nombreuses personnes sur son salaire. Cette contribution du fonctionnaire (qui revêt également la forme de contributions importantes aux divers moments forts de la famille ou du village : enterrements, fêtes, mariages...) s'insère dans un système de relations sociales complexes où ce dernier reçoit en compensation des prestations en retour, qu'elles soient psychologiques et sociales (considération, honneurs...) ou matérielles (alimentation, entretien de ses enfants...) : seule cette considération peut expliquer que les rémunérations de la fonction publique africaine atteignent les niveaux exorbitants de quatre à onze fois le revenu moyen par habitant. En mettant à jour la question incontournable du niveau excessif de la masse salariale, les économistes mettent donc en cause un des éléments fondamentaux de la stabilité sociale.

— *Elles s'attaquent à la question des recettes de l'État*, à laquelle les puissants du régime sont très sensibles, en raison des détournements qu'ils opèrent, et leur position de contribuable prépondérant ou débiteur de l'État : les créances du secteur bancaire ou les restes à recouvrer de l'État sur les personnalités des régimes sont partout significatives macro-économiquement ; elles illustrent le mode d'enrichissement prédateur des classes sociales dirigeantes dans les années suivant la décolonisation. La mise en lumière des détournements et des exportations de capitaux fragilise les soutiens des régimes.

Aussi la question du recouvrement des créances compromises dans le secteur bancaire est-elle la pomme de discorde entre bailleurs de fonds et gouvernements. Comment le Fonds monétaire international pourrait-il accepter, au moment où il sollicite la communauté financière internationale pour un tour de table, qu'un certain État, par exemple, refuse toute action de recouvrement des créances consenties par deux banques en faillite, successivement créées par le chef de l'État lui-même, dont il est l'actionnaire principal avec sa famille... et le principal débiteur compromis... et ceci au moment même où les éléments de son train de vie s'affichent insolemment en Suisse et sur la Côte d'Azur ?

— *Elles mettent en cause certaines liaisons sociales essentielles* : il en est ainsi du lien entre l'école et la fonction publique,

que les bailleurs de fonds s'attachent à rompre afin de pouvoir maîtriser les flux de recrutement dans l'administration. De ce fait, les élèves perdent leurs perspectives automatiques d'emploi et doivent affronter le marché du travail avec des formations inadaptées. Ce mécanisme désincite les jeunes à aller à l'école et nuit aux efforts de scolarisation.

— *Enfin, elles mettent en cause les modes de consommation et les pouvoirs économiques des classes dirigeantes* : en effet, soit qu'une dévaluation intervienne, soit que les importations fassent l'objet de mesures de réduction, le but des programmes est de rendre plus onéreuse la consommation de biens importés par rapport aux produits locaux ; par ailleurs, les politiques de libéralisation, de privatisation et de promotion du secteur privé profitent aux groupes sociaux tenus pour dangereux par les pouvoirs et diminuent les possibilités de prédation pour ces derniers.

L'ambiguïté des mouvements démocratiques récents

Face à cette situation, on note l'ambiguïté des mouvements sociaux intervenus récemment qui se caractérisent par la simultanéité :

— d'une contestation morale par l'intelligentsia, qui fournit aux mouvements sociaux le langage et l'idéologie des droits de l'homme ;

— d'une contestation ethnique, qui recouvre en fait, dans bien des cas, comme on vient de le voir, une contestation du partage du pouvoir inégal par les groupes les plus productifs de la société. Cette contestation ethnique est aussi économique : ce qui est en jeu est l'accès à l'argent ; les contestataires peuvent avoir deux objectifs contradictoires : soit simplement remplacer le régime antérieur et s'installer dans le même système de prédation organisé cette fois à son profit, soit créer une autre règle du jeu, dans laquelle l'initiative économique soit le chemin d'accès à la fortune. Seule la seconde, rappelons-le, est compatible avec le développement ;

— d'une contestation issue des classes urbaines, notamment des fonctionnaires et des étudiants, parfois étendue aux salariés du secteur formel privé et public, qui revendiquent la perpétuation des privilèges mis en cause par les politiques d'ajustement. Ce groupe est le plus complexe de tous :

• en effet, d'un côté, les urbains contestent l'autoritarisme des régimes et réclament un débat politique et social pluraliste. Ce mouvement témoigne d'une maturité nouvelle des populations urbaines, d'une diffusion plus large de l'instruction et de l'information, de la constitution de couches intermédiaires plus solides qu'il y a trente ans (où elles étaient inexistantes), bref d'une opinion publique. Cette dernière apparaît consciente des disparités formidables de richesse, et réclame visiblement dans un contexte de crise, un meilleur partage du fardeau et le droit de contrôler et de s'exprimer sur la situation. En ceci, il s'agit de mouvements progressistes, positifs, porteurs d'une société plus équilibrée. On note également, dans nombre des pays en cause, que le secteur privé africain s'y est exprimé, dénonçant les mécanismes qui le paralysent (cf. les journées du dialogue en Côte-d'Ivoire).

• Mais, d'un autre côté, les mouvements apparaissent profondément conservateurs : les couches les plus contestatrices sont les fonctionnaires et les étudiants, les revendications les plus dures portant sur les salaires et les liens formation-administration, ou encore sur les garanties d'emploi de toutes sortes. Ces revendications visent clairement à récupérer et renforcer les privilèges des couches protégées par rapport au monde rural ou au sous-prolétariat urbain, souvent présents dans les manifestations mais hors d'état de formuler une revendication autre que négative (la destruction du régime).

En fait, la plupart de ces mouvements de contestation unissent des catégories et des revendications contradictoires et constituent des confédérations provisoires d'intérêts sociaux et politiques contradictoires, où le fonds ethniques est toujours présent. De plus, ils sont portés par une représentation politique en général médiocre, compromise dans de nombreux cas dans les régimes antérieurs, et qui cherche à récupérer ces mouvements.

Ces considérations expliquent la fascinante juxtaposition, dans les conflits politiques actuels, de revendications ethniques, salariales et catégorielles dans la droite ligne des régimes de privilèges accordés au secteur public dans les trente dernières années, de la relative indifférence aux revendications paysannes, de l'idéologie et de la forte volonté de libéralisation de l'activité économique, manifestement sincère et reflétant un mouvement social profond, et de l'omniprésence d'un discours des droits de l'homme, hyperjuriciste et légaliste, parfois au point de représenter une nouvelle entrave économique et politique au bon règlement des conflits.

Le mouvement social de réforme en Afrique subsaharienne apparaît donc comme simultanément réformateur et conservateur : la véritable nature de ce mouvement ne se révélera qu'à mesure des années.

Ce mouvement politique et social profond qui agite le continent ne sera pas spontanément positif pour les économies et le développement : pour le devenir, il exige d'être « travaillé » dans les sens bien précis par les Africains eux-mêmes ainsi que par les bailleurs de fonds. En effet, les forces sociales à l'œuvre dans ce processus sont certes favorables — dans certains cas et non sans ambiguïté — à la reprise d'une certaine expansion économique fondée sur la libre entreprise africaine, le redressement des recettes publiques des États par la moralisation des services publics ; mais elles sont profondément défavorables à la réduction des salaires, à la rupture du lien entre école et fonction publique, à la réalisation des restructurations sectorielles majeures dans le secteur public. En tant que telles, elles condamnent cette Afrique, renaissante et prête idéologiquement à davantage s'ouvrir sur le monde, à concourir dans la compétition mondiale avec le boulet d'une fonction publique inefficace et excessivement onéreuse.

Des scénarios politico-économiques

Plusieurs grands types de scénarios sont envisageables pour les pays qui ont entrepris des cheminements démocratiques. On peut imaginer que les différents pays habitent des rues portant le nom de leur problème...

Impasse des vieux bisons

On peut imaginer que ce sont la complexité et l'ambiguïté de cette crise politique et sociale qui ont permis aux gouvernants les plus avisés (Bongo, Houphouët-Boigny...) de gérer finalement en douceur cette situation explosive :

— en promettant des ouvertures politiques qui intéressent tout le monde, mais dont les limites satisfont aussi les contestataires qui ont intérêt à s'entendre sur des processus empêchant de faire jouer un rôle trop violent aux classes sociales défavorisées, qui apparaissent souvent hors-jeu, ne fournissant que leur masse de manœuvre pour les grands jours de manifestation ;

— en achetant à nouveau le calme de leur base protégée de fonctionnaires et d'agents du secteur public, à laquelle ils lâchent des avantages sociaux que, dans la plupart des cas, ils n'ont pas les moyens de leur payer (les cas sont manifestes pour le Congo, le Niger...) ;

— enfin, en lâchant les caciques les plus corrompus ou les plus visibles et en abandonnant le parti-État pour se placer en position d'arbitre, ce qui leur permet d'adhérer aux principes sinon à la réalité de la lutte contre la corruption, cette dernière choquant tout particulièrement les classes intermédiaires qui n'y ont accès qu'à petite échelle (elles doivent se contenter du monnayage en monnaie locale des services publics, alors que les grands ont accès à la corruption en devises, fruit des prêts et dons publics, à l'abri des dévaluations).

Les contraintes de la politique d'ajustement vont continuer à faire sentir leurs effets perturbateurs sur ces régimes : ils ne peuvent espérer concilier les exigences d'une reprise économique durable et leur maintien au pouvoir qu'en s'alliant aux classes sociales qui ont un intérêt objectif à ce que la place de la fonction publique soit réduite, comme les agriculteurs et le secteur privé, patronal, salarial ou informel. Cette possibilité n'existe que dans des pays, comme la Côte-d'Ivoire, où ces groupes sociaux existent déjà et peuvent servir de contre-pouvoir.

Dans le cas où ces régimes ne parviendraient pas à anticiper les mesures exigées par la situation économique, leur chute est vraisemblable : la désagrégation de la situation financière et la baisse des revenus par habitant peut entraîner des coalitions globales contre le régime. Le régime ne pourra répondre que par des solutions de type dévaluation, qui entraîneront un appauvrissement instantané et une spirale perverse provoquant un cycle de déstabilisation et d'appauvrissement se renforçant l'un l'autre.

Seule issue miracle : la remontée du dollar, des prix des matières premières agricoles ou encore la découverte de champs pétroliers, bref, l'éternelle manne.

Cul-de-sac des naufragés de la démocratie

Ces deux dernières années, plusieurs pays ont connu une évolution typée sur le plan politique et financier : confrontés à des contestations fondamentales, les régimes autoritaires ont accepté de desserrer la contrainte financière, espérant acheter la paix sociale. Ils n'y sont pas parvenus, mais les longues conférences nationales qui se sont déroulées en conséquence ont abouti à des surenchères sur le laxisme général, soit du fait des régimes autoritaires durant la conférence, soit du fait des contestataires durant ou à l'issue de celle-ci.

Ces pays se trouvent confrontés au naufrage général de leur économie, sans consensus par ailleurs sur les mesures à mettre en œuvre, et au contraire dans la majorité des cas, face au refus des conseils suprêmes gouvernés par les intérêts conservateurs de procéder à un quelconque ajustement ; on peut citer dans ce cas toujours le Niger ou le Congo. Dans ces pays, toutefois, l'importance apparente du problème financier ne doit pas faire oublier le caractère prédominant des oppositions politiques et ethniques fondamentales : si elles ne sont pas résolues, les questions proprement économiques ne le seront pas non plus.

Il est difficile d'imaginer une sortie stable de cette situation si les différents acteurs politiques ne prennent pas une claire conscience de leur situation. Ces pays ont en effet tendance à se retourner vers les bailleurs de fonds en leur demandant de leur payer le « prix de la démocratie », et de subventionner leur incapacité à régler leurs contradictions politiques internes.

Les bailleurs de fonds ne peuvent que leur opposer des refus polis, créant de ce fait des tensions diplomatiques, des incompréhensions et le sentiment chez ces pays d'être trahis : « Nous avons fait La Baule, et vous ne tenez pas vos engagements », disent-il... Pourtant, il n'y a pas d'autre issue pour eux que de faire un retour vers la réalité, et d'emprunter un autre chemin que celui qu'ils nous proposent et qui se trouve ni plus ni moins être celui de la recolonisation au nom de la démocratie.

Pour ces pays, la « solution » militaire se fait chaque jour plus imaginable : cette solution, soyons en sûrs, n'en sera une que sur le plan de la paix apparente. Nul bien n'est à attendre de régimes militaires composés d'individus déjà compromis et corrompus, inaptes en tant que collectivité à comprendre les lois de l'économie. Mais le ridicule dont se couvrent certains des régimes de transition, les palinodies de leurs membres, les querelles stupéfiantes des uns et des autres, l'absence de réalisme élémentaire et sans doute surtout, dans certains cas, la volonté de revanche ethnique qui prévaut peuvent amener les militaires à sortir de leurs casernes. Après de nombreux mois passés dans le désordre et la gabegie, les populations auront-elles la force de repousser ce mirage ? Les bailleurs de fonds ne pousseront-ils pas un lâche soupir de soulagement en voyant se reconstituer un ordre, certes insatisfaisant, mais un ordre quand même ?

Avenue de la désunion

La troisième catégorie de pays correspond à ceux qui sont enfoncés dans un débat sans issue à l'heure actuelle : République centrafricaine, par exemple, ou encore Cameroun et Madagascar, il y a quelques mois à peine...

Paradoxalement, l'inachèvement de ces évolutions ouvre les perspectives les plus intéressantes : peut-être ces pays pourront-ils éviter des conférences nationales déstabilisantes, mises au point dans un contexte particulier, celui du Bénin, non reproductible. Peut-être pourront-ils finalement capitaliser l'expérience des autres et passer directement à une alternance, permettant de refonder une majorité gouvernementale sur des principes sains de gestion financière ?

En attendant, ces pays posent la question de leur subsistance quotidienne et s'adressent aux bailleurs pour que ceux-ci les subventionnent, la paralysie de l'économie qui découle de leur débat politique entraînant des conséquences gravissimes sur leurs équilibres macro-économiques. Ils posent donc des questions de gestion de la période de transition, si tant est que cette période soit seulement une transition. On notera cependant que, malgré ces difficultés, le Cameroun parvient approximativement à garder le cap d'un difficile programme d'ajustement, qui n'apparaît guère contesté en lui-même, ce qui constitue une exception de taille dans la région.

On peut imaginer d'autres scénarios politico-économiques. Ceux qui viennent d'être esquissés regroupent la majorité des pays. Ils ne font pas cependant place à des exceptions heureuses comme le Burkina, qui mériterait une analyse à lui seul, ou au succès du Cap-Vert, de Sao Tomé ou d'autres petits pays, sans parler du Bénin ou du Mali, dont les évolutions positives, malgré d'innombrables difficultés, devraient permettre à tous de tirer des leçons.

Cependant, si les régimes autoritaires ne sont pas en mesure de réussir l'ajustement, en raison des forces sociales sur lesquelles ils s'appuient, les régimes démocratiques peuvent aussi ne pas parvenir à régler les conflits internes qui créent les conditions du désajustement économique et financier. Le processus d'ajustement structurel, qui a été un des principaux facteurs déclenchants de l'évolution politique de ces dernières années, peut ainsi être profondément desservi par les troubles inévitables qu'il a déclenchés, comme il peut être servi par le réajustement des forces sociales qu'il a provoqué dans le pays.

Des scénarios pour les bailleurs de fonds

Sans doute est-il prématuré d'envisager une sortie stable de la situation actuelle, qui risque de durer longtemps, compte tenu de la complexité des problèmes posés aux sociétés africaines. Toutefois, il est probable que les troubles actuels vont s'étendre géographiquement et que de plus en plus d'États vont y être confrontés, tandis que les périodes de règlement des conflits vont s'étendre dans le temps, même si certaines ruptures institutionnelles ou dans les personnels dirigeants feront croire au « grand soir ». Aucune aube radieuse, cependant, ne se profile à l'horizon : plutôt un petit matin gris, dans lequel on verra zones d'éclaircies et nuages sombres se juxtaposer.

Deux types d'issues à la crise

Les crises peuvent se poursuivre de deux manières :

— *Le scénario probable est la victoire des éléments conservateurs* actifs au sein de chacun des régimes de transition, qui vont obliger l'État à rétablir un système de répartition de la manne étatique. Ces éléments refuseront l'ajustement à un niveau cohérent avec des recettes amoindries par la crise économique et par l'évasion accélérée des capitaux et des contribuables du secteur informel, dont le poids politique se sera renforcé. Le gouvernement, n'ayant pas les moyens d'assumer cette situation, se retournera, au nom de la démocratie en progrès, vers les bailleurs de fonds ; si ces derniers l'appuient sans condition, plusieurs années pourront se passer sans que les vrais problèmes de société ne soient traités.

Mais on peut imaginer que la communauté internationale, en subventionnant les déficits primaires des États, parvienne à passer le cap des régimes transitoires pour confier aux jeunes démocraties légitimes issues des élections la tâche de procéder aux ajustements majeurs. Celles-ci pourront-elles le faire ? C'est douteux.

— *Un autre scénario est la victoire des libéraux*, ce qui représente le cas le plus improbable, compte tenu du poids du passé : il est vraisemblable que ces derniers resteront longtemps minoritaires et que les tentations étatiques et prédatrices seront dominantes, ne serait-ce que parce que les problèmes ethniques devront être gérés, les postes publics distribués en fonction des origines et non des compétences et des prébendes attribuées à certaines puissances pour garantir l'équilibre social. Ce scénario permettrait cependant, en donnant plus de chances au secteur informel, en réformant la fiscalité, en libérant les ethnies commerçantes, de donner toutes ses chances au redressement économique de l'Afrique, tout en permettant de mener des politiques sociales audacieuses et correspondant au besoin des populations.

Bien des situations intermédiaires sont imaginables, et il est même probable qu'en pratique se noue un jeu d'alliances complexe, recoupant équilibres ethniques et situation par rapport au partage de la plus-value, chacun cherchant à négocier le minimum acceptable de perte ou de gain. Il n'est pas improbable, compte tenu de la capacité de négociation des Africains, que tout ceci se passe dans un calme relatif.

Les bailleurs doivent sortir de l'attentisme et de la complaisance

Ce qui précède devrait conduire à une certaine prudence face aux mouvements récents, et notamment à abandonner l'approche naïve de la dimension sociale de l'ajustement pour une approche plus complexe et plus réaliste de la dimension politique de l'ajustement en Afrique au sud du Sahara.

Rappelons en outre que l'Occident, vainqueur cruel de la guerre froide, n'accorde aux autres continents — qui pourtant sont pour lui un enjeu d'une autre ampleur que l'Afrique — ses soutiens qu'au compte-goutte : ce qu'il demande fondamentalement à la Pologne, malgré une spectaculaire annulation de dette, ou à la Russie, c'est de gérer et la démocratie et l'appauvrissement en termes réels de sa population (on confie même à Solidarnosc le soin de provoquer cet effondrement du niveau de vie). Au Mexique, pourtant si proche, qu'ont fait réellement les États-Unis lors de la crise économique qui a secoué une décennie durant ce pays, réservoir d'une immigration pas toujours désirée ? Qu'a fait la communauté internationale en Argentine, dont le relèvement est également frappant ? Durant toute cette décennie, l'Amérique latine a connu des flux nets de capitaux négatifs — elle a remboursé ses créanciers — et pourtant, globalement, la démocratie et la croissance économique ont progressé.

D'où viendrait que l'Europe, et le Monde, soient sommés de payer pour obtenir la démocratie dans un continent finalement marginal et dont il n'est nul besoin pour la croissance internationale ?

C'est pourtant dans un esprit de mendicité arrogante que l'on voit se succéder — à Paris par exemple — les nouveaux pouvoirs, demander la récompense financière de progrès politiques, comme si c'était pour plaire à l'esthétique politique de l'Occident que la démocratie progressait en Afrique et non pour les Africains eux-mêmes, qui la méritent bien. Par ailleurs noterions-nous un courage politique exceptionnel en Afrique, parmi les dirigeants actuellement en place, qui plaiderait pour un soutien lui-même exceptionnel ? Nous savons bien que l'ensemble de la nouvelle classe politique n'est pas, sauf brillantes exceptions, caractérisée par l'audace et la lucidité.

Certes, nos partenaires africains disposent de l'excellent argument que constitue la disponibilité dont nous avons fait preuve pour soutenir financièrement les régimes autoritaires (parfois jusqu'à l'extrême...) qui les ont immédiatement précédés. Ainsi sommes-nous sommés de faire plus pour la démocratie que nous n'en faisions pour les régimes précédents : mais comment obtempérer à cette revendication, parfaitement cohérente avec les propos du président de la République française tenus à La Baule, quand le désordre règne dans les affaires intérieures des intéressés et quand, de surcroît, les ressources françaises en concours financiers ne croissent pas, dans le même moment où la plupart de nos partenaires peuvent se prévaloir de progrès démocratiques ?

Au-delà de cette considération, il est vrai que l'immense pauvreté de l'Afrique, l'ampleur des difficultés qui l'assaillent, comme sa proximité humaine et culturelle avec la France, en font un cas à part sur le Globe, surtout pour notre pays, et justifient donc une intervention, un soutien international à ce processus politique fragile. Encore faut-il que notre manière de l'aider à surmonter les difficultés de la transition ne crée pas des difficultés additionnelles pour les régimes démocratiques de demain. A anesthésier la réalité sociale et économique, à substituer en permanence le contribuable français aux efforts des États et des peuples, nous ne créons pas les conditions d'un développement durable de la démocratie : nous creusons son tombeau avec la bonne conscience des donneurs d'aumône et de leçons. Nouveaux pharisiens, nous achetons la tranquillité d'un moment et le droit d'évoquer de beaux principes par les troubles et les impasses de demain.

Quelle voie emprunter pour essayer de conforter cette démocratie naissante, pour un bailleur de fonds ? Deux réponses peuvent être données.

— Il est essentiel que nous aidions à faire prévaloir une conception « non tribale » de la démocratie, ce qui signifie paradoxalement que la notion de « paix des ethnies » soit le fondement de notre intervention. La France, comme d'autres, peut dire à ses partenaires que la démocratie ne peut être comprise comme un processus de revanche tribale et doit dénoncer, derrière les discours républicains enflammés, les arrière-pensées et les perversités.

L'équilibre interne de l'Afrique ne sera possible que si, sans recours à la force et à la terreur d'un groupe sur les autres, la paix tribale règne : les fondements de cette dernière sont à la fois politiques (accès aux élections, partage des postes de responsabilité, protection des minorités...) et économiques (liberté d'entreprendre pour tous, fin des régimes d'exception...).

Quant aux appuis extérieurs, dans la mesure où ils sont nécessaires et utiles, si le volet politique est du ressort de la diplomatie, le volet économique est, lui, du ressort de la coopération internationale. Le maintien d'une conditionnalité dans les concours accordés aux partenaires africains revêt dans cette perspective une valeur politique cruciale, et le ciblage de cette dernière sur les conditions de droit et de fait du jeu économique libre, sur la lutte contre la corruption et les privilèges, etc., est un moyen puissant pour faire avancer la cause d'une nouvelle organisation sociale en Afrique.

Cette organisation sociale dépend certes de la mécanique propre d'institutions démocratiques (parlement, juridictions...) : c'est le rôle essentiel de la coopération institutionnelle que d'appuyer cet essor nouveau de l'état de droit. Mais le contenu même de la loi restera inadéquat en matière de croissance économique si l'expression des groupes sociaux productifs n'est pas assurée par rapport au formidable poids naturel dont bénéficient les fonctionnaires et les agents du secteur public. Il est donc crucial que les aides internationales contribuent à la création et à l'essor des organismes représentatifs des agriculteurs comme des industriels : chambres de commerce, coopératives, syndicats professionnels divers doivent être en mesure de prendre leur destin en main et d'organiser l'économie comme de représenter efficacement leurs mandants auprès des gouvernements.

— Un second axe d'intervention doit être un équilibre prudent entre le financement des besoins souverains de nos partenaires et l'abstention pouvant mener à la dérive de la politique et à la chute du régime démocratique.

Face à des États aux abois financièrement au moment où ils traversent une période délicate sur le plan politique, il est tentant de céder à leurs demandes angoissées et de se substituer à eux pour le paiement des salaires de leurs fonctionnaires.

Ceci peut être même justifié dans le cas de pays qui connaissent une grave crise de recettes causée par les troubles des périodes de transition, mais qui, par ailleurs, ne supportent pas des masses salariales excessives : l'aide extérieure apporte alors un simple confort en attendant une situation normale de reprise du recouvrement de l'impôt. Ces cas sont rares.

En effet, les pays les plus demandeurs d'appui sont en général ceux qui ont à réaliser une importante réforme de leur fonction publique, passant soit par une diminution de ses effectifs, soit par une baisse des rémunérations, soit par les deux. Cette réduction de leur masse salariale est souvent une condition indispensable pour obtenir un espoir de reprise de la croissance économique. Céder partiellement aux sollicitations de ces États ne fait que reporter sur les successeurs, désignés par les urnes, la charge de ces opérations coûteuses socialement et politiquement. Céder au point d'effacer tout arriéré de salaire pour les fonctionnaires rend pratiquement impossible la tâche au gouvernement suivant : les fonctionnaires découvriront l'ampleur des difficultés à ce moment-là et rendront responsable ce gouvernement-là de leurs difficultés.

Si l'absence totale de geste financier est en général une position difficile à tenir, il paraît essentiel que les bailleurs n'aillent pas jusqu'à anesthésier les difficultés et, par ailleurs, que toute libéralité soit conditionnée par des mesures simples de reprise en main de la situation. Faute de quoi, de jeunes démocraties qui succèdent à des États, qui étaient largement sous perfusion, chuteront demain inexorablement sur les mêmes obstacles que les régimes qui les ont précédées.

Aucune démocratie n'a pu dans l'histoire de l'humanité durablement subsister dans la démagogie, la facilité, l'inconscience et le mépris des défis économiques. Le formidable mouvement politique qui secoue l'Afrique est l'occasion ou jamais de se détacher de modes de gouvernement obsédés par la consommation et qui avaient oublié que produire était la condition de leur survie.

Au moment où la transition démocratique connaît ses premiers revers politiques, où les régimes provisoires s'effraient devant l'importance des passifs financiers et l'incertitude économique du lendemain, de sorte que les solutions d'autorités apparaissent à nouveau à certains comme les seules capables de reprendre en main les affaires et la gestion de l'État, il est capital de se souvenir que les régimes autoritaires africains étaient, par essence, incapables de réussir l'immense travail de transformation de la société africaine que réclame son insertion performante dans une économie mondiale de compétition. Ils demeurent incapables de s'affronter à ce défi. Tout retour en arrière, dans l'illusion de l'autorité retrouvée, sera un retour aux errements du passé. Si les États démocratiques ne sont pas en mesure de réussir l'ajustement financier et de gagner la bataille de la compétitivité, les États autoritaires ne le sont pas davantage.

Le seul espoir de tous les amis de l'Afrique, et de tous ceux qui la financent, au premier rang desquels les bailleurs bilatéraux, est que la transition démocratique permette à de nouveaux groupes sociaux, dont l'intérêt objectif est de réussir à gagner davantage de pouvoir et d'argent, dans une règle de jeu propice aux producteurs, de s'exprimer et d'obtenir une influence grandissante. Le subventionnement au jour le jour des régimes de transition à la dérive ne permettra pas d'obtenir ce résultat. Les concours financiers hors projet peuvent cependant, par des conditionnalités judicieusement choisies, constituer un levier parmi d'autres, et à côté d'une action diplomatique et militaire dont le rôle est capital, aider à faire émerger des solutions de gouvernement performantes pour le développement économique. Ce jeu complexe et délicat, tout entier en équilibres et en art de l'exécution, les bailleurs de fonds voudront-ils le jouer ?

Sauvetage réussi, bien qu'inachevé, d'un secteur bancaire en faillite

par Marc JAUDOIN

Un système bancaire sinistré au milieu des années 80

En 1989, le système bancaire sénégalais était très développé, avec quinze banques et six établissements financiers. L'État était un actionnaire prépondérant du système, détenant la majorité de l'Union sénégalaise de banques (USB) et de la Banque nationale de développement du Sénégal (BNDS), ainsi que des participations minoritaires dans huit autres banques.

Déjà préoccupante à la fin des années 70, la situation du secteur bancaire s'était toutefois progressivement dégradée au cours des années 80, pour un ensemble de causes : crise économique ; interventions de l'État dans la gestion ; contrôle insuffisant des banques par la Banque centrale, croissance des frais généraux plus rapide que celle des produits ; laxisme dans l'octroi du crédit ; bouclages et dénouement de plus en plus difficile des crédits de campagne. Sur un total de 8,6 milliards de FF d'encours de crédit distribué à l'économie, les banques en difficulté en détenaient plus de 60 % ; ce portefeuille était constitué, en grande part (3,3 milliards) de créances compromises ou gelées, voire irrecouvrables. A cela s'ajoutait le poids des déficits cumulés de la filière arachidière, constituant une dette de l'État auprès des diverses banques. Dans ces conditions, une bonne part du secteur bancaire sénégalais apparaissait illiquide et menacé de banqueroute à brève échéance.

Après une première tentative de consolidation, en 1986, par la Banque centrale, le gouvernement sénégalais présentait, en juillet 1987, à ses principaux bailleurs de fonds (France, Banque mondiale, USAID), un plan d'assainissement et de redressement du secteur bancaire, plan dont la mise au point fut achevée au printemps 1989.

Les principes de la restructuration

Le plan de restructuration a porté sur les banques « en difficulté », laissant ainsi les banques dont la structure de bilan et les comptes de résultats étaient alors jugés acceptables.

Deux cas furent distingués : pour chacune des banques où le rôle de l'État était prépondérant, deux entités furent créées, l'une privatisée par reprise des parties saines et l'autre sous forme de structure liquidative ; les autres banques, où l'État était minoritaire, devaient en principe être maintenues, après redressement, grâce à des apports des actionnaires et des mesures de réorganisation.

Les besoins de financement en argent frais correspondant à cette opération (1,3 milliard de FF) devaient être couverts, à parts sensiblement égales, par des concours extérieurs (CCCE, IDA, USAID) pour un total de 660 millions de FF, et par les recouvrements de créances pour le solde. La Banque centrale consentait pour sa part une consolidation importante des créances, portant l'ensemble de sa participation au programme à près de 1,9 milliard.

Un bilan globalement positif...

Fin 1992, le bilan de l'opération de restructuration du système bancaire peut être considéré comme « globalement positif ».

En effet, le système bancaire est à présent constitué d'un petit nombre de banques saines (sept, sur les neuf en activité), sur lesquelles le poids de l'État a fortement diminué grâce en particulier à la réduction de sa participation dans ces établissements. La déclaration de politique de développement bancaire de novembre 1989 fixait à 25 % du capital, dans le cadre général d'une libéralisation de ce secteur, la limite supérieure de la participation de la puissance publique.

La situation des quatre établissements financiers reste par contre précaire, pour certains d'entre eux, ces établissements étant maintenus sous étroite surveillance de la Banque centrale.

Dans le même temps, le durcissement des règles de distribution de crédit dans la zone UMOA, permettant un meilleur contrôle des conditions de mise en œuvre des crédits de campagne, renforce la crédibilité du système bancaire.

Dans ce cadre général plus rigoureux, l'instauration d'une commission de contrôle bancaire au niveau régional, la fixation de règles prudentielles plus strictes et le renforcement des pouvoirs de la Banque centrale en matière d'octroi et d'agrément bancaire permettent d'espérer éviter à l'avenir les dérives constatées dans le passé. En revanche, la privatisation de la banque axée sur le secteur agricole est encore à l'étude ; cet établissement souffre tant des difficultés propres à l'exercice de l'activité bancaire dans le secteur rural sahélien que des comportements peu responsables de la clientèle en matière de remboursement de crédit.

Principale ombre à ce tableau, la mise en œuvre du recouvrement des créances des banques liquidées afin de dégeler les fonds qui y sont immobilisés et de rembourser les déposants, a démarré avec retard et souffre de multiples contraintes qui conduisent à des réalisations insuffisantes :

— ce n'est que deux ans après le démarrage de l'opération de restructuration (avril 1991) qu'a été mise en place une structure unique chargée du recouvrement, la Société nationale de recouvrement. La mise à niveau de ses effectifs en liaison avec ses tâches n'a pu être faite que début 1992. Outre des charges d'exploitation excessives, la période intérimaire a certainement permis à certains gros débiteurs d'organiser leur insolvabilité, tandis que de graves manquements ont été commis par certains responsables, conduisant les autorités à remplacer le premier directeur général après un an ;

— compte tenu de sa situation financière difficile, l'État a eu tendance à faire rembourser prioritairement ses propres dépôts.

En conclusion, la réussite complète de cette opération, bien engagée, dépend de la volonté des autorités politiques à parachever le processus de recouvrement et à sacrifier ses intérêts financiers à court terme pour dégeler significativement les dépôts bloqués du public et des entreprises. Mais en tout état de cause, cette opération atteste de l'efficacité d'un programme d'ajustement sectoriel bien conçu et bien conduit, dans le cadre d'un soutien politique clair de bailleurs de fonds extérieurs et d'un gouvernement convaincu de la nécessité d'agir.

8

Intégration régionale : retour de l'empire ou nouveau fétiche ?

A entendre une majorité d'Africains, l'intégration régionale est un objectif qui ne se discute pas ; elle serait le remède sinon à tous les maux du moins à beaucoup de ceux dont souffre l'Afrique ; elle est presque devenue une religion. La France a emboîté le pas puisque sa politique officiellement affichée est d'aider la zone franc, zone de coopération monétaire, à se transformer en une zone de réelle coopération économique dont on espère sans doute des miracles.

Toute religion suscite des mécréants. Certains mauvais esprits font remarquer que l'intégration régionale est réalisée dans les faits sinon en droit. Les produits provenant d'Asie du Sud-Est ou d'ailleurs, importés par les points de moindre résistance, circulent librement dans toute l'Afrique, rendant vaine toute tentative de créer une industrie locale et concurrencent aussi les activités agricoles. Des esprits encore plus mal tournés se demandent si les tentatives de créer une zone de coopération dans le domaine bancaire, dans celui des assurances, etc., ont encore un sens alors que les économies se réfugient de plus en plus dans l'informel... Ils se demandent également si la zone franc constitue encore un espace économique pertinent dans un continent où les frontières sont devenues poreuses.

Et pourtant, parce que les frontières sont poreuses, la coopération entre États est plus que jamais nécessaire : aucun État ne peut plus mettre en œuvre une politique économique sans tenir compte de celles de ses voisins. Ce ne sont certes pas les institutions de coopération interafricaine qui font défaut : il y a plutôt pléthore ! En revanche leurs résultats ont été bien modestes, quand ils n'ont pas été inconsistants. Derrière les innombrables discours, y a-t-il une volonté politique d'intégration ou même de simple coopération ?

Quelle intégration régionale est possible demain ? Que peuvent faire les agences d'aide pour la favoriser ? La coopération française doit-elle poursuivre dans la voie actuelle ou des révisions, peut-être déchirantes, doivent-elles être envisagées ?

24

La zone franc à un tournant : vers l'intégration régionale

par Patrick GUILLAUMONT
et Sylviane GUILLAUMONT JEANNENEY

De nouvelles perspectives d'évolution de la zone franc sont apparues lors de la réunion des ministres des Finances de la zone ; en avril 1991, à Ouagadougou. Elles correspondent à une évolution importante de cette structure originale que constitue la zone franc (1).

---

(1) Ce texte constitue une version révisée d'un article publié dans *Géopolitique africaine*, juillet-août-septembre 1991. Il ne traite que d'un aspect récent de l'évolution de la zone franc. Des analyses de l'ensemble des mécanismes et problèmes de la zone ont été présentées par les auteurs dans de nombreux travaux, en particulier :

GUILLAUMONT (P. et S.), *Zone franc et développement africain*, Economica, 1984 (2e édition en préparation).

GUILLAUMONT (P. et S.) (sous la direction de), *Stratégies de développement comparées. Zone franc et hors zone franc*, Economica, 1988.

GUILLAUMONT JEANNENEY (S.), « Dévaluer en Afrique ? », *Observations et diagnostics économiques*, Revue de l'OFCE, n° 25, octobre 1988.

GUILLAUMONT (P. et S.), « Monnaie européenne et monnaies africaines », *Revue française d'économie*, 1989, n° 1.

GUILLAUMONT (P.), GUILLAUMONT (S.), PLANE (P.), « Comparaison de l'efficacité des politiques d'ajustement en Afrique, zone franc et hors zone franc, *Notes et études*, Caisse centrale de coopération économique, n° 41, avril 1991.

GUILLAUMONT (P. et S.), « Le renouveau de l'intégration économique régionale en Afrique : leçons tirées de l'expérience de la zone franc », in S. MICHAILOF, *Les crises économiques et financières en Afrique subsaharienne et l'évolution souhaitable des actions de la coopération française*, Ministère de la Coopération et du Développement, octobre 1992.

GUILLAUMONT (P. et S.), « Les instruments anciens et nouveaux de l'intégration économique : leçons politiques de l'expérience africaine », in J.L. MUCCHIELLI et F. CELIMENE, *Mondialisation et régionalisation : un défi pour l'Europe*, à paraître aux PUF, 1993.

La zone franc représente une forme de coopération sans équivalent entre la France et quatorze pays africains. Ceux-ci (sauf les Comores) sont regroupés dans deux unions monétaires ayant chacune une seule banque centrale et une seule monnaie, laquelle dans chaque union porte le même nom de franc CFA. La France garantit la convertibilité des deux francs CFA à un taux de change fixe par rapport au franc français.

Les perspectives d'évolution de la zone franc ne sont pas apparues là où beaucoup les attendaient. Les interrogations sur la zone franc ont en effet porté, ces dernières années, sur la capacité des pays membres à rétablir durablement l'équilibre de leur balance des paiements sans dévaluer les francs CFA et en maintenant une totale liberté des changes. Le maintien de la parité, qui différencie de plus en plus les pays de la zone franc des autres pays africains, ne résulte pas d'une contrainte juridique, mais d'un choix de politique économique et de la volonté d'éviter les risques d'éclatement des unions monétaires inhérents à une dévaluation. Ce choix a été réaffirmé à Ouagadougou et lors des réunions suivantes. Ce n'est pas cette déclaration, de nature traditionnelle et plutôt défensive, qui a ouvert de nouvelles perspectives. C'est la volonté, simultanément affirmée, d'utiliser la base de coopération que constituent les unions monétaires et la zone franc pour aller de l'avant dans le domaine de l'intégration économique.

A cette fin ont été dessinées les grandes lignes d'une démarche originale devant conduire à l'union économique. L'objectif final, tel qu'il a été défini dans le communiqué officiel de la réunion de Ouagadougou, est l'organisation d'un grand marché et d'une autorité commune responsable de la coordination des politiques économiques. Cet objectif répond à la faible dimension des économies composant la zone franc en Afrique, qui est un handicap à leur développement. Mais il existe une étape préalable essentielle qui vise à l'assainissement financier et juridique des pays. De fait, les difficultés économiques et financières que connaissent les pays africains de la zone franc justifient une nouvelle dynamique dans la coopération au sein de la zone. Il semble que les projets actuellement en chantier peuvent contribuer, en alimentant cette nouvelle dynamique, à consolider la zone monétaire elle-même.

Quelles sont les nouvelles formes de la coopération, leur lien avec l'objectif d'intégration économique ? En quoi peuvent-elles contribuer à la solution des problèmes actuels des pays de la zone franc ?

Les nouvelles formes de coopération entre pays de la zone franc

Trois grands domaines de coopération entre pays de la zone franc sont actuellement en cours d'étude ou ont, dans certains cas, fait l'objet de décisions.

L'intégration financière

Il s'agit là sans doute du champ d'action où la coopération nouvelle est la plus avancée. Elle apparaît comme une continuation naturelle des efforts de réhabilitation des systèmes bancaires qui se trouvaient en détresse dans la plupart des pays de la zone. En vue d'éviter le retour aux errements passés, l'harmonisation des réglementations bancaires a été renforcée et une commission plurinationale de surveillance des banques a été créée à l'échelon de chacune des deux unions. Cette réhabilitation des systèmes bancaires destinée, en rétablissant la liquidité des dépôts bancaires, à restaurer la confiance des épargnants, a conduit logiquement les pays à décider d'harmoniser la fiscalité sur l'épargne et de la rendre plus favorable aux épargnants (généralisation d'un livret d'épargne défiscalisé, suppression des doubles impositions, prélèvements libératoires pour les dépôts à terme et les obligations).

La réhabilitation des systèmes bancaires doit se prolonger par l'assainissement des compagnies d'assurance. A cette fin a été élaboré un traité des assurances, signé par les ministres de la zone, en juillet 1992, et en voie de ratification par les parlements. Ce traité prévoit l'application d'une loi unique (annexée au traité) et la création d'une Conférence interafricaine des marchés des assurances (CIMA) dont dépendront une commission de contrôle, seule compétente pour délivrer et retirer les agréments, et un corps de contrôle, l'un et l'autre communs à l'ensemble de la zone. L'ancienne CICA, créée en 1962, qui était seulement un organisme de coordination des contrôles nationaux, disparaît.

Le même programme est en voie de réalisation pour les organismes publics de prévoyance sociale. La situation de ces organismes est, à l'heure actuelle, désastreuse : non seulement la gestion financière en est déficiente, mais aussi la couverture des besoins y demeure très limitée.

Ces trois actions de réhabilitation (banques, assurances, prévoyance sociale), menées dans un cadre plurinational et toutes trois fondées sur une réglementation identique et un contrôle commun, n'auraient pas de sens si elles ne s'inscrivaient pas dans un projet plus vaste d'intégration financière, c'est-à-dire dans la volonté de créer un vaste marché financier, d'abord au niveau de l'UMOA, puis pour l'ensemble des pays de la zone franc. Dans le cadre de ce projet se situent une série d'initiatives telles que l'émission par la BOAD ou d'autres bailleurs de fonds de titres libellés en francs CFA, l'assainissement de la bourse des valeurs d'Abidjan qui pourrait être le point de départ d'une bourse régionale des valeurs, la création éventuelle d'un organisme régional drainant les fonds des caisses d'épargne et des comptes chèques postaux afin de financer des infrastructures de base et des opérations de développement.

L'uniformisation des règles de droit

Au moment des indépendances, les anciennes colonies françaises avaient un même droit des affaires, très proche du système français. Au cours des années qui suivirent, les règles de droit évoluèrent de façon autonome, cependant que les règles françaises elles-mêmes connaissaient de profonds changements, notamment dans les domaines de la législation sur les sociétés, du redressement et de la liquidation judiciaire des entreprises. Une autre caractéristique des systèmes juridiques des pays africains est que les règles de droit commercial y sont souvent mal connues et parfois peu appliquées, en raison de la défaillance des systèmes judiciaires nationaux et de l'absence de juridictions consulaires. Ces difficultés juridiques ont naturellement contribué à la défaillance des systèmes financiers évoquée plus haut.

C'est pourquoi le principe a été retenu à Ouagadougou d'engager une double réflexion. L'une vise l'adoption d'une législation commerciale identique ou du moins harmonisée entre les pays membres de la zone franc, l'autre la mise en place d'une juridiction régionale qui, ayant compétence pour statuer en dernière instance — donc sans possibilité de renvoi aux instances nationales —, définirait une jurisprudence régionale. Une mission d'étude a été confiée à M. Kéba Mbaye, président du Conseil constitutionnel du Sénégal, et ancien vice-président de la Cour internationale de La Haye. Le projet a été approuvé par les ministres des Finances de la zone franc, puis par les chefs d'États des pays francophones, à Libreville, en octobre dernier. Il a reçu un accueil favorable auprès de présidents d'États n'appartenant pas à la zone franc.

Une formation commune des administrateurs économiques et financiers

Les administrations africaines manquent actuellement de personnels compétents dans un certain nombre de secteurs économiques et financiers où des réformes importantes sont à conduire. Ce manque, qui peut paraître paradoxal eu égard à l'explosion des effectifs d'étudiants à l'Université, s'explique notamment par le fait que les moyens limités des pays ont été dispersés dans la création d'un grand nombre d'institutions universitaires à vocation exclusivement nationale. Aussi, à l'heure actuelle, sont à l'étude l'opportunité et la faisabilité d'un établissement régional de formation pour les cadres des administrations économiques et financières de la zone : Trésor, impôt, douanes, plan, statistiques... Cette initiative rejoint celle qui a été lancée récemment par la Banque mondiale et une série de bailleurs de fonds pour le renforcement des capacités d'analyse (African Capacity Building Initiative, ACBI). Elle est complémentaire de la volonté d'uniformiser les règles du droit commercial et financier.

Parallèlement, le projet Afristat prévoit de doter les États de la zone franc (ou chacune des deux unions) d'un organisme léger dont le rôle serait d'apporter un appui aux Directions nationales de la statistique, de manière à harmoniser les données et à en accroître la fiabilité.

La nouvelle coopération régionale et l'intégration économique

Les nouvelles formes de la coopération régionale devraient conforter l'intégration monétaire que réalise déjà la zone franc, en étendant la portée des principes constitutifs de la zone, et ouvrir la voie à une véritable intégration économique.

Renforcement de l'intégration monétaire

Un des principes fondamentaux de la zone franc est celui de la liberté complète des mouvements de capitaux à l'intérieur de la zone. Ce principe ne suffit pas en lui-même à assurer l'intégration financière de la zone. Encore faut-il que les produits des placements d'épargne soit suffisamment sûrs et substituables et que les intermédiaires financiers aient le droit et la possibilité de développer leurs activités dans l'ensemble de l'union monétaire, voire de la zone franc. C'est bien pourquoi l'établissement de règles communes en matière de placement et de fonctionnement des institutions financières (cf. *supra*) doit donner à l'intégration monétaire toute sa portée.

Un corollaire de la liberté des changes à l'intérieur de la zone est la réglementation commune ou harmonisée vis-à-vis de l'extérieur qui, compte tenu de la position du franc français, signifie la convertibilité des francs CFA vis-à-vis de toutes les grandes monnaies du monde. Un effet attendu de cette convertibilité est la confiance des investisseurs étrangers, qui sont assurés de pouvoir rapatrier leurs avoirs. Encore faut-il que cette convertibilité ne soit pas entravée par divers obstacles aux mouvements de fonds, dues à l'illiquidité et à la mauvaise gestion des systèmes financiers. C'est l'intérêt du transfert à l'échelon régional de la surveillance des intermédiaires financiers. Un tel transfert, s'il accroît l'efficacité du contrôle, est susceptible de renforcer la confiance des acteurs économiques. D'une façon plus générale, dans des économies dont le fonctionnement repose sur le marché et implique le respect des contrats, l'établissement d'un état de droit, particulièrement en matière économique et financière, est au moins aussi important que la convertibilité de la monnaie pour attirer et retenir les capitaux étrangers.

Une méthode réaliste d'intégration économique

Les diverses actions précédemment décrites s'inscrivent dans la volonté de transformer les unions monétaires en véritables unions économiques. Ainsi les gouverneurs des banques centrales ont-ils reçu un mandat explicite des chefs d'États pour élaborer un rapport sur la transformation des unions monétaires en véritables unions économiques. Dans l'UMOA, un traité est en voie d'élaboration pour créer l'Union économique et monétaire ouest-africaine (UEMOA). La première phase de cette unification comporterait, outre l'harmonisation du droit et la création d'un marché financier régional, une surveillance multilatérale des politiques budgétaires ; la deuxième phase porterait sur la réalisation du marché commun, par la suppression des tarifs douaniers internes et la mise en place d'un tarif extérieur commun, marché qui devrait se substituer à la CEAO. La troisième phase serait constituée par les politiques sectorielles communes. Dans la zone BEAC, deux traités sont en voie d'élaboration instituant l'UMAC, l'Union monétaire d'Afrique centrale, qui devrait renforcer les pouvoirs de la Banque centrale, et la CEMAC, la Communauté économique et monétaire d'Afrique centrale, qui devrait se substituer à l'UDEAC et intégrer le projet de réforme fiscale et douanière de cette dernière. Comme l'a souligné le président Abdou Diouf au sommet de Libreville, les unions économiques et monétaires, fondées sur l'acquis de la zone franc, devraient s'ouvrir, par voie d'association, aux pays voisins dont les monnaies deviendraient progressivement convertibles.

Dans l'histoire de l'intégration économique, l'expérience de la zone franc constitue un paradoxe. En effet, on considère généralement que l'intégration monétaire est l'aboutissement d'un long processus dont les phases antérieures comprennent l'union douanière et la coordination des politiques macro-économiques. Tel est d'ailleurs le schéma de la construction européenne, qui sert souvent de référence. En Afrique, au contraire, les unions monétaires de la zone franc représentent les formes les plus avancées et les plus stables d'intégration, sans avoir été précédées ni même suivies de véritables unions douanières. Elles n'ont pas non plus été accompagnées d'une coordination des politiques économiques, sauf naturellement en matière de politique monétaire.

La difficulté de réaliser en Afrique de vraies unions douanières, et *a fortiori* des unions économiques, malgré une multitude de tentatives et de traités partiellement appliqués, a maintes fois été soulignée. Les raisons en sont diverses, nourries de l'aversion à l'égard des abandons de souveraineté, aversion que peut expliquer le caractère relativement récent des indépendances. Une raison importante, particulièrement en période de crise budgétaire, tient au fait que les droits de porte constituent une part importante des recettes budgétaires, alors que l'union douanière implique la disparition des droits de douane perçus entre les pays formant l'union et l'existence d'un tarif extérieur commun dont le niveau est généralement fixé par référence aux droits de douane les moins élevés. Une autre raison réside dans le caractère souvent embryonnaire des activités industrielles, et du souci qu'ont les États nationaux de les protéger.

Face aux difficultés de l'union douanière, une autre voie d'intégration économique a quelque temps été explorée, celle des projets d'investissements « intégrateurs », ce que l'on a parfois aussi appelé la « coproduction ». Il ne semble pas là non plus que les succès aient été considérables. Cette méthode, prônée à l'époque de la planification et des grands projets, l'est naturellement moins aujourd'hui.

Les nouvelles formes de coopération correspondent à une troisième voie d'intégration, différente et complémentaire de l'intégration par le tarif extérieur commun et de l'intégration par les projets. Prenant appui sur la structure de la zone franc ou des unions monétaires, cette troisième méthode répond à certaines difficultés rencontrées par les deux autres modalités d'intégration auxquelles elle devrait ouvrir la voie. Elle entraîne un abandon de souveraineté dans l'immédiat plus modeste, moins visible, comportant moins de pertes fiscales, en bref plus acceptable : autrement dit, elle respecte un certain seuil de tolérance politique et a plus de chance d'aboutir rapidement à des réalisations concrètes. D'autre part, la méthode d'intégration par les institutions financières et par le droit économique correspond bien aux principes d'un marché unique des biens, des services et des hommes puisqu'elle assure l'unification du cadre institutionnel dans lequel les agents économiques peuvent exercer leur activité et organiser leurs échanges. En particulier, l'intégration financière et juridique devrait contribuer à rendre plus efficace l'union douanière et ainsi lever certaines réticences à son égard. Enfin, les nouvelles formes de la coopération régionale devraient, comme nous allons le voir, aider à résoudre les problèmes économiques actuels de la zone franc, notamment les difficultés budgétaires des États. Or, celles-ci semblent constituer, à l'heure actuelle, le principal obstacle à l'union économique. En effet, elles rendent plus difficiles la réduction des droits de douane, et plus encore la convergence des politiques budgétaires, convergence que la simple règle de limitation statutaire des avances des banques centrales aux Trésors publics africains a été jusqu'à présent insuffisante à promouvoir.

La nouvelle coopération régionale et l'ajustement structurel en zone franc

Le nouvel élan donné à la coopération régionale entre pays africains de la zone franc survient alors même que ces pays connaissent de profonds déséquilibres de leurs finances publiques et de leurs balances des paiements. La gravité de ces problèmes constitue une menace pour la viabilité de la zone franc dans ses règles de fonctionnement actuelles. Les déséquilibres sont apparus dans la plupart des pays au début des années 80, à l'exception des pays exportateurs de pétrole (Cameroun, Gabon, Congo) où les difficultés ne surviennent qu'après le contrechoc pétrolier de 1986. Ils sont le résultat des fluctuations du prix international des principaux produits exportés par les pays de la zone franc (café, cacao, palmier à huile, arachide, coton, uranium, phosphate, pétrole, diamant...) qui, après avoir connu, pour la plupart d'entre eux, une forte hausse dans les années 70, ont chuté dans la décennie suivante. Le boom des produits primaires, qui s'est accompagné d'un accès facile aux financements internationaux, a conduit les pays de la zone franc, comme de nombreux autres pays en voie de développement, à mener des politiques monétaires et budgétaires excessivement expansives, tout en s'endettant massivement à l'extérieur, politiques qu'il fut difficile d'inverser lorsque la conjoncture internationale se modifia radicalement.

Pour faire face à leurs déséquilibres financiers, les pays de la zone franc ont dû faire appel à l'assistance du FMI et de la Banque mondiale et mettre en œuvre des politiques dites « d'ajustement structurel ». L'objectif de ce type de politiques est de rétablir l'équilibre de la balance des paiements tout en préservant la croissance de l'économie, grâce à une amélioration de la compétitivité qui permette simultanément d'accroître le taux d'exportation et de réduire le taux d'importation. Autrement dit, il convient de diminuer les coûts intérieurs relativement aux prix des biens sur les marchés internationaux. A cette fin, deux actions sont possibles : d'une part, combattre l'inflation intérieure par une politique monétaire et budgétaire restrictive, tout en libérant les prix des biens soumis à la concurrence internationale, d'autre part, améliorer la productivité. Ces deux actions étaient d'autant plus nécessaires dans les pays de la zone franc qu'ils désiraient simultanément maintenir inchangée la parité des francs CFA vis-à-vis du franc français, autrement dit ne pas recourir à la dévaluation de leur monnaie.

La mise en œuvre d'une telle politique était évidemment difficile, et, si des résultats positifs ont été atteints dans les pays de la zone franc en matière de réduction des déficits budgétaires et de contrôle de l'inflation, la croissance a été plus faible qu'on ne l'espérait, et la baisse des niveaux de vie qui lui correspond en raison de la forte croissance démographique est fortement ressentie. Or, les nouvelles formes de coopération régionale en zone franc pourraient bien être à la fois un instrument d'assainissement financier et de reprise de la croissance économique.

Coopération régionale et assainissement financier

A l'heure actuelle, notamment dans les pays qui sont « en ajustement » depuis plusieurs années, la marge de manœuvre pour réduire encore le déficit budgétaire apparaît singulièrement étroite. En effet, on a déjà réduit les dépenses qu'il était le plus facile de comprimer (dépenses d'investissement et moyens de l'administration) avec le risque de compromettre la reprise de la croissance. Quant aux recettes fiscales, la principale cause de leur diminution réside sans doute dans la stagnation de l'économie. Trois domaines d'intervention sont désormais essentiels : les entreprises publiques, la fonction publique, et la fiscalité. Dans ces trois domaines, les nouvelles formes de la coopération régionale pourraient être un atout non négligeable.

Quels qu'aient été jusqu'à présent les efforts pour réhabiliter le secteur public, les déficits des établissements et des entreprises publics continuent à obérer les finances publiques et la compétitivité de l'économie. Dans un secteur public en faillite, les intermédiaires financiers (banques, compagnies d'assurance) et les organismes de prévoyance sociale pèsent lourdement. Il serait très opportun que la coopération régionale serve d'aiguillon à la remise en ordre de ce secteur. La création d'organismes de contrôle plurinationaux peut être le garant de l'efficacité et de la pérennité des réhabilitations. Elle devrait inciter les bailleurs de fonds internationaux à apporter leur soutien financier à ces opérations dont le coût est sans commune mesure avec la capacité financière des États africains. D'autre part, la privatisation des entreprises publiques, souvent considérée comme le moyen de leur rendre une autonomie et une efficacité de gestion, et de manière générale, le redressement des entreprises en difficulté pourraient être facilités par la définition d'une législation et d'une jurisprudence claires et modernes dans le domaine du droit des entreprises en difficulté. Le développement d'un marché financier régional (augmentant les possibilités de financement à long terme des entreprises) est le corrollaire indispensable de cette action.

Les États africains de la zone franc ne peuvent plus accroître les effectifs de la fonction publique, en absorbant automatiquement les diplômés de l'enseignement supérieur comme cela se fait encore dans plusieurs d'entre eux. Ils devront nécessairement se doter de concours de recrutement sélectifs. Ils devront d'autre part améliorer l'efficacité de leur administration et redéployer les effectifs dans les domaines (notamment de l'éducation et de la santé) où les besoins sont encore très largement insatisfaits. Dans cette perspective apparaît bien l'intérêt des projets régionaux de formation, voire de recyclage, des cadres de la fonction publique.

Le troisième domaine impératif de la réforme est celui de la fiscalité. Il est essentiel qu'une part moins importante des impôts soit assise sur le commerce extérieur, de manière à d'abord accroître la compétitivité de l'économie et, en fin de compte, à permettre la création d'un marché unique des pays de la zone franc. Il convient donc de redéfinir la législation fiscale, mais aussi d'augmenter l'efficacité du recouvrement. Là encore la clarification du droit des entreprises, voire son unification, et une meilleure formation des cadres (douaniers, inspecteurs des impôts) constitueraient des atouts importants.

Coopération régionale et reprise de la croissance

La reprise tant attendue de la croissance économique dans les pays de la zone franc dépend du rétablissement de la compétitivité des économies et de la confiance des acteurs dans la volonté des États de poursuivre une politique de stabilité financière et d'ouverture sur l'extérieur. Une fois corrigées les principales distorsions de prix, la compétitivité dépend elle-même des progrès de productivité. Ceux-ci ne pourront pas se réaliser sans une reprise de l'investissement, qui a partout considérablement diminué au cours des dix dernières années, tant dans le secteur des administrations que dans celui des entreprises. La croissance de l'investissement dépend elle-même d'une mobilisation de l'épargne intérieure et étrangère. C'est là que réside le principal enjeu de la réalisation d'un marché financier régional. L'établissement d'un véritable état de droit devrait aussi être en lui-même un facteur d'accroissement de la productivité. La clarté et l'application stricte des règles, garanties à un échelon régional indépendant des pouvoirs politiques nationaux, devraient accélérer les décisions et éliminer les rentes, bref améliorer l'efficacité des mécanismes de marché.

L'enjeu des nouvelles orientations définies pour la coopération régionale est considérable tant pour l'avenir de la zône franc que pour l'intégration régionale en Afrique. Elles ouvrent de nouvelles perspectives sur la voie, apparemment bloquée, du marché commun. La méthode consiste à unifier progressivement et clarifier le cadre économique et juridique dans lequel opèrent les agents économiques et à obtenir des abandons de souveraineté là où ils sont dans l'immédiat acceptables. Si ces nouvelles orientations se concrétisent, elles faciliteront la solution des graves déséquilibres économiques et financiers auxquels sont confrontés les États de la zone franc. Elles devraient ainsi rendre plus faciles la suppression, entre eux comme avec les autres pays africains, des barrières douanières et la coordination de leurs politiques économiques. En outre, l'harmonisation des règles juridiques et une formation commune des cadres chargés de les appliquer pourraient être un facteur d'efficacité du futur marché commun.

25

Espoirs excessifs et possibilités concrètes d'intégration africaine

par Jean COUSSY

Nettement dévalorisée au cours des décennies 70 et 80 par ses échecs répétés, l'intégration africaine est récemment redevenue un objectif apparemment partagé par la quasi-totalité des organismes internationaux, des décideurs nationaux et des médias.

Sans doute ce consensus est-il plus verbal que réel et, sous la même expression d'intégration africaine, sont, en fait, proposés des projets nettement différents et même souvent opposés. Aux projets traditionnels (toujours défendus par la Commission économique de l'Afrique) d'accords interétatiques de complémentarité économique programmée s'oppose, depuis la réhabilitation du marché par les programmes d'ajustement structurel, la vision libérale d'une intégration par désétatisation et concurrence entre acteurs privés (1). Aux projets de mener une politique de substitution aux importations à l'échelle du continent s'opposent les projets d'insérer l'Afrique au marché mondial (l'intégration africaine par le marché n'étant qu'un aspect ou, au maximum, une phase préparatoire de cette libéralisation). Aux projets de relance des unions existantes (UDEAC, CEAO, CEDEAO, ZEP, SADCC, zone franc, zone rand, etc.) s'opposent des remises en cause de ces zones, soit au nom d'une « ratio-

(1) Cf. l'ouvrage collectif, J. COUSSY et Ph. HUGON (eds.), *Intégration régionale et ajustement structurel en Afrique subsaharienne*, CERED-LAREA. Éditions du ministère de la Coopération, 1991, auquel ont collaboré S. QUIERS-VALETTE, P. CERRUTI, V. GERONIMI, B. HIBOU et C. MAINGUY.

nalisation » des organisations d'intégration, soit par volonté de démanteler des zones estimées trop protégées et/ou non compétitives. Aux projets d'unions égalitaires prévoyant répartition des activités entre les pays participants et/ou indemnisation des acteurs et des pays « perdants » par les « gagnants » s'oppose, ce qui est très nouveau, l'acceptation de fait de processus d'intégration asymétrique autour de quelques pôles (notamment le Nigeria et la République sud-africaine).

Cette multiplicité des projets d'intégration est peut-être un signe que cette intégration a quelques chances de susciter des innovations (dans la coordination juridique et financière de la zone franc, dans la gestion des pôles d'intégration, dans la levée des obstacles officiels ou informels à la circulation des flux, dans la prise en compte des échanges frontaliers, dans le rôle intégrateur éventuel des capitaux privés, etc.). Mais cette multiplicité peut avoir deux effets pervers :

— A terme, la poursuite simultanée de projets d'intégration non harmonisés, empruntant à des logiques différentes et reposant sur des configurations géographiques non superposables, pourrait bien créer des dynamiques incompatibles et même, à la limite, semer les germes de nouveaux conflits entre économies africaines (ce qui serait incontestablement un effet pervers pour des projets d'intégration...).

— Dans l'immédiat, le consensus verbal en faveur de l'intégration risque de provoquer à nouveau un cycle (déjà connu entre 1960 et 1980) où une phase d'anticipations exagérément optimistes serait suivie d'une phase de déceptions. Déjà apparaît une surenchère entre les évaluations des gains de l'intégration ; déjà sont oubliées les difficultés qui, depuis trente ans, freinent l'intégration ; déjà les échecs des années 60 et 70 se voient attribuer à des faits anecdotiques (mauvaises relations interpersonnelles entre chefs d'État), à des causes événementielles (non-respect, par tel ou tel État, de ses engagements) ou à une « absence de volonté politique ».

Ainsi se dispense-t-on d'analyser la formation des politiques nationales, de comparer les avantages aux coûts de l'intégration africaine, d'en comprendre les difficultés et de repérer les causes structurelles de ses échecs récurrents. Ainsi risque-t-on même, ce qui irait à l'encontre du but poursuivi, de négliger les opportunités, parfois moins spectaculaires que les grands projets d'intégration, de coopérations ponctuelles mais multiples entre économies africaines.

Les limites des avantages nets de l'intégration

Les avantages nets (c'est-à-dire diminués des coûts) à attendre d'une intégration africaine doivent être comptabilisés avec prudence.

Les avantages nets « statiques » d'une union douanière, mesurés selon les méthodes traditionnelles (par l'accroissement du surplus du consommateur diminué des effets de redistribution et, en cas de tarif extérieur commun, des effets de détournement de trafic), sont limités pour deux raisons : dans toutes les expériences d'intégration (y compris la CEE), les gains statiques ainsi mesurés sont faibles ; et, dans le cas africain, l'importance des échanges informels déjà existants, le peu de complémentarité entre les pays voisins et les coûts de transport entre les pays éloignés incitent à rester prudents devant les estimations optimistes des échanges potentiels. En revanche, la réduction des coûts de transaction (notamment la suppression des « prélèvements informels » et la réduction de l'incertitude sur les règlements) pourrait accroître sensiblement les gains des entreprises et/ou des consommateurs. Enfin, il n'existe pas actuellement, à notre connaissance, de bilan des gains et des pertes d'emplois qui résulteraient de l'intensification de la concurrence par l'ouverture des frontières interafricaines et, éventuellement, l'ouverture au marché mondial.

Les avantages/coûts dynamiques de l'intégration, le plus souvent soulignés pour l'Afrique subsaharienne, sont probablement les économies d'échelle que permettrait un grand marché africain. Mais on sait que le PIB total de l'Afrique subsaharienne (non compris celui de la République sud-africaine) a souvent été comparé à celui de la Belgique et personne n'a jamais dit que la Belgique pourrait bénéficier d'économies d'échelle sans s'ouvrir sur le marché mondial. Dans le cas de l'Afrique subsaharienne, on peut certes trouver des économies d'échelle potentielles, notamment dans quelques secteurs industriels à dimension optimale limitée (agro-alimentaire, textiles...), dans les secteurs des transports et des services et, ce qui devrait être plus souligné, dans la gestion des stocks. Mais nombre de secteurs (notamment toute l'industrie lourde) ne pourraient bénéficier d'économies d'échelle (et de stimulation suffisante de la concurrence) que sur un marché plus vaste que le marché africain.

Des investissements d'intégration sont nécessaires pour bénéficier des avantages à long terme de l'intégration et ils ont parfois un coût immédiat élevé : la construction de nouveaux réseaux de transports interafricains aurait peut-être, à terme, une productivité réelle mais elle serait, dans un premier temps, la source de coûts élevés ; de même, toute protection nouvelle du marché africain comporterait des coûts immédiats qui ne seraient que très progressivement remboursés par les effets d'apprentissage et les économies d'échelle... Or, ces investissements d'intégration, n'ont souvent curieusement pas été évalués (ni dans leurs coûts actuels ni dans leur efficacité future).

La répartition des avantages/coûts de l'intégration entre les différentes nations participantes, par ailleurs, crée inévitablement des baisses (absolues ou relatives) des gains de quelques-unes de ces nations. Certains de ces coûts sont vivement ressentis, à tort ou à raison, par les pays enclavés, pauvres et dépourvus d'industries qui craignent de faire les frais du développement protégé des pays côtiers, riches et (un peu) industrialisés. Ceux-ci peuvent à l'inverse estimer coûteux le soutien d'un hinterland : par exemple, les zones côtières pétrolières politiquement intégrées à des nations unitaires (ou, dans le cas du Nigeria, à une fédération) ont dû partager leurs rentes, leurs établissements industriels et leurs infrastructures. Qu'on pense, *a contrario*, aux économies pétrolières (et aussi aux nouveaux pays industriels) n'ayant pas d'hinterland. La perception ou la sensation d'être « perdant » dans le processus d'intégration peut même affecter tous les acteurs et groupes sociaux (les consommateurs touchés par les hausses de prix des produits locaux, les urbains, les producteurs des pays de l'UDEAC, menacés actuellement par la relance de la concurrence interne à l'union douanière, les bénéficiaires de rentes créées par les obstacles aux échanges, les importateurs et exportateurs en relation avec le reste du monde...). On est loin des explications des échecs de l'intégration africaine par l'irrationalité des acteurs.

On n'oubliera pas enfin que chaque nation peut avoir intérêt à jouer un rôle de « cavalier seul », à ne pas accepter sa part des coûts de l'intégration et, plus encore, à « tricher » en ne respectant pas les engagements souscrits. Ce comportement est observable dans le « retard » des libérations d'échange (dans la CEDEAO et dans la ZEP), dans le non-financement des entreprises communes et dans la non-exécution des achats promis à ces entreprises. C'est une des causes majeures des difficultés de réalisation de l'intégration.

Les difficultés de réalisation de l'intégration africaine

Les difficultés de réalisation de l'intégration africaine (auxquelles s'ajoutent les difficultés si souvent citées de mauvaise gestion, de multiplication des organisations interétatiques, etc.) résultent aussi de trois obstacles structurels.

En premier lieu, les pays africains n'ont qu'une capacité limitée d'absorption du capital et, en particulier, les opportunités d'investissement privé y sont rares. L'intégration par les mouvements de capitaux est, sauf dans certains réseaux commerciaux, très faible. Les capitaux des pays pétroliers, par exemple, n'ont pas vu d'opportunité d'utilisation dans les pays voisins. Il est notable, à l'inverse, que l'existence de minerais en Afrique australe attire les capitaux des conglomérats de la République sud-africaine et que ces investissements sont l'indicateur le plus souvent cité des chances de l'intégration de l'Afrique australe.

En second lieu, les économies africaines se caractérisent par l'importance des rentes des États (rentes pétrolières, prélèvements sur les exportations et aides étrangères). Et l'expérience a montré qu'aucun pays n'a jamais eu la moindre intention de partager ces rentes entre les États. En outre, chaque État africain dépense ses rentes, soit dans le reste du monde (importations de biens et services ou exportations de capitaux), soit à l'intérieur de ses frontières (dépenses de personnel, dépenses d'infrastructures, interventions économiques et sociales, etc.). Tant que les fonctions publiques, les politiques d'aménagement du territoire et les commandes publiques ne seront pas interafricaines, les projets d'intégration resteront sans effet sur les dépenses primaires issues des rentes. Les rentes ne créent de flux interafricains que par les dépenses « secondaires » des revenus privés induits des nationaux. Certaines de ces dépenses peuvent notamment susciter des flux interafricains de biens agro-alimentaires mais beaucoup ne dépassent pas les frontières.

Enfin, la spécialisation de chaque économie africaine dans un nombre restreint d'exportations primaires instables inflige aux différentes économies nationales des chocs extérieurs non synchronisés. Ceci crée entre les pays africains une instabilité des offres et demandes de flux d'hommes et de marchandises et aussi une instabilité des inégalités de revenus et des pouvoirs qui rend difficile toute programmation durable des relations interafricaines. Ainsi, les fluctuations des prix du cacao et du café ont suffi à remettre en cause le rôle du pôle ivoirien. *A fortiori*, les chocs et contre-chocs pétroliers ont vu le Nigeria devenir successivement importateur et exportateur à l'égard de ses voisins. Et aucun accord de répartition interafricaine des investissements ne peut tenir lorsque fluctuent brutalement les capacités de financement (la répartition des projets industriels à laquelle était parvenue l'UDEAC n'a pu résister à la hausse des recettes des pays pétroliers qui ont multiplié les investissements parallèles).

Les formes spécifiques d'intégration régionale en Afrique subsaharienne

Les diagnostics sur l'intégration de l'Afrique subsaharienne sont nettement différents si, au lieu d'examiner les échanges commerciaux, on examine les mouvements interafricains de populations. Ces mouvements sont moins l'effet de politiques interafricaines que de la structure des emplois en Afrique subsaharienne (faiblesse de la valeur ajoutée manufacturière et importance des services de contiguïté, de l'immobilier et des emplois urbains), de la dynamique d'urbanisation et du fait, noté plus haut, que les rentes étatiques ne sont guère dépensées dans les autres pays africains. Toute recherche sur la division internationale et interethnique du travail doit tenir compte de ce que celle-ci épouse souvent moins la forme d'une division interterritoriale que celle d'une division interprofessionnelle où les immigrés sont salariés agricoles, commerçants, pêcheurs et artisans spécialisés en fonction de leur qualification traditionnelle. Cette forme d'intégration se caractérise à la fois par la très grande mobilité interafricaine des hommes, par le caractère durable des spécialisations mais aussi par l'instabilité et l'insécurité des situations (sujettes aux fluctuations économiques, aux à-coups des politiques à l'égard des étrangers et aux tensions entre les populations).

Ces migrations ne sont, on le sait, qu'un cas particulier des flux non enregistrés qui, après avoir été si longtemps négligés par les analyses de l'intégration africaine, en sont devenues désormais l'objet essentiel. C'est probablement à leur sujet que se sont le plus renouvelés les estimations de l'intégration et les débats sur la signification que l'on doit donner aux flux interafricains lorsqu'ils sont le prolongement des flux avec le reste du monde.

Une attention particulière doit être enfin accordée aux échanges clandestins effectués au détriment des États (contrebande) ou au profit des États (en cas, notamment, de boycott étranger). L'exemple de la République sud-africaine est sur ce point révélateur puisqu'elle a maintenu nombre de ces échanges avec la SADCC malgré les buts originels de celle-ci. Ici encore, les diagnostics sur l'intégration africaine sont erronés si on se limite à l'observation des flux officiellement programmés.

L'évolution récente des formes spécifiques d'intégration

Les ajustements structurels se proposaient, on le sait, de réduire les flux informels au profit des flux formels. On voulait supprimer les obstacles aux échanges interafricains (pour supprimer les rentes nées de l'informel), éliminer les distorsions créées par les politiques économiques (par une acceptation commune de la vérité des prix) et supprimer les flux dus aux disparités entre politiques nationales (par l'acceptation des mêmes politiques conjoncturelles et structurelles). De tels résultats ont été parfois constatés (par exemple dans le cas des exportations du cacaco du Ghana) mais on sait que les flux informels ont été parfois, au contraire, accrus par les décalages temporels entre les ajustements, par l'emploi de politiques d'ajustement non orthodoxes (contrôle des importations au Nigeria) et par la non-résorption des écarts entre taux de change officiel et taux de change parallèle.

En outre, la dynamique de l'ajustement a substitué à l'intégration par des accords préalables entre États une intégration par la compétition. Et celle-ci a créé non une division du travail entre pays équilibrant leurs échanges mais une expansion des pays (Nigeria et République sud-africaine) tentant d'obtenir un excédent commercial dans les relations interafricaines pour acquérir des devises rares. La dynamique de l'intégration devient une dynamique polarisée, asymétrique, résultant moins du respect des avantages comparatifs que d'une compétitivité obtenue par dépréciation du change, par baisse des rémunérations et par des subventions officielles ou non officielles.

Il est à noter, par ailleurs, que la politique des deux pôles principaux de l'Afrique subsaharienne se caractérise depuis des décennies par la combinaison de politiques orthodoxes et non orthodoxes.

Et ce n'est pas le moindre paradoxe des programmes d'ajustement (qui se proposaient à l'origine de montrer l'inefficacité des politiques de substitution aux importations et des subventions étatiques) que de faciliter une intégration polarisée autour de deux pays qui étaient les exemples les plus nets d'industrialisation par protection et subventions. L'intégration africaine en cours n'est pas le résultat de l'adoption de politiques orthodoxes mais le fait de deux pays qui ont pratiqué successivement une politique non orthodoxe de croissance et une politique non orthodoxe d'ajustement.

Cette intégration polarisée sera-t-elle, si elle se poursuit, un jeu coopératif ? L'harmonie des intérêts (dont se réclame, à tort ou à raison, l'intégration par le respect des avantages comparatifs) n'est pas nécessairement réalisée en cas d'intégration asymétrique. Par exemple, l'octroi, par les pôles, de compensations aux pays concurrencés (compensations qui sont, en principe, présentes dans les intégrations par accords interétatiques) n'a pas fait, jusqu'à présent, l'objet de réflexions et de concertations suffisantes.

Il n'est pas certain, d'ailleurs, que l'attention portée au thème de l'intégration africaine n'ait pas empêché de faire l'inventaire des formes de coopération possibles entre pays africains : la gestion commune des marchés d'exportation, les ententes à l'égard des fournisseurs et des investisseurs étrangers, l'harmonisation (et non pas nécessairement l'identité) des politiques économiques, la régulation concertée des migrations et la coordination des actions sectorielles (pêche, tourisme, etc.) constituent des modes possibles de coopération interafricaine qui n'impliquent pas nécessairement une intensification des flux interafricains, et, pour cette raison, ne sont généralement pas examinés dans les études sur l'intégration. Or, cette coopération peut faire l'objet d'accords ponctuels, précis et bilatéraux (avec possibilité d'élargissement multilatéral) qui pourraient bien être, en définitive, plus praticables et plus porteurs d'avenir que les ambitieux projets d'intégration.

L'économie nigériane et ses enjeux pour la France et les pays voisins

par Antoine MÉRIEUX

Les deux économies nigérianes à la mi-1992

L'économie pétrolière et gazière dans la région de Port Harcourt

L'avenir du Nigeria est, plus que jamais, dépendant du pétrole et du gaz qui auront représenté, en 1991, 96 % des exportations du pays (11,7 milliards de dollars). Grâce à une politique fiscale particulièrement favorable, le pays a su attirer de nombreuses compagnies qui ont participé activement à la valorisation de ses gisements et continuent aujourd'hui à affluer.

Au mois de juin 1992, une cinquantaine de plates-formes d'exploration devraient être en service, faisant du pays un des premiers sites au monde pour l'exploration pétrolière. D'ores et déjà, le niveau de réserves atteint 20 milliards de barils (2 % des réserves mondiales) et les perspectives de nouvelles découvertes devraient permettre au Nigeria de justifier auprès de l'OPEC une augmentation de production de 35 % en 1995.

De même, les réserves de gaz naturel représenteraient aujourd'hui plus de 3 % des réserves mondiales connues, et l'équivalent de 23 milliards de barils de pétrole. Ce potentiel, très peu valorisé, représenterait à terme, selon certains pétroliers, un atout aussi important que le pétrole.

La première utilisation directe du gaz à l'exportation ne devrait pas intervenir avant 1997, date de la mise en service de la première usine de liquéfaction à Bonny, dont la production représentera environ l'équivalent de 5 % de la production pétrolière du pays.

L'ensemble de ces ressources va être valorisé par un très important programme d'investissements concentrés sur la région de Port Harcourt pour l'exploration et la production pétrolière, le gaz, la pétrochimie, la récupération de condensat représentant sur quatre ans plus de 10 milliards de dollars de travaux.

Sauf très grave aléa sur le marché pétrolier ou dans la transition politique, ce programme d'investissements à forte rentabilité devrait pouvoir se développer sans accrocs dans les prochaines années, faisant de la région de Port Harcourt le pôle essentiel de développement du Nigeria.

Dépenses improductives et mauvaise gestion pèsent sur l'économie traditionnelle

Avec un PNB moyen en hausse de plus de 5 %, entre 1987 et 1991, les cinq dernières années ont permis une certaine croissance de l'activité économique qui ne s'est pas limitée au secteur pétrolier. La pratique nigériane de l'ajustement n'en a pas moins été particulièrement chaotique et d'un coût social très élevé.

— Les ressources du pétrole sont gaspillées dans des investissements à rentabilité douteuse.

Ces investissements concernent en premier lieu de vastes plates-formes industrielles notoirement non rentables, tel le complexe sidérurgique d'Adjaokouka utilisant une technologie russe, dont le coût final devrait dépasser, en y intégrant le développement d'une mine de fer et les 300 km de voies ferrées qui restent à réaliser, plus de 10 milliards de dollars. Un nouveau projet de production d'aluminium, qui vient d'être lancé à la faveur de l'embellie pétrolière de 1991 s'annonce aussi particulièrement dispendieux (3 à 4 milliards de dollars).

Le déplacement de la capitale à Abuja, outre la désorganisation administrative qu'il entraîne, représente aussi, pour le présent et l'avenir, des charges considérables pour le logement des administrations comme pour le financement des nouveaux sièges des entreprises publiques.

Enfin, le financement des installations, nécessaires à la création de neuf nouveaux États, et le coût très élevé de la transition politique (qui implique le financement, dans chacune des capitales, des immeubles des deux parties) achèvent d'hypothéquer les finances des États.

La faible prise en compte des critères économiques dans le choix de ces investissements, qui donnent lieu à de larges commissions, et l'absence de transparence comptable dans les sources de financement, ont fait l'objet de très sévères critiques de la part de la Banque mondiale et de la communauté internationale.

Excédant largement les recettes pétrolières, ces opérations sont directement responsables du très lourd endettement nigerian et des dérapages monétaires à répétition des dernières années qui ont conduit au semi-échec du programme d'ajustement de 1986.

— La gestion du taux de change paraît erratique.

Après la première dépréciation du naira, en 1986, qui avait abouti au triplement de la valeur du dollar, le relâchement de la discipline budgétaire, à la fin de 1988, puis, à partir du deuxième semestre de 1990 (à la suite de l'embellie pétrolière liée à la guerre du Golfe), a conduit à deux nouveaux dérapages monétaires qui ont entraîné à chaque fois une nouvelle dépréciation de moitié de la valeur du naira par rapport au dollar.

Dans les deux cas, malgré les déclarations d'intentions nigérianes, la gestion administrée du taux de change officiel par la Banque centrale a abouti à une très sérieuse distorsion dans l'allocation des devises ; l'écart grandissant avec le taux de change du marché informel a alimenté en effet une spéculation effrénée au bénéfice d'une multitude de petites banques et d'intermédiaires.

Les recettes d'exportations, qui n'avaient pas été utilisées pour les grands contrats, ont été mises en coupes réglées sur le marché des changes, pénalisant lourdement les entreprises importatrices et l'investissement productif. Dans le même temps, une inflation considérable venait réduire très lourdement le pouvoir d'achat du Nigérian moyen.

— L'expansion du marché intérieur est contrariée par la mauvaise allocation des ressources.

Selon les statistiques de la Banque mondiale, le revenu par tête est passé de 1 000 dollars, en 1980, à 280 dollars, en 1990. Ce chiffre devra être nettement corrigé en hausse puisque, selon le tout récent recensement, les Nigérians ne seraient pas 115 millions, comme on le croyait, mais 89 millions, ce qui autorise une correction statistique du revenu par habitant de 29 %, soit 360 dollars. Les salariés ont cependant subi, en 1991, une nouvelle perte de revenus avec une inflation supérieure à 20 % non compensée par les hausses de salaires.

Une telle paupérisation n'a pu soutenir la demande interne et donc l'incitation à investir dans un secteur industriel qui pouvait cependant espérer réaliser d'importantes économies d'échelle, compte tenu de la taille du marché et des possibilités d'exportations en zone franc.

Les aléas du taux de change, les taux d'intérêt très élevés et le climat des affaires, orientées en priorité vers le négoce et la spéculation sur le change, ont limité l'investissement intérieur et extérieur dans l'industrie. Les équipements se sont peu modernisés et la part de la production industrielle dans le PNB stagne aux alentours de 10 %.

L'agriculture, qui occupe encore près de 70 % de la population, n'a pas profité autant qu'elle l'aurait pu de la dépréciation monétaire. Des progrès importants ont certes été enregistrés vers l'autosuffisance alimentaire, notamment dans le secteur vivrier et le maïs, alors que le Nigeria importait encore en 1983 plus de 2 milliards de dollars de produits agricoles. Malgré les investissements considérables qui ont été faits pour développer la production du riz et surtout de blé, et l'interdiction de leur importation, les importations clandestines massives continuent à hypothéquer la rentabilité de ces cultures.

Les performances des produits tropicaux sont aussi décevantes. Le

Nigeria, qui exportait 400 000 tonnes d'huile de palme, dans les années 60, en a encore importé 300 000, en 1991. Du fait des mauvaises conditions pluviométriques, la récolte de cacao 1991-1992 ne dépasserait pas 105 000 tonnes, en net retrait par rapport aux performances des années passées.

Au total, le contraste est toujours plus grand entre une économie pétrolière disposant d'un financement autonome, fonctionnant selon ses règles propres, confiante dans sa capacité à traverser comme par le passé les aléas de la vie politique nigériane, et le reste du pays qui connaît, à l'échelle d'un pays de près de 100 millions d'habitants, les maux traditionnels des économies africaines. La paupérisation croissante de la grande majorité des Nigérians, très sensible dans les villes, apparaît à cet égard particulièrement préoccupante pour l'avenir.

Les échanges commerciaux avec les pays de la zone franc

Les flux commerciaux

Le caractère essentiellement informel des relations commerciales entre le Nigeria et les pays voisins empêche toute mesure statistique précise des échanges interrégionaux, lacune qu'aucune étude approfondie n'a réussi, à notre connaissance, à combler. Les dernières statistiques officielles sur le commerce interrégional, produites par la CEDEAO, et non encore publiées, traduisent très clairement la sous-estimation du commerce frontalier. Malgré ces limites, on peut tenter de décrire de façon non exhaustive les principales caractéristiques connues de ces flux.

— Exportations du Nigeria

Il convient de distinguer :

• les exportations de produits pétroliers pour lesquelles le Nigeria semble disposer d'une rente de situation quasi inexpugnable. A destination de tous les pays environnants, elles sont en constante augmentation depuis de nombreuses années. Compte tenu de l'extrême faiblesse des prix intérieurs (dix fois inférieurs aux prix internationaux), on considère que ces exportations perdureront même si les prix nigérians sont substantiellement revalorisés et si le naira est stabilisé. Seule une action énergique des gouvernements des pays concernés pourrait contenir le phénomène.

Selon un industriel responsable de la distribution pétrolière au Nigeria, ces exportations représenteraient entre 500 000 et un million de tonnes, soit 80 % de la consommation du Bénin et du Tchad ; 60 % de la consommation du Niger ; 25 % de la consommation du Cameroun, Togo et Mali ainsi qu'un pourcentage non négligeable de la consommation du Burkina et de la Centrafrique.

• Les exportations des autres produits : il s'agit essentiellement du textile (près de 50 % de la production nationale nigériane ; des matériaux de construction ; de pièces détachées d'automobiles ;

d'engrais ; de produits électriques ; d'articles de ménage ; de produits agricoles.

Ces produits, beaucoup plus sensibles que les produits pétroliers à la valeur du naira sur le marché informel, ont commencé à envahir les pays voisins à partir de 1986, date de la première grande dévaluation de la monnaie nigériane. Après un court répit, entre la fin de 1989 et la première partie de l'année 1990, lié à l'appréciation provisoire du naira (qui avait conduit au quasi-arrêt des exportations de textile), les exportations sont reparties de plus belles. La nouvelle dépréciation de 100 % du naira, intervenue en 1991 et au début 1992, n'ayant été que très partiellement compensée par l'inflation au cours de la même période (30 à 40 %), les exportations nigérianes devraient encore augmenter au cours des prochains mois.

Deux autres éléments devraient contribuer à l'avenir à nourrir un fort courant d'exportations nigérianes : le faible niveau de la demande interne nigériane, qui a très peu profité de l'embellie pétrolière des dix-huit derniers mois, entraîne une forte sous-utilisation des capacités de production qui incite les industriels à se tourner sur les marchés extérieurs. Alors que le commerce était essentiellement le fait jusqu'ici de réseaux de revendeurs clandestins bien organisés, les grandes maisons de commerce nigérianes prennent peu à peu conscience des opportunités qui s'offrent à elles en zone franc. Ainsi, la première société de distribution nigériane, l'UAC, a réuni en février 1992 l'ensemble de ses cadres à Cotonou pour leur faire prendre conscience des opportunités offertes par les nouveaux marchés.

— Produits en transit

Certains produits, tels l'électronique ou les textiles d'Asie du Sud-Est (Pakistan) sont importés en gros au Nigeria pour être réexportés en partie dans la sous-région.

Seuls, les produits qui impliquent une large part d'importations, un contrôle de qualité (produits pharmaceutiques), un service après-vente ou des conditions particulières de distribution (bière, du fait des verres consignés) résistent bien à l'envahissement.

— Importations du Nigeria

Si une partie des devises ainsi obtenues par les exportateurs nigérians permet d'alimenter des sorties de capitaux vers la place de Londres, l'essentiel paraît en fait recyclé dans l'importation de produits interdits ou strictement contingentés, notamment les céréales (farine, blé, riz), les alcools et les cigarettes qui viennent en transit des pays limitrophes. Elles concernent souvent des quantités considérables (500 000 tonnes de blé, de farine de blé, 150 000 tonnes de riz, 100 000 tonnes d'huile de palme par an par exemple en provenance du Bénin et du Cameroun).

Les rares exportations de produits fabriqués en zone franc concernent pour l'essentiel les produits agricoles spécifiques (niébé du Niger), l'élevage et certains produits de qualité (certains textiles, piles électriques...).

Incidence économique sur les pays voisins

Elle apparaît très différenciée selon les produits et selon les pays :

— l'exportation des produits pétroliers a une très lourde incidence sur les recettes publiques pétrolières des États riverains. On a pu ainsi calculer que le manque à gagner du Cameroun au titre des produits pétroliers représentait environ 26 milliards F CFA par an. De même, la fiscalité pétrolière a quasiment disparu au Bénin, l'essence vendue au cours officiel l'étant essentiellement aux véhicules administratifs.

En sens inverse, l'approvisionnement à bas prix en énergie a des incidences positives indéniables pour l'économie, puisqu'elle s'analyse en quelque sorte comme une subvention du Nigeria (via la NNPC) au pays importateur.

Le Bénin peut ainsi avoir intérêt à exporter sa production pétrolière qui lui garantit pourtant l'autosuffisance, et à importer massivement du Nigeria. De même, le trafic sur l'essence fournit un nombre considérable d'emplois dans le secteur informel et constitue donc une importante soupape de sécurité pour apaiser les tensions sociales dans les pays de la zone franc.

— L'exportation des autres produits nigérians est en revanche très déstructurante pour les industries naissantes, déjà très fragiles, des pays limitrophes, et notamment les entreprises textiles : la STT au Tchad a dû fermer ses portes et toutes les autres entreprises textiles de la région connaissent des difficultés d'importance variable, selon les capacités d'adaptation qu'elles manifestent.

L'incidence du taux de change sur les difficultés du secteur textile est cependant à nuancer : les coûts du secteur textile nigérian sont composés à plus de 60 % d'importations libellés en dollars (en particulier les couleurs et le coton) qui les rendent sensibles au taux de change. La nécessité de réduire la part des importations explique la faible qualité des pagnes nigérians, pauvres en couleurs et les opportunités qui subsistent pour les produits de qualité produits par les entreprises des pays de la zone franc (Bénin). Aux yeux du responsable de la Sodefitex, au Niger, ce qui reste du secteur textile en zone franc est plus menacé à terme par les importations pakistanaises que par celles en provenance du Nigeria (sauf si ce secteur, tenu pour une bonne part par des Chinois, entreprenait de se moderniser).

Seul le Bénin, de par sa situation géographique favorable, paraît globalement profiter de ses relations avec le Nigeria, dans la mesure où il joue un rôle de prestation de services considérable pour les multiples trafics qui passent par le port de Cotonou et permettent d'alimenter le dynamisme du secteur informel.

De même, les finances publiques béninoises compensent les pertes pétrolières par les droits de douane sur les trafics en transit (en particulier riz et céréales) qui franchissent ensuite clandestinement la frontière nigériane. Ces droits constituent une part majoritaire de la recette du poste de douane du port de Cotonou.

Comme le reconnaissent les autorités béninoises, cette situation reste néanmoins très fragile, puisqu'une mesure de complète libéralisation des importations nigérianes remettrait en cause la rente de situation de Cotonou.

Le Nigeria lui-même pourrait avoir intérêt, dans une certaine mesure, à régulariser ses relations commerciales avec ses voisins : les exportations pétrolières clandestines représentent des pertes de recettes considérables et créent des phénomènes de pénurie (et d'augmentation sauvage des prix du pétrole), source de graves mécontentements dans les régions frontalières (le Nord en particulier) ; les importations clandestines de céréales sont, pour une bonne part, à l'origine des difficultés de l'agriculture nigériane.

— Les actions à conduire

L'absence de maîtrise par le Nigeria de son taux de change constitue ainsi un facteur très déstabilisant pour la zone franc, qui justifie à lui seul que soit assuré à l'avenir un suivi très étroit de l'évolution macro-économique de ce pays. Autant que le niveau même de ce taux de change du naira, ce sont l'existence de deux marchés des changes et l'absence de tout contrôle de l'économie et des échanges qui apparaissent préjudiciables à la zone franc.

L'existence de deux marchés des changes nourrit une spéculation considérable, qui renforce l'attrait des échanges avec la zone franc, recherchés moins pour les profits que pour l'accès qu'ils offrent à une devise forte. L'absence de contrôle des échanges expose les pays voisins, non seulement à la concurrence sauvage des produits fabriqués au Nigeria, mais aussi à celle de tous les produits importés frauduleusement à grande échelle pour satisfaire les besoins du grand marché nigerian et qui sont réexportés à des prix extrêmement bas. Le Nigeria, de son côté, fait aussi, dans certains cas, les frais de cette situation anarchique.

Les contacts, jusqu'ici trop rares entre les gouvernements de la sous-région, devraient être développés, pour mettre en évidence les points d'intérêts communs et les zones de coopération possible, qui peuvent être envisagés même dans le domaine monétaire (réhabilitation de la Chambre de compensation des Banques centrales).

De tels contacts seraient d'autant plus fructueux que les progrès réalisés dans l'intégration régionale permettraient à ces pays de parler d'une même voix face à leur puissant voisin.

Enfin, pour éviter les malentendus avec les autorités nigérianes, le discours des États de l'UMOA, de l'UDEAC et de la France sur l'intégration régionale devrait mettre en évidence la complémentarité de la démarche entreprise en zone franc et l'action de la CEDEAO.

26

Que peut faire la coopération française pour soutenir la coopération économique régionale en Afrique de l'Ouest ?

par Anne DE LATTRE

Depuis les indépendances, deux grandes orientations ont marqué la politique suivie par la coopération française pour soutenir l'intégration régionale en Afrique de l'Ouest : créer et consolider un bloc de coopération entre pays francophones, inciter les gouvernements africains à s'inspirer du modèle d'intégration économique européen.

Un bloc de coopération régionale francophone

Pour cimenter un bloc de coopération francophone, la France a utilisé des moyens politiques, culturels, monétaires, économiques et techniques. Dans les institutions dotées de ces différentes fonctions, elle a joué un rôle d'animation et de soutien très influent.

Des sommets ont organisé des consultations politiques entre chefs d'État africains et le chef de l'État français. Celui-ci a disposé d'une cellule *ad hoc*, veillant, autant que possible, à la cohésion de l'ensemble politique régional. Des consultations périodiques ont rassemblé les ministres de l'Éducation nationale chargés de gérer des systèmes d'instruction et de formation soutenus par la coopération française. Un dispositif a facilité les réunions des ministres des Finances et de leurs services techniques avec leurs homologues français pour faire fonctionner la zone franc, pilier économique et financier de la coopération régionale entre pays membres.

La France a soutenu, également, certaines institutions à vocation économique chargées de stimuler les échanges entre pays francophones telles que la Communauté économique de l'Afrique de l'Ouest (CEAO). Elle a soutenu des institutions à vocation technique, chargées, par exemple, de lutter contre la sécheresse (CILSS), d'améliorer les méthodes de l'élevage (CEBVB) ou de promouvoir la coopération entre pays riverains d'un même fleuve (OMVS). Elle a financé de nombreux projets régionaux.

Récemment, les ministres des Finances de la zone franc ont décidé d'utiliser les bases de coopération que constituent les unions monétaires et la zone franc pour avancer dans le domaine de l'intégration économique afin d'organiser un grand marché commun sous l'égide d'une autorité régionale qui aurait la responsabilité de coordonner les politiques économiques des pays membres. En Afrique de l'Ouest, cette institution nouvelle porte le nom d'Union économique et monétaire (UEMOA).

Très active dans les pays francophones, très désireuse d'exercer une influence sur les initiatives de coopération régionale, la France, en revanche, a gardé ses distances à l'égard d'entreprises régionales visant à rapprocher les économies des pays francophones et des pays anglophones en Afrique de l'Ouest. Elle a jugé, par exemple, que la CEDEAO pouvait menacer les objectifs et les institutions de coopération régionale entre pays francophones d'Afrique de l'Ouest et mettre en péril les systèmes de cohésion culturelle fondés sur la langue et la civilisation françaises. Elle a estimé que, sur la longue durée, le Nigeria pourrait avoir sur la région des visées hégémoniques qui pouvaient compromettre l'influence de la France.

Le modèle européen

Pour conseiller les pays de l'Afrique de l'Ouest en matière de coopération régionale, la France s'est inspirée du modèle européen. Ayant tiré des bénéfices substantiels de l'union douanière européenne, elle a pensé que l'union douanière entre pays de l'UEMOA pouvait contribuer à stimuler les échanges régionaux de produits industriels et agricoles. La coopération française avait soutenu auparavant la création et le fonctionnement de la CEAO qui s'était fixée précisément ces objectifs.

Ayant profité de la politique agricole commune (PAC), la France a recommandé aux pays francophones d'Afrique de l'Ouest d'étudier la possibilité d'une telle politique. On le comprend bien. Grâce à la PAC, l'agriculture française, encore extensive et peu productive après la Seconde Guerre mondiale, est devenue une agriculture prospère et performante, au-delà des besoins solvables. Et, dans la performance acquise, les mécanismes protectionnistes ont joué un rôle significatif. D'où l'idée française de proposer la création d'un espace régional protégé en Afrique de l'Ouest.

En résumé, la politique suivie par la France pour faire avancer la coopération régionale a été marquée par la cohérence et la continuité, avec l'objectif, toujours vivant, de constituer un front commun face à des pays africains mieux dotés en espace, en population, en ressources, tels que le Nigeria.

Les difficultés rencontrées et leurs causes

Malgré les efforts persévérants de la France, les résultats de la coopération économique régionale entre les pays francophones d'Afrique de l'Ouest ont été décevants. L'union douanière, objectif de la CEAO, a fonctionné cahin-caha, en période de croissance économique mais elle n'a pas résisté à l'épreuve de la crise. A l'heure actuelle, par exemple, les obstacles non tarifaires au commerce entre le Sénégal et la Côte-d'Ivoire sont aigus. Quant à la politique agricole commune, elle n'a pas connu le début d'une application. En 1992, jamais les importations commerciales de céréales n'ont été aussi élevées, en particulier les importations de riz, alors que dans certaines régions, les pays africains accroissent leur production et leur productivité. La zone franc, en revanche, a fait preuve d'une beaucoup plus grande solidité mais son fonctionnement rencontre, néanmoins, des difficultés sérieuses.

Quelles sont les causes des problèmes rencontrés par la coopération française ?

Des aspirations multiples

Parmi les causes des problèmes rencontrés par la coopération française, il en est une à laquelle la France n'attache pas l'importance qu'elle mérite. En effet, les pays francophones ont des aspirations multiples qui tiennent à l'héritage colonial et à celui des politiques suivies depuis les indépendances. Ces héritages contrastés les tiraillent dans des directions différentes, souvent contradictoires, entre lesquelles il leur est difficile de choisir.

La première aspiration, issue de l'histoire, est une aspiration à l'unité. Celle-ci joue un rôle important dans l'affectivité des Africains. L'image de l'unité perdue, d'une sorte d'Afrique sans rivage, sans frontières, survit dans le souvenir des peuples et perdure grâce à l'expérience vécue des parentés et des solidarités. D'où qu'il vienne en Afrique de l'Ouest, l'Africain est chez lui tant il a d'alliances et de relations familiales. Chaque Sahélien connaît sa généalogie et son histoire. Chaque Africain se situe dans la continuité historique de ses parentèles et des alliances interethniques séculaires. Le Yoruba du Bénin se sent chez lui au Nigeria comme le Haoussa au Niger. Le Peul est en famille à peu près partout. Si l'on songe aux relations continentales, on peut même dire qu'il y a plus que du rituel social dans l'interpellation familière de « frère » et de « sœur » que formulent quotidiennement des hommes et des femmes qui ne se sont jamais rencontrés.

Par tradition orale et familiale, les Africains de l'Ouest gardent un souvenir vivace des empires précoloniaux : empire du Ghana, empire du Mali, royaumes à cadre spatial restreint. Certains historiens africains estiment que les tentatives d'intégration faites par ces empires, quoique fragiles, reposaient, malgré tout, sur des fondations plus solides que les tentatives actuelles, car elles s'étaient attaquées à l'unité politique avant de viser à l'unité économique. Comme la trajectoire de l'histoire est bien vivante dans le souvenir des Africains, comme ils continuent de la vivre dans leur quotidien familial, l'aspiration à l'unité retrouvée est forte dans certains pays et certaines zones, par exemple, les zones qui entourent le Nigeria et le Ghana. Sur l'aspiration unitaire, toutefois, se superpose une autre aspiration non moins importante : celle du maintien des liens avec l'ancienne puissance coloniale.

D'abord, certains intellectuels africains estiment que les fédérations instituées dans le cadre de l'AOF et de l'AEF assuraient une meilleure administration, une meilleure organisation de l'espace économique, un meilleur jeu des complémentarités naturelles que les États fragmentés de l'époque postcoloniale. Cette conception n'est peut-être pas étrangère à l'accueil des États d'Afrique de l'Ouest au dessein de l'UEMOA qui doit pourtant leur enlever certaines prérogatives importantes de la souveraineté nationale.

Font partie également de l'héritage colonial, les liens étroits que les pays francophones et anglophones gardent avec l'ancien colonisateur. Avec la France, les pays francophones ont une langue commune et des références de civilisation partagées. Dans certains pays, une fraction non négligeable de la classe dirigeante a la nationalité française. Les pays francophones partagent également des intérêts économiques, commerciaux, financiers et monétaires avec la France. Conscients de l'importance de ces liens et des avantages qu'ils en tirent, les dirigeants voudraient les conserver sans trop nuire à leurs aspirations unitaires régionales.

Sur les deux aspirations mentionnées se greffe l'acquis des indépendances : la conscience nationale, et même le nationalisme. Car les réalités actuelles en Afrique de l'Ouest sont celles d'États fragmentés et soucieux de leur indépendance. Ces États ont poursuivi, depuis trente ans, des objectifs plus autarciques, plus séparatistes que les objectifs communautaires. Ce faisant, ils ont créé des consciences nationales, si bien que le Yoruba du Bénin se sent béninois et celui du Nigeria se sont nigerian. Tout Yoruba qu'il soit, le Béninois sait bien qu'il perdrait de nombreux avantages en se fondant dans la fédération de son puissant voisin. Le Haoussa du Niger est du même avis.

Compte tenu de ces héritages contrastés et de la confusion qu'ils créent dans les esprits comme dans les volontés, les Africains de l'Ouest ont trouvé différents moyens pour concilier l'inconciliable et remettre les choix à plus tard. Au nom de l'unité future, ils signent, sans état d'âme, des accords contradictoires : celui de l'UEMOA, par exemple, qui s'accorde mal avec celui de la CEDEAO. Ils autorisent les migrations des populations et ferment des yeux complices sur la zone de libre-échange informelle qui s'est organisée en Afrique de l'Ouest. Au nom des liens avec la France, ils ne voient nulle incompatibilité entre leur citoyenneté française, celle de leurs enfants et le sentiment national. Au nom des intérêts nationaux, ils préconisent l'autosuffisance alimentaire et mettent des entraves au commerce régional. Ces comportements sont, au stade actuel de leur histoire, leur réponse aux nécessités politiques des relations entre pays de la région, aux nécessités économiques des relations avec l'extérieur et aux besoins de l'État-nation. Ils sont malheureusement assez peu compatibles avec les conceptions françaises de la coopération interafricaine et avec les objectifs fixés aux organismes africains régionaux. L'expérience l'a montré.

L'impossible modèle européen

Une autre cause des difficultés rencontrées par la France pour le soutien de la coopération économique régionale a tenu à l'illusion de pouvoir appliquer certains aspects du modèle européen en Afrique de l'Ouest. Dans cet espace, les circonstances, de toute nature, étaient trop différentes de celles de l'Europe pour que ce modèle puisse être utile.

Des circonstances différentes

L'entreprise d'intégration économique européenne, on s'en souviendra, a commencé sous la pression de réalités exigeantes. Sortant d'une guerre meurtrière et ruineuse, confrontés à des dangers extérieurs et intérieurs puissants, quelques États d'Europe de l'Ouest, talonnés par l'urgence, ont décidé de mettre en œuvre des mesures pratiques limitées, servant d'abord l'industrie de base (la communauté charbon-acier), puis l'ensemble de l'économie (traité de Rome). Dans cette entreprise de rapprochement, ces États ont été poussés par l'exigence américaine de mise en commun des aides fournies par le Plan Marshall.

En 1960, moment des indépendances, la situation des États africains était bien différente. Dans l'ivresse de l'émancipation, tout paraissait possible. Lorsque les illusions se sont dissipées, d'autres facteurs ont incité à repousser la coopération régionale. Outre les rivalités politiques, outre la nécessité d'asseoir la nation sur quelques fondements économiques, les États ont cherché chacun à s'approprier la plus belle part de l'aide étrangère. Et les agences de coopération, théoriquement préoccupées de coordination, ont organisé, *de facto*, des programmes fragmentés, fondés sur les requêtes de chaque pays. Pendant trente ans, l'argent n'a pas manqué et des distributions nationales généreuses n'ont pas été étrangères au sentiment que la coopération régionale n'était pas une affaire urgente.

Des conditions politiques et sociales différentes

Si le rôle de l'aide extérieure n'a pas été incitatif dans la quête de la coopération économique en Afrique de l'Ouest, ce rôle a probablement été moins déterminant, dans l'échec des tentatives faites, que la nature même des États et des sociétés africaines, si différente de celle des États d'Europe de l'Ouest.

Ces derniers, malgré leurs diversités politiques, économiques, sociales, avaient, après la guerre, de fortes ressemblances qui, par la suite, se sont renforcées. Les institutions de la démocratie et du droit, acquises à travers une histoire tragique, étaient considérées comme des valeurs à défendre. Les membres plus tardifs de la Communauté, Espagne, Portugal, Grèce n'ont été admis qu'après démonstration de leur adhésion à ces valeurs. Les sociétés étaient rendues plus stables grâce à l'existence d'une classe moyenne en extension depuis quarante ans. La liberté d'opinion, les droits de l'homme permettaient un débat ouvert sur les choix politiques.

En Afrique de l'Ouest, le terrain politique et social n'offrait pas de points communs avec celui de l'Europe et, depuis trois décennies, les conditions existant dans ces deux continents sont toujours aussi dissemblables. Les États nés des indépendances n'ont pas encore fait la démonstration de leur légitimité et de leur volonté de défendre l'intérêt général. Ils ont utilisé les structures et les institutions héritées de l'indépendance comme un puissant instrument de contrôle de la société au service de l'élite dirigeante. Si les évolutions démocratiques sont encourageantes, depuis quelques années, il reste beaucoup à faire pour que les institutions s'accordent au mouvement de démocratisation.

Ne pouvant compter sur l'État, la société civile s'est organisée en dehors de lui pour survivre du mieux qu'elle pouvait. Des différences considérables se sont creusées entre les revenus des classes dirigeantes et des masses contraintes de vivre dans une situation précaire.

Bref, les conditions politiques et sociales, en Afrique de l'Ouest, ne se prêtaient pas après les indépendances et ne se prêtent toujours pas au progrès de l'intégration économique régionale. Comme en Europe pourtant, l'intégration économique ne peut qu'être le fruit de la rencontre d'États qui le veulent avec des sociétés civiles adhérant au projet de l'État parce qu'elles le comprennent, qu'elles sont conscientes des avantages qu'elles peuvent en retirer et qu'elles connaissent les problèmes qui se poseraient pour l'avenir, en cas de rejet.

Des conditions économiques différentes

Depuis quatre décennies, les différences évidentes entre la situation économique de l'Afrique de l'Ouest et celle de l'Europe se sont creusées. La crise, qui sévit à l'heure actuelle, rend l'intégration économique régionale africaine encore plus difficile qu'auparavant, d'autant plus que cette crise a renforcé une sorte d'intégration économique populaire qui s'oppose, par essence, à l'intégration régionale conçue — sinon appliquée — par les États africains. Sur cette forme d'intégration économique, sur cette zone de libre-échange de fait, les États ont, pour le moment, très peu de prise.

Ses caractères principaux sont les suivants :

— les échanges informels sont très importants et concernent produits alimentaires (riz, blé, farine de blé), produits manufacturés (voitures d'occasion, radios, magnétoscopes, pièces de rechange, fripes, etc.) et produits de base (pétrole, ciment, textiles, matériaux de construction) ;

— les échanges informels tirent parti des disparités des politiques économiques, financières, monétaires et commerciales entre pays francophones, d'une part, pays francophones et anglophones, de l'autre. Des pays comme le Nigeria utilisent le commerce informel pour se procurer les devises convertibles (francs CFA) dont ils ont un besoin extrême. Des pays tel le Bénin ont fait de la contrebande l'un des piliers de leur économie ;

— les échanges informels sont organisés par des réseaux marchands différenciés par ethnies qui exercent leurs talents depuis des siècles. Ces réseaux bénéficient de complicités dans l'administration et le personnel politique. Outre les réseaux marchands, le commerce informel engage un nombre considérable de personnes qui traversent les frontières, de façon habituelle ou intermittente, afin de trouver des occasions de profit.

Comme l'intégration régionale populaire atténue les effets de la crise, elle fait l'objet d'un soutien généralisé, même si certains en souffrent ou en voient lucidement les inconvénients. Elle constitue une soupape de sécurité pour temps de pénurie et pour les pressions venues de l'extérieur avec les ajustements structurels. Il est extrêmement difficile de contrôler cette forme d'intégration dans une région où existent des systèmes monétaires différents, des frontières poreuses et une façade maritime étendue.

Bien entendu, l'intégration régionale populaire est très loin de faciliter un rapprochement de l'optimum économique. Elle a des inconvénients énormes. Elle encourage la spéculation monétaire, ainsi que l'importation et la réexportation de produits issus des soldes mondiales, aux dépens de la valorisation des produits locaux et, plus généralement, de la production. Elle encourage les fortunes rapides et la corruption. Elle décourage l'émergence d'entreprises modernes opérant au grand jour qui, face à une concurrence souterraine, se mettent, elles-mêmes, à l'informel. On s'interroge, enfin, sur les perspectives de la démocratie dans un contexte de fraude généralisée, bien peu propice à l'honnêteté de l'administration et de la classe politique.

Que peut faire la coopération française pour faire avancer la coopération économique régionale dans des circonstances aussi défavorables ?

Agir

Agir pour consolider le bloc de coopération entre les pays francophones ; la France le fait dans la ligne de la politique menée depuis les indépendances, par l'appui qu'elle fournit pour la création de l'UEMOA. Certains des objectifs de l'UEMOA ne paraissent pas réalisables. C'est le cas, en particulier, du marché commun des États de la zone franc. Celui-ci n'est pas concevable dans un espace économique ouvert sur le monde, espace dans lequel coexistent des systèmes monétaires inconciliables : un système fondé sur la convertibilité d'une monnaie forte, des systèmes de non-convertibilité.

En revanche, dans des conditions d'extrême rigueur, un dispositif de surveillance multilatérale de l'UEMOA, régissant les finances publiques, l'endettement extérieur, l'endettement intérieur et l'octroi de crédits bancaires aux entreprises et organismes publics, peut conduire à de meilleures politiques économiques et financières dans les pays membres. Un tel système est certainement indispensable en cas de réajustement du taux de change du franc CFA.

Se rapprocher du Nigeria

Mais comme le dit M.F. L'Hériteau (chapitre 27), « l'intégration économique des pays d'Afrique de l'Ouest ne peut ignorer les pays de la région non membres de la zone », en particulier le Nigeria.

S'il est indispensable, en effet, de remettre, dans un premier temps, de l'ordre dans la maison zone franc, il l'est également de développer une vision prospective et de reprendre l'initiative en se rapprochant du Nigeria, afin de construire la coopération régionale future sur des bases réalistes. Le secteur privé français tient déjà largement compte du Nigeria qui est devenu le plus grand partenaire commercial de la France en Afrique, à l'exception de l'Afrique du Sud.

Dans la perspective d'un rapprochement futur de la politique de coopération régionale entre pays anglophones et francophones, il serait bon d'entreprendre l'étude des coûts et bénéfices de la coexistence de systèmes monétaires différents, des coûts et bénéfices de politiques économiques et commerciales différentes et d'imaginer comment la politique de coopération française peut agir pour minimiser les coûts des disparités dans les politiques économiques des pays de la région. Une telle réflexion devrait être entreprise, également, dans le cadre des institutions de la Communauté européenne et des accords de Lomé.

Soutenir les producteurs en Afrique de l'Ouest

Un autre moyen de préparer l'intégration régionale est de soutenir les acteurs de la société civile qui prennent conscience des avantages à tirer d'un changement des politiques économiques régionales menées jusqu'à présent.

Deux catégories d'acteurs peuvent avoir intérêt à l'amélioration de la politique de coopération régionale : les producteurs de biens manufacturés et de services et les agriculteurs. Les intérêts de ces deux groupes s'opposent de plus en plus aux intérêts des grands commerçants et des financiers/spéculateurs qui ont un poids très lourd dans les économies d'Afrique de l'Ouest. Les importations sous contrôle des commerçants et les jeux sur les taux de change des spéculateurs créent des obstacles insurmontables aux projets à long terme que doivent faire les paysans et les industriels pour être efficaces et faire des profits. Il se peut que les paysans et les industriels prennent conscience de la nécessité de s'organiser pour négocier avec l'État et obtenir des changements de la politique économique, monétaire et commerciale.

Pour le moment, les producteurs industriels et de services et les agriculteurs sont très mal organisés à l'échelon national. Ils ont une faible capacité de connaissance, d'analyse et de synthèse ; ils sont isolés et agissent en ordre dispersé. La première tâche à entreprendre consiste à les conseiller pour qu'ils s'organisent.

Simultanément, il est souhaitable de faciliter les contacts et les rencontres entre les producteurs agricoles et industriels des pays francophones et anglophones afin que ces deux groupes contribuent progressivement à la prise de conscience des avantages et des difficultés de la coopération régionale. Un premier début d'application de cette idée a pris la forme d'un « réseau de l'entreprise » créé par le CILSS, le Club du Sahel et Cinergie. Le réseau se construit sur deux paliers : le palier national qui est sa base et le palier régional.

Soutenir les institutions de recherche africaine

En Afrique de l'Ouest, on n'a pas voulu, jusqu'à présent, travailler dans la durée longue des maturations qui précèdent les décisions de politique économique. On a construit de grands schémas qu'on a voulu appliquer sans que les fondations soient solides, c'est-à-dire sans que les États et les sociétés adhèrent à ces schémas.

Mais pour que les grands desseins prennent racine dans la société, il faut que les idées mûrissent, qu'elles fassent l'objet d'études et de débats. Les institutions de recherche peuvent contribuer à soumettre les idées à l'épreuve des faits et de la connaissance.

Encore très faibles, en Afrique francophone, les instituts de recherche en sciences humaines doivent être soutenus afin de contribuer à la réflexion sur la coopération économique régionale. Ils doivent être encouragés à nouer des contacts avec les industriels, les producteurs agricoles et les associations qui représentent ces entrepreneurs afin d'entrer dans la réalité économique et sociale de leurs pays et de raisonner sur cette réalité. La France, qui n'a pas, jusqu'à présent, porté une attention suffisante à la formation de chercheurs doués d'une bonne formation théorique et d'une bonne capacité d'observation de leurs sociétés, peut trouver dans ce domaine un champ d'intervention fécond.

27

Intégration régionale en Afrique et coopération monétaire euro-africaine

M.-F. L'HÉRITEAU

Dans la dernière décennie, la problématique économique en Afrique a porté essentiellement sur l'ajustement structurel, conçu comme une série d'opérations nationales, pays par pays, de remise en ordre sur le plan intérieur, et d'ouverture sur l'extérieur.

La décennie actuelle devrait être celle d'une recherche d'intégration régionale : les économies africaines, plus ouvertes, sont aussi appelées à coopérer entre elles, se servir mutuellement de marché, se constituer en partenaires. Les ministres des Finances de la zone franc ont exprimé à Ouagadougou leur volonté d'aller dans ce sens. C'est aussi dans cette perspective que la Banque mondiale travaille à la mise en place de financements appuyant des programmes d'intégration régionale, et que les États africains, au sommet de l'OUA de mai 1991, ont décidé la création, aux termes de vingt-cinq ans, d'une Communauté économique africaine.

La France et les pays africains de la zone franc ont, dans ce domaine, un rôle primordial à jouer comme force d'exemple et de proposition sur la scène internationale : les pays africains de la zone parce qu'ils constituent le seul cas de réelle coopération multilatérale sur le continent et qu'ils ont la volonté de développer l'intégration monétaire en intégration économique ; la France, parce que sa double appartenance à la zone franc et à la Communauté européenne lui confère une expérience et une capacité d'initiative unique en la matière.

Cet article propose quelques éléments de réflexion sur les perspectives qu'offrirait pour l'intégration régionale une coopération euro-africaine en matière monétaire.

Le besoin de coopération monétaire en Afrique de l'Ouest hors zone franc

L'intégration économique de la zone franc ne peut ignorer les pays de la région non membres de la zone, qu'on les considère ou non, comme faisant partie de l'Union économique.

L'approfondissement de l'intégration économique régionale, souhaitée par les pays de l'UMOA et de la BEAC, doit prendre en compte l'existence de leurs voisins non-membres de la zone franc. Si les différents « chantiers », mis en route par les dernières réunions des ministres des Finances, visant à l'harmonisation de règles et pratiques financières (assurance, sécurité sociale) ou juridiques (droit des affaires), et à une coopération institutionnelle renforcée (institut de formation des cadres économiques et administratifs), peuvent, au moins dans un premier temps, avancer dans le seul cadre de la zone franc, il en ira différemment lorsqu'il s'agira de rechercher l'intégration commerciale.

L'expérience de la Communauté européenne l'a montré : l'intégration commerciale se fait toujours en alignant les réglementations nationales sur les moins restrictives, et l'augmentation des échanges intracommunautaires s'accompagne d'une augmentation aussi importante des échanges avec les pays extérieurs à l'union douanière. Certains responsables évoquent d'ailleurs la possibilité d'inclure, dans l'union économique à créer, des pays d'Afrique de l'Ouest non membres de la zone franc. Il faut donc regarder le processus d'intégration régionale sans oublier le potentiel de concurrents — voire de partenaires — que constituent des pays tels que le Nigeria, le Ghana, le Zaïre, etc.

Or, ceux-ci sont engagés dans des dévaluations cumulatives dont l'ampleur nuit à la compétitivité des pays de la zone, dévaluations qu'ils subissent eux-mêmes faute de réserves de change et qui vont au-delà de ce que nécessiteraient les évolutions de prix.

Or, ces pays sont actuellement engagés dans une spirale de dévaluations de leurs monnaies qui, d'ores et déjà, portent gravement atteinte à la compétitivité de certains secteurs des économies de la zone franc (cf. la percée récente des produits industriels nigerians, notamment textiles, dans les pays riverains). Certes, l'expérience européenne montre qu'une stricte stabilité des changes n'est pas indispensable à l'intégration économique. Mais les dévaluations africaines sont sans commune mesure avec les fluctuations monétaires que s'est autorisée l'Europe depuis l'éclatement du système de Bretton Woods.

Le serpent monétaire, puis le SME, ont imposé, avec des exceptions, une marge de fluctuations de 2,25 % de part et d'autre d'une parité révisable de façon concertée, et organisé sur une longue période les glissements de parité entre monnaies européennes. Le taux du mark allemand en franc français, a ainsi doublé, mais sur une période de quinze ans (1970-1984). De même, à l'égard des monnaies tierces les évolutions des monnaies européennes se sont étalées dans le temps : le triplement du yen par rapport au franc français, par exemple, s'est étalé sur une période de vingt ans (1970-1990).

Dans le cas de monnaies d'Afrique de l'Ouest hors zone franc — pour donner un ordre de grandeur rapide —, c'est en cinq ans que le franc CFA a vu multiplié par dix son taux de change officiel en naira et en cedi, et par cinq son taux de change parallèle.

La démarche des pays de la zone franc vers l'intégration régionale ne peut donc se désintéresser des régimes monétaires des autres pays de cette région. Or, les pays africains non membres de la zone franc ne se sont pas engagés dans ces politiques de dévaluation par des choix délibérés mais sous le poids de l'urgence.

On utilise souvent, pour désigner la politique de change de certains pays d'Afrique de l'Ouest (Ghana, Nigeria, Zaïre...), l'expression de « dévaluation compétitive ». Ce terme recouvre une partie de la réalité en ce sens que les dévaluations en question ont donné un certain avantage à ces économies sur les marchés voisins, notamment dans la zone franc. Mais il ne recouvre qu'imparfaitement la réalité : du point de vue des pays en cause, les dévaluations ont toujours été d'abord des « dévaluations réparatrices », visant, non pas tant à améliorer la compétitivité de ces économies sinistrées qu'à pallier un manque absolu de réserves de change. Dans un premier temps, une très forte dévaluation visait à combler le fossé existant entre le taux de change officiel et un taux parallèle vertigineux : multiplication par 9 du prix officiel du dollar au Ghana en 1983, par 3 au Nigeria, en 1986 (sans parler du Zaïre pour lequel le processus, commencé en 1978, est tel qu'il a gommé les points de repère...). Mais, par la suite, des réajustements successifs ont transformé ces dévaluations en un processus continu jusqu'à ce jour : le prix du dollar a encore triplé au Ghana, de 1983 à 1986, puis a été multiplié par 4, de 1986 à 1991 ; il a été multiplié par 5 au Nigeria entre 1986 et 1992.

Dans ce processus, l'évolution des prix intérieurs joue certes un rôle important, et une justification des réajustements successifs est le maintien du niveau de taux de change réel et de la compétitivité des économies. Mais ce facteur est loin d'être le seul, et n'est sans doute pas le plus déterminant à court terme : les dépréciations nigérianes, ghanéennes, zaïroises, etc. de ces dernières années, vont au-delà de ce que nécessiterait le maintien du taux de change réel acquis par les dévaluations initiales. Au Ghana, de 1986 à 1990, le prix du dollar a été multiplié par 3,8 quand les prix intérieurs l'étaient par 3,2. Au Nigeria, du début 1989 à mi-1991, le cours du dollar a augmenté d'environ 70 % pour une hausse de prix de l'ordre de 50 %, entraînant une nouvelle chute du taux de change effectif réel. Même au Zaïre, malgré une inflation galopante, la chute de la monnaie nationale a été plus que proportionnelle à la hausse des prix et le taux de change effectif réel a baissé de moitié depuis 1985.

Ces évolutions montrent que les dévaluations cumulatives résultent moins de la prise en compte de hausses de prix intérieurs et d'une recherche de compétitivité que d'une véritable pénurie de devises. Celle-ci se traduit par une hausse continuelle du taux de change du marché parallèle (ou des bureaux de change qui en sont la forme légale) et maintient avec le taux officiel un écart (de l'ordre de 10 à 20 % dans le meilleur cas) qui ne se résorbe pas malgré les réajustements de celui-ci.

La stabilité monétaire de la région ne peut être obtenue par les seules forces des économies du continent et nécessite un appui extérieur, dont le souhait est fréquemment exprimé par les pays africains.

Une plus grande stabilité monétaire dans la région d'Afrique de l'Ouest est donc nécessaire aussi bien dans l'intérêt des pays hors zone franc que dans celui des pays de la zone.

Les chambres de compensation, notamment la CCAO en Afrique de l'Ouest, ont tenté d'apporter une solution à la pénurie de devises en cherchant à favoriser les échanges régionaux par la compensation multilatérale des soldes, et à économiser par là l'usage des monnaies convertibles. Livrées à leurs seules forces et aux tensions centrifuges qui animent leurs pays membres, ces chambres de compensation se sont révélées des échecs : détournement des flux privés au profit des marchés parallèles (où l'exportateur bénéficie d'un meilleur taux de change), tendance des pays membres, lorsqu'ils sont en position de le faire, à exiger des paiements en monnaies convertibles, même pour les échanges officiels régionaux. On estime ainsi que la part, déjà faible, des échanges régionaux passant par la CCAO est tombée de 23 % en 1977-1982 à 9 % en 1983-1987, avec même une diminution des montants traités depuis 1986. Comme on peut s'y attendre, la BCEAO dont la monnaie est convertible, reste de loin le principal créancier et les autres membres ont à son égard une dette estimée à 12,5 milliards F CFA.

Dans l'état actuel des choses, et pour une période encore longue, la stabilité monétaire des pays africains ne peut être espérée sans appui extérieur, du fait de l'incapacité structurelle de ces économies d'assurer seules la convertibilité à taux stable de leur monnaie. Seule, la mise en place hors zone franc de systèmes de coopération monétaire internationale assurant aux pays africains un niveau minimum d'accès à ces devises convertibles, leur permettrait de pratiquer une politique de taux de change en fonction d'objectifs et de contraintes macro-économiques, et non plus seulement d'impératifs au jour le jour.

Certains pays d'Afrique de l'Ouest, géographiquement proches de la zone franc, ont d'ailleurs indiqué leur souhait de s'intégrer dans des mécanismes de coopération monétaire.

Quelques-uns ont manifesté, officiellement ou non, leur souhait de se rapprocher de la zone franc : la Guinée-Bissau et Sao Tomé ont demandé leur entrée dans la zone, la Guinée Conakry et le Ghana ont manifesté le même intérêt de façon informelle.

De son côté, le Portugal a récemment conclu avec la Guinée-Bissau un accord monétaire garantissant à celle-ci une convertibilité (limitée) de sa monnaie contre l'adoption et le suivi d'un programme d'ajustement. Le Portugal envisage la possibilité d'arrangements multilatéraux ultérieurs, incluant les autres pays africains lusophones, et la presse spécialisée n'a pas manqué de présenter ce premier accord bilatéral comme l'amorce de la constitution d'une « zone escudo ».

Ce que pourrait être le rôle de la Communauté européenne

L'élargissement de la coopération monétaire en Afrique devrait s'appuyer sur la CEE, parce que l'Afrique est le « Sud » de l'Europe, dans le domaine commercial, et dans celui de la coopération pour le développement.

De même que la zone franc repose sur le soutien de la France, l'élargissement de la coopération monétaire en Afrique devrait s'appuyer sur la Communauté européenne.

D'abord, parce que l'Europe a évidemment une longue expérience de l'intégration économique et monétaire. Elle offre au plan mondial, une vitrine où se combinent avec succès la concurrence entre agents économiques et la coopération entre gouvernements.

Ensuite, et surtout, parce que l'Afrique est le « Sud » de l'Europe occidentale, plus encore que l'Amérique latine n'est le « Sud » des États-Unis ou que l'Asie méridionale n'est le « Sud » du Japon.

L'évidence géographique est complétée, dans le cas de relations euro-africaines, par les facteurs historiques, sociopolitiques et économiques. Aucun autre continent du Tiers monde n'a, en effet, avec son « Nord naturel » des relations aussi polarisées que l'Afrique avec la CEE : 45 % des exportations du continent et 50 % de ses exportations se font avec la Communauté européenne. Cette vocation européenne de l'Afrique a pour contrepartie une vocation africaine de l'Europe en matière de coopération pour le développement : comme la CEE dans les relations Nord-Nord, la convention de Lomé est le cas le plus avancé dans la coopération multilatérale Nord-Sud.

Enfin, l'Europe joue le rôle d'un modèle de référence en matière de développement économique et d'intégration régionale du continent africain : l'OUA s'inspire directement de la construction européenne dans sa démarche de constitution d'une Communauté économique africaine.

Pour l'Afrique, le bon usage de l'Europe n'est pas tant comme modèle que comme partenaire, car l'expérience européenne (convergence des politiques économiques, crédits réciproques entre banques centrales) n'est pas directement transposable en Afrique, où la stabilité des changes implique un mécanisme de convertibilité garantie de l'extérieur.

Cependant, dans la mise en place de systèmes de coopération monétaire africaine, l'Europe n'est pas tant un modèle à suivre, qu'un partenaire indispensable. L'Europe ne doit pas se contenter d'inspirer une démarche d'intégration économique, elle doit aider cette démarche et transformer son influence en réelle complémentarité.

La situation des pays africains aujourd'hui n'a en effet rien à voir avec celle des pays européens lors de la constitution de la CEE.

— En matière d'échanges : les pays d'Europe occidentale ont toujours réalisé entre eux au moins la moitié de leurs échanges extérieurs, contre 5 % actuellement dans le cas des échanges interafricains.

— En matière monétaire : la démarche analogique consistant à affirmer que la limitation des mouvements de change entre pays africains repose principalement sur l'harmonisation des politiques économiques serait particulièrement inadéquate pour différentes raisons :

• Dans le système monétaire européen (SME), la convergence des politiques économiques est un élément essentiel de la stabilité du taux de change parce que les pays font face à une conjoncture synchrone pour l'essentiel. La règle du jeu est, en gros, que, face à une récession mondiale, la France ne procède pas à une relance de la demande, tandis que l'Allemagne pratiquerait une politique restrictive. Le cas des pays africains est très différent dans la mesure où il s'agit d'économies d'exportations peu diversifiées et pour lesquelles la conjoncture extérieure apparaît souvent désynchronisée. Ainsi, lorsque par exemple le prix du coton diminue, alors que celui du pétrole augmente, le maintien d'un taux stable entre pays cotonnier et pays pétrolier implique que le premier pratique une politique restrictive mais que le second, au contraire, laisse ses recettes supplémentaires en devises se traduire en achats à l'extérieur (1). L'analogie pertinente est plutôt, *mutatis mutandis,* dans la problématique du recyclage des pétrodollars que dans la convergence des politiques au sein du SME.

• Le système monétaire européen a été construit alors que les monnaies européennes avaient depuis longtemps retrouvé leur convertibilité externe et disposaient de réserves de change conséquentes et acquises de manière endogène. Dès lors, le dispositif pouvait inclure la mise en commun d'une partie de ces réserves auprès

---

(1) Ce qui ne veut pas dire :

— que tous les achats à l'extérieur (importations et achats d'actifs financiers) soient également bons pour le développement à moyen terme ;

— que les politiques économiques des pays africains ne doivent pas converger vers plus de rigueur notamment dans la gestion des finances publiques.

du FECOM, avec la constitution de l'écu, fondant un mécanisme de crédit aux banques centrales, interne au système. La situation des pays africains est là encore très différente : sauf exception dans l'espace (exemple du Botswana) ou dans le temps (au moment des embellies sur les matières premières), la situation de leurs avoirs en devises évolue, pour l'essentiel, au rythme des financements extérieurs qu'ils obtiennent (aides bilatérales à la balance des paiements, prêts et crédits d'ajustement structurel du FMI et de la Banque mondiale). Il est donc impensable d'asseoir le maintien de parités stables entre monnaies africaines sur un mécanisme n'incluant que des crédits réciproques, décalqué du système monétaire européen (2).

Pour la gestion rigoureuse d'un tel système, deux logiques sont possibles, celle « ex-post » de la zone franc ou celle « ex-ante » du FMI et de l'accord bissau-portugais, qui pourraient coexister avec des combinaisons variables dans le temps.

L'apport de la CEE à un système de stabilité des changes en Afrique devrait inclure un mécanisme de garantie, par la Communauté, de la convertibilité des monnaies considérées.

Comme les conventions monétaires de la zone franc, un système de garantie par la CEE de la convertibilité de monnaies africaines devrait évidemment prévoir des règles de gestion, sortes de « garde-fous » visant à interdire les dérives. Deux logiques sont à cet égard possibles.

Celle de la zone franc prévoit quelques règles très globales (maximum de concours de la Banque centrale aux États, ratio minimum entre avoirs extérieurs et engagements à vue des Banques centrales, absence de découvert prolongé du compte d'opérations) dont la non-observation entraîne des consultations entre pays membres et une révision de la politique monétaire. Celle de l'accord monétaire entre le Portugal et la Guinée-Bissau est plus proche de l'esprit des concours du FMI : garantie de convertibilité limitée à un certain montant et prévoyant une dépréciation programmée du taux de change, engagement du pays bénéficiaire sur un programme de politique économique dont la non-observation entraîne la rupture de l'engagement du bailleur.

(2) En revanche, l'expérience de l'Union européenne de paiement (UEP), qui a effectivement fonctionné dans une situation de pénurie de devises pour les Banques centrales européennes, pourrait fournir quelques enseignements utiles pour l'installation de système de compensation entre pays africains.

Des réflexions plus approfondies devraient éclairer le choix entre l'une et l'autre approche ou, plus probablement, les modalités d'une combinaison entre elles. Quelques éléments peuvent déjà être avancés :

— La première démarche vers un soutien européen de monnaies africaines pourrait être l'adjonction à la convention de Lomé d'un volant monétaire, prolongeant logiquement le financement de programme d'ajustement structurel introduit dans Lomé IV.

Elle pourrait consister à proposer aux pays africains, hors zone franc, le choix entre la formule actuelle de Lomé IV (subventions sans réelles conditions mais sans garantie monétaire) et une formule plus exigeante assortie d'une garantie monétaire. Le système serait alors bilatéral et proche dans son esprit de celui de l'accord monétaire Portugal-Guinée-Bissau.

— L'objectif à terme serait la constitution d'une zone écu, organisée sur une base multilatérale aussi bien en Europe (CEE) qu'en Afrique (Banques centrales régionales ou, au minimum, systèmes régionaux de mise en commun des devises). L'organisation de la zone franc fournit un bon exemple de ce que pourrait être la zone écu.

Dans l'intervalle, on verrait se succéder différentes combinaisons de systèmes :

1er temps : zone franc inchangée + quelques pays africains participant sur une base individuelle à un accord monétaire avec la CEE dans le cadre de la convention de Lomé.

2e temps : zone franc inchangée + quelques pays africains ayant conclu entre eux des accords de coopération monétaire et participant sur une base multilatérale à un accord monétaire avec la CEE + d'autres pays africains concluant des accords monétaires bilatéraux avec la CEE, etc.

Horizon : une zone écu euro-africaine dans laquelle la zone franc s'intègrerait normalement, le soutien du Trésor français s'intégrant dans la participation française à l'effort de développement de la Communauté européenne.

Un tel système de garantie, dont les coûts seraient faibles eu égard à son effet de levier, pourrait permettre à la CEE de jouer, dans la définition des stratégies économiques, un rôle à la hauteur des moyens qu'elle engage.

Reste évidemment la question du coût d'un tel système. Des études devraient préciser ce point, mais certains éléments permettent de penser que les coûts seraient bien moins que proportionnels aux avantages :

— En termes qualitatifs, par l'effet « d'affichage » de la garantie de convertibilité sur l'offre et la demande de devises.

La zone franc fournit un bon exemple de ce phénomène. L'ampleur des déficits extérieurs, et celle des financements d'aide à la balance des paiements ont été, dans les années 1980, du même ordre de grandeur dans les pays de la zone franc que dans les pays hors de la zone. Dans ces derniers, cette situation a entraîné une décote des monnaies nationales sur les marchés parallèles, et finalement des dévaluations cumulatives des monnaies.

Dans la zone franc, l'existence des comptes d'opérations a permis de maintenir la parité, pour des débits somme toute limités dans leur montant et leur durée : leur solde cumulé a été négatif pendant environ deux ans et pour des montants représentant une infime proportion des réserves extérieures françaises.

— En termes quantitatifs, la comparaison de quelques ordres de grandeur permet de penser que les moyens financiers mis en œuvre par la convention de Lomé ne sont pas hors de proportion avec ceux du FMI pour le même type d'opération. Pour le financement de programmes d'ajustement structurel, Lomé IV a prévu une dotation de 1,5 milliard d'écus, soit environ 1,65 milliard DTS, pour la période quinquennale commençant en mars 1990. Cette somme représente :

• 41 % du total des quotes-parts des pays d'Afrique noire au FMI (4,011 milliards DTS) ;

• 36 % de l'encours total, en avril 1991, des concours du FMI à ces pays ;

• un montant supérieur aux décaissements de prêts du FMI en leur faveur au titre des facilités d'ajustement structurel (FAS et FASR) dans les cinq années 1986-1990 (1,470 milliard DTS) ;

• un montant supérieur aux achats de devises par ces pays, au compte de ressources générales du FMI, dans ces mêmes années 1986-90 (1,573 milliard DTS) ;

• et finalement plus de la moitié (54 %) des concours totaux du FMI aux pays d'Afrique noire pendant ces cinq dernières années.

A l'évidence le poids relatif de l'Europe dans la définition des politiques d'ajustement en Afrique n'est pas en proportion avec les financements qu'elle dispense à ce titre. Des mécanismes d'appui à la stabilité des changes en Afrique pourrait lui donner un rôle, en proportion des moyens qu'elle déploie, dans les domaines qui sont sa vocation logique : intégration régionale et coopération monétaire.

9

Crise et châtiment : l'heure de vérité

Avant de conclure, revenons sur un problème difficile auquel cet ouvrage a plusieurs fois fait allusion et qui provoque d'interminables controverses entre spécialistes, celui de l'aspect monétaire de l'ajustement.

Faut-il ajuster en termes réels, c'est-à-dire peser sur les coûts de production jusqu'à ce que la compétitivité des économies africaines soit rétablie ? Ou faut-il ajuster en termes monétaires, en clair, dévaluer le franc CFA, pour rétablir cette compétitivité ?

La question a longtemps fait l'objet de débats feutrés mais l'écho des discussions qui deviennent âpres se fait plus perceptible et les thèses s'affrontent désormais ouvertement de part et d'autre de l'Atlantique. Cet ouvrage ne pouvait se permettre d'escamoter ce problème, mais plutôt que de le traiter de façon académique, nous avons préféré demander son avis à un économiste africain de langue anglaise réputé pour la vivacité de sa plume et son indépendance d'esprit. Nous n'avons pas été déçus. Dans le texte qui suit, délibérément polémique, voire même ravageur, l'auteur procède à une exécution en règle de la coopération française, des institutions de Bretton Woods, des gouvernements africains et de tous les Diafoirus qui, se penchant au chevet de la zone franc, se disputent sur la nature du clystère à lui administrer. Que l'ajustement en termes réels est une belle médecine bien pensée ! Ne convient-il point au contraire de purger et dévaluer ?

Derrière la satire, se trouvent une pensée rigoureuse et une démonstration implacable. Ne pas dévaluer permet de ne remettre en cause aucune des rentes de situation qui interdisent à la zone une croissance économique, sauf au profit de quelques-uns : quant à dévaluer, Messieurs de la zone franc, bienvenue sur le Titanic !

28

Du rififi à CFA City

par Jones DOWE

Swift aurait aimé vivre le débat entre les « ajusteurs en termes réels » et « les ajusteurs en termes monétaires » qui déchire les Diafoirus se penchant au chevet de la zone franc. A quels excès verbaux n'en est-on pas déjà arrivé ! Il est vraiment dommage que la Banque mondiale n'ait pas d'armée : avec les mêmes raisons puissantes que celles qui poussèrent les partisans des œufs mangés par le petit bout contre ceux des œufs mangés par le gros bout, c'est sûr, on se serait déjà battu, et ce d'autant plus que, comme les lignes mal intentionnées qui suivent vont essayer de le suggérer, la raison économique cache de bien tristes réalités.

Il faut pourtant l'avouer, « l'ajustement en termes réels » de la zone franc fut une bien belle doctrine !

Extraite des tiroirs poussiéreux de la doctrine économique dominante des années 60 (se souvient-on que les institutions de Bretton Woods faisaient alors leurs délices de la stabilité des changes ?) par les économistes de la coopération française et de la direction du Trésor, ce paradigme a fort bien convenu à l'ensemble des lâchetés conjuguées des gouvernements africains concernés et de leurs interlocuteurs français — le tout au plus grand profit du conservatisme.

A ce complexe douteux s'est hélas mesurée une puissance multilatérale qui tirait directement ses inspirations des manuels de monsieur Samuelson, aussi inadaptés aux circonstances que la radiologie nucléaire l'est aux conditions de chirurgie de brousse, et complétée par des missions hâtives conduites par des jeunes gens pressés de montrer leur fidélité aux dogmes étroits et technocratiques que leur hiérarchie suroccupée jugeait comme les meilleurs garde-fous contre une réalité trop vaste pour pouvoir être contrôlée. De tout cela, il résulte que les maux de la zone franc se résument à la dévaluation-vous-dis-je et que pareils au foie fameux qui occupa Molière, rien ne serait possible sans ce miraculeux sésame qui recouvre en fait de moins louables attentions sinon intentions.

Tel fut — on ne nous croira pas dans cinquante ans — l'état affligeant du débat économique en et sur l'Afrique de la zone franc, dans les années 80. Débat d'un niveau si éloigné du réel que l'on pourrait imaginer que l'ensemble de ces conseillers internationaux avaient fait de la célèbre phrase de Cocteau leur principe conducteur : « Devant l'étendue de ces mystères, feignons d'en être les organisateurs ».

Amis de la zone franc, bienvenue sur le Titanic !

Je l'ai rêvé, Boigny ne l'a pas fait

Pour les partisans de l'ajustement en termes réels, il n'est pas question d'affirmer que les choses vont bien dans la zone franc : après une décennie 60 de croissance modeste mais équilibrée, les pays africains de la zone franc gérèrent très mal la prospérité procurée par la décennie 1975-1985, durant laquelle les cours des matières premières s'étaient élevés et le franc faible avait constamment dérivé par rapport au dollar : les États avaient fortement augmenté leur consommation, publique notamment ; ils s'endettèrent à l'excès pour des objets non ou insuffisamment productifs. De ce fait, la chute durable des cours des matières premières, dans un contexte monétaire où le franc français devenait plus ferme, révéla des faiblesses structurelles immenses qui sont la cause des difficultés présentes : un secteur productif trop étroit, handicapé par des coûts de production excessifs, un environnement des entreprises accablant, une fiscalité mal orientée, des services publics trop onéreux... Frappé de plein fouet par la réduction de la consommation intérieure, et incapable de gagner des marchés à l'exportation, ce secteur productif formel régresse au seul profit d'un secteur informel négociant, allant chercher sur les marchés mondiaux des produits de dumping.

Le problème fondamental étant la crédibilité de la politique économique, disent les ajusteurs en termes réels, il faut en conséquence mettre en œuvre une politique destinée à rétablir la compétitivité par une série de mesures combinant la macro et la micro-économie. Sur le plan macro-économique, une restriction drastique des déficits budgétaires, passant d'abord par la réduction de la dépense et en particulier de la masse salariale ; une politique du crédit restrictive et un assainissement du système bancaire. Sur le plan micro-économique, une amélioration profonde de l'environnement des entreprises, notamment sur la flexibilité du travail, l'abaissement des coûts des prestations du secteur public, la restructuration des entreprises... Le tout devrait permettre d'obtenir, au travers d'une flexibilité des prix permise par les réformes ci-dessus, une inflation très faible, et même négative, aboutissant à un rétablissement de la compétitivité, lui-même autorisant une reprise de l'investissement dans un environnement stable.

Impossible, répondent les partisans de l'ajustement monétaire ! Vous êtes excessivement optimistes quant aux capacités des gouvernements à conduire une politique d'ajustement en termes réels qui suppose de nombreuses et difficiles mesures d'accompagnement ! Les gouvernements en fait ne mettront pas en œuvre l'ajustement en termes réels car son coût social est excessif et ses résultats trop longs à venir. L'importance des mesures de restructuration qui devront être prises conduira à des troubles sociaux devant lesquels les gouvernements céderont : il y aura désajustement. Devant ces difficultés, la solidarité interne à la zone franc, que vous souhaitez préserver, faiblira ; elle disparaîtra même. Certains États voudront dévaluer, et d'autres non. Ce sera la fin de la zone, et surtout d'un beau rêve d'intégration régionale qui paraissait récemment avoir repris de la vigueur.

Et il faut dire que, dans cette réponse du berger à la bergère, deux constats de poids sont à prendre en compte.

Les États africains semblent bien s'être emparés, pour des raisons politiques, de l'ajustement en termes réels comme doctrine phare, en veillant soigneusement à n'en mettre en œuvre aucune composante.

Les ajusteurs en termes réels pourraient dire, s'agissant de leur doctrine : je l'ai rêvé, Boigny ne l'a pas fait. Ne pas dévaluer permet en effet de ne mettre en cause aucune des rentes de situation qui prévalent dans la zone et interdisent sa croissance économique, sauf au profit de quelques-uns.

Cet attentisme est sans péril dans la mesure où la France continue de soutenir sans conditions et pour des raisons politiques la petite classe dont elle dispose à ses lointaines frontières sud. Or la France a montré l'absence de limites à sa complaisance et à son aveuglement au moins en deux époques radicalement différentes : avant La Baule, en soutenant sans conditions les régimes autoritaires au nom de la stabilité à préserver dans un contexte de guerre froide ; après La Baule, en soutenant sans conditions les régimes démocratiques en transition ou non, au nom de la démocratie à promouvoir dans un univers bizarrement devenu moral. Les Africains ne s'y sont pas trompés, qui se sont succédés à Paris, mendiants arrogants, avant et après La Baule, se donnant à peine le soin de changer les têtes, pour obtenir au nom de logiques apparemment opposées les mêmes dessus-de-table et fins de mois. Ah, la France éternelle !

Comment imaginer, dans ce contexte, que l'ajustement en termes réels soit autre chose que le chœur de l'Opéra s'exclamant « marchons, marchons », en restant sur place ? Une figuration, à peine. Et tandis que des économistes en chambre, sortis des meilleures écoles, s'agitaient rue Monsieur, Quai de Bercy et cité du Retiro, pour sauver des apparences de moins en moins trompeuses, la fuite des capitaux continuait, les prébendes se distribuaient à pleines mains, la paix sociale était achetée chaque jour plus cher par des gouvernements aux abois à des opinions africaines agitées et inconscientes des abîmes qui s'ouvraient devant elles.

Les entreprises privées françaises elles-mêmes — écrivons-leur cette épitaphe, paix à leur absence d'âme — conscientes de l'absurdité de la situation, ont adopté la seule attitude, schizophrène, qui pouvait conduire la situation à empirer : chaque jour, leurs représentants empressés s'affairent à clamer leur attachement à la zone franc, à la stabilité de la parité, tandis que les chefs d'entreprise qui les mandatent s'empressent de se prémunir contre la dévaluation, par des arbitrages financiers ou des clauses dans les contrats qui en précipitent l'arrivée ; à cette attitude suicidaire, ils en ajoutent une autre qui consiste à s'opposer aux nécessaires mesures d'ouverture de la concurrence et d'intégration régionale pour les marchés intérieurs, qui font partie des conditions des programmes d'ajustement structurel, aidant ainsi les gouvernements des pays dans lesquels ils œuvrent à s'asphyxier eux-mêmes.

Seuls en fin de compte, les paysans courbent l'échine devant des prix de plus en plus bas et des pertes de revenus que des citadins indifférents leur font supporter.

Enfin ajoutent certains, comment ne pas admirer la perversité des institutions de Bretton Woods dont les objectifs réels sont loin d'être ceux affichés ? Convaincues, par routine bureaucratique, de détenir une solution miracle à la crise économique de la zone franc, les deux maisons ont entrepris, au début des années 90, d'assécher financièrement la zone. La raison en est extraordinaire : l'absence de crédibilité macro-économique et de perspectives de reprise de la croissance ! Comme si le Mozambique, le Zaïre et autres Zambie, dans lesquels les flux multilatéraux ont coulé abondamment, avaient eu et ont encore une quelconque crédibilité macro-économique ! Comme si quelqu'un imagine que le Nigeria remboursera un jour, en brut, sa dette à la Banque mondiale ! Bref, ayant, sur la base d'une interprétation étrangement rigoureuse des mêmes critères qui ailleurs auraient permis à ces bonnes fées de faire couler une pluie sur la tête des gouvernements émus, refusé leurs contributions à des États dont ils sont dorénavant les premiers créanciers et qu'ils ont largement contribué à plonger dans le marasme présent, nos bonnes institutions clament qu'au cas où ces messieurs changeraient d'avis quant à la conduite de leur politique monétaire, à nouveau la pompe à Phynances fonctionnerait, au nom d'une crédibilité macro-économique curieusement mais lumineusement soudain revenue. On se sent tout attendri de cette sollicitude. Celle du racketteur pour sa victime.

Dévaluons, il en restera toujours quelque chose... dans ma poche

On s'exclamerait : Ubu règne à Washington, si cet état de fait ne servait si profondément le pouvoir des fonctionnaires de ces institutions. Ayant endetté profondément et au-delà du raisonnable des pays au travers de programmes dont elles sont responsables de l'échec, les institutions de Bretton Woods s'emparent de cet endettement pour en faire un levier de puissance. Mais aussi de sauvegarde. Il est clair en effet que la situation de la RCI et du Cameroun sont les raisons principales de la pression à la dévaluation. Le reste de la zone compte peu. Or, ces deux pays sont alimentés par les fonds de la Banque mondiale. La dévaluation est le moyen de faire passer définitivement ces deux pays au guichet AID, en abaissant leur PIB exprimé en dollars, et en permettant ainsi de refinancer à taux hyper-concessionnel une dette insupportable pour tous. Dévaluer, c'est, au fond du fond, rétablir indirectement la solvabilité de la RCI et du Cameroun, en trouvant une source de refinancement dans les mains multilatérales. Si cette manœuvre réussit, chacun pourra s'incliner devant une brillante et cynique opération financière, conduite à grande échelle, qui aura permis à la Banque mondiale, avec la complicité du Fonds monétaire international de faire financer par les États membres de l'AID (dont la France), qui y apportent des contributions sous forme de subventions, le coût de son échec en matière d'ajustement structurel, et ceci sans avoir à réduire son compte d'exploitation, tout en conservant par ailleurs un bilan d'une propreté parfaite sur des États notoirement faillis.

L'accumulation de ces remarques malveillantes peut-elle cependant conduire à préserver la zone franc de l'épreuve ? Malheureusement non ! Il est trop tard. La combinaison de l'incapacité à se gérer des Africains, de la lâcheté française et de la perversité multilatérale ne conduit-elle pas fatalement, comme dans le mauvais drame d'un théâtre de boulevard périphérique, loin des commentaires de la critique occupée par des scènes économiques plus brillantes que celles de l'Afrique, à une dévaluation, pour les plus mauvaises raisons, celles qui provoqueront son échec ?

En effet, les raisons économiques sont faibles. Comme on l'a vu, il faut croire en des élasticités fortes dans le système productif pour imaginer qu'une croissance rapide surgira d'une dévaluation. Au mieux, en attendant que le Nigeria et d'autres dévaluent à leur tour, pourra-t-on reconquérir quelques parts des marchés intérieurs.

Les raisons financières sont majeures. Dévaluer, c'est se donner la chance d'accéder à une ressource multilatérale très concessionnelle pour la RCI et le Cameroun et tenter de régler le problème de la dette extérieure. La France le paiera au prix fort : celui de l'annulation de ses créances d'APD sur les pays à revenu intermédiaire, soit 20 milliards de FF de stock. Dévaluer, c'est aussi réduire le coût externe de l'ajustement qui asphyxie l'aide internationale : en effet, si les déficits publics vont augmenter en CFA, ils vont se réduire, du fait de la modification de parité, en devises. Cette marge de manœuvre devrait donner un peu plus d'espace pour financer de l'investissement, et régler le problème des arriérés intérieurs que l'inflation se chargera par ailleurs d'atténuer.

Bien entendu, on peut rêver que la dévaluation soit bien conduite. Chacun, à Paris et à Washington, tentera d'y croire. La version officielle sera en effet une dévaluation importante, « une fois pour toutes », de manière à rassurer les capitaux et à rameuter les investisseurs. Pour ce faire, on mettra en avant le processus d'intégration régionale, et on essaiera par ce biais d'élargir l'espace économique et financier de la zone et de contrôler les déficits budgétaires dont la masse salariale des fonctionnaires sera la première composante. On s'attachera à accélérer la réforme économique intérieure, dans chaque pays. On prendra des mesures de protection des plus pauvres, ou des classes les plus contestataires.

Pour deux raisons, on peut douter que ceci suffise.

En premier lieu, pourquoi imaginer que des gouvernements déjà incapables de se gérer, fassent mieux, dans un contexte politique inchangé, avec une opération complexe ? On l'a déjà dit. Vraisemblablement, l'inflation et les erreurs de politique intérieure effaceront dans un délai assez bref les gains de la dévaluation.

En second lieu, de manière structurelle, on peut imaginer que l'on est rentré dans une phase où le franc, puis l'écu seront des devises fortes au niveau mondial, contrairement à ce qui s'est passé dans les trente dernières années pour le CFA. Cette devise devra en permanence lutter contre une appréciation involontaire, dont on peut penser qu'elle exigera d'elle des efforts excessifs sur le plan de la gestion macro-économique, comparé à la faiblesse de ses capacités.

En vérité, cette dévaluation ne sera que la première. Au mieux, après une période inévitable de statu quo, on rentrera dans un système de changes semi-fixes régulièrement modifiés par rapport à l'écu ; les statuts actuels de la zone autorisent d'ailleurs ce type de gestion. Au pire, on verra chaque pays reprendre la liberté de gestion de sa monnaie, éventuellement dans un cadre coordonné, de type serpent. Éventuellement, lassés par cette situation délicate, la France ou l'Europe cesseront de garantir la monnaie, et le bloc CFA flottera au gré des résultats de sa gestion macro-économique.

Un seul scénario alternatif pourrait s'ouvrir : les États de la zone cesseraient de rembourser les institutions de Bretton Woods, considérant que les inconvénients dépassent les avantages, et mèneraient une mise en cause politique internationale de ces deux maisons sur la base du constat de leurs flux nets négatifs excessifs. La France soutiendrait discrètement cette contestation, en maintenant la zone et en poursuivant son aide macro-économique comme son aide projet. Un tel scénario est possible, si la France est prête à maintenir sur une longue période son appui aux États concernés. Il a un sens macro-économique, dans la mesure où l'utilité sociale et économique des projets financés par la Banque mondiale dans la zone est contestable et que les pays privés de ces flux pourraient survivre. Une telle hypothèse suppose que la France, quatrième actionnaire de la Banque et du Fonds, puisse politiquement admettre une voie de contestation majeure du système international dont elle est membre, et même auteur, et dont elle dépend pour des enjeux plus importants, sur d'autres zones du monde ; par ailleurs, une gestion cohérente supposerait que la zone par ailleurs se gère de manière efficace et que l'allègement qu'elle s'autoriserait s'accompagne par des mesures de rigueur qui n'auraient rien à envier à celles qui devraient être prises dans le cas d'un programme d'ajustement. Ces deux conditions paraissent peu réalistes.

Une nouvelle ère de gestion macro-économique s'ouvre donc. Il ne faut pas regretter l'ancienne : aucun des acteurs n'était à la hauteur du beau système conçu par les fondateurs de la zone franc, qui avaient simplement oublié que les États indépendants ne sont pas des collectivités locales et que le contrôle strict des déficits budgétaires doit aller de pair avec une monnaie commune et stable.

Mais il ne faut rien espérer non plus des temps qui vont venir : les mêmes causes produisant les mêmes effets, nous observerons de profondes dérives, et empêtrés dans leurs difficultés politiques internes, inaptes à se projeter sur le long terme, ligotés par leurs liens de solidarité familiale qui les conduisent à des systèmes kleptocrates, les gouvernements africains ont très peu de chances de réussir de brillantes performances dans les prochaines années ; il y a peu de chances que la France ne les aide : comment un pays qui va chercher chez ses débiteurs le moyen de financer ses partis politiques pourrait-il adopter un discours, et surtout une pratique de rigueur, et assumer d'une main ferme ses responsabilités historiques ? A moins de trois miracles : un étonnant ressaisissement des sociétés africaines face à l'adversité, qui en aucun cas ne pourra se faire par le retour à des régimes autoritaires ayant démontré leur incapacité ; une élévation importante et durable des cours des matières premières ; une surprenante lucidité retrouvée de la part d'un gouvernement français qui souhaiterait non pas une clientèle docile mais une véritable réussite économique au sud du Sahara.

Sans ces miracles, soyons-en sûrs, l'enjeu sera, pour tous, d'éviter la libérianisation de la zone franc. Le pire n'est pas toujours sûr. La seule chose que l'on puisse affirmer est que la zone franc joue en ce moment sa survie, et que ses chances sont minces.

A l'aube de cette année 1993, citoyens de la zone franc, ôtez de votre esprit tout espoir de faciles lendemains.

Commentaire de Jacques Giri

Le document précédent aborde sur un ton inhabituel et en des termes que certains trouveront peut-être excessifs, un sujet important et difficile. Mais il a l'immense mérite de montrer clairement l'impasse dans laquelle nous nous sommes laissé enfermer.

La parité du franc CFA, fixée sans doute une fois pour toutes par Dieu le Père lui-même, a été jugée jusqu'à présent intouchable. Les institutions financières internationales, les agences d'aide et la France ont donc poussé les États africains à faire de l'ajustement réel. Ceux-ci ont-ils fait, comme le dit l'auteur de ce document, tout ce qu'ils ont pu pour résister à cet ajustement réel ? Il faut bien constater la non-compétitivité des pays de la zone franc. Pouvait-il en être autrement ? A-t-on jamais vu un gouvernement réaliser un ajustement réel de l'ampleur qui aurait été nécessaire sans être balayé par une révolution ? Rappelons-nous les illusions nourries après la Première Guerre mondiale sur la possibilité de revenir aux monnaies-or de 1914...

On peut parier sans grand risque que, même si la France et ses partenaires africains y mettaient toute l'ardeur nécessaire, l'ajustement réel serait politiquement tout aussi impossible demain qu'il l'a été hier.

Alors faut-il dévaluer le franc CFA ? Ce sera un échec, prédit l'auteur de ces lignes. Et quand on voit la façon dont se sont réalisées les dévaluations dans les pays africains qui ont quitté la zone franc, quand on voit la rapidité avec laquelle les avantages économiques de la dévaluation ont été effacés et le nombre très restreint de ceux qui ont empoché les gains temporaires de l'opération, force est de reconnaître qu'il a sans doute malheureusement raison. Indépendamment des contraintes techniques liées à la complexité de ces opérations, si l'on veut les conduire dans de bonnes conditions, les mêmes forces qui se sont opposées à l'ajustement réel ont en effet toutes les chances d'agir de telle sorte que soient annulés les bénéfices attendus.

Alors que faire ? L'auteur se refuse à conclure autrement qu'en nous mettant en garde : « Ôtez de votre esprit tout espoir de faciles lendemains ». Sur ce point aussi, il est à craindre qu'il ait raison...

Le statu quo dans ces conditions n'est-il pas la meilleure solution ? C'est bien douteux, car, comme on l'a déjà dit, c'est une option fort coûteuse pour la France qui doit combler les déséquilibres financiers et rembourser les organisations internationales en lieu et place des États africains insolvables. Mais c'est surtout une option qui ne débouche sur aucun avenir : nul n'a jamais vu un pays amorcer un véritable développement avec une monnaie surévaluée. L'impasse est donc dramatique.

L'ajustement réel devrait être d'une telle ampleur qu'à moins de faire preuve d'un courage suicidaire, il restera vraisemblablement impossible à mener à bien.

Quant à l'ajustement monétaire, l'auteur du document montre bien que c'est là aussi une option difficile. Une parité monétaire exprime toujours en effet une certaine répartition du pouvoir et de la richesse relative. Une simple manipulation monétaire provoque nécessairement de vives réactions des détenteurs de ce pouvoir et de ces richesses qui tentent et souvent parviennent à restaurer le statu quo antérieur. Un changement de parité sera aussi une opération coûteuse pour la France, mais, à moins de laisser les pays africains sombrer dans le chaos, où sont les options gratuites ? Il est ainsi à craindre que nous ne sortirons pas de l'impasse à bon compte. A court terme, une dévaluation aura très probablement peu d'effets bénéfiques durables et des inconvénients très graves car elle risque fort de déboucher en particulier sur une remise en cause de la convertibilité de la monnaie. Mais à moyen terme, si une ferme volonté de réforme économique s'affirme, un réajustement de parité n'est-il pas incontournable pour ouvrir la porte à un développement réel ? Quelle autre solution débouche sur un avenir meilleur ?

A l'évidence, les détracteurs de l'ajustement monétaire ont raison : comme le disait Churchill à propos de la démocratie, c'est certainement la plus mauvaise solution ; mais il est à craindre que toutes les autres ne soient encore pires.

Conclusion

Faire cesser le scandale de l'aide mal utilisée

par Philippe BLIME
Président de Mieux aider le Sud

Quand on analyse l'aide française au cours des dernières années, on découvre une situation paradoxale :

— La France est un des pays qui consacre le plus de moyens financiers à l'aide au Tiers monde. En valeur absolue avec plus de 40 milliards de FF par an, elle vient au troisième rang mondial derrière les USA et le Japon.

— Cet argent est notoirement mal utilisé. C'est un peu vrai de l'ensemble de l'aide mondiale, mais particulièrement de l'aide française, dont toutes les évaluations — et le présent ouvrage en est l'exemple le plus récent — s'accordent sur la très faible efficacité.

— Il est particulièrement choquant de voir notre aide utilisée à l'encontre de la justice sociale la plus évidente : moins de 10 % de l'aide à l'enseignement est consacré à l'enseignement primaire et moins de 20 % de l'aide à la santé est consacré aux soins préventifs de base (vaccination, etc.).

— Or, un consensus existe sur ce qu'il faudrait faire pour donner à l'aide une meilleure efficacité. Tous les rapports récents, ceux de la Banque mondiale, du PNUD, du CAD, ainsi que le présent livre qui traite plus spécifiquement de l'aide française, concordent sur les conditions que devrait respecter l'aide pour atteindre ses véritables objectifs. En résumé :

• L'aide à caractère économique, qu'il s'agisse de l'aide projet ou de l'aide hors-projet, doit être affectée à des actions précises et doit constituer une prime et un encouragement à la réussite. Face aux échecs passés, elle doit soutenir une nouvelle génération de dirigeants plus pragmatique, acceptant de jouer le jeu de la transparence et s'engageant sur l'obtention de résultats concrets.

• L'aide au développement humain, aujourd'hui totalement marginale, et dont le but est d'améliorer la satisfaction des besoins de base dans les domaines de la nutrition, de la santé et de l'éducation, doit désormais prendre une importance considérable dans notre dispositif d'aide. C'est un impératif éthique ; c'est aussi un impératif d'efficacité, à la fois parce qu'on peut obtenir des résultats spectaculaires avec des moyens relativement limités et parce qu'une population en bonne santé et possédant un minimum de connaissances de base est un des meilleurs leviers du développement.

Cette situation est non seulement paradoxale mais aussi scandaleuse. En effet, en termes moraux, la mauvaise utilisation de l'argent de l'aide peut être assimilée à une non-assistance à personne en danger. L'aide qui sert à entretenir une fonction publique pléthorique, à acheter des armes inutiles, à financer des usines surdimensionnées ou sans débouchés, l'aide qui indirectement permet de construire des palais présidentiels, l'aide détournée qui remplit des comptes bancaires en Suisse, toute cette aide gaspillée, inefficace pourrait servir à satisfaire de vrais besoins. Elle pourrait sauver de la maladie des enfants, des hommes et des femmes, par des traitements préventifs simples et peu coûteux, par un meilleur accès à l'eau potable. Elle pourrait permettre d'accroître la production agricole et aider des populations entières à mieux se nourrir ; elle pourrait permettre d'assurer l'éducation de base à des enfants, de favoriser le contrôle des naissances et de renforcer efficacement le tissu industriel, en privilégiant les secteurs à forte intensité de main-d'œuvre. Compte tenu de l'état de pauvreté extrême dans lequel se trouvent des millions d'êtres humains et de l'importance des besoins non satisfaits, tout gaspillage de l'argent de l'aide devient criminel, car il revient à condamner des vies humaines qui auraient pu être sauvées.

Au-delà de cette dimension morale, l'aide, dans sa forme actuelle, peut également avoir un effet pervers, en confortant artificiellement des dirigeants inefficaces qui ont conduit leur pays au désastre. Des pays comme la Somalie, l'Éthiopie, Madagascar, le Liberia ont reçu une aide importante au cours des dernières années qui a pu retarder des transitions vers des régimes éventuellement plus favorables à un développement réel.

Enfin, le maintien de la politique actuelle mène à une impasse et à de graves risques d'explosion sur tout le continent africain.

La question de bon sens qui vient tout de suite à l'esprit est la suivante : alors que tout le monde s'accorde devant le constat d'insuffisance, voire d'échec, de la politique actuelle et qu'un consensus existe sur les axes souhaitables d'une aide renouvelée, pourquoi n'agit-on pas et pourquoi continue-t-on, malgré les discours officiels, dans les errements passés ?

Cette situation provient à l'évidence, pour l'essentiel, du cadre politique global dans lequel cette aide s'est historiquement inscrite depuis trente ans et de la nature des objectifs qui lui sont assignés. La politique africaine de la France depuis les indépendances, toujours décidée à l'Élysée, a en effet été, avec la possession de l'arme atomique, l'un des grands piliers de notre politique étrangère. Elle a permis à notre pays, dans un contexte de guerre froide, de jouer un rôle diplomatique important et de tenir une place, dans le monde, supérieure à celle justifiée par sa puissance réelle : en particulier, le vote aux Nations unies des pays du champ était assuré par la protection des gouvernements en place et les facilités de toutes natures accordées aux chefs d'État et aux hauts responsables africains, dans des relations relevant du clientélisme le plus classique : l'aide était avant tout destinée, non aux populations, mais à des régimes et à leurs dirigeants.

Mais le monde a changé. La poursuite de cette même politique ne présente plus aujourd'hui le même intérêt stratégique pour la France. A terme, les plus grands dangers, y compris pour notre pays, proviennent de la dérive du continent africain et des risques d'explosion qui lui sont liés.

Dans un tel contexte, un nouveau type de rapports peut et doit s'instaurer entre la France et les pays africains de même qu'un nouveau type d'aide peut être mis en œuvre.

Il faut que nos hommes politiques aient la vision et le courage nécessaires pour réformer radicalement notre politique de coopération et l'adapter aux nouveaux enjeux du monde :

— concentrer l'aide sur les véritables priorités définies dans cet ouvrage,

— réformer les institutions qui gèrent l'aide publique française pour les rendre plus efficaces,

— pratiquer une ingérence qui va de soi, en veillant scrupuleusement à ce que soient respectés les engagements pris par nos partenaires concernant l'utilisation de l'aide.

Il ne faut donc plus systématiquement céder au chantage de régimes inefficaces qui obtiennent des aides destinées à satisfaire des revendications catégorielles et à éviter des troubles sociaux dans leur pays. Le laisser-aller actuel, risquant en tout état de cause de conduire à brève échéance vers des désordres majeurs, mieux vaut, quitte à prendre quelques risques à court terme, s'engager fermement sur une nouvelle politique favorisant un réel développement.

Quant aux médias, qui ont tendance à se mobiliser presque exclusivement sur les situations d'urgence, plus facilement identifiables et plus spectaculaires, ils doivent jouer leur rôle auprès de l'opinion pour lui faire comprendre que le gâchis actuel de l'aide est absurde et insupportable, qu'une autre politique est possible et que les citoyens doivent exiger de leurs élus qu'ils mettent en chantier les réformes nécessaires.

Le changement nécessaire

par Jacques GIRI
Président de Pour un nouveau dialogue avec l'Afrique

Guy Georgy, qui connaît de longue date l'Afrique et les Africains et dont les mémoires* ont récemment révélé au grand public les grands talents de conteur, a employé une image pittoresque pour parler de la coopération de la France avec le continent africain : chaque nouveau ministre prenant en main le département (il y en a eu une bonne quinzaine en trente ans) a aussitôt déclaré que la coopération française était à un tournant. Et, de tournant en tournant, la coopération française a en fait réalisé un beau slalom autour d'une ligne droite...

Proposer un ouvrage collectif comme celui-ci comporte un risque : celui de livrer au public non pas une symphonie où chaque musicien concourt à l'œuvre commune, mais une cacophonie difficilement supportable. Dans notre cas, le risque était d'autant plus grand que le sujet est complexe et controversé. Et que les promoteurs de l'ouvrage ont privilégié la totale liberté d'expression sur la directivité.

Le lecteur aura pu constater que cet ouvrage n'a pas complètement évité ce danger et qu'il présente quelques dissonances.

Mais il aura compris aussi que, des lectures de la crise africaine et des relations franco-africaines faites par des personnalités ayant des expériences et des sensibilités fort différentes, émergent quelques conclusions évidentes.

D'abord, comme l'a noté de façon humoristique Guy Georgy, que la politique d'aide à l'Afrique au sud du Sahara a été marquée depuis trente ans, et même plus, par une étonnante continuité.

Ensuite qu'il n'est plus possible de persévérer dans cette continuité : la politique d'aide à l'Afrique ne doit pas être à la veille d'un nouveau « tournant ». C'est d'une rupture dont elle a besoin.

---

* Guy GEORGY, *La folle avoine. Le petit soldat de l'empire,* Plon, Paris, 1991.

Car le monde a changé. Ni la coopération française, ni la majorité de nos partenaires africains ne semblent en avoir encore tiré toutes les conséquences. Les Africains ont vivement ressenti le changement majeur qu'a été l'écroulement de l'empire soviétique et ont très vite mesuré les conséquences de cet effondrement pour eux. Ils ont jusqu'à présent moins bien mesuré les conséquences d'un phénomène bien connu : la mondialisation de l'économie.

S'il est une conclusion que l'on peut tirer de la quasi-totalité des réflexions contenues dans cet ouvrage, c'est bien que l'Afrique doit trouver ou retrouver sa place dans l'économie mondiale. L'Afrique, depuis les temps lointains où elle a commencé à commercer avec le reste du monde, a offert des produits bruts. Comme beaucoup de ces produits bruts étaient très demandés, l'Afrique en a tiré pendant longtemps des rentes substantielles. Certains pays, mieux pourvus en ressources naturelles ou plus habiles à en tirer parti, ont connu de ce fait un développement parfois brillant, ou plutôt ce que l'on a cru être un développement.

Les temps ont changé : sur d'autres continents, de nouveaux producteurs, plus efficaces que les Africains, se sont imposés sur les marchés alors que les clients, sollicités par des milliers d'autres produits, ont boudé ce que leur offrait l'Afrique.

Beaucoup d'Africains, depuis les chefs d'État jusqu'aux hommes des villages, ont, devant cette évolution, le sentiment d'une profonde injustice, le sentiment que le monde s'est ligué contre eux pour sous-payer leurs produits et les maintenir dans la misère. La plupart n'ont pas compris que le monde avait changé et que, s'ils voulaient continuer à acheter les biens et services qu'ils convoitent, ils devaient produire et offrir ce que les peuples demandent.

On peut dire que l'Afrique, depuis trente ans, a évolué à contre-courant. Alors que le monde entier, Afrique comprise, demande de plus en plus de biens manufacturés et de services, elle a continué à offrir ses produits bruts. Trouver un produit manufacturé « made in Africa » sur les autres continents est aujourd'hui un exploit. Trouver un produit manufacturé « made in Africa » sur les marchés africains eux-mêmes est en train de devenir aussi un exploit tellement ces marchés sont envahis de produits « made in Asia ».

Pourquoi en est-il ainsi ? Les analyses proposées dans cet ouvrage montrent l'imbrication des facteurs culturels, sociaux et politiques qui ont engendré l'ordre postcolonial, un ordre basé sur la redistribution des rentes et, de ce fait, très défavorable au développement. Elles montrent aussi combien les politiques d'aide mises en œuvre ont été impuissantes à changer cet ordre postcolonial et donc à renverser les tendances.

Les politiques d'ajustement structurel appliquées systématiquement depuis une dizaine d'années se sont enlisées et ont échoué à modifier l'ordre postcolonial pour le rendre favorable au développement. Appliquées sans connaissance suffisante des réalités africaines, elles ont même parfois contribué à rendre plus aiguë la crise économique. En revanche, elles ont réussi à ébranler certains des mécanismes de redistribution sur lesquels reposaient cet ordre postcolonial, contribuant ainsi à déstabiliser les régimes et à créer la situation de crise politique qui sévit dans la quasi-totalité des pays africains.

L'aide française, après avoir joué son rôle dans les ajustements structurels et en continuant à le faire, s'essouffle à colmater les brèches qui s'agrandissent chaque jour dans les sociétés africaines. Cette tâche sans espoir permet la survie de régimes à la dérive, et évite sans doute l'apparition de situations par trop dramatiques mais on peut se demander si, en fin de compte, elle ne retarde pas l'heure de vérité...

Une heure de vérité qui viendra nécessairement : la mondialisation ne concerne pas seulement la production des biens, elle est aussi celle des aspirations des hommes. Le fossé entre des économies qui stagnent ou qui s'effondrent et les aspirations des Africains s'élargit un peu plus tous les jours, les tensions au sein des sociétés africaines croissent et conduiront nécessairement un jour à des ruptures.

Plutôt que de s'acharner à ravauder un pacte colonial condamné et à soutenir des États voués à la faillite, la France ne ferait-elle pas mieux de laisser cette Afrique nouvelle trouver à sa façon sa place dans l'ordre mondial ? Quelle place ? Personne n'est aujourd'hui capable de le dire : elle sera ce que les Africains en feront.

Elle sera ce que les Africains en feront dans un monde où la compétition est rude et où il y a tout lieu de croire qu'elle le restera. Nous pouvons, dans une certaine mesure, les aider à se tailler cette place. Mais nous ne pouvons pas non plus trop les aider sous peine de briser leur dynamisme et surtout nous ne pouvons pas nous substituer à eux.

Cela signifie cesser de dicter ce qu'ils doivent faire mardi prochain, cesser d'être le fournisseur complaisant qui procure les filets de protection à des dirigeants déresponsabilisés.

Cela signifie aider ceux qui prennent les moyens de s'insérer dans l'économie mondiale. Quels moyens ? Il y a des exemples à méditer de pays, notamment en Asie du Sud-Est, qui ont réussi à décoller à l'heure même où l'Afrique s'enfonçait dans la crise. Ces pays ont réussi à créer leurs propres modèles de développement sans copier servilement ni les modèles libéraux ni les modèles dirigistes qui leur étaient proposés. Ils ont réussi à créer des alliances efficaces entre le pouvoir et les entrepreneurs, ruraux et urbains, qui sont les forces vives de la nation. L'Afrique peut s'inspirer de ces exemples et réaliser de telles alliances à condition de ne pas les copier servilement. L'Afrique peut et doit restaurer la compétitivité de son agriculture. L'Afrique peut et doit appuyer l'émergence d'une classe d'entrepreneurs qui reconquiert les marchés nationaux et trouve des créneaux sur les marchés extérieurs. Il est possible de l'aider dans cette voie ; la coopération française a déjà entrepris des actions en ce sens, mais la tâche est immense.

Cela signifie aussi cesser de vouloir conserver à tout prix un système monétaire qui est un héritage de temps révolus, qui contribue à déresponsabiliser un peu plus les gouvernants et où la parité de la monnaie ne reflète plus du tout la productivité des hommes et constitue désormais un obstacle au développement. On a pu constater maintes fois au cours de l'histoire le rôle clé que peut jouer un bon système monétaire dans la résurrection d'une économie. Sans doute y a-t-il là un des problèmes les plus urgents à traiter, un des plus difficiles à résoudre aussi car ni nous ni les Africains ne sortirons sans douleurs de l'impasse dans laquelle nous nous sommes laissé enfermer.

Cela signifie enfin repenser la géopolitique de notre aide. Les trente dernières années, même si elles n'ont pas engendré le développement attendu, n'ont pas été entièrement perdues. Des infrastructures existent, des hommes ont été formés, des pôles de développement possibles apparaissent, autour d'eux, une nouvelle structuration de l'espace africain est envisageable. Elle ne suivra pas nécessairement les lignes du partage colonial et cela impose de réfléchir aux instruments d'aide que le passé nous a légués.

La réflexion collective qui a été menée au cours des derniers mois a permis de se pencher sans tabous, sans a-priori, sans sentiments de culpabilité sur l'Afrique et les relations franco-africaines. En dépit d'erreurs manifestes (mais qui n'en a pas fait en Afrique ?), la France n'a pas à rougir de son action au sud du Sahara depuis trente ans. Mais, sans verser dans ce qu'il est convenu d'appeler l'afro-pessimisme, force est de constater que le ciel africain ne s'éclaircit guère : la faillite économique est grosse d'effondrements, de restaurations autoritaires, de guerres... Il est désormais grand temps de prendre conscience que nous pouvons contribuer à éloigner ces spectres, mais que nous devons pour cela changer notre politique. Si cette réflexion a contribué à amorcer ce changement et à ouvrir un nouveau dialogue avec les Africains, elle aura atteint son objectif.

Plaidoyer pour une autre coopération

par Serge MICHAILOF

Un redéploiement des moyens de l'aide française apparaît aujourd'hui indispensable

La croissance économique en Afrique subsaharienne, qui est indispensable pour éviter l'aggravation des crises sociales et politiques, exige la poursuite et le renforcement des programmes d'assainissement financier, mais surtout de profondes réformes de politique économique. Assainissement financier et réformes économiques ont toute chance d'avoir à court terme un impact déflationniste susceptible d'accélérer la crise sociale, si des programmes spécifiques favorisant la création d'emplois ainsi que l'amélioration du cadre de vie et de l'environnement ne permettent pas d'atténuer la rigueur des ajustements.

Dans un contexte d'urgence, car désormais le temps est compté (1), la coopération française peut jouer un rôle crucial. Pour peser efficacement sur le cours des événements, elle dispose encore des moyens humains et financiers. Mais il lui faut pour cela, dans un simple souci d'efficacité, envisager un redéploiement de ses moyens financiers ainsi qu'une simplification et une clarification de son cadre institutionnel.

---

(1) Si les tendances lourdes actuelles devaient se confirmer, la coopération française en Afrique pour le siècle prochain risque de devoir se replier sur l'action humanitaire, la gestion de camps de réfugiés, la livraison d'armes aux chefs de guerre qu'elle choisirait de soutenir et l'accueil politiquement coûteux des réfugiés politiques...

Dans un contexte budgétaire tendu, une aide plus efficace exige un redéploiement des moyens financiers de la coopération française

Puisque les objectifs de notre politique de coopération peuvent être désormais clarifiés et précisés et si, dans ce contexte, le développement économique des pays bénéficiaires est effectivement l'objectif prioritaire et la finalité de l'intervention française, des inflexions sensibles doivent être apportées à notre action de coopération. La mise en œuvre de ces inflexions pose avec acuité le problème de la disponibilité des ressources dans un contexte budgétaire récessif.

L'aide publique au développement bilatérale française a atteint, en 1991, 32,5 milliards de francs sur un montant total d'aide publique au développement de 41,6 milliards de francs. L'aide bilatérale française à l'Afrique subsaharienne a été de 16,7 milliards de francs. Sur ce montant, l'aide aux investissements représente 3,8 milliards de francs, l'aide à l'ajustement structurel 2,9 milliards de francs, les annulations et consolidations de dettes 4,4 milliards de francs et la coopération technique 5,6 milliards de francs Le redéploiement des moyens financiers, qui est indispensable pour retrouver des marges de manœuvre, exige une action sur l'ensemble des paramètres. Un tel redéploiement milite en particulier pour une plus grande sélectivité dans l'octroi de l'aide projet, une réduction du coût de l'assistance technique, le soutien d'une nouvelle génération de projets, et enfin pour une réorientation de l'aide à l'ajustement.

Le volume global de l'aide importe moins que sa qualité. L'abondance des ressources qui ont été déversées sur l'Afrique au cours de la décennie 70 n'a pas facilité l'essor économique. Bien au contraire, ces flux, transformés en investissements improductifs, ont également largement contribué au gonflement de l'administration et de la dette extérieure, et leur impact s'est révélé plus néfaste que positif sur les pays qui en ont bénéficié. A cet égard, l'objectif des 0,7 % du PNB en aide publique au développement fait partie des ratios qui ne sont guère significatifs, ne serait-ce que parce que ce ratio intègre la charge des annulations de dettes et donc le poids des erreurs du passé. Ce qui importe avant tout, ce sont certes les flux nets d'aide, mais surtout l'utilité de l'aide, sa capacité à favoriser des investissements productifs rentables, des infrastructures utiles, des opérations qui à terme sont susceptibles de s'autofinancer et de se reproduire. D'où l'importance de faire mieux et non pas nécessairement plus.

Dans la situation actuelle des pays bénéficiaires dont la capacité d'absorption « utile » est limitée, la croissance des volumes d'aide ne semble donc pas indispensable. Il est en revanche souhaitable d'éviter une gestion chaotique de ces flux par des régulations budgétaires brutales. De telles régulations, en effet, remettent en cause les calendriers d'instruction et de négociation d'opérations impliquant de longs délais. Dans ce cadre, sans doute faut-il distinguer les programmes à cycle long qu'il convient d'adosser à des ressources assurées et les opérations à cycle court qui peuvent plus aisément rester tributaires de la conjoncture et de ses aléas.

De façon générale, une stagnation en termes réels des ressources de la coopération ne serait donc pas dramatique si un ensemble de conditions était respecté. Les pages qui suivent tentent de préciser la nature de ces conditions.

Une plus grande sélectivité s'impose pour l'octroi de l'aide projet

Une plus grande sélectivité dans l'octroi de l'aide projet implique avant tout que l'autonomie des instances de décision des institutions qui gèrent l'aide publique française (Caisse française de développement, ministère chargé de la Coopération) soit parfaitement respectée. A cet égard, une modification de la composition du Conseil de surveillance de la Caisse française de développement et du comité directeur du FAC, afin d'octroyer un pouvoir accru à des représentants de la société civile française, c'est-à-dire du monde des entreprises, de la vie associative, etc., au détriment des représentants de l'administration, serait fort utile. Une telle évolution permettrait d'écarter les projets dont la seule justification est de nature politique. Elle permettrait aussi de faire respecter les principes sur lesquels à peu près tout le monde est d'accord mais qui sont bien souvent violés pour des considérations politiques à très court terme.

— *Écarter les préoccupations commerciales de l'aide.* Pour des raisons commerciales à court terme, la France a largement contribué, en particulier dans la décennie 70, à couvrir l'Afrique d'usines non rentables et d'infrastructures inutiles ou surdimensionnées. Le mercantilisme dans nos relations s'estompe à mesure que l'Afrique s'enfonce dans la crise mais il faut rester vigilant, en particulier dans les pays nouvellement ouverts à l'action de notre coopération (2). Cette vigilance est difficile par suite de la force des intérêts en jeu et sans doute faut-il ici accepter de se plier à la censure de la BIRD qui passe régulièrement en revue les programmes d'investissement publics. Ainsi, les garanties de type COFACE pour les projets publics de grande dimension pourraient être réservées aux projets agréés par la BIRD ou par un comité des sages...

— *Sortir des logiques d'abonnement.* Certaines opérations bénéficient de financements périodiques qui s'apparentent à de véritables abonnements. Ces logiques « d'abonnement » correspondent à un détournement du concept de projet dont la durée est par nature limitée et cachent la plupart du temps un soutien déguisé au fonctionnement d'opérations déficitaires ou un découpage artificiel de programmes dont on n'a pas osé présenter le coût global. Une partie non négligeable du Fonds d'aide et de coopération est consommée par de tels abonnements et un « élagage » serait ici utile.

— *Limiter l'ampleur des « cadeaux » politiques.* Ces « cadeaux », bien que peu nombreux, sont néanmoins coûteux pour le contribuable français et ne donnent pas une bonne image de notre coopération. La presse satirique et les presses d'opposition française et africaine en faisant désormais état, il est vain d'espérer vouloir être discret à ce propos. L'entretien ultérieur de ces « cadeaux », qu'il s'agisse des avions présidentiels ou des infrastructures inutiles, contribue à alourdir les déficits budgétaires des pays africains. Un mécanisme institutionnel devrait être envisagé pour permettre aux responsables politiques français soumis à de vives pressions, de s'abriter derrière une procédure établie (3).

— *Écarter les projets à gestion administrative.* L'inefficacité des projets à gestion administrative est désormais bien connue et l'on ne compte plus les opérations à finalité pourtant généreuse dont les ressources sont consommées de façon stérile par des structures administratives budgétivores. La coopération française doit passer du diagnostic aux actes et systématiser sur la plupart des opérations qu'elle finance des gestions déléguées confiées à des opérateurs de statut privé (agences d'exécution, opérateurs privés,

(2) Ainsi que dans les pays de l'Est européen !

(3) Notons que la Norvège a récemment suspendu son aide à la Namibie qui venait de faire l'achat d'un avion présidentiel... Il est vrai que cet avion était français ! L'aurait-elle suspendu s'il avait été norvégien ?

ONG). Les projets à gestion administrative devraient ainsi devenir l'exception et non la règle, y compris dans les secteurs des grandes infrastructures économiques (ports, aéroports, marchés...). Une telle évolution implique quelques claires explications avec nos partenaires africains dont les bureaucraties contestent vivement une telle évolution. Elle exige une ferme volonté pour sortir de la routine d'une coopération trop souvent fondée sur des relations entre fonctionnaires africains et français. Elle exige aussi beaucoup plus de professionnalisme et de transparence de la part des ONG et opérateurs potentiels français et africains qui devront désormais démontrer sur le terrain leurs qualités de gestionnaire.

— *Cesser de soutenir les secteurs parapublics dont la gestion n'est pas performante.* Ces secteurs parapublics constituent la principale clientèle « d'abonnés » de la CFD. Des ressources considérables peuvent être dégagées si le soutien aux entreprises défaillantes est résolument interrompu et si davantage de professionnalisme dans la gestion, par le recours à des partenaires extérieurs ou à des privatisations, est systématiquement recherché. Mais notre coopération, pour pouvoir respecter cette ligne de conduite, a besoin d'un soutien clair et ferme des autorités politiques françaises pour résister aux pressions qui ne manqueront pas de s'exercer sur elle. Notons qu'après la généralisation des dons dans les PMA, depuis la conférence de La Baule, le retour aux prêts directs de la CFD à ses risques aux entreprises parapubliques des PMA, est un pas dans la bonne direction, à condition qu'aucune interférence politique ne vienne perturber le processus d'instruction technique et financière des projets.

— *Systématiser les procédures d'audit externe.* Les détournements sur l'aide projet n'ont nullement l'ampleur que suggère une certaine presse à sensation. Ils sont néanmoins fréquents même s'ils portent sur de faibles montants, en particulier sur les projets à gestion administrative, ceci malgré les efforts des institutions d'aide. Pour des raisons financières, pédagogiques, éthiques et politiques, la gestion des projets de la coopération doit être irréprochable. Aussi la systématisation des procédures d'audit externe doit-elle être imposée et la suspension des versements en cas de non-respect doit-elle être automatique et appliquée sans état d'âme.

— *Redéployer géographiquement l'aide projet.* Bénéficier de l'aide française n'est pas un acquis définitif et les pays dits du champ ne doivent pas croire qu'ils disposent de « droits de tirage » sur l'aide française. Lorsque la gestion économique de certains pays, habituellement bénéficiaires de notre coopération, est par trop défaillante, l'aide française doit envisager de se replier sur une action caritative et culturelle pour ne pas pénaliser les populations et doit suspendre son soutien à l'administration et ses démembrements, comme elle l'a fait récemment au Zaïre. Sans être nécessairement aussi radicale, une approche sectorielle plus rigoureuse permettrait, dans beaucoup de pays, de « faire le ménage » en stoppant nos concours dans les secteurs mal gérés pour les réorienter sectoriellement ou géographiquement.

Dans les pays qui présentent un intérêt économique et politique évident pour la France, en particulier au Maghreb et dans les pays lusophones d'Afrique australe, notre coopération doit en revanche renforcer son action et sa présence, en soutenant les opérations et les projets qui le justifient économiquement et qui peuvent, en certains cas, servir de « modèle » dans les pays où notre activité est plus ancienne. Dans le cadre de cette évolution, la notion de champ est appelée à disparaître pour faire place au concept de zones de coopération privilégiées.

— *Diversifier les outils financiers de la coopération française.* A la suite du discours de La Baule, la coopération française est sans doute passée d'un extrême à l'autre. Jusqu'en 1990, la CCCE consentait des prêts qui étaient quasi systématiquement inclus dans la dette publique des États, donc rééchelonnés au Club de Paris et supportés *in fine* par le contribuable français alors que les bénéficiaires de ces crédits étaient souvent en mesure de faire face à leurs engagements (4). La systématisation des dons décidée à La Baule a fait passer les relations avec les PMA d'une logique économique à une logique de charité. Elle réduit par là même les concours financiers disponibles et peut déresponsabiliser les bénéficiaires. Dans les pays les moins avancés, l'annulation de la dette, décidée à Dakar, a été faite de façon inconditionnelle et n'a pas été un encouragement à la bonne gestion.

Il est en fait très souhaitable que la CFD dispose d'un large éventail d'instruments financiers qu'elle doit pouvoir utiliser de façon

(4) Lorsque des prêts consentis, par exemple, à des entreprises parfaitement rentables étaient assortis d'une garantie de l'État, les mécanismes de rééchelonnement du Club de Paris conduisaient ces entreprises, en cas d'insolvabilité des États, à soutenir ces États en difficulté, alors que le Trésor français assurait le remboursement de la CCCE.

responsable selon la nature des opérations financées : subventions pour les projets à rentabilité indirecte (par exemple, dans le secteur du développement rural), crédits concessionnels directs sans garantie des États pour les infrastructures économiques générant des recettes et pouvant être gérées par des structures de type privé, crédits peu concessionnels ou aux taux du marché pour les projets à rentabilité financière « normale ». Mais cette évolution très souhaitable, car responsabilisante pour le bénéficiaire et pour la CFD, exige là encore une totale autonomie de décision de la CFD, sous peine de lui faire prendre des risques financiers inconsidérés.

En conclusion, il apparaît assez évident, pour tous les observateurs attentifs, qu'une plus grande sélectivité de l'aide projet est techniquement aisée. Mais les gestionnaires de l'aide, tout acquis à cette idée, se heurtent aux demandes des responsables politiques africains eux-mêmes soumis à la pression de leurs propres lobbies ; ils se heurtent aussi à la complaisance des autorités politiques françaises plus soucieuses d'une gestion diplomatique des relations que d'efficacité financière et économique. Une définition claire par le pouvoir politique des priorités sectorielles et des principes d'action de notre coopération associée à une plus grande indépendance des instances de décision faciliterait grandement cette sélectivité d'ailleurs demandée par l'opinion publique. La création en octobre 1990 d'un comité d'orientation et de programmation, présidé par le ministre de la Coopération et du Développement réunissant le Trésor, la CFD et les représentants du ministère des Affaires étrangères, a constitué à cet égard un progrès sensible pour la définition d'orientations claires à moyen terme par secteur et par pays.

Une réduction de la dimension de notre dispositif d'assistance technique et son redéploiement permettraient d'utiles économies

Le problème de l'assistance technique est complexe et ne peut être ici traité dans le détail car il justifierait une analyse spécifique. Notons toutefois que notre dispositif, bien qu'en voie de réduction très sensible depuis plusieurs années, ne répond pas encore aux préoccupations de coût/efficacité. Des économies substantielles sont certainement envisageables, en particulier dans le secteur éducatif. Il faut se rappeler qu'il est possible de procéder à la restructuration d'un bidonville de 10 000 habitants pour le coût du contrat de quelques coopérants.

Outre la réduction globale des effectifs et un rééquilibrage entre le domaine éducatif et les secteurs productifs au profit de ces derniers, le transfert de la gestion d'une partie de l'assistance technique du ministère de la Coopération aux départements opérationnels des institutions d'aide (qui sont par nature mieux à même d'assurer son suivi qu'un département administratif de gestion du personnel du ministère) devrait permettre une meilleure efficacité du dispositif. Enfin, une analyse approfondie du coût et de l'efficacité comparative de l'assistance technique sur marché, issue de contractants privés et de l'assistance gérée par le ministère, serait également utile, l'objet étant toujours la recherche de la souplesse et d'un meilleur rapport efficacité/coût.

Un soutien spécifique pour la formation des élites africaines serait plus utile et moins coûteux qu'une bonne part de notre assistance technique. A cet égard et dans le but d'accélérer la relève de l'assistance technique y compris de haut niveau, un programme spécifique et ambitieux d'appui à la formation des élites africaines apparaît indispensable. A la pratique bienveillante et paternaliste d'octroi de bourses actuellement en cours, devrait succéder une politique beaucoup plus active d'identification des élites et de construction de plans de formation facilitant en particulier l'accès aux grandes écoles françaises. En l'absence d'une telle démarche, les élites africaines s'orientent de plus en plus vers les universités nord-américaines. Un appui aux associations d'anciens élèves et au suivi de ces cadres, pour les aider à se protéger des contraintes excessives de leur environnement, est également souhaitable. Dans cet esprit, la démarche suivie pour la formation des cadres militaires africains s'est avérée efficace et sans doute serait-il utile de s'inspirer aussi des politiques mises en œuvre par les grandes fondations américaines pour la formation des élites en Inde et en Amérique latine. Le CEFEB (à condition de ne pas être exilé) pourrait parfaitement servir de coordonnateur pour un tel programme.

Une nouvelle génération de projets devrait être favorisée

Dans son récent rapport sur le développement humain, le PNUD a mis en évidence la faiblesse des flux d'aide répondant aux besoins prioritaires des populations défavorisées : éducation de base, soins de santé primaire, eau potable, nutrition, etc.

Le PNUD recommande ainsi qu'au moins 20 % des flux d'aide soient affectés à la satisfaction de ces besoins contre une moyenne actuellement de 6,5 % pour l'aide publique internationale et de 4 % pour l'aide française (5). Les réformes de politique sectorielle précédemment proposées visent en partie à mieux répondre à ces besoins de base. Mais leur ampleur et les difficultés budgétaires liées aux politiques d'ajustement militent pour la généralisation d'une nouvelle génération de projets qui doivent répondre à deux préoccupations.

— *Ces projets doivent être fondés sur un principe de délégation de gestion à des opérateurs privés et/ou des ONG.* Compte tenu de l'inefficacité des projets à gestion administrative, l'aide bilatérale a tout intérêt à s'appuyer sur des opérateurs privés et/ou des ONG pour gérer, sur la base de contrats de performance, les projets qu'elle souhaite appuyer. Une telle approche permettrait de démultiplier l'action de ces intervenants, qui, aujourd'hui, en raison de l'insuffisance de leurs ressources, se replient le plus souvent sur des micro-actions dont l'impact reste marginal. Cette collaboration faciliterait également le renforcement des compétences techniques de ces acteurs. Elle permettrait enfin de distinguer clairement les ONG sérieuses et motivées des nombreux organismes français et africains qui se sont multipliés ces dernières années et dont la finalité première est la consommation, à leur profit, de ressources publiques et privées.

— *Ces projets doivent répondre aux besoins de base de catégories sociales défavorisées ou de populations cibles spécifiques telles que les jeunes, les femmes et doivent permettre d'ouvrir de nouvelles perspectives.* La restructuration des bidonvilles et des quartiers dits spontanés, en milieu urbain, l'aide à l'artisanat et aux micro-entreprises des secteurs informels, l'amélioration du cadre économique et social en milieu rural grâce à des fonds de développement rural gérés par les collectivités villageoises, les actions d'appui au développement du crédit à la micro-entreprise et du crédit mutuel, etc., constituent des exemples parmi une vaste gamme d'opérations réalistes et peu coûteuses. Or, si ces projets s'articulent correctement avec les grands programmes classiques d'équipement (eau - électricité - assainissement), ils peuvent améliorer significativement le niveau de bien-être des populations en détresse qui subissent les rigueurs de l'ajustement.

(5) Si l'on en croit un calcul aisé à reconstituer à partir des chiffres du rapport sur le développement humain, PNUD, 1992.

En ce domaine, certaines équipes de la CFD et du ministère, qui ont procédé à leur propre ajustement culturel, ont développé depuis quelques années, en liaison avec les ONG spécialisés et certains opérateurs, une expertise qui permettrait de multiplier des opérations significatives.

Les concours globaux de l'aide hors projet à l'ajustement devraient être considérablement réduits au profit de concours sectoriels ciblés

Nous avons remarqué qu'il est permis d'être extrêmement sceptique sur l'intérêt en terme d'ajustement économique de ces concours globaux, dont la justification est avant tout politique. Des travaux approfondis, tels ceux dirigés par le professeur E. Berg, conduisent à mettre en doute l'impact réel de ces concours sur les structures économiques et à souligner au contraire certains effets pervers, l'abondance des aides permettant en particulier aux États bénéficiaires de différer en permanence les mesures par trop contraignantes d'ajustement.

Or, ces concours ont connu une progression constante sans que les besoins diminuent. Ils bénéficient pour l'essentiel à quatre pays à revenu intermédiaire. Consentis sous forme de prêts à des États qui n'ont aucune chance de nous rembourser, ils masquent le déficit virtuel des comptes d'opérations liés à l'insuffisance ou à l'absence d'ajustement budgétaire réel.

— *Passer de la politique du cadeau à la logique du contrat.* Le lien monétaire et l'absence de fermeté du discours politique français (6) se combinent ici pour nous engager dans un processus analogue au tonneau des Danaïdes. Il importe de sortir de cette logique absurde et de faire en sorte que les concours de type budgétaire deviennent l'exception et non la règle. Il faut pour cela réserver ces concours pour l'ajustement budgétaire à court terme de pays connaissant des mutations politiques et s'engageant dans des processus sérieux d'ajustement réels. Des procédures fondées sur des contrats pluriannuels dégressifs à plafonds contraignants pourraient être ici imaginées. Mais il faut certainement conserver à ces concours un caractère exceptionnel, excluant la régularité et la notion

(6) Il est parfois permis de se demander s'il n'y a pas un lien entre l'existence de la coopération monétaire et cette absence de fermeté et s'il n'y a pas là une source de faiblesse dans notre politique de coopération.

d'abonnement ; il est enfin souhaitable de privilégier, au contraire, des programmes d'ajustement économique sectoriels à moyen terme ciblés et contraignants dont l'efficacité peut donc être facilement contrôlée et appréciée s'ils s'inscrivent dans un cadre contractuel négocié clair. A cet égard, le concept de responsabilité dans les relations de coopération doit succéder aux relations donateur/assisté. L'ajustement sectoriel implique en effet un effort réciproque : financier pour le donateur, politique pour le bénéficiaire ; or, la tentation est toujours présente pour ce dernier de tricher, d'où les interminables débats sur l'interprétation des conditionnalités (7). Ce débat tend à vicier les relations entre partenaires, aussi en matière d'ajustement une logique de résultats doit-elle succéder à la pratique peu concluante des conditionnalités.

La croissance actuelle des aides globales et la généralisation des « chèques » face aux appels au secours, discrédite notre aide de par son évidente inefficacité. Elle contribue à renforcer la conviction qui se répand dans l'opinion publique que les contribuables français pauvres paient pour sauver une élite africaine qui ne compte pas parmi les damnés de la terre...

Le changement de discours qu'une telle politique implique ne peut toutefois que provoquer des réactions de la part de nos partenaires africains, habitués à « leurs » concours français obtenus sans effort. Les autorités monétaires peuvent également s'inquiéter des risques de dérapage des avances que les banques centrales peuvent être obligées de consentir aux trésors publics africains, malgré les règles statutaires, en substitution au soutien français.

Le FMI enfin ne pourra plus compter sur les concours français qui, à bonne date, permettaient de couvrir les besoins budgétaires et de respecter ainsi les critères fixés par l'institution internationale. Au contraire, les programmes sectoriels nécessiteront des délais de négociation et leurs calendriers de décaissement seront subordonnés à la réalisation de mesures d'ajustement réel et ciblé. Dans ces conditions, le déphasage risque d'être total avec les contraintes de trésorerie à court terme.

Ces réactions prévisibles ne doivent cependant pas faire changer de ligne d'action. La France doit veiller à responsabiliser ses partenaires et doit dans ces conditions laisser les États africains face à leurs responsabilités à l'égard des banques centrales et du FMI ;

---

(7) Certains pays sont même réputés pour leur habileté en la matière (!).

le maintien en particulier de la parité monétaire doit être d'abord le produit des efforts africains et non des efforts des contribuables français...

— *Dégager des marges de manœuvre.* En conclusion, la coopération française peut aussi retrouver une marge de manœuvre financière considérable et une utilité réelle à ses concours d'ajustement. Mais il lui faut sortir de la logique actuelle, ce qui implique :

— une forte réduction des dotations réservées aux concours globaux à l'ajustement budgétaire à court terme qui atteignent aujourd'hui 4 milliards de FF et pourraient certainement être réduits de moitié ;

— le report de l'essentiel des ressources ainsi dégagées sur des concours à l'ajustement économique sectoriel à moyen terme qui, tant pour accroître les ressources mobilisables que pour renforcer le sérieux de l'instruction et du suivi, devraient être autant que possible coordonnés avec les aides multilatérales (BIRD-CEE) ou certaines aides bilatérales ;

— un maintien, encore que ce point puisse être contesté, des concours financiers de nature purement politique afin de pouvoir répondre aux inévitables demandes politiques en dehors des concours d'ajustement ;

— une séparation budgétaire nette entre les trois catégories d'opérations que sont les concours financiers de nature purement politique, les concours d'ajustement globaux, les concours sectoriels.

Si ces principes peuvent être respectés, la coopération française retrouvera, même dans un contexte budgétaire tendu, une marge de manœuvre très appréciable pour une coopération « utile » dont le besoin est chaque jour plus évident.

Un minimum de clarification/simplification du cadre institutionnel de la coopération française est indispensable

Le dispositif actuel de coopération, marqué par le chevauchement des moyens et une bonne dose de confusion institutionnelle peut certes parfaitement se perpétuer. Mais alors que l'ampleur des enjeux et les contraintes budgétaires imposent de faire mieux avec peut-être moins de ressources, il paraît difficile de ne pas tenter de clarifier les rôles et redéfinir les missions. Notre dispositif fait sourire nos partenaires africains (8) et laisse perplexes les bailleurs de fonds multilatéraux (9). Les décisions prises à La Baule et la généralisation des dons dans les PMA rendent plus nécessaire que jamais une évolution des institutions de toute façon indispensable pour l'efficacité de notre action et l'image de notre coopération.

Le système actuel est trop peu cohérent pour pouvoir être pérenne

L'octroi de dons par la CFD décidé lors du sommet de La Baule, fait que le maintien des activités d'agence d'exécution au sein du ministère chargé de la Coopération, dans les secteurs de compétence de la CFD, n'a plus de justification logique. Dans ce contexte, la mise en œuvre parallèle par deux agences d'exécution ayant la même vocation, financées sur les mêmes ressources budgétaires, est nécessairement source de conflit de compétence, de double emploi et d'inefficacité, malgré toutes les tentatives de coordination et la bonne volonté des responsables.

Si la compétence technique et le niveau de motivation des cadres du ministère et de la CFD restent remarquables, les incertitudes sur l'avenir du dispositif institutionnel dans le cadre de l'incohérence actuelle sont un facteur de démobilisation, chacun s'interrogeant sur l'avenir de son institution et, par là même, sur son propre avenir professionnel. Au moment où la nécessité d'un recentrage des priorités s'impose, chaque institution a tendance à se crisper sur ses acquis. Le ministère ne peut correctement définir une stratégie, être l'opérateur et contrôler l'exécution. La CFD, faute d'orientations politiques claires et précises, définit largement sa propre stratégie, ce qui lui est d'ailleurs en même temps reproché.

La non-mise en œuvre des multiples réformes précédemment proposées incite toutefois à la prudence et sans doute est-il souhaitable de distinguer, d'une part, les principes et les objectifs d'évolution à moyen et long terme et, d'autre part, les étapes qui doivent être marquées par le réalisme et la mesure. Les blocages précédemment rencontrés sont en effet pour une part liés à l'ambition excessive des calendriers de réforme et à la volonté des institutions, dans un contexte de grande incertitude quant à l'avenir,

(8) Ministère de la Coopération et CFD négociaient récemment à Dakar deux versions différentes et incompatibles du même projet de train de banlieue face à des responsables locaux médusés et ne sachant qui croire... !

(9) Qui se plaignent de ne savoir à qui s'adresser !

de ne jamais laisser échapper une parcelle de responsabilité. L'énoncé d'objectifs précis et de principes d'évolution clairs, quitte à prévoir des étapes ménageant des phases de transition pour leur mise en œuvre, devrait permettre de désamorcer beaucoup de ces blocages.

L'évolution vers un dispositif déléguant à des institutions de type « agence autonome » la mise en œuvre des politiques de coopération définies par le gouvernement semble la plus logique

Au ministère chargé de la Coopération devrait, dans ce cadre, revenir, en s'inspirant d'ailleurs de la nouvelle charte de déconcentration voulue par le Premier ministre, les missions de conception des orientations sectorielles et géographiques, d'impulsion et d'évaluation. Dans ce cadre général, le ministère chargé de la Coopération devrait devenir un organisme d'orientation politique et de contrôle débarrassé d'une large part de ses tâches de gestion.

Au ministère de l'Économie et des Finances devrait revenir le contrôle de la cohérence financière, monétaire, budgétaire et économique de la politique de coopération. Pour des raisons évidentes, ce département doit en outre assurer la conduite de la politique financière dans les zones monétaires dépendant du franc ainsi que la coordination avec les institutions financières internationales (FMI, BIRD). Il doit, dans ce cadre, contrôler étroitement l'élaboration des programmes d'ajustement globaux négociés dans le cadre des programmes FMI et les programmes d'ajustement des secteurs bancaires et financiers au sens large. Enfin, il doit bien sûr coordonner également les aspects financiers de l'aide au commerce extérieur.

La mise en œuvre de la politique de coopération devrait être réalisée par une ou plusieurs institutions de type agence d'exécution assurant l'instruction, l'évaluation et le financement de l'aide projet et hors-projet pour tous secteurs ainsi que la gestion de l'assistance technique correspondante. L'agence (ou les agences) de coopération met alors en œuvre l'ensemble des moyens financiers destinés à ces opérations quelle que soit leur forme (prêts dont les ressources sont collectées sur les marchés financiers, le cas échéant bonifiés par l'État, dons financés par des dotations inscrites au budget de l'État).

Le cas échéant, la spécialisation sectorielle de plusieurs agences (infrastructures-secteurs productifs, d'une part, éducation-secteurs sociaux d'autre part) peut faciliter la liaison avec les ministères techniques correspondants et permettre d'éviter la constitution d'un organisme à vocation hégémonique dont la taille risque d'être un facteur de lourdeur. Elle conforterait le rôle de coordination du ministère chargé de la Coopération. Divers schémas peuvent être ici imaginés, le principe fondamental étant la non-dissociation de la gestion de l'assistance technique de projet de celle de l'aide projet.

L'organisation financière et budgétaire doit faciliter la lisibilité du dispositif

Au-delà de son budget de fonctionnement et du financement des actions maintenues sous son administration directe, le ministère chargé de la Coopération pourrait avoir vocation à recevoir, sur ses dotations, l'ensemble des moyens budgétaires destinés au financement sur don des projets et programmes de développement et de coopération technique.

La délégation des crédits aux institutions d'exécution devrait toutefois s'effectuer de manière globale de façon à respecter les règles de décision propres à des agences. Les dotations devraient couvrir la rémunération de ces institutions. En ce qui concerne les financements sur prêt, la CFD qui est d'ores et déjà l'agence d'exécution, et qui doit impérativement rester une institution financière, devrait s'orienter vers un appel systématique au marché et bénéficier, le cas échéant, de bonification par crédits budgétaires inscrits au budget de l'État. Ces crédits devraient figurer au budget des charges communes du ministère des Finances pour garantir la souplesse de gestion qui est indispensable (rapidité des versements, ajustement des montants en fonction des taux du marché, etc.).

Le financement de l'ajustement structurel global dans le cadre des concours FMI demanderait sans doute un traitement particulier. Il s'agirait de la seule dérogation au principe de la simplicité de la présentation budgétaire.

L'expression par les responsables politiques français au plus haut niveau de leur volonté de faire évoluer progressivement le dispositif institutionnel actuel selon ces grands principes, clarifierait le débat et permettrait de recentrer l'attention sur les étapes et les transitions nécessaires.

Un recentrage des responsabilités s'impose entre le ministère chargé de la Coopération et la Caisse française de développement

Un tel recentrage doit être fondé sur un constat. Dans le système actuel, le ministère cumule les fonctions d'agence d'exécution et d'organisme politique d'orientation. Les contraintes administratives propres à son statut font que le ministère est mal armé pour exercer ses fonctions d'agence d'exécution, ne pouvant bénéficier de la souplesse dans la gestion propre à une institution autonome.

Dans les secteurs de compétence de la CFD, à l'exception du domaine de l'ajustement structurel, le ministère ne dispose pas de la masse critique des cadres qui lui permettrait d'exercer à la fois ses tâches d'orientations politiques et ses fonctions opérationnelles. Ses cadres ne peuvent donc que se disperser entre une activité opérationnelle propre à une agence pour laquelle ils sont peu secondés (instruction et suivi des projets FAC, pilotage de l'assistance technique) et les fonctions propres au ministère, d'orientation et de définition de politiques.

Malgré le conservatisme institutionnel actuel, une remise en ordre minimale de ce dispositif est particulièrement souhaitable pour dépoussiérer aux yeux de l'opinion publique nationale et africaine l'image de notre coopération. Cette remise en ordre exigera, dans une première étape, d'une part, un renforcement des moyens d'orientation politique, de contrôle et de pilotage sectoriel du ministère — notons que ce pilotage se met en œuvre efficacement depuis un an, dans le cadre des comités d'orientation et programmation.

Elle exigera, d'autre part, le transfert à la CFD des responsabilités incombant à une agence autonome d'exécution dans ses secteurs de compétence (instruction et financement des projets et programmes dans les secteurs des infrastructures et du développement rural, financement de l'entreprise privée et amélioration de son environnement économique, ajustement sectoriel dans ses domaines d'intervention traditionnels, gestion de l'assistance technique liée aux projets dans les secteurs correspondants). Ce transfert lui permettra, en regroupant les moyens humains et techniques disponibles au niveau global, d'atteindre la masse critique indispensable à l'efficacité de son action.

Bon nombre des cadres techniques des deux institutions, qui ont développé au fil des ans leur collaboration, sont désormais acquis à ces principes dont la mise en œuvre exige pour l'essentiel une décision politique susceptible de surmonter les résistances d'amour-propre des deux institutions qui, dans le contexte actuel, ne sont vraiment plus de mise.

Une deuxième étape implique une réforme de plus grande ampleur qui devrait porter en particulier sur le positionnement du ministère chargé de la Coopération par rapport au ministère des Affaires étrangères, le rattachement des services techniques du ministère correspondant aux secteurs sociaux et de l'éducation soit à la CFD, transformée en agence unique, soit à une agence sectorielle à créer (ou leur maintien au Ministère), le positionnement de la Direction des affaires africaines et malgaches, la tutelle de la DGRCST, etc. Une telle réforme est plus ambitieuse, non au plan technique car le simple bon sens permet aisément d'en dégager les axes majeurs, mais par suite des conflits institutionnels et politiques qu'elle ne manquera pas de soulever.

Le temps nous est désormais compté pour passer des discours aux actes

Le discours de La Baule, prononcé par le président François Mitterrand, en juin 1990, a marqué, aux yeux des élites africaines, une rupture avec une politique qu'une importante partie de l'intelligentsia africaine jugeait trop complaisante à l'égard des régimes autoritaires. Ce discours prenait acte de la force d'un puissant mouvement de revendications axé, comme dans les pays de l'Est, sur la démocratisation de la vie politique mais aussi sur le refus de la dégradation des conditions de vie. Les deux termes de cette revendication sont désormais extrêmement forts et ne pourront être satisfaits par des mesures purement politiques telles que l'instauration du multipartisme.

L'avènement de la démocratie en Afrique, qui est indispensable, et qui suppose par ailleurs qu'une réponse adaptée soit apportée aux préoccupations de sécurité, pose de redoutables problèmes et crée nécessairement des tensions dans des États qui ont rarement été fondés sur la base d'une identification nationale. La sauvegarde du droit des minorités ethniques, la prise en compte des particularismes régionaux, la décentralisation et la régionalisation, le réexamen des fonctions de l'État constituent autant de « chantiers » complexes qui n'ont été pour l'instant qu'esquissés (10). Dans ces conditions, le mouvement démocratique en Afrique ne sera certainement qu'un feu de paille, ainsi que le rappelle le président Diouf, si en plus, les revendications économiques ne peuvent être satisfaites et si la croissance n'est pas au rendez-vous. Après avoir longtemps favorisé la recherche de la stabilité en Afrique, la France, reconnaissait à La Baule que la stabilité en Afrique exigeait désormais le changement et des réformes. Or, au plan économique, ces réformes ont été jusqu'ici à peine esquissées et n'ont pas non plus bénéficié de la part des autorités politiques françaises de l'appui clair et massif indispensable à leur succès.

Libéralisation, désétatisation et réformes économiques sont désormais urgentes

Le multipartisme, sans la croissance économique, ne constituerait qu'un simulacre de démocratie, un théâtre d'ombres où s'agiteraient quelques « entrepreneurs politiques » rapidement coupés des préoccupations réelles de la population. Dans la logique du discours de La Baule dont l'impact sur le mode de gestion des relations franco-africaines se fait attendre, la France doit donc soutenir avec vigueur les indispensables réformes de politique économique en Afrique, fondées, comme nous l'avons rappelé, sur la libéralisation d'économies très marquées du sceau de l'étatisme (11). Elle doit dans ce contexte encourager la moralisation d'économies parfois tentées par des dérives maffieuses et se révéler intraitable pour tout ce qui a trait à la qualité de la gestion des institutions. Elle doit appuyer, après en avoir débattu avec les responsables africains et les institutions de Bretton Woods, la mise en place de cadres macroéconomiques assainis et plaider pour d'ambitieuses réformes de politiques sectorielles. Faute de prendre rapidement l'initiative en ce domaine, son action sera progressivement noyée dans des programmes d'ajustement conçus à Washington ou à Bruxelles, programmes auxquels elle ne pourrait contribuer que financièrement.

Pour s'engager résolument dans cette voie, qui pour donner des résultats exige nécessairement du temps, la coopération française

(10) Voir le remarquable petit texte inédit de R. FRANJOU : « État et développement », ronéoté.

(11) Cf. le chapitre « Une vocation pour la France vis-à-vis du Tiers Monde », B. ESAMBERT.

a besoin de l'appui des responsables politiques français et du soutien d'une opinion publique qui perçoit mal les enjeux et qui, marquée par l'afropessimisme des médias, imagine mal qu'il soit possible d'inverser les tendances actuelles (12).

Rigueur et exigence dans le cadre d'une politique contractuelle claire conditionnent le soutien de l'opinion publique française

L'action humanitaire et les programmes caritatifs privés, fondés sur les micro-projets, ont aujourd'hui les faveurs de l'opinion. Or, ces actions constituent, ainsi que le rappelle un ouvrage récent (13), la coopération de la résignation, la piqûre de morphine pour le mourant. Face à des désastres économiques, le dévouement et le talent de quelques équipes permettent d'atténuer des drames, de forer quelques puits, de sauver quelques vies... Ces actions deviennent de plus en plus indispensables à mesure que se dégradent les institutions en Afrique et que se révèle l'inefficacité des politiques sectorielles suivies. Mais soutenir et développer ces actions ne signifie pas qu'il faille abandonner l'espoir et perdre toute volonté de réformer politiques et institutions. Dans un pays sahélien en perdition, la restructuration d'une filière coton en faillite, la réorganisation de services de l'hydraulique endormis et la réforme des politiques sectorielles correspondantes, comme la coopération française a su le faire à de nombreuses reprises avec succès, permettent de répondre avec une autre efficacité aux drames des campagnes que le forage de quelques puits et l'envoi de couvertures...

Bien que le constat soit aujourd'hui décevant et inquiétant au plan économique, et même si les perspectives de certains pays sahéliens enclavés sont très incertaines, de nombreux pays africains disposent des infrastructures, des hommes et de la capacité de mobilisation de capitaux qui, correctement mis en œuvre, permettraient une croissance à deux chiffres.

Dans ces conditions, la coopération française doit faire preuve de rigueur et d'exigence. Dans le cadre de politiques contractuelles claires, elle doit appuyer les succès, la bonne gestion, les politiques efficaces, les efforts sincères de redressement et se désen-

---

(12) Cf. le chapitre « L'Afrique délaissée », A. FONTAINE.

(13) *L'Empire et les nouveaux barbares,* Jean-Christophe RUFIN (Jean-Claude Lattès), 1991.

gager sans état d'âme des entreprises, des secteurs et des filières mal gérées. Sans doute doit-elle aussi, dans les pays incapables de se réformer, laisser, ainsi que le suggèrent certains (14), l'Histoire s'accomplir... C'est peut-être seulement à ce prix, qui passe par l'abandon de la pratique du cadeau, du clientélisme et du soutien inconditionnel, que son action sera réellement efficace et qu'elle retrouvera aux yeux de l'opinion publique française, la crédibilité qui est indispensable au succès de son action.

La nouvelle génération des élites africaines attend ce type d'appui et juge sévèrement l'aide que nous avons apportée à ses aînés

L'Afrique subsaharienne est à un tournant de son histoire (15). Or, il est frappant de constater combien la nouvelle génération des cadres et dirigeants africains qui accède ou va accéder à des postes de responsabilité et qui a étudié, vécu, voire travaillé en Occident est critique à l'égard des politiques économiques, des comportements et de la gestion économique de leur pays d'origine. Cette critique est discrète pour les raisons que l'on imagine, mais infiniment plus brutale que cet ouvrage. Elle rejoint les critiques formulées par les agents et les responsables des institutions publiques et privées impliquées dans l'aide à l'Afrique.

Sans doute, certains de ces cadres sous-estiment-ils les pesanteurs, blocages et obstacles. Mais critiques de la gestion de leur pays, ils le sont encore plus, de façon sans doute excessive, des complaisances de notre coopération. Ils lui reprochent son soutien à des régimes inefficaces, à des équipes à leurs yeux discréditées, à des entreprises que nous aurions dû aider à liquider et non soutenir. Ils lui reprochent sa timidité à dénoncer la mauvaise gestion et à couper ses crédits. Cette génération fera l'Afrique de demain. Il tient à nous de la soutenir, pour faire de l'Afrique un pôle de croissance et de prospérité, ou de la décourager.

---

(14) Cf. chapitre « Faut-il laisser l'Histoire s'accomplir en Afrique ? », J.P. COMES.

(15) Cf. « Traditions et devenir de la coopération franco-africaine : quelques réflexions », F. GAULME, in « L'échec du développement... », *op. cit.*

Remerciements

Ce livre n'aurait pas pu voir le jour si Madame Avice, ministre de la Coopération et du Développement n'avait pris l'initiative, en 1991, de lancer une réflexion indépendante sur l'Afrique et la coopération française, et si Monsieur Debarge, qui lui a succédé, en 1992, n'avait accepté de soutenir ce travail. Je souhaite les en remercier, ainsi que leurs directeurs de cabinet, Messieurs Dominique de Combles de Nayves et Christian Pallot et leur directeur adjoint de cabinet, Monsieur Pierre Castella. Madame Isabelle Aventur m'a apporté un appui précieux tout au long de ce cheminement, en assurant notamment la coordination de notre groupe. Je souhaite également remercier les personnalités qui, même si elles ne partageaient pas toujours la totalité des idées émises dans le cadre de cet ouvrage, ne m'ont pas mesuré leur appui en nourrissant ma réflexion de leurs suggestions et parfois de leurs critiques, en particulier, à la Caisse française de développement : Jacques Alliot (directeur délégué), François Gadat (ancien directeur du département Afrique de l'Ouest), Philippe Jurgensen (directeur général), François Lemasson (directeur général adjoint), Alain Vizzavona (responsable du département des politiques et des études), au ministère de la Coopération : Jean-Claude Faure (directeur du développement), Jean Nemo (directeur de l'administration générale) et Jean-Michel Severino (chef du service des études financières et de la coordination géographique), au ministère des Affaires étrangères : Éric Arnoult (conseiller auprès du ministre d'État), au ministère de l'Économie, des Finances et du Budget : Anne Le Lorier (sous-directeur endettement et développement à la direction du Trésor), à la Banque mondiale : Elkyn Chaparro (représentant résident à Dakar).

Cet ouvrage a été plus spécialement préparé avec la collaboration de Jean-François Bayart, directeur de recherche à la Fondation nationale des Sciences politiques (CERI), Philippe Blime, président de la Société Mitchell et président de l'association « Mieux aider le Sud », Jacques Giri, directeur général de la SEED (Stratégie Énergie Environnement Développement) et président de l'association « Pour un nouveau dialogue avec l'Afrique », Michel Griffon, directeur de l'unité de recherches en prospective et politique agricole au CIRAD. Mais il est tributaire des échanges auxquels les membres de notre groupe de travail ont contribué sans compter leur temps, ni leurs forces, en dépit de la lourdeur de leurs engagements professionnels. Mes remerciements vont donc ici tout particulièrement à Jean-Louis Bancel, ancien chef du bureau Afrique et océan Indien à la direction du Trésor, Lionel Bordarier, ancien directeur du département Afrique à la BNP, aujourd'hui directeur du département Amériques, Henri Carsalade, directeur général du CIRAD, Geneviève Causse-Broquet, professeur des sciences de la gestion à l'Université de Paris XII et professeur à l'École supérieure de Commerce de Paris, Jean-Raphaël Chaponnière, ingénieur de recherche au Centre national de recherche scientifique (CNRS), Jean-Pierre Comes, ancien officier des Troupes de Marine, ancien membre du cabinet civil du ministre de la Défense, Jean-Marie Cour, économiste principal à la Banque mondiale détaché auprès du Club du Sahel (OCDE), Jean Coussy, maître de conférences à l'École des hautes études en sciences sociales, Anne de Lattre, fondateur et ancien directeur du Club du Sahel, Raymond Franjou, ancien président-directeur général de la Société française de conseil en développement (SFC), François Gaulme, rédacteur en chef des *Marchés Tropicaux,* Jean-Marie Guéhenno, chef du Centre d'analyse et prévisions au ministère des Affaires étrangères, Patrick Guillaumont, professeur d'économie à l'Université d'Auvergne, président du Centre d'études et de recherches sur le développement international (CERDI), Philippe Hugon, professeur d'économie à l'Université de Paris X Nanterre, Pierre Jacquet, directeur adjoint de l'IFRI, Sylviane Jeanneney Guillaumont, professeur d'économie à l'Université d'Auvergne, membre du conseil de surveillance de la Caisse française de développement, présidente de l'Association française de science économique, Christian Joudiou, président du CIES, ancien directeur du développement au ministère de la Coopération, ancien directeur général de la Banque centrale des États de l'Afrique centrale, Pierre Judet, professeur d'économie à l'Université Pierre Mendès-France et ancien directeur de l'Institut de recherche économique production et développement (IREPD), Zaki Laidi, directeur de recherche à la Fondation nationale des Sciences politiques (CERI), Antoine Mérieux, ancien conseiller financier pour l'Afrique au ministère de l'Économie, des Finances et du Budget,

Hervé Prat, directeur général adjoint de la compagnie OPTORG, Alain Ruellan, directeur du CNEARC et directeur du programme environnement du CNRS, Claude Sicard, économiste industriel, président-directeur général de OCS Consultants, Jean-Pierre Vigier, directeur général de la SIDI, Gérard Winter, directeur général de l'ORSTOM.

Le lecteur qui a l'habitude de participer à de telles commissions sait enfin qu'une telle entreprise ne peut voir le jour sans le suivi de celles et ceux qui s'assurent que « l'intendance suit » : pour Mme Chamy à Paris et Mlle Gningue à Dakar, la tâche aura été d'autant plus lourde que j'étais bien souvent entre les deux capitales.

Notre seul espoir est que tous ces efforts ne soient pas vains et que notre ouvrage puisse fournir un instrument de réflexion utile à tous ceux, Africains et Français, qui aspirent à l'établissement de liens renouvelés entre nos pays respectifs.

Serge MICHAILOF

Les auteurs

Edwige Avice, ancien ministre de la Jeunesse et des Sports, ancien secrétaire d'État à la Défense, ancien ministre délégué aux Affaires étrangères, ancien ministre de la Coopération et du Développement, parlementaire, présidente de la Société financière de Brienne.

Claude Baerhel, ingénieur urbaniste, secrétaire général du Comité catholique contre la faim et pour le développement.

Jean-Pierre Barbier, chef de la division politique, produits et procédures à la Caisse française de développement.

Jean-François Bayart, directeur de recherche au Centre d'études et de recherches internationales à la Fondation nationale des Sciences politiques.

Elliot Berg, consultant international, vice-président de Développement Alternative Inc, professeur associé au Centre d'étude et de recherche sur le développement international.

Philippe Blime, président de la Société Mitchell, président de l'association Mieux aider le Sud.

A. Bonessian, responsable d'une unité opérationnelle dans l'une des institutions françaises d'aide au développement.

Sylvie Brunel, directeur général de l'Action internationale contre la faim (AICF).

Jean-Raphaël Chaponnière, ingénieur de recherche au CNRS, laboratoire de l'Institut de recherche économique production et développement (IREPD).

Jean-Pierre Comes, ancien officier des troupes de marine, ancien membre du cabinet civil du ministre de la Défense.

Jean-Marie Cour, économiste principal à la Banque mondiale détaché auprès du Club du Sahel.

Jean Coussy, maître de conférences à l'École des hautes études en sciences sociales.

Charles Delorme, directeur de CEPEC International (Centre d'études pédagogiques pour l'expérimentation et le conseil).

Jones Dowe, économiste, consultant international.

Bernard Esambert, président-directeur général de la compagnie financière Edmond de Rotschild.

Didier Fassin, médecin et anthropologue, maître de conférences au département de santé publique et de sciences sociales de l'Université de Paris Nord.

André Fontaine, ancien directeur du journal *Le Monde.*

Jacques Giri, directeur général de la SEED (Stratégie Énergie Environnement Développement), président de l'association Pour un nouveau dialogue avec l'Afrique.

Michel Griffon, directeur de l'unité de recherches en prospective et politique agricole au CIRAD.

Patrick Guillaumont, président du Centre d'études et de recherches sur le développement international (CERDI) et professeur d'économie à l'Université d'Auvergne.

Jean Hanoi, exerce d'importantes responsabilités dans l'un des organismes de coopération française.

Philippe Hugon, professeur d'économie à l'Université de Paris X Nanterre.

Bernard Husson, professeur au Centre international pour le développement local à l'Université catholique de Lyon.

Sylviane Jeanneney Guillaumont, professeur d'économie à l'Université d'Auvergne, membre du conseil de surveillance de la Caisse française de développement, présidente de l'Association française de science économique.

Pierre Judet, professeur d'économie à l'Université Pierre Mendès-France, ancien directeur de l'Institut de recherche économique production et développement (IREPD).

Anne de Lattre, fondateur et ancien directeur du Club du Sahel de l'OCDE.

Marie-France L'Hériteau, responsable des études monétaires à la division des études générales de la Caisse française de développement.

Isabelle Marty, chercheur dans l'unité de recherches en prospective et politique agricole au CIRAD.

Serge Michailof, directeur de l'agence régionale de la Caisse française de développement à Dakar.

Claude Sicard, économiste industriel, consultant international, président-directeur général de OCS Consultants.

Enfin, les fiches descriptives d'opérations, projets, programmes et études de cas cités à titre d'exemple ont été préparées par :

Jean-Marc Gravellini, ingénieur, sous-directeur dans une agence de la Caisse française de développement.

Robert Hirsch, ancien chef de la division des évaluations rétrospectives et des études sectorielles à la Caisse française de développement.

Marc Jaudoin, ingénieur économiste, directeur adjoint à l'agence de la Caisse française de développement à Dakar.

Antoine Mérieux, ancien conseiller financier pour l'Afrique au ministère de l'Économie, des Finances et du Budget.

Catherine Michailof, longtemps enseignante en France et en Afrique, consultante auprès de l'UNICEF.

Jean-François Vavasseur, ingénieur du génie rural des Eaux et Forêts, sous-directeur à la Caisse française de développement à Cotonou.

Jean-Bernard Véron, responsable de la division des études générales de la Caisse française de développement.

Alain Vizzavona, directeur des politiques et des études à la Caisse française de développement, ancien directeur délégué auprès du président-directeur général d'Air Afrique.

Table des matières

QUATRIÈME PARTIE

CRISE AGRAIRE : A QUAND LA RÉVOLUTION VERTE ?

CINQUIÈME PARTIE

L'ÉCOLE EN RUINE :
L'ÉDUCATION POUR TOUS EST-ELLE POSSIBLE ?

SIXIÈME PARTIE

FACE A LA MISÈRE : L'AIDE N'OUBLIE-T-ELLE PAS LES PLUS PAUVRES ?

SEPTIÈME PARTIE

L'AJUSTEMENT NÉCESSAIRE : DES FAUX-SEMBLANTS AUX VRAIES RÉFORMES

HUITIÈME PARTIE

INTÉGRATION RÉGIONALE : RETOUR DE L'EMPIRE OU NOUVEAU FÉTICHE ?

NEUVIÈME PARTIE

CRISE ET CHÂTIMENT : L'HEURE DE VÉRITÉ

Learning Resources Centre

220c

Achevé d'imprimer par Corlet, Imprimeur, S.A.
14110 Condé-sur-Noireau (France)
N° d'Imprimeur : 9959 - Précédent dépôt légal : février 1993
Dépôt légal : juillet 1993 - *Imprimé en C.E.E.*

Mise en pages :
Vire-*Graphic*
Z.I., rue de l'Artisanat, 14500 Vire